VADİNİN KAHRAMANLARI

JONATHAN STROUD

VADİNİN KAHRAMANLARI

JONATHAN STROUD

Çeviri
Elif Demir

arkadaş

arkadaş YAYINEVİ
Yuva Mahallesi 3702. Sokak No: 4 Yenimahalle / Ankara
Tel:+90-312 396 01 11 (pbx) Faks: +90-312 396 01 41
e-posta: info@arkadas.com.tr
www.arkadas.com.tr
Yayıncı Sertifika No: 12382

Kitabın özgün adı ve yazarı: Heroes of the Valley/Jonathan Stroud

ISBN: 978-975-509-658-2

ANKARA, 2010

Çeviri   : Elif Demir
Redaksiyon   : Özgür Mutlu
Yayına Hazırlık : Mine Çevik
Sayfa Düzeni   : Özlem Çiçek Öksüz
Kapak Tasarımı : Mehmet Yaman
Baskı   : Sözkesen Matbaacılık

Jill ve John'a sevgiyle...

Başlıca Karakterler

Svein Evi

Arnkel	*Evin hakimi*
Astrid	*Evin yasa yapıcısı*
Leif	*Arnkel ve Astrid'in büyük oğlu*
Gudny	*Arnkel ve Astrid'in kızı*
Halli	*Arnkel ve Astrid'in küçük oğlu*
Brodir	*Arnkel'in erkek kardeşi*
Katla	*Halli'nin bakıcısı*

Hakon Evi

Hord	*Evin hakimi*
Olaf	*Hord'un erkek kardeşi*
Ragnar	*Hord'un oğlu*

Arne Evi

Ulfar	*Evin hakimi ve yasa yapıcısı*
Aud	*Ulfar'ın kızı*

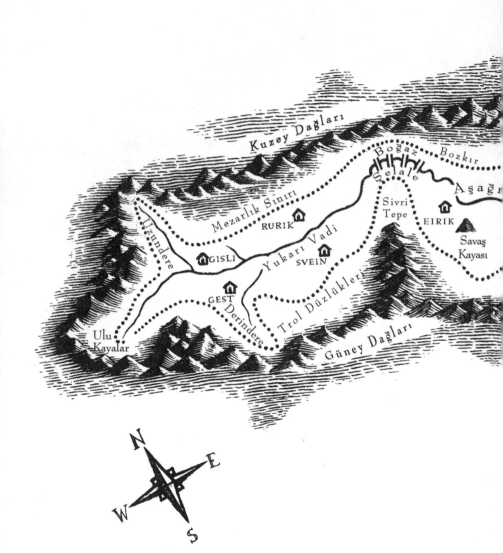

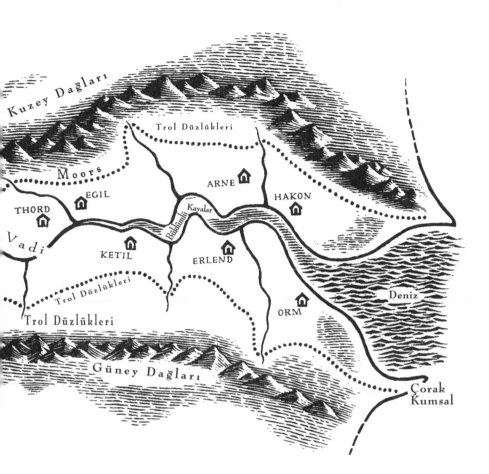

VADİNİN
HARİTASI

Kahramanların kurduğu on iki evin yerleşim planı

DİNLE O HALDE, KAYA SAVAŞI'NIN hikayesini bir kez daha anlatıyorum. Fakat yine rahat durmazsan tek kelime bile duyamazsın, ona göre.

Bölgedeki ilk yerleşim başladıktan birkaç yıl sonra Troller, Nehirağzı'ndan Ulu Kayalara kadar tüm vadiyi istila etmişlerdi. Karanlık bastırdığında tek bir ev, tek bir ahır, tek bir samanlık bile güvende sayılmazdı. Kazdıkları tüneller tarlaları delik deşik ediyor, çiftçilerin evlerinin altından geçiyordu. Her gece otlaklardan inekler çalınıyor, yamaçlardan koyunlar aşırılıyordu. Geç saatte dışarıda dolaşan erkekler evlerinin yakınında saldırıya uğruyorlardı. Kadınlar ve çocuklar yataklarından sökülüp alınıyor, ertesi sabah battaniyeleri yarı yarıya toprağa gömülmüş bir şekilde bulunuyordu. Trollerin kazdığı tünelin bir sonraki durağının neresi olacağını ya da buna karşı ne yapmak gerektiğini bilen yoktu.

Başlangıçta her ev kendi tarlalarını, binalarını, ahırlarını, ağıllarını, kısacası sahip olduğu her yeri Trollerin delemeyeceği kadar sağlam olan ağır granit tabakalarla kapladı. Ardından bu bölgenin çevresine yüksek taş duvarlar inşa etti ve bu duvarlara nöbetçiler yerleştirdi. Bu sayede işler biraz düzelir gibi oldu. Fakat her şeye rağmen geceleri taş zeminin altında gezen ve içeri sızmak için fırsat kollayan Trollerin pençeleriyle çıkardıkları sesler duyuluyordu. Vadi halkı huzursuzdu.

Vadinin en büyük kahramanı olan Svein, son birkaç senedir gücünün doruğundaydı. İkili mücadelede birçok Trol öldürmüş, yolları kanun kaçaklarından, kurtlardan ve diğer tehlikelerden arındırmıştı. Ancak kötülüklerle mücadele etme konusunda herkes onun kadar becerikli değildi. Bu yüzden Svein bu sorunu kökünden çözmenin zamanı geldiğine karar verdi.

Böylece sıcak bir yaz günü vadideki tüm kahramanları bir araya topladı. On iki kahraman vadinin ortasındaki düzlükte, yani bugün Eirik'in evinin bulunduğu yerin yakınlarında bir araya geldiler. Başlangıçta temkinliydiler. Omuzlarını dikleştirip çenelerini yükselterek elleri kılıçlarının kabzasında beklemeye başladılar.

Ancak Svein şöyle dedi: "Dostlarım, geçmişte aramızda büyük anlaşmazlıklar yaşandığını hepimiz biliyoruz. Ketil'in mızrağıyla bacağımda açtığı yaranın izi hâlâ duruyor; eminim onun da sırtı ok yarası yüzünden hâlâ acıyordur. Ancak bugün hepinize ateşkes öneriyorum. Troller kontrolden çıktılar. Birlik olup onları vadiden atmayı teklif ediyorum size. Ne dersiniz?"

Tahmin edebileceğin gibi diğerleri ilkin öksürüp tıksırarak bakışlarını Svein'den kaçırdılar. Fakat sonunda Egil öne doğru bir adım attı.

"Svein," dedi. "Sözlerin yüreğime hançer gibi saplandı. Ben bu işte senin yanındayım." Ardından diğerleri cesaretin yanı sıra utancın da etkisiyle tıpkı Egil gibi Svein'e katıldıklarını açıkladılar.

Sonra Thord söz aldı, "Her şey iyi güzel de, bu işten kazancımız ne olacak?"

Svein bu soruyu şöyle yanıtladı: "Eğer bu toprakları koruyacağımıza yemin edersek, vadi sonsuza dek bize ait olacaktır. Nasıl, kulağa hoş geliyor mu?"

Diğerleri bunun yeterince iyi bir sebep olduğunda birleştiler.

Ardından Orm, "Peki Trollerle nerede çarpışacağız?" diye sordu.

"Benim bir önerim var," dedi Svein. Diğerlerini çayırın ortasında yanlamasına uzanmış yatan büyük bir kayanın olduğu yere götürdü. Kayanın oraya nasıl geldiği belirsizdi; büyüklüğü koca bir çiftlik evinin iki katı kadar vardı. Sanki bir dev, eğlence olsun diye vadinin çevresindeki dağların tepesinden koca bir parça koparıp düzlüğün ortasına fırlatıvermişti. Kayanın yan yüzeyi topraktan dik bir eğimle yükseliyordu. Altı çimenlerle ve yosunla kaplıydı, fakat üstü çıplaktı. Çevresinde birkaç küçük çam ağacı bulunuyordu. Hatta ağaçların bazıları kayaya yaslanmıştı. Eskiden 'takoz' diye anılırmış; bugünse 'savaş kayası' olarak biliniyor. Eirik'in evindeki toplantılar hep o kayanın başında yapılır. Belki günün birinde sen de gidip kayayı kendi gözlerinle görebilirsin.

Svein, "Dostlarım, Trolleri çağırmak için başvuracağımız yöntem bizi birbirimize bağlasın! Öyle ki her birimiz diğerleri için kanının son damlasına kadar savaşsın!" dedi.

Böylece kılıçlarını çektiler ve herkes yanındakinin koluna bir kesik attı. Kanları kayanın dibindeki toprağa damladı. Güneş batmak üzereydi.

"Zamanlamamız harika!" dedi Svein. "Şimdi durup bekleyelim."

Kayanın dibinde yan yana duran adamlar bakışlarıyla düzlüğü tarayarak beklemeye başladılar.

Evlerin çevresine örülen duvarlar Trolleri dışarıda tutmayı başarmıştı. Bu yüzden canavarlar insan etine hasret kalmışlardı. Ta uzaktan, toprağa damlayan kanın kokusunu aldıklarında hızla kayaya doğru koşmaya başladılar. Kahramanlarsa henüz hiçbir şeyin farkında değillerdi.

Bir süre sonra Svein, "Bu Troller artık iyice tembelleşti. Bütün gece burada beklersek, soğuktan donup öleceğiz" dedi.

Rurik ise, "Eve döndüğümüzde kadınlar arpasuyu fıçılarının dibini bulmuş olurlar. Beni endişelendiren tek şey bu," dedi.

"Senin topraklar da amma engebeliymiş, Eirik. Trolleri öldürdükten sonra sana bir iyilik yapalım ve topraklarını sürelim istersen," dedi Gisli.

Tam o sırada sürtünme sesine benzeyen hafif ve sürekli bir uğultu duydular. Ses, toprağın altından geliyordu ve çevrelerini kuşatmıştı.

3

"İşte bu iyi oldu," dedi Svein. "Yavaş yavaş sıkılmaya başlıyordum."

Trollerin gelmesini beklerlerken ay, Gudny'nin penceresinden bakınca görülen tepesi eğri Styr'nin Dulu Dağı'nın arkasından yükselmişti. Işık tüm düzlüğü aydınlatıyordu. Trollerin yer altından toprağı delerek ilerlediği yerlerde çimenlerle ısırganların titrediği görülüyordu. Az sonra koca düzlüğün dört bir yanındaki otlar, denizdeki dalgalar gibi ileri geri sallanmaya başladı. Adamlar sert kaya yüzeyinde beklemeye devam ediyorlardı. Cesurdular, fakat yine de farkında olmadan birer adım geri çekildiler.

Gisli sessizliği bozarak, "Bu da bizi koca bir yükten kurtarıyor. Gece bitmeden Eirik'in toprakları gayet güzel bir şekilde sürülmüş olacak," dedi.

Fakat biraz fazla ileri gitmişti. Daha sözünü bitiremeden ayaklarının dibindeki toprak delindi. Havayı yoğun bir toprak bulutu kapladı. Delikten fırlayan Trol, Gisli'yi ince uzun elleriyle yakaladı, toprağa doğru çekti ve adamın gırtlağını ısırdı. Gisli öylesine şaşırmıştı ki, tek bir ses bile çıkaramadı.

Ardından ay, bir bulutun arkasına saklandı. Etraf karanlığa gömülmüştü. Göz gözü görmüyordu.

Adamlar karanlıkta bir adım daha geriye çekildiler. Kılıçlarını hazırda bekletiyorlardı. Gisli'nin bedeninin toprakta sürüklenişi geldi kulaklarına ve bir dakika boyunca başka hiçbir şey duyulmadı.

Sonra birden topraktan yükselen uğultu mırıltıya, ardından da kükremeye dönüştü. Kayanın dibindeki her noktadan Troller fırlamaya başladı. Toprak kümeleri havada uçuşuyor, Trollerin pençeleri kahramanlara doğru uzanıyordu. Svein'le diğerleri biraz daha geri çekilerek kayanın tepesine doğru ilerlediler. Trollerin topraktan uzaklaştıkça zayıfladıklarını biliyorlardı. Az sonra kayaya çarpan pençelerin tıkırtısını duydular.

Hedeflerini görmeksizin kılıçlarını sallamaya başlamışlardı. Birkaç Trol kafasının kayadan aşağı yuvarlandığını fark edince keyifleri yerine geldi; fakat ölen Trollerin yerini topraktan çıkan yenileri alıyordu. Sayıları gittikçe artıyor gibiydi. Dişlerini gösterip ince uzun kollarını uzatarak kahramanlara doğru ilerliyorlardı.

Svein ve diğerleri bir yandan savaşıyor bir yandan da yavaş yavaş kayanın tepesine doğru tırmanıyorlardı. Kayanın yan yüzeyi epeyce dik olduğu halde bu durum Trolleri durdurmaya yetmemişti. Adamların oluşturduğu hattın ucunda yer alan Gest, düşmana fazla yakın duruyordu. Troller onu ayak bileğinden yakalayıp aşağı çektiler. Gest'i bir daha gören olmadı.

Geri kalan on adam bitkin düşmüşlerdi. Çoğu yaralıydı. Neredeyse kayanın zirvesine varmışlardı. Ağaçların hepsine tepeden bakıyorlardı. Biraz daha geride kayanın dik bir uçuruma dönüştüğünün farkındaydılar. Fakat Troller dişlerini takırdatıp pençelerini savurarak ve açlıktan homurdanarak ilerlemeye devam ediyorlardı.

"Şimdi biraz ışığımız olsa hiç fena olmazdı doğrusu" dedi Svein. "Işık sayesinde uyanıp, adam gibi dövüşebilirdik. Ben şahsen epeydir uyukluyorum ve biraz dinlenip kendime geldim sayılır."

Daha Svein sözünü bitirmeden ay bulutların arkasından çıkarak ortalığı ışığa boğdu. Sanki Svein'in sözlerine karşılık verir gibiydi. İşte bu yüzden, onun soyundan gelen bizler gümüş-siyah elbiseler giyiyoruz.

Ay ışığıyla birlikte her şey açıkça ortaya çıktı; devasa kaya, kayanın Trollerin kara gövdeleriyle kaplı yan yüzeyi, geniş düzlük, yeni Trollerin belirmeye devam ettiği delikler ve hâlâ savaşmakta olan kanla kaplı on adamın birkaç adım gerisindeki zirve.

"Dostlarım!" dedi Svein. "Yaz ortasındayız. Gece yakında sona erecek."

Bunun üzerine on adam şiddetli bir çığlık atarak güçlerini iki katına çıkardılar ve o andan sonra bulundukları yerden bir adım bile gerilemediler.

Sabah oldu; güneş denizin üzerinde yükseldi. Çevre evlerde yaşayanlar gece boyunca uyanık kalmış, korkudan yataklarında titreyerek beklemişlerdi. Işığı görür görmez kapılarını açarak dışarı çıktılar. Ortalık oldukça sessizdi.

Topraktaki deliklerle oyukların arasından geçerek düzlükte ilerlediler. Kayanın dibine vardıklarında üst üste yığılmış Trol bedenleriyle karşılaştılar.

Başlarını kaldırıp yukarı baktıklarında, kayanın tepesinde duran on iki adamı görür gibi oldular. Fakat güneş ışınları vadiyi öylesine güçlü aydınlatıyordu ki, gördüklerinden emin olamadılar. Bu yüzden aceleyle kayaya tırmanmaya başladılar. Tepeye vardıklarında, on kahramanın yan yana dizilmiş cesetleriyle karşılaştılar. Kahramanların gözleri boşluğa bakıyordu; hâlâ sıcak olan elleri kılıçlarının kabzasındaydı.

İşte böyle! Her şey tam tamına hikayede anlatıldığı gibi yaşandı. O günden beri tek bir Trol bile vadiye girmeye cesaret edemedi. Hâlâ açlıktan gözleri dönmüş halde bizi izliyorlar.

Şimdi şu arpasuyu bardağını uzat da bir iki yudum alayım. Konuşmaktan boğazım kurudu.

I

I

SVEIN, VADİYE İLK yerleşimcilerle birlikte gelmişti. O zamanlar henüz küçücük bir bebekti. Bu insanlar öylesine uzun bir süre dağlarda yaşamışlardı ki kar ve güneş yüzlerini kavurmuştu. Sonunda yemyeşil ağaçların tatlı gölgesine ulaştıklarında, sakin bir açıklıkta durup dinlendiler. Bebek Svein çimenlerin üzerine oturup, etrafını seyretmeye başladı. Ne görüyordu biliyor musunuz? Gökyüzünü, ağaçları, uyuklayan annesiyle babasını. Ayrıca devrilmiş bir ağaç kütüğünün arkasından kıvrılarak yükselen ve sivri dişleriyle annesinin boğazına saldırmak üzere olan büyük ve simsiyah bir yılanı. Peki, ne yaptı dersiniz? Minicik elleriyle uzanarak yılanı kuyruğundan yakaladı. Annesiyle babası uyandıklarında Svein'in kendilerine bakarak gülümsediğini gördüler. Sıkıca yumruk yaptığı ellerinde adeta bir halat gibi sarkan, cansız bir yılan vardı.

Svein'in babası şöyle konuştu: "Bu mucizenin ne anlama geldiği yeterince açık. Oğlumuz kahraman olmak için doğmuş. Büyüdüğü zaman kılıcımı ve gümüş kemerimi vereceğim ona. Böylece girdiği her savaştan galip çıkacak."

Svein'in annesi ise şöyle dedi: "Vadinin tamamı ona ait olacak. Çiftliğimizi hemen buraya kuralım. Bu topraklar bize şans getirecek."

Dediği gibi de oldu. Diğer yerleşimciler vadinin dört bir yanına dağıldılar; fakat evlerin ilki ve en büyüğü olan Svein Evi işte tam buraya inşa edildi.

Halli Sveinsson kış ortasında bir gün, öğle vaktini biraz geçe dünyaya geldi. O gün, Svein Evi'nin üzerinde kar yüklü bulutlar dolaşıyordu. Bulutlar tepelerin eteklerini bile gözden saklıyordu. Halli'nin doğumu sırasında kar seviyesi öylesine yükselmişti ki Trollerden korunmak için inşa edilmiş olan duvarların bir kısmı basınca dayanamayarak çökmüştü. Bazıları bunun oğlanın içindeki iyiliğin bazılarıysa şeytani kötülüğün işareti olduğunu söylemişti. Domuzları duvarın altında kalıp ezilen adamınsa bu konuda hiçbir fikri yoktu. Onun tek istediği, çocuğun ailesinin, kaybettiği hayvanlarının zararını ödemesiydi. Bu sorunu bir sonraki yıl düzenlenen büyük toplantıda hakem kararıyla çözüme ulaştırmayı bile denedi, ancak davası haklı bulunmadı.

Aradan birkaç yıl geçtikten sonra Halli'nin bakıcısı Katla, her fırsatta çocuğun dikkatini doğduğu seneye çeker oldu. Tavuk gıdaklamasına benzer bir sesle burnundan tıslayarak, uğursuz imalarda bulunuyordu. "Kış ortasına rastlayan günler tehlikelidir," diyordu çocuğu karyolasına yatırırken. "O günlerde doğan çocuklar karanlık ve gizemli şeylere, büyüye yatkın olurlar, kolayca ayın etkisinde kalıverirler. İçindeki bu yöne asla kulak asmamaya dikkat etmelisin, aksi halde sevdiklerinin felaketine ve ölümüne neden olursun. Bu konuda dikkatli davrandığın sürece endişelenmene hiç gerek yok. İşte böyle, sevgili Halli. Hadi, uyu artık."

Halli'nin babası şiddetli kar fırtınasına rağmen bebeğin kordonu kesilir kesilmez ebeye giderek doğumdan arta kalan kanlı parçaları almış ve tepeye doğru yola çıkmıştı. Üç parmağının donmasına yol açan buz gibi havada tepeye tırmanmış, mezarların olduğu yere varınca yanında getirdiği armağanı Trollerin yemesi için kayaların ardına doğru fırlatmıştı. Trollerin afiyetle mideye indirdikleri bu armağandan oldukça memnun kaldıkları sonucuna varılmıştı; çünkü bebek daha ilk günden itibaren büyük bir heves ve iştahla süt emiyor, hızla kilo alıyor ve serpiliyordu. Karahumma kış boyunca kılına bile dokunmamıştı. Halli, Astrid'in üç yıl önce doğan kızı Gudny'den beri hayatta kalmayı başaran ilk çocuğuydu. Bu yüzden evdeki herkes büyük bir sevinç içindeydi.

Bahar gelince Halli'nin annesiyle babası, Svein soyunun bu en yeni üyesi onuruna bir şölen düzenledi. Bebeğin beşiği salonun ortasındaki platformun üzerine yerleştirildi ve konuklar sırayla beşiğin yanından geçerek ona saygılarını sundular. Arnkel ve Astrid, yönetici koltuklarında oturmuş, gelen hediyeleri, yani kürkleri, giysileri, el yapımı tahta oyuncakları ve turşuları kabul ediyorlardı. Küçük Gudny sessizce annesinin yanında duruyordu. Sırtı dimdikti ve sarı saçları kusursuzca ejder kuyruğu şeklinde örülmüştü. Hem Halli'nin ağabeyi hem de evin ve eve ait tüm toprakların varisi olan Leif, olan bitene boş vermiş gibiydi. Masanın altında köpeklerle oynuyor, yemek artıklarını kapmak için onlarla savaşıyordu.

Beşiğin yanında yüksek sesle yapılan yorumlar iltifat yüklüydü. Ancak Eyjolf'la hizmetkarların, arpasuyu fıçılarını istifledikleri ve fenerlerden yükselen yoğun dumanın gölgelediği köşelerde fısıldanan fikirler pek de olumlu sayılmazdı.

"Bebek oldukça tuhaf görünümlü bir yaratık."

"Annesine hiç benzemiyor."

"Aslına bakılırsa, *babasına* hiç benzemiyor. Bence amcasını daha çok andırıyor."

"Yok artık. Bebeğin babası bir Trol deseydin daha akla yatkın olurdu. Astrid'in Brodir'e tahammül edemediği malum."

"Her neyse. Çocuğun yaşama sevinciyle dolu olduğu ortada. Şu sese baksanıza!"

Halli büyüdükçe anne ve babasına daha da az benzer oldu. Esmer tenli babası Arnkel, upuzun boyu, geniş omuzları ve güçlü kollarıyla her yerde kendini gösteren ve sözünü dinleten bir adamdı. Annesi Astrid'in ise vadinin aşağı kısmında yaşayan akrabaları gibi açık renk saçları ve pembemsi bir teni vardı. O da kocası gibi uzun boyluydu ve Svein Evi'nin esmer üyelerini tedirgin edecek garip ve farklı bir güzelliğe sahipti. Leif ve Gudny, anne ve babalarının küçük birer kopyası gibiydiler; her ikisi de ince yapılı, zarif ve hoş görünümlü çocuklardı.

Halli ise bambaşkaydı. Kısa bacakları, geniş sırtı, kalın parmakları ve gevşek yürüyüşüyle biçimsiz bir ağaç kütüğünü andırıyordu. Teni, dağlarda yaşayan insanlar için bile oldukça koyu sayılırdı. Küçük kalkık burnu, küstahça ileri doğru uzanan çenesi ve merakla dolup taşan, arası oldukça açık gözleriyle, darmadağınık siyah bir saç yığınının altından dünyayı seyrediyordu.

Babası yemek yerken oğlu Halli'yi kucağına oturtur ve tepeden tırnağa incelerdi. O sırada bebek de boş durmaz, tombul elleriyle babasının fırça gibi gür sakalını kurcalar, adamcağızın gözlerinden yaş gelene kadar sakalını çekiştirip dururdu. Yine bir gün, "Oğlan bayağı güçlü, Astrid!" dedi Arnkel güçlükle soluyarak. "Hem de oldukça hareketli. Eyjolf, onu ahırda oynarken yakaladığını anlattı mı sana? Halli Hrafn'ın toynaklarının arasında durmuş, hayvanın kuyruğunu çekiştiriyormuş!"

"Peki, oğlumuz ölümle burun buruna gelirken Katla neredeymiş? Bu ihmalkârlığı yüzünden saçlarını yolacağım o sersemin."

"Katla'nın suçu yok ki! Çocukların peşinde koşmaya gücü yetmiyor artık. Hem kafası da kolayca karışıveriyor. Gudny küçük kardeşine sahip çıkması için Katla'ya yardımcı olur, öyle değil mi Gudny?" Bunu söylerken kızının başını sertçe okşayarak saçlarını karıştırdı. Elindeki dikişten başını kaldıran Gudny babasına ters bir bakış attı.

"Olmaz. Halli odama izinsiz girip ağaç çileklerimi yedi. Onunla Leif ilgilensin."

Fakat Leif, hendekteki çimenlikte kuşlara taş atmakla meşguldü.

Astrid ve Arnkel, Halli'nin ilk yıllarında onunla yeterince ilgilenemediler. Evin yönetimi ve konağın gündelik işleri tüm zamanlarını alıyordu. Bu yüzden Halli'nin ihtiyaçlarına cevap vermek yaşlı, ak saçlı, buruş buruş bir kocakarı olan Katla'ya düştü. Leif ve Gudny, hatta onlardan da önce Arnkel, Katla'nın elinde büyümüştü. Katla, dediğim dedik bir kadındı ve eğilmeden bir darağacı kadar dimdik dururdu. Svein Hanedanı'nın kızları, ayağını sürüyerek yürüyen bu kuyu cadısını gördüklerinde odalarına kaçıp saklanırlardı. Ancak Katla'nın badem gözleri pırıl pırıldı ve içlerindeki engin bilgi adeta dışarıya yansırdı. Halli bakıcısını yürekten severdi.

Sabahları Katla sıcak su dolu banyo küvetini Halli'nin odasına getirirdi. Oğlanı mum ışığında yıkadıktan sonra taytıyla tuniğini giymesine yardım eder, saçlarını tarar ve elinden tutarak kahvaltı için büyük salona götürürdü. Sonra da Halli elindeki tahta parçalarıyla ve yerdeki hasır otlarıyla oyalanırken onun yanında oturur, güneşin altında keyifle uyuklardı. Çoğu kez içi geçerdi; böylece Halli zaman kaybetmeksizin ayağa fırlar, salonun gerisindeki özel odaları keşfe çıkmak için paytak paytak uzaklaşır ya da Grim'in kullandığı örsün yankısının dokuma tezgahlarının sesine karıştığı, uzaktaki tepede çalışan adamları rahatça seyredebileceği avluya doğru koştururdu. Svein Evi'nden bakınca vadinin her iki yanındaki yamaçları ve tepelerin şekilsiz karaltısını görmek mümkündü. Küt biçimlerle dolu bu görüntü Halli'ye Katla'nın dişlerini anımsatırdı. Mezar taşlarının gerisinde, aradaki mesafeden ötürü pırıl pırıl bir günde bile puslu gözüken, dorukları karla kaplı dik yamaçlı dağlar yükselirdi.

Halli, çoğunlukla eve ait patikalarda ve yan yollarda kendini kaybetmişçesine gezinir, köpeklerle birlikte atölyelerin, kulübelerin ve ahırların arasında dolaşır, sonunda acıktığında ise soluğu endişe içinde bekleyen Katla'nın kollarında alırdı. Akşam olunca Katla'yla ikisi yemeklerini büyük mutfakta, yani ailenin geri kalanından ayrı olarak yerlerdi. Mutfak, sıcak ve lezzet yüklü buharların havaya yükseldiği, ateşin parlak ışığının yüzlerce tencere ve tavanın gövdesinden yansıdığı, geniş sıraları ve lekeli tahta masaları olan oldukça rahat bir yerdi.

Mutfağa geçtiklerinde Katla konuşur, Halli dinlerdi.

"Baba tarafına çektiğine hiç şüphe yok," derdi Katla. "Babanın amcası Onund'un ikizi gibisin. Onund, ben daha küçük bir kız çocuğuyken kayalıkların yoğun olduğu bölgede çiftçilik yapardı."

İşte bu tamamen belirsiz bir zaman dilimini işaret ediyordu. Katla'nın altmışını geçtiğini söyleyenler bile vardı.

"Onund Amca çok mu yakışıklıydı Katla?" diye sorardı Halli.

"Hayatımda gördüğüm en çirkin adamdı. Üstüne üstlük garip bir yönü de vardı. Gündüzleri nispeten zayıf ve uysal biriydi, tıpkı senin gibi. Fakat güneş battıktan sonra inanılmaz ölçüde kuvvetlenir, şiddetli öfke patlamaları yaşar, pencerelerden adam atar, evindeki tahta sıraları parçalardı."

Anlatılanlar Halli'nin ilgisini çekerdi, "Peki o büyülü güç nereden gelirdi?"

"Muhtemelen içkiden. Sonunda haksızlığa uğrayanlardan biri, onu uykusunda boğarak öldürdü. Konsey, Onund'dan o kadar nefret ediyordu ki katilin altı koyun ve bir hindi karşılığında aklanmasına karar verdi. Hatta adam sonunda Onund'un dul kalan karısıyla evlendi."

"Büyük amcam Onund'a benzediğimi pek sanmıyorum Katla."

"Boy açısından ona benzemediğin kesin. Ama kaşlarını çattığın zaman yüzünün nasıl da öfkeyle buruştuğuna bir bak hele! Onund'un birebir kopyasısın sen. Tıpkı onun gibi senin de kötülüğe meyilli olduğunu anlamak için yüzüne bakmak yeter de artar bile. Karanlık tarafının kışkırtmalarına karşı kendini korumalısın. Ama öncelikle şu lahanaları yemen lazım."

Halli, Onund'un dışındaki tüm aile fertlerinin Svein Evi'nde önemsenen kişiler olduklarını çok geçmeden anladı. Bu sayede gittiği her yerde hoş karşılanıyordu; deri tabakçısı Unn'u.ı ekşi kokulu varillerinin yanından geçerek derilerin güneşte kurusun diye serildiği kayalara uzanabiliyor; Grim'in demirci ocağına giderek yakıcı karanlıkta durup çekiç darbelerinin altında küçük şeytanlar gibi oynaşan kıvılcımları seyredebiliyor ya da duvarların aşağısındaki nehirde çamaşır yıkayan kadınların yanına oturup davalar, evlilikler ve aşağı vadideki denizin kıyısında yaşayan uzak aileler hakkında konuşmalara kulak kabartabiliyordu. Svein Evi'nde yaklaşık elli kişi yaşıyordu. Halli dört yaşına bastığında hepsinin isimlerini, sırlarını ve sıra dışı özelliklerini öğrenmişti bile. Bu değerli bilgileri evin diğer çocuklarından çok daha kolay elde ediyordu.

Fakat diğer yandan ailevi statüsü yüzünden dikkatleri sürekli üzerine çekiyordu. Arnkel'in ikinci oğlu olduğundan hayatı çok değerliydi. Eğer Leif, hummaya ya da sıtmaya yenik düşerse hanedanın yeni varisi Halli olacaktı. Bu yüzden tam da en uygunsuz anlarda önemli işlerden alıkoyuluyordu. Trol duvarının üzerinde denge denemesi yaparken yaka paça aşağı indiriliyor, ters çevrilmiş bir küvetle elinde kürek niyetine yaba tutarak kaz göletine açılmaya kalktığında durduruluyor, yaşça büyük, iriyarı çocuklarla kavgaya tutuşacakken yakalanıp götürülüyordu.

Günün birinde adamın biri onu yine böyle bir kavgadan çekip aldı ve bir yandan dikiş dikip diğer yandan Gundy ile birlikte soyağacını gözden geçiren annesinin yanına götürdü.

"Yine neden kavga ediyordunuz Halli?"

"Brusi bana hakaret etti anne. Bu yüzden onu bir güzel dövmeye karar verdim."

Annesi içini çekerek sordu, "Tam olarak ne dedi?"

"Söylemek istemiyorum. Tekrarlamaya değmez."

"Halli..." Annesinin sesi derinleşerek daha da tehlikeli bir hale bürünüyordu.

"Eğer ille de bilmen gerekiyorsa, Ingrid'e benim şişko bacaklı bir bataklık cini olduğumu söyledi. Sen niye gülüyorsun Gudny?"

"Halli'ciğim, Brusi'nin tarifi gerçeğe o kadar uygun ki gülesim geldi."

Annesi sabırla konuşmayı sürdürdü, "Halli, Brusi'nin hem boyu hem de yaşı seninkinin iki katı kadar. Yaptığı şaka gerçekten de hoş değil, fakat yine de bu tip şeyleri ciddiye almamalısın. Neden, biliyor musun? Çünkü eğer onunla kavgaya tutuşursan Brusi seni tıpkı ufacık bir çadır kazığı gibi bir çırpıda toprağa gömüverir. Tabii ki bu da Svein soyundan gelen bir delikanlıya hiç mi hiç yakışmaz."

"Fakat şerefimi ya da yakınlarımın şerefini başka nasıl koruyabilirim ki anne? Brusi yarın Gudny'nin yalana yalana tüylerini temizleyen, ince dudaklı küçük bir domuz olduğunu söylediğinde ne yapacağım? Arkama yaslanıp bu sözünü de duymamış gibi mi davranacağım?"

Gudny tuhaf bir ses çıkararak elindeki nakışı bir kenara bıraktı. "Brusi böyle bir şey söyledi mi?"

"Henüz söylemedi. Ama söylemesinin an meselesi olduğundan kesinlikle eminim."

"Anne!"

"Küstahlaşma Halli. Şerefini kaba kuvvetle korumaya ihtiyacın yok senin. Dönüp de şu duvara bir baksana!" Svein'in silahlarının senelerdir toz içinde asılı durduğu yönetici koltuklarının üzerindeki gölgeleri işaret etti. "İnsanların şeref uğruna kendilerini aptal yerine koydukları günler geride kaldı artık. Sen Arnkel'in oğlusun; herkese örnek olmalısın. Leif'in başına bir şey gelirse ne olacak? Hakimlik görevi sana geçecek. Tıpkı evin kuruluşundan bu yana – kaçıncı kez olduğu gibi Gudny?"

"On sekiz," diye yanıtladı Gudny duraklamaksızın. Oldukça kendinden emin bir havası vardı. Halli ona bakıp suratını ekşitti.

"Aferin kızım. Hepsi de büyük birer adam olan Arnkel, Thorir, Flosi ve diğerlerinin ardından on sekizinci kez. Baban büyük bir lider olarak hâlâ evin başında bulunuyor. Onun gibi bir adam olmayı istemiyor musun, Halli?"

Halli omuzlarını silkti. "Pancar dikmek için harika çukurlar kazdığından ve gübreleme işini oldukça büyük bir ustalıkla gerçekleştirdiğinden şüphem yok. Fakat aslına bakılırsa ona benzemek için pek de can atıyor sayılmam. Benim asıl istediğim ..." Sustu.

Gudny bakışlarını elindeki nakıştan kaldırarak sinsice, "Brodir Amca gibi olmak. Öyle değil mi, Halli?" dedi.

Yüzü öfkeden kıpkırmızı kesilen anne, yumruğunu masaya indirdi. "Bu kadarı yeter! Gudny, tek kelime bile duymak istemiyorum artık! Halli, çabuk odana git! Bir daha başını belaya sokarsan babandan iyi bir dayak yersin."

Halli ve Gudny, amcaları Brodir'den bahsetmenin, annelerini çileden çıkarmanın en etkili yolu olduğunu kısa zamanda öğrenmişlerdi. Astrid yasa yapıcı olarak evin büyük salonunda azılı katillerle ve hırsızlarla uğraşırken ağırbaşlılığını koruyabiliyordu. Fakat Brodir'in adı bile midesini bulandırmaya yetiyordu. Adam geçmişte affedilmez bir şey yapmış olmalıydı; ancak Astrid bu konuda tek bir söz bile etmeye yanaşmıyordu.

Halli daha küçücük bir çocukken Brodir'in sakalına bayılırdı. Amcasının, annesi üzerinde bu denli etki sahibi olabilmesi ise ona duyduğu hayranlığı iyice pekiştirmişti. Svein'in soyundan gelen erkeklerin hepsi de suratlarında biten kıllara şekil vermekle uğraşıp dururlardı. Brodir hariç. Örneğin, Halli'nin babası düzenli aralıklarla törensel bir hava takınır, sıcak su dolu bir küvetin üzerine eğilir, buhar bulutunun içinden iyice cilalanmış parlak bir cisme doğru bakarak yanaklarıyla boynundaki kılları tıraş eder, sonra da kalanını bıçakla düzeltirdi. Bıyığı dikkatle kıvrılmış, sakalı ise her daim işaret parmağının ilk boğumuyla aynı uzunlukta kesilmiş olurdu. Ailedeki tüm erkekler evin hakimi olan Arnkel'i örnek alırlardı. Brodir ile ahırın temizliğinden sorumlu olan ve çenesinde sakal bitmeyen Kugi hariç. Brodir sakalına elini bile sürmezdi. Bu yüzden yüzündeki kıllar karaçalı gibi, karga yuvası gibi, ağaca sarılarak yükselen bir sarmaşık gibi uzar dururdu. Halli bu görüntüye bayılırdı.

"Sakalı keserek şekillendirmek aşağı vadiye özgü bir gelenek," derdi Brodir. "Bu bölgede ise tıraş olmak pek de erkeksi bir davranış olarak kabul edilmez."

"Ama senin dışında herkes tıraş oluyor."

"Çünkü onlar babanı örnek alıyorlar; babansa sevgili Astrid'in etkisinde kalıyor. Oysa Astrid aşağı vadide bulunan Erlend Evi'nden geliyor. O bölgedeki erkeklerin sakalları öylesine zayıftır ki ufacık bir rüzgarda kökünden kopup uçuverir. Bu yüzden sakallarını kesip şekillendirseler bile bir işe yaramaz."

Brodir'le Halli'nin babası sakalın yanı sıra diğer birçok konuda da birbirlerinden farklıydılar. Hatta aralarında kan bağı olduğuna inanmak bile zordu. Arnkel iri kemikliydi; Brodir ise arpasuyunun neden olduğu göbeği sayılmazsa belirtileri ince yapılıydı. Kısa boylu ve tıknaz birine daha çok yakışacak garip bir yüzü vardı. Onun için "Onund'un soyundan biri daha," derdi Katla. Arnkel ezici bir otoriteye sahipti; Brodir ise hiçbir şeye sahip olmadığı halde çok daha mutlu ve huzurlu bir adamdı. Ailenin ikinci oğlu olduğu halde Svein Evi'ne ait küçük çiftliklerden hiçbirini almak istememişti. Gençliğinde vadiyi bir uçtan diğer uca dolaştığı söylenirdi. Şimdi ise eski konakta yaşıyor, diğer erkeklerle birlikte tarlalarda çalışıyor, hava kararınca da onlarla birlikte içmeye gidiyordu. Çoğu zaman kaba saba konuşur, yüksek sesle hoş olmayan espriler yapardı. Bazense atı Brawler'a atlar, günlerce ortadan kaybolur, sonunda bir sürü hikayeyle geri dönerdi.

Halli onu, en çok da hikayeleri yüzünden severdi.

Yaz akşamları Brodir henüz ayıkken ve güneş konağın önündeki sıraları hâlâ ısıtıyorken dışarıda oturur, güneydeki dağlara bakarak sohbet ederlerdi. İşte o zaman amcası, Halli'ye nehrin uyuşuk uyuşuk aktığı, hem ineklerin hem de çiftçilerin keyiften şişmanladıkları uzaklardaki verimli topraklarla ilgili hikayeler anlatırdı. Böylece Halli akarsu ağzının ötesindeki evlerin büyük ve düz kaya parçaları üzerine inşa edildiğini, bu yüzden baharla birlikte gelen sel baskınlarında suyun üzerinde yüzüyormuş gibi göründüklerini, bacalarından usul usul tüten dumanla, denizin ortasında yüzen gemilere ya da takımadalara benzediklerini öğrenirdi. Ayrıca akarsuyun çok daha güçlü kollarının bulunduğu, vadinin çağlayanlarla tersyüz olmuş kayalar arasında yitip gittiği, çayırların yerini taşla kaplı düzlüklere bıraktığı ve ufak tefek canlılarla ispinozlar dışında hiçbir hayvanın yaşamadığı yerlere dair öyküler dinlerdi.

Fakat Brodir her hikayenin sonunda lafı yine on iki evin en büyüğü olan Svein Evi'ne, yani evin liderlerine, hakimlerine ve yasa yapıcılarına, düşmanlıklarına, aşk ilişkilerine ve tepenin üzerinde bulunan mezarlara getirirdi. Hepsinden önemlisi de Svein'in ta kendisinden, onun sayısız heyecanlı maceralarından, gidişine hâlâ izin olmayan bozkırlara yaptığı kaçak yolculuklardan ve diğer kahramanlarla birlikte Trolleri yenip vadiden kovmalarıyla sonuçlanan büyük Kaya Savaşı'ndan bahsederdi.

Yine böyle bir günde elindeki arpasuyu bardağını kaldırarak tepeleri işaret etti ve "Şu yukarıdaki höyüğü görüyor musun?" diye sordu. "Üzeri çimenlerle ve yosunlarla kaplandığı için şimdi daha çok basit bir tepeyi andırıyor olabilir. Bütün kahramanlar aynen bu şekilde, evlerinin hemen önündeki yamacın tepesinde gömülü. Svein'in nasıl gömüldüğünü biliyor musun?"

"Hayır, amca."

"Elinde dimdik duran kılıcıyla taştan yapılma bir koltukta oturup bozkırlara doğru bakacak şekilde. Peki, neden bu şekilde gömüldü biliyor musun?"

"Trolleri korkutmak için mi?"

"Evet, onları korkutmak ve buraya yaklaşmalarını önlemek için. Bugüne kadar da işe yaradı."

"Vadinin her yerinde bu tip mezarlar mı var yani?"

"Nehirağzı'ndan Ulu Kayalar'a kadar her iki yandaki tepeler mezarlarla dolu. Hepimiz kahramanların izinden gidiyoruz ve sıra bize geldiğinde sınırı pekiştiriyoruz. Vadi sırtlarındaki mezar taşlarının sayısı bir ağacın yaz ortasında taşıdığı yaprak sayısından fazla. Ve her taşın altında, evlerden birinin çoktan unutulmuş evlatlarından biri yatıyor."

"Bir gün ben de Svein gibi olacağım," dedi Halli azimle. "Hafızalardan uzun süre çıkmayacak işlere imza atacağım. Fakat tepeye gömülmek için can attığımı söyleyemem."

Brodir arkasına yaslanarak konuştu, "Bu tür işlere imza atmanın günümüzde oldukça zorlaştığını kısa zamanda anlayacaksın, Halli. Kılıçlar nerede? Ya toprağın altında ya da duvarda asılı oldukları yerde paslanıyorlar. Artık hiçbirimizin Svein gibi olmasına izin verilmiyor..." Bardağından büyükçe bir yudum aldı. "Tabii genç yaşta ölme konusu hariç. Biz Sveinssonlar nedense hep erken ölürüz. Annen bahsetmiştir sanırım."

"Hayır, hiç bahsetmedi."

"Öyle mi? Bir de tarih dersi veriyorum diye böbürlenir! O zaman ağabeyim Leif'in hikayesini, başına neler geldiğini de bilmiyorsun korkarım."

"Hayır."

"Hmm..." Dalgın bir ifadeyle elindeki bardağa bakıyordu Brodir.

"Amca..."

"On altı yaşındayken yukarı vadide kurtlar tarafından parçalandı." Brodir derin bir nefes alarak içini çekti. "Kurtlar oldukça zorlu geçen bir kışı geride bırakmışlardı. Fakat Leif'in içinde bulunduğu durum çok daha kötüydü. Saldırı Gestsson topraklarında oldu. Fakat kurtlar Trol düzlüklerinden aşağı indiklerinden ailemiz Gestssonların ihmalkâr davrandıklarını iddia edemedi. İşte böyle. Sonra bir de Bjorn'un başına gelenler var..."

"Yine kurtlar mı?"

"Hayır, bu kez ayı. Böğürtlen toplarken ayının teki tek bir pençe darbesiyle öldürdü Bjorn'u. Fakat onun ölümü, babası Flosi'ninki kadar dramatik değildi. Flosi senin büyük büyükbaban oluyor. Onun ölümü gerçekten de oldukça tatsızdı."

"Neden, amca? Nasıl öldü ki?"

"Arı sokması yüzünden. Arının iğnesini batırdığı yer öylesine feci şişti ki... Neyse, yani pek de öyle hikayelere konu olacak bir ölüm değildi anlayacağın. Hadi ama, neşelen biraz evlat! Korkma, anlattıklarımın hepsi de sıra dışı ölümlerdi."

"Bunu duyduğuma sevindim."

"Sevinmelisin. Ailedekilerin çoğu aşırı itaatten öldüler çünkü." Bardağını kaldırarak kalan arpasuyunu bir yudumda bitirdi. "Üzerinde fazla konuşmaya değmez. Sonuçta kaderimiz bu."

Halli bacaklarını ileri geri sallayarak konuştu, "Benim ölümüm böyle olmayacak, amca."

"Büyükbaban Thorir de aynen böyle derdi. Ama o da annenle babanın düğünü sırasında öldü."

"Alkolden falan mı?"

"Bir bakıma öyle sayılır. Tuvaleti ararken kuyuya yuvarlandı. Neyse, manzara oldukça iç karartıcı. Sanırım neşelenmek için fıçıdan bir bardak arpasuyu daha alacağım. Fakat evlat, senin yatma vaktin geldi."

İlk gençlik yılları boyunca Halli için günün en özel anları uykuya dalmadan önceki son dakikalardı. Geceleri yalnız kaldığında o gün başından geçenler ve öğrendiği şeyler hakkında düşünürdü. Yünlü battaniyesinin altında uzanır, gözlerini odanın diğer ucunda bulunan pencereye diker, dağların karanlık sırtlarını soğuk pırıltılarıyla aydınlatan yıldızları seyreder, anne ve babasının akşam toplantısını düzenledikleri büyük salondan sızan uğultuları dinlerdi. Katla, ışığı söndürmek üzere odaya girdiğindeyse, o an aklından ne geçiyorsa onunla ilgili sorular sormaya başlardı.

"Bana Trolleri anlatsana Katla."

Odanın, raftaki mumun titrek ışığıyla aydınlanmayan kısımları karanlık olurdu. Bu yüzden kadının yüzündeki her kırışık, kış ortasında sabanla sürülmüş bir tarladaki derin oyukları anımsatırdı. Katla'nın yüzü koyu renkli bir ağaçtan yontulmuş gibi görünürdü. Sözleri ise Halli'nin uykuyla dumanlanmış zihnine dalıp dalıp çıkardı.

"Troller... Yüzleri taşın altındaki çamur gibi kapkaradır... Ölü gibi kokar ve güneşten kaçarlar... Tepenin içinde gizlenip dikkatsiz birinin, küçük bir gaflet anında yoldan uzaklaşarak sınırı geçmesini beklerler. Sonra da *hücuma* geçerler! O mezarların ötesine bir tek adım bile atacak olursan yüzeye fırlar ve çığlık çığlığa bağırarak seni toprağın derinliklerine çekerler... Uykun gelmiş gibi görünüyor. Mumu söndürsem iyi olacak. Bir şey mi dedin evlat?"

"Bu Trolleri gördün mü sen?"

"Neyse ki, hayır."

"Peki, onların sebep olduğu herhangi bir kötülükle karşılaştın mı hiç?"

"Asla! Benim yaşımda birinin böyle bir cevap verebilmesi mucize gibi bir şey, değil mi? Bunun bana sunulmuş bir lütuf olduğuna inanıyorum ben. Fakat sadece şansıma güvenerek huzur ve güven içinde yaşamış değilim elbette. Öteden beri her türlü kötülükten korunmak için güçlü tılsımlar taşırım üzerimde. Her bahar annemle babamın mezarına çiçek bırakırım. Ruhları memnun etmek için söğüt dallarına armağanlar asarım. Ayrıca öğle saatlerinde elma ağaçlarından uzak durur, gözlerimi mezarlıkların üstüme denk gelen gölgelerinden kaçırırım. Tuvaletim geldiğinde rahatlamak için kesinlikle nehir kenarını ya da böğürtlen çalısının dibini seçmem; çünkü oradaki perileri kızdırmaktan korkarım. Gördüğün gibi oldukça dikkatli ve sağduyulu yaşamaya, her şeye hazırlıklı olmaya çalışıyorum. Eğer sen de uzun yaşamak istiyorsan benim gibi davranmalısın. Artık sohbetimizi noktalamalıyız, sevgili Halli! Mumu söndürüyorum."

Halli hemen vazgeçen, sessiz bir çocuk değildi. Hatta çok küçükken bile kendine güvenen ve buyurgan bir havası vardı. Fakat susması gereken yeri iyi bilirdi. Günler günleri, seneler seneleri kovaladıkça, sessizce oturmasını bilerek Svein Evi'nin hikayelerini dinledi. Ve her gece bu hikayelerin iplikleri, annesinin dokuma tezgahındaki bir motifmişçesine, Halli'nin yaşamına ve düşlerine işlendi.

2

Svein'in sahip olduğu özellikler, henüz küçücük bir çocukken bile kendini belli ediyordu. Çocuk haliyle çevresindeki herhangi bir adamdan daha güçlüydü. Öylesine güçlüydü ki tek kolunu kullanarak bir öküzün boynunu kırabilirdi. Aynı zamanda gururlu ve tutkuluydu da. Öfkesine yenik düştüğünde ise başa çıkılması neredeyse imkansız bir çocuğa dönüşüyordu. Bir keresinde küstah bir uşağı kaldırıp koca bir saman yığınının üzerine fırlatmıştı. Arkasından da hırsını alamayıp Trol avına çıkmıştı. Senin yaşlarındayken Trollerle dövüşürdü Svein. Hatta yine bir gün böyle bir mücadeleden kalçasına saplanmış bir Trol pençesiyle dönmüştü. Trol onu öylesine derine çekmişti ki koltuk altları çamur içinde kalmıştı. Ancak Svein bir ağaç köküne tutunmuş, tüm geceyi bu şekilde geçirmiş ve güneş Sivri Tepe'nin arkasından doğuncaya kadar direnmişti. Sonunda Trolün gücü tükenmiş ve Svein böylece özgür kalmıştı. Bacağına saplanmış olan pençeyi ancak eve döndüğünde fark etmişti. "Şanslıydım," demişti. "Karşıma çıkan Trol henüz çok gençti ve gücünün doruğunda değildi."

Hayır, pençenin bugün nerede olduğu hakkında en ufak bir fikrim bile yok. Ne kadar da çok soru soruyorsun!"

Halli on dört yaşına geldiğinde hâlâ kısa boylu, geniş gövdeli ve çarpık bacaklıydı. Yetişkin bir erkek sayılmasına sadece iki sene vardı; ancak ağabeyi Leif'in yarı boyunu sadece birkaç santim geçiyor, Gudny'nin omuzlarına yetişmek içinse parmak uçlarında yükselmek zorunda kalıyordu.

Fakat sağlığı yerinde bir delikanlıydı. Karahumma, domuz sıtması, sulu benek ve vadinin yukarı bölgesine özgü diğer onlarca illet kılına bile dokunmamıştı Halli'nin. Bu dayanıklılık genç adamın her düşüncesinde ve hareketinde kendini belli eden, durmaksızın evin gündelik kurallarıyla çelişen cıvıl cıvıl ruh haliyle büyük bir paralellik taşıyordu.

Svein Evi'nin sakinleri, genellikle dört mevsim dağ havasına maruz kalan ve bunun sonucunda kendilerini oldukça bitkin hisseden sessiz ve sabırlı insanlardı. Kendilerini çayır ve tarladaki işlerin uzun ve ağır ritmine bırakmaktan büyük bir zevk duyuyorlardı. Tıpkı anne ve babalarının yaptığı gibi hayvanlara bakıyor, tarımla ilgileniyor ve zanaatlarını icra ediyorlardı. Yönetici konumunda bulunmalarına rağmen Arnkel ve Astrid, kendilerini ve çocuklarını bu geleneğin dışında tutmamış, her işe koşmayı görev bilmişlerdi. Ancak Halli'nin onlara benzemeye pek de niyetli olmadığı apaçık ortadaydı.

Svein Evi sakinlerinin ter içinde ve samana bulanmış bir halde günün son arpasuyunu içmek için avluda toplandığı bir akşam, "Aranızda Halli'yi gören oldu mu bugün?" diye kükredi Arnkel. "Benim çalıştığım tarlaya gelmedi."

"Benimle de değildi," dedi Leif. "Kadınların ot biçmesine yardım edecekti bugün."

Ekmekçi Bolli toprağa gömülü yassı taşlara takılmamak için yalpalayarak yaklaştı. Nerede olduğunu size ben söyleyeyim. Burada, benim pişirdiğim yulaflı kurabiyeleri yürütüyordu!"

"Onu suçüstü yakaladın mı?"

"Hayır, ama onu görmüş kadar oldum! Eğilmiş fırınla uğraşırken kapının dışından korkunç bir çığlık yükseldi. Hızla kapıya yöneldim ve kuyruğundan kapının sürgüsüne bağlanmış bir kediyle burun buruna geldim. İpi çözmek için oldukça uğraşmam gerekti. Sonunda kediyi serbest bırakıp mutfağa döndüğümde bir de ne göreyim? Penceremden içeriye uzanmış bir değnek, değneğin ucuna takılmış bir kanca ve kancanın ucuna saplanmış beş adet kurabiye! Tabii doğruca pencereye koştum, fakat geç kalmıştım. Suçlu çoktan uzaklaşmıştı bile."

Arnkel kaşlarını çatarak sordu: "Peki suçlunun Halli olduğundan emin misin?"

"Başka kim olabilir ki?"

Kalabalık bezgin bir fikir birliğiyle uğuldamaya başladı. Demirci Smith, "Bütün sene bu şekilde geçti!" dedi. "Hepimizi çıldırtan bir dizi şaka, hırsızlık ve haylazlık! Zihni adeta bir delininki gibi birbiri ardına bu muzırlıkları tasarlıyor."

Deri tabakçısı Unn onaylarcasına başını salladı, "Benim de keçim çalındı ve ayakları birbirine bağlanmış şekilde uçurumun kenarında yatarken bulundu. Hatırlıyor musunuz? Halli bir kurdu tuzağa düşürmek istediğinden bahsedip duruyordu!"

"Peki ya meyve bahçesine kurduğu kapanlara ne demeli?" dedi Leif. "Sözde o kapanlarla 'küçük iblisleri' yakalamaya çalışıyormuş. Ama iblis yerine kimi yakaladı dersiniz? Beni! Ayak bileklerim hâlâ zonkluyor!"

"Tuvalete yerleştirilmiş deve dikenlerini hatırlıyor musunuz?"

"Benimse çoraplarım bayrak direğinde dalgalanıyordu!"

"Halli kendisine verilen hiçbir cezayı umursamıyor. Tehditlere de aldırdığı yok!"

Arnkel'in kardeşi Brodir konuşulanları sessizce dinlemekteydi. Sonunda bardağını masaya bırakarak bakımsız sakalını elinin tersiyle temizledi. "Bu ufak haylazlıkları fazla ciddiye alıyorsunuz," dedi. "Bu anlattıklarınızın hangisinde kötü niyet var ki? Çocuğun hayal gücü zengin ve canı sıkılıyor, hepsi bu. Halli macera yaşamak istiyor – aradığı tek şey küçük bir teşvik ."

"Onu teşvik etme konusunda elimden geleni yapacağım," dedi Arnkel. "Halli'yi bulun ve bana getirin hemen."

Arka arkaya dayak yemesine rağmen Halli'nin davranışlarıyla ilgili şikâyetler yaz boyunca sürdü. Sonunda çaresiz kalan Arnkel, oğlunu evin başkahyası Eyjolf'un gözetimine bırakmaya karar verdi. Bir akşam Halli, Katla'nın yardımıyla geceliğini giydiği sırada salona çağrıldı. Günün şikâyetlerinin görüşülüp karara bağlandığı toplantı henüz sona ermişti. Babası kanun koltuğunda oturmaktaydı. Halli önce babasının elindeki deri kayışa, sonra da platformun yanında sırıtmakta olan Eyjolf'a baktı.

"Halli!" dedi Arnkel yavaşça. "Bugün Eyjolf seninle ilgili bir şikâyette bulundu."

Halli şaşkınlık içinde etrafına bakındı. Salon bomboştu; batı kanadındaki pencereden sarı bir ışık süzülüyor ve kahramanın hazinelerinin üzerinde ışıldıyordu. Ateş henüz yakılmamıştı ve hava gitgide soğumaktaydı. Babasının yanındaki koltuk ise boştu.

"Eğer bir şikâyet görüşülecekse annemin de burada olması gerekmez mi?"

Arnkel'in yüzü karardı, "Bu değerlendirmeyi onun yardımı olmadan da yapabileceğimden eminim. Senin davranışlarını anlamak ya da açıklamak için kanunları ayrıntılarıyla bilmek şart değil. Peki, Eyjolf, suçlamanı dile getirebilirsin."

Başkahyanın yaşı Katla'nınkine yakın sayılırdı. Bir deri bir kemik vücudunu hafifçe kamburlaştırmış, nedense keyifsiz bir tavırla orada duruyor, sevgi ve şefkatten yoksun bir bakışla Halli'yi süzüyordu. "Yüce Arnkel, talebiniz üzerine Halli'ye anlamlı ve makul görevler verdim. Özellikle de tuvaletlerde, gübrelikte ve tabakhanede çalışması gerektiğini söyledim. Üç gündür beni başından savıyor ve saygısızlık yaparak beni üzüyor. Son olarak bugün onu da yanıma alıp ahırlardaki taze gübreleri toplamaya gittiğimde beni atlatıp çalışanların odalarının bulunduğu tarafa doğru kaçtı. Onu takip etmeye kalktım, fakat yolda beni bekleyen bir sürü tuzakla karşılaştım. Gizlice gerilmiş bir tele takılıp tökezledim, taşlara sürülmüş tereyağına basıp yere kapaklandım, köşe başından fırlayan sözüm ona hayalet yüzünden dehşete kapıldım ve son olarak da kendi küçük odama girerken kapının üzerine yerleştirilmiş bir kova dolusu çamurun altında kaldım. Kovadaki çamur öbekleri üstüme düşerken, bir atın kafasını tekrar tekrar yemliğine sokup çıkarması gibi benim kafam da istemsizce inip kalkıyordu. O an avluda bulunan herkesin maskarası oldum. Sonra kafamı kaldırıp yukarıya baktığımda ne gördüm dersiniz? Halli, Grim'in demirci ocağının çatısına kurulmuş sırıtarak beni seyrediyor! Ne yaptığını sorunca da yamaçlarda Trollere dair bir işaret olup olmadığına baktığını söyledi."

Eyjolf, "Trol" kelimesini telaffuz ederken büyük bir özenle bazı garip hareketler yapmaya başladı. O ana kadarki konuşmayı tamamen ilgisizce dinlemekte olan Halli bir anda tüm dikkatini Eyjolf'a yönelterek sordu:

"Ne yapıyorsun ihtiyar Eyjolf? Trollerden söz ederken vücudunun her deliğini koruman mı gerekiyor?"

"Küstah çocuk! Kendimi onların uğursuz gücüne karşı savunuyorum. Sessiz ol! Arnkel, Halli'yi o çatıdan indirene kadar neredeyse akşam oldu. Düşüp boynunu kırabilir, hem beni hem de sizi utandırabilirdi. Anlattıklarımın hepsi de gerçek. Bu haksızlığın çözüme bağlanmasını ve Halli'nin kırbaçlanmasını istiyorum."

Arnkel, hakim konumundayken kullandığı kalın sesiyle oğluna seslendi: "Halli, gerçekten de kabarık bir liste bu. Değerli bir çalışanımıza küstahça saygısızlık etmeyi, kendi güvenliğini hiçe saymayı ve bizi çevreleyen doğaüstü tehlikelerle kaygısızca dalga geçmeyi bu kadar kısa bir sürede başarman beni çok üzdü. Söyleyecek bir şeyin var mı?"

Halli başını 'evet' anlamında hafifçe salladı. "Baba, Eyjolf'un centilmenliğe sığmayan davranışına dikkatini çekmek isterim. Tüm olan biteni sana anlatmamak üzere verdiği sözden bahsetmeye gerek görmedi nedense. Oysa bu sözün karşılığında, ben hemencecik çatıdan inmiş ve günün geri kalanı boyunca ahırları temizlemiştim."

Halli'nin babası sakalını kaşıyarak, "Belki, fakat bu işlediğin suçları affettirmez," dedi.

"Suçlamalara kolaylıkla cevap verebilirim," dedi Halli. "Kendi güvenliğimle ilgili konudan başlarsak; tehlikede falan değildim. Senin de gayet iyi bildiğin gibi keçi gibi çeviğim ben. Grim'in çatısına kesinlikle zarar vermedim. Trollere olan ilgim bizi çevreleyen tehlikeleri daha iyi kavrayabilme tutkusundan kaynaklanmaktadır ve kesinlikle saygısızca değildir. Eyjolf'a yaptığım saygısızlığa gelirsek; bu konuda pek de haksız sayılmam; sonuçta o da verdiği sözü tutmayan yalancının teki ve bayrak direğine ayaklarından asılarak sallandırılmayı hak ediyor."

Bunu duyan Eyjolf tiz bir çığlıkla itiraza kalkıştı, fakat Halli'nin babası onu susturdu.

Arnkel elindeki deri kayışa parmaklarıyla vurarak oğluna baktı. "Halli, savunman oldukça zayıf. Ancak kişisel onurla ilgili bir noktaya dayandığı için sanırım bu görüşmeye ara vermek durumundayım. Hem kendi onur ve şerefimizi hem de evinkini her şeyin üzerinde tutmalıyız. Bu durum kişiler arasında yapılan pazarlıklarda da geçerli olmalı. Eyjolf, bugün yaşananları bana anlatmama hususunda Halli'ye gerçekten söz verdin mi?"

Yaşlı adam öfkelendi, kendi kendine söylendi, dudaklarını kemirdi; fakat sonuçta söz verdiğini itiraf etmek zorunda kaldı.

"Şu halde Halli'yi kırbaçlamam söz konusu olamaz."

Teşekkür ederim, baba! Peki, Eyjolf sözünü tutmadığı için cezalandırılacak mı?"

"Senin aklanmanın getirdiği hayal kırıklığı ona yeter de artar bile. Yüzünün nasıl da ekşidiğine baksana! Bekle! Hemen gitmeni istemiyorum. Seni cezalandırmayacağımı söyledim, ama sözüm henüz bitmedi."

Çoktan kapıya doğru yönelmiş olan Halli yarı yolda duraklayarak babasına döndü. "Öyle mi?"

"Burada sana verilen işlerden sıkıldığın açıkça görülüyor," diye sürdürdü sözlerini Arnkel. "Pekala, sana farklı bir görev vereceğim. Yakındaki sürünün, yazın son birkaç haftasını geçirmek üzere evin yukarı kısmında kalan otlaklara götürülmesi gerekiyor. Nereyi kastettiğimi biliyor musun? Geceleri Trollerin dolaştığı bölgenin sınırına fazlasıyla yakın olan ıssız çayırlardan bahsediyorum. Ayrıca bir de kurt tehlikesi var elbette, hem de bu mevsimde bile. Sürüyü koruyacak çobanın zeki, uyanık, cesur ve atılgan olması lazım... Ama tüm bu özellikler sende mevcut, öyle değil mi?" Arnkel gülümseyerek oğluna baktı. "Kim bilir? Belki de sonunda bir Trolle karşılaşırsın."

Halli önce duraksadı, sonra konuyla ilgili söylenecek hiçbir şey yokmuşçasına omuz silkerek "Büyük toplantıya kadar dönmüş olmam gerekiyor mu?" diye sordu.

"Geri dönmen gerektiğinde ben sana bir haberci yollayacağım. Hepsi bu kadar. Şimdi gidebilirsin."

Tepedeki otlağa ulaşmak için Svein Evi'nden yola çıkmak ve yamacın dik eğimini dengeleyecek şekilde dolambaçlı bir güzergahta ilerleyerek yaklaşık bir saat yürümek gerekiyordu. Fakat otlak insana gerçekte bundan çok daha uzaktaymış hissi veriyordu. Büyük kayalar, derin çukurlar ve koyu mavi gölgelerle dolu bir yer olan çayırda duyulan tek ses rüzgarın uğultusu ve kuşların sesiydi. Otlağa vardıklarında koyunlar yeşil çimenler üzerinde dağılarak gönüllerince otlayıp semirmeye başladılar. Halli de çayırın tam ortasındaki çimensiz bölgede bulunan eski püskü taş kulübeye yerleşti ve böğürtlen yiyerek, keçi sütü içerek ve yakındaki kaynaktan su taşıyarak yaşamını sürdürmeye koyuldu. Arada bir Svein Evi'nden bir oğlan biraz peynir, ekmek, meyve ve et getiriyordu Halli'ye. Onun dışında ise tek başınaydı.

Halli öleceğini bilse yalnız başınayken korktuğunu babasına itiraf etmeye yanaşmazdı. Ancak korkuyordu. Uçsuz bucaksız gökyüzünün altında uzanan mezarların şekilsiz karaltısı fazlaca yakındaymış gibi görünüyordu gözüne.

Otlağın yukarı kısmına taştan bir duvar örülmüştü. Duvar, tepenin doğal çizgisini takip ediyor gibiydi. Koyunların ve dalgın insanların doruğa ve böylelikle mezarların olduğu bölgeye yaklaşmasını önlemek için inşa edilmişti. Halli çoğu zaman bu duvara tırmanıp tepenin en yüksek bölgesinde bulunan ve bir dizi dişi andıran taş yığınlarını seyrediyordu. Taşlardan bazıları ince ve uzun, bazıları geniş, bazılarıysa delik deşik ya da eğri büğrüydü. Her birinin altında Halli'nin atalarından biri yatıyordu. Hepsi de sınırları kötü Trollere karşı koruyan Svein'e yardım etmek üzere savaşanlardı. Mezarlar güneşin tepede olduğu saatlerde bile kasvetli ve tetikte bekleyen varlıklarıyla insanda karanlık bir his uyandırıyorlardı. Güneşsiz günlerde ise mezarlar öylesine yakındaymış gibi görünüyordu ki Halli'nin beti benzi atıveriyordu. Günün sonuna doğru mezarların uzun gölgelerinden sakınmak için gözünü dört açıyor ve içini kemiren Trol korkusuyla baş başa kalıyordu.

Halli her gece kulübenin siyah sessizliğinde uzanıyor, toprak kokusuyla battaniyeden yükselen ekşi yün kokusunu içine çekiyor ve insan etine aç Trollerin bozkırda tüneller kazarak sınıra dayandığını hayal ediyordu... Böyle zamanlarda sınır tamamen yetersiz bir önlem gibi görünüyordu gözüne. Bu yüzden orada nöbet tutan atalarına dua ediyor ve kafasını uykuya dalıncaya dek battaniyesinin altına gömüyordu.

Halli'nin geceleri sıkıntı ve tasayla doluydu; ancak hiç olmazsa gündüzleri oldukça eğlenceli geçiyor ve böylelikle yüreğine bir parça su serpiliyordu. Hayatta ilk kez canının her istediğini yapabiliyordu. Ona emirler yağdıran ya da onu pataklayan bir yetişkin yoktu. Anne ve babasının Halli'yi kınayan bakışlarından da eser yoktu. Evin içinde ya da tarlalarda aptalca işler yapmaya zorlanmıyordu.

Tek yaptığı çimenlere uzanmak ve arak Svein'in geçmişte başarmış olduğu ve kendisinin de günün birinde başarmaya niyetlendiği büyük işler hayal etmekti.

Koyunlar keyifle otlarken Halli de tepeden aşağıya bakarak manzaranın tadını çıkarıyordu. Svein topraklarının kahve-yeşil sınırı, vadinin orta kısmına doğru uzanmaktaydı. Halli orta vadiye hiç gitmemişti. Burada nehir boyunca uzanan büyük bir yol bulunduğunu ve yolun doğudaki çağlayanlara, hatta onların da ötesine uzandığını biliyordu. Nehrin diğer yakasında bulunan ormanlık yamaçlar oldukça dik bir şekilde yükseliyordu. İşte bu yamaçlar Rurik Evi'ne aitti. Bazı günler evin bacalarından çıkan dumanın uzaktaki ağaçların tepelerini kapladığını görebiliyordu Halli. Rurik Evi'nin bulunduğu tepenin doruğu da tıpkı Svein'inki gibi mezarlarla doluydu. Onların ötesindeyse gri yamaçlar, dağın beyaz zirvesi ve vadiyi kuzeyden, batıdan ve güneyden kuşatan büyük duvarın bir kısmı görünmekteydi.

Çok eski zamanlarda kahraman Svein bu yerlerin tümünü keşfe çıkmıştı. Elinde kılıç Ulu Kayalar'dan denize kadar tüm vadiyi arşınlamış, Trollerle savaşmış, kanun kaçaklarını öldürmüş ve ününe ün katmıştı... Halli, her sabah uyandığında aşağı vadiyi gözden saklayan granit sınırı, Sivri Tepe'nin keskin bir dişi andıran silüeti üzerinden yükselen güneşi seyrediyordu. Günün birinde Sivri Tepe'nin dibindeki vadi boğazını kullanarak sınırın aşağı kısmına geçecek, tıpkı Svein'in yapmış olduğu gibi macera peşinde koşacaktı.

O zamana kadarsa birkaç koyunun başında beklemesi gerekiyordu.

Kıvırcık tüylü, kara suratlı, dağ iklimine alışkın dayanıklı koyunlardı bunlar. Halli'nin onlarla bir sorunu yoktu. Aslına bakılırsa hayvanlar çoğu zaman kendi kendilerine bakmayı beceriyorlar,

Halli'ye pek fazla iş çıkarmıyorlardı. Sadece bir keresinde, henüz bir yaşında olan kuzulardan birisi iki büyük kaya arasında kalan açıklığa düştüğünde, Halli'nin onu çekerek kurtarması gerekmişti. Bir de dişi koyunlardan biri yüksekten düşüp ön bacaklarından birini kırdığında, Halli tuniğinden kopardığı bir parça kumaş ve bir tahta parçası yardımıyla koyunun bacağını sarmıştı. Böylece hayvan seke seke diğerlerinin arasına dönebilmişti. Fakat haftalar geçtikçe Halli koyunlarla baş başa olmaktan sıkılmış, onlarla uğraşmaktan yorulmuş, tepenin doruğundaki mezar taşlarını gittikçe daha fazla seyreder olmuştu.

Halli'nin çevresindekiler, hayatlarında tek bir Trolle dahi karşılaşmamışlardı. Ona Trollerle ilgili bilgi verebilecek kimse yoktu. Troller kaç taneydiler? İnsanlara yaklaşamadıklarına göre neyle besleniyorlardı? Tepenin üst bölümünde yer alan düzlük neye benziyordu? Trol delikleri görünüyor muydu? Peki ya ele geçirdikleri kurbanların kemikleri?

Halli kafasını meşgul eden onca soruya rağmen mezarlığa yaklaşmayı bir an için bile aklından geçirmiyordu.

Otlağı bütünüyle çevreleyen koruyucu duvarın bir kısmı, geçen kış art arda patlayan fırtınalar yüzünden yıkılmıştı. Uzun çimenlerin arasında göze çarpan taşlar oldukça geniş bir alana dağılmıştı. Otlakta yaşamaya başladığı ilk günlerde Halli, duvarı tamir etmeye karar vermiş, hatta hızla işe girişmiş, ancak çok geçmeden duvar inşa etmenin epeyce zahmetli ve sırt ağrıtan bir iş olduğunu anlamıştı. Bu yüzden tamirattan vazgeçmiş, koyunlar çayırın o bölümüne hiç yanaşmadıklarından da konuyu kısa zamanda unutmuştu.

Aradan haftalar geçti. Aşağı vadide ağaç yaprakları kahverengiye dönmeye başladı. Bir gün öğleden sonra, Halli uykusundan uyandı ve sürünün koyunlara özgü mantıksız bir hevesle onca zamandır ilk defa çayırın uzak ucuna gitmiş olduğunu gördü. Tam tamına sekiz koyun yıkık duvarın taşları arasına dağılmış sınırın ilerisinde otluyordu.

Halli dehşet dolu bir çığlık atarak değneğini kaptığı gibi çayırın öte yanına doğru koşmaya başladı. Bir yandan bağırıyor, diğer yandan elini kolunu sallayarak koyunları kovalıyordu. Hayvanların büyük bir bölümünü duvardan uzaklaştırmayı başardı. Hatta sınırı geçen koyunlardan biri de taşların üzerinden atlayarak diğerlerine katıldı. Ancak geri kalan yedi koyun kıllarını bile kıpırdatmıyorlardı.

Halli duvardaki deliğe döndü; Trollerden korunmak amacıyla Eyjolf'unkine benzer bir hareket yaptı ve taşların üzerinden atlayarak yasak bayırda koşmaya başladı.

Yedi koyun farklı noktalardan ilgisiz bir tavırla Halli'nin gelişini izliyorlardı.

Halli tüm çobanlık hünerini ortaya koydu: Koyunları ürkütmemek için yavaşça ilerledi; gırtlağını kullanarak sakinleştirici sesler çıkardı; değneğini mümkün olduğunca aşağıda tutmaya gayret etti; değneğin ucuyla hafifçe duvarı işaret etti ve tüm bunları yaparken koyunların etrafında dolaşarak onları kibarca, fakat azimle ve itiraz kabul etmez bir tavırla deliğe doğru sürmeye çalıştı.

Ancak koyunlar yedi farklı yöne doğru koşarak yamaca dağıldılar.

Halli küfrü basarak, koyunlara lanet yağdırdıktan sonra en yakındaki koyuna doğru atıldı. Ancak bu hareket koyunu yamaç yukarı birkaç metre daha ilerletmekten başka hiçbir işe yaramadı. Bir diğerine hamle yapayım derken ayağı kaydı ve dengesini kaybeden Halli tepetaklak çamurlu bir ot öbeğinin ortasına yuvarlandı. Kovalamaca, bu sahnelerin sayısız kez tekrarlanmasıyla akşama kadar sürdü.

Saatlerce uğraşan Halli sonunda bin bir güçlükle koyunlardan altısını delikten duvarın diğer tarafına geçirmeyi başardı. Terlemiş ve nefes nefese kalmıştı. Üstü başı çamur içindeydi. Değneği kırılmıştı.

Fakat koyunlardan biri hâlâ sınırın dışındaydı.

Oldukça çevik ve delişmen bir dişi koyundu bu. Diğerlerinden çok daha yükseğe tırmanmıştı. Neredeyse mezarlığın oraya kadar gitmişti.

Halli durup derin bir nefes aldı, dudaklarını yaladı ve koyuna doğru ilerlemeye başladı. Amacı hayvana arkadan yaklaşmaktı. Mezar taşlarından en yakında olanlara, yani bir uçları toprağa gömülmüş olan, diğeriyse kendinden emin bir biçimde göğe yükselen yosunlu kaya sütunlarına rahatsız bir bakış atarak ilerlemeyi sürdürdü. En azından bir noktada şans ondan yanaydı: gökyüzü bulutluydu ve mezar taşlarının bulunduğu bölge gölgesizdi. Ancak dişi koyun sürekli tetikteydi ve rüzgarın her kıpırtısında dönüp arkasına bakıyordu. Bu yüzden Halli'yi henüz oldukça uzağındayken fark etti.

Halli olduğu yerde donakaldı. Koyun doğrudan gözlerinin içine bakıyordu. Hayvan, vadinin kıyısındaki taş sütunlardan birinin kuytusunda durmuş, eski duvar taşlarının arasında uzanan çimenleri yiyordu. Hemen arkasında uçsuz bucaksız gibi görünen yemyeşil bir düzlük bulunuyordu. Bir zamanlar kahramanların ayak sesleriyle dolup taşan, şimdi ise sadece Trollere ev sahipliği yapan düzlüklerdi bunlar. Ağzı kurumuştu. Dikkatle çevresini süzüyordu. En ufak bir hareket bile yoktu etrafta. Rüzgarın sesinden başka bir şey duyulmuyordu.

Halli yavaşça eğilip uzun çimenden bir tutam yoldu ve koyuna doğru uzattı. Ağır ve temkinli adımlarla geri geri yürümeye başladı. Yüzünde yalvarırcasına bir gülümseme belirmişti.

Koyun başını çevirip otlamaya devam etti. Halli'nin bulunduğu tarafa bakmıyordu artık.

Halli bir anlığına duraksadı. Sonra umutsuzca ileri doğru atıldı.

Koyunun bacakları anında harekete geçti. Hayvan yıldırım hızıyla mezarlığın ilerisindeki düzlüğe koştu.

Halli dizlerinin üzerine çöktü. Gözleri yaşlarla dolmuştu. Koyunun yemyeşil çimenlerde neşeyle zıplayışını seyretti. Hayvan biraz koştuktan sonra dinlenmek için oldukça yakına gelip çimenlere uzandı. Oldukça yakındaydı belki, fakat aynı zamanda ulaşılması mümkün olmayacak kadar da uzaktaydı. Gitmişti. Halli'nin onu takip etmesine imkan yoktu artık.

Mezar taşları birkaç adım ilerisindeki karanlıkta sessizce yükseliyordu. Elini uzatsa taşlara dokunabileceğinden emindi. Bunu düşünmek bile ensesindeki tüylerin diken diken olmasına yol açtı. Sendeleyerek ve güçlükle soluyarak yamaçtan aşağıya, duvarın oluşturduğu güvenli bölgeye doğru ilerlemeye başladı.

Günün geri kalanı boyunca gözleri sürekli ufku taradı. Ancak koyundan eser yoktu. Güneş battı; Halli isteksizce kulübesinin karanlığına sokuldu. Gecenin ilerleyen saatlerinde acı çeken bir hayvanın tiz çığlığı geldi kulağına. Fakat çığlık başladığı gibi bir anda kesiliverdi. Halli'nin vücudundaki her kas ayrı ayrı titriyordu. Bakışlarını karanlığa diken Halli gün doğana kadar gözünü bile kırpmadı.

Ertesi sabah yamacı bir kez daha tırmandı ve güvenli bir mesafeden mezar taşlarına doğru baktı.

Koyun gitmişti. Fakat ortalık kırmızıya boyanmış ve didik didik edilmiş yün parçalarıyla kanlı bir savaş meydanını andırıyordu.

3

GÜNÜN BİRİNDE EGIL, SVEIN'İN ihtiyar annesinin dişi bir kurbağaya benzediğini söyledi. Bu laf çok geçmeden Svein'in de kulağına çalındı. Doğruca Egil'in evine giden Svein, evin kapısına bir kurt postu astı. Egil büyük bir hışımla dışarı çıkarak bağırdı:

"Bu da ne demek oluyor? Bana meydan mı okuyorsun? O halde nerede dövüşeceğimize de sen karar ver."

"Hemen şimdi, burada. Ya da başka bir yerde. Fark etmez benim için, sen seç."

"Kuğu Kayası olsun o zaman."

Uçurumun kenarında birbirlerini itip aşağı düşürmeye çalışarak güreştiler. Svein kendine güveniyordu; demirden yapılmışa benzeyen kol ve bacakları onu daha önce hiç yarı yolda bırakmamıştı. Fakat Egil'in kuvveti de Svein'inkiyle boy ölçüşecek düzeydeydi. Güneş battı, sonra yeniden doğdu. İki genç hâlâ birbirlerine kenetlenmiş öylece duruyorlardı. Yerlerinden kımıldamaya niyetleri yok gibiydi. Öylesine hareketsiz duruyorlardı ki kafalarına kuşlar konmaya başladı.

"Bunlar yakında yuva yapmaya da başlarlar," dedi Svein. "Son ziyaretçin yanında ince bir dal da getirmiş."

"Seninkilerden biriyse yumurtlamak üzere."

Böylece barışmaya karar verdiler ve kan kardeş oldular. Yıllar sonraysa Kaya Savaşı'nda omuz omuza mücadele verdiler.

"Evet, anlattıklarına bakılırsa bunu yapan Trollerden başkası olamaz," dedi Brodir Amca. "Troller sadece geceleri ortaya çıkarlar. Hâlâ neden şüphe ediyorsun ki?"

Halli başını iki yana sallayarak yanıtladı amcasını, "Şüphe ettiğimi söylemedim. Sadece... Genç bir insanla ya da bir koyunla karşılaşmadıkları onca zaman boyunca neyle besleniyorlar dersin?"

Brodir Amca kolunu Halli'nin omzuna atarak konuştu, "Her zamanki gibi çok soru soruyorsun. Bu kez de ben sana bir şey sorayım. Mezarlığın ötesine geçmediğine emin misin?"

"Hayır amca, elbette geçmedim!"

"İyi. Çünkü eğer böyle bir şey yapmaya kalkışırsan hepimizin felaketine neden olursun. En azından efsane böyle diyor. Bu yüzden o koyunu unut sen. Babana da hayvanın uçuruma yuvarlanarak boynunu kırdığını anlat. Sürüyü bu gece yola çıkarmamız mümkün değil. İyisi mi bir ateş yakalım. Yanımda biraz taze et getirdim."

Koyunun yok oluşundan bir gün sonra Halli, gözalıcı sakalı ve devasa değneğiyle Brodir'in, onu alıp eve geri götürmek üzere tepeyi tırmandığını görmüştü. Birbirlerini sevinçle selamlamışlardı.

"Sürgün sana yaramış. Seni hiç bu kadar sağlıklı ve zinde gördüğümü hatırlamıyorum. Eve döndüğünde eskisinden de fazla karmaşaya yol açacağından hiç şüphem yok doğrusu," dedi Brodir.

"Evdekiler beni özledi mi," diye sordu Halli.

"Katla ve ben eksikliğini hissettik. Ama diğerleri sen olmadan da hayatta kalmayı başarıyor gibi görünüyorlar."

Halli içini çekerek ateş için ağaç dallarını istiflemeye koyuldu. "Haberler nasıl?"

"Pek yeni bir şey yok. Annenle baban yaklaşan büyük toplantı yüzünden oldukça gerginler."

"Toplantıyı kaçırmadım yani? Doğrusu bundan korkmaya başlamıştım."

"Büyük toplantıya yedi gün kaldı. Bütün ev hazırlıkları tamamlamaya çalışıyor. Evin aşağı tarafında yer alan çayırlık temizlendi ve çimler biçildi. İlk kulübelerin kurulumu tamamlandı. Ağabeyin Leif hazırlıkları denetliyor. Ortalıkta dolaşıp pelerininin içinde fiyakalı bir kaz gibi gerinerek herkese emirler yağdırıyor; fakat kimsenin onu ciddiye aldığı yok. Bu arada Gudny saatlerce odasına çekiliyor ve aynanın karşısında saçıyla başıyla oynuyor. Aşağı vadideki evlerden gelecek bekâr erkeklerin dikkatini çekmeyi umuyor sanırım. Kısacası, hiçbir şey kaçırmış sayılmazsın. Kayda değer tek bilgi Eyjolf'un garip bir hastalığa yakalanmış olması. Her sabah kıpkırmızı ve şiş yanaklarla yataktan kalkıyor ve sürekli kaşınıyor. Denemediği tedavi kalmadı, ancak sorun aynı şiddetle sürüyor."

"Yastığının içine baksa iyi olur," dedi Halli masumca. "Belki de birisi oraya bir demet zehirli sarmaşık iliştirivermiştir."

Brodir muzipçe güldü. "Haklı olabilirsin. Ama bırakalım da bu işi kendi kendine çözsün."

Yemek iyi, sohbet güzeldi. Brodir yanında getirdiği şarabı açtı ve Halli de hevesle ona eşlik etti. Sıcaklık dalgalar halinde vücuduna yayılırken Halli, Brodir'in anlattığı hikayeleri, Svein'in bozkırlardaki maceralarını, ejderhâlârı öldürüşünü, Trol kralının sarayına yaptığı üç farklı yolculuğu dinliyordu. Hikayeler her zamanki gibi heyecan vericiydi; ancak bu kez duydukları Halli'ye kasvet veriyor.

Sonunda kederli bir sesle, "Amca, ölmüş olmayı ve kahramanlarla birlikte mezarlıkta gömülmüş olmayı dilemem yanlış mı sence?" dedi. "Uzun yıllar önce, insanın kendi kaderini kendisinin belirleyebildiği bir zamanda yaşasaydım çok daha mutlu olurdum. Bugün yapılabilecek hiçbir şey yok. Troller bile sınır dışına hapsedilmiş durumda."

Brodir hırıltılı bir sesle konuştu, "O zamanlar cesaret önemli bir erdem sayılırdı. Bugün durum farklı. Konseydeki kadınlar durumun farklı olması için ellerinden geleni yapıyorlar çünkü. Aslına bakarsan, Svein'in zamanında bile kahramanların pervasız ve fazla atak oldukları düşünülürdü. Ancak öldükleri zaman saygı görmeye başladılar."

"Annemle babamın benim için planladıkları geleceği yaşayacağıma ölürüm daha iyi!" Halli'nin öfkeyle tekmelediği dal ateşin derinliklerine tıslayarak gömüldü. "Babam birçok kez belirtti fikrini. Çiftçilikle uğraşmalı, bu konuda işe yarayacak her türlü bilgi ve beceriyi edinmeliymişim. Sonra can sıkıntısından uyuşmuş hale gelince kendime ait bir kulübede yaşayacak, saçlarım beyazlaşıncaya ve son nefesimi verinceye kadar o kulübeyi çekip çevirecekmişim. Belki tıpatıp bu sözcükleri kullanmadı; ancak söylemek istediği tam olarak buydu."

Brodir'in dişleri ateşin ışığında parıldadı. Şarabından bir yudum alarak elini Halli'nin omzuna koydu ve "Sorun şu ki evlat, sen de ben de ailelerimizin en küçük çocuklarıyız ve bize hiçbir şey için ihtiyaç duymadıkları gerçeğini kabul etmek zorundayız," dedi. "Arnkel'in yaptığı ve o budala Leif'in günün birinde yapacağı gibi yönetici koltuklarına oturmamız söz konusu bile olamaz. Gudny gibi kolayca eş bulup evlenme şansımız da yok. Hoş, onun da önce o küstah tavrını çekebilecek birini bulması gerekecek ya, neyse. Peki, ne yapacağız biz? Nereye gidebiliriz ki? Yamaçlar topraklarımızın sınırını oluşturuyor, nehrin sonunda ise geçilmesi mümkün olmayan bir okyanus var. Gençliğimizde başımızın beladan kurtulmamasına şaşmamak lazım."

Halli başını kaldırıp amcasına baktı, "Sen de benim gibi baş belası mıydın?"

"Ben senden çok daha beterdim." Brodir kıkır kıkır gülüyordu. "Hem de çok daha beterdim. Öylesine berbattım ki tahmin bile edemezsin."

Halli umut içinde bekledi, fakat Brodir başka bir şey söylememeye kararlıydı. "Ben de tıpkı senin gibi olmak istiyorum," dedi Halli. Sesinin mümkün olduğunca kararlı çıkmasına gayret etmişti. "Vadiyi dolaşarak dünyayı keşfedeceğim. Babamın bu konudaki fikirlerininse canı cehenneme."

"Vadi senin sandığın kadar büyük bir yer değil Halli. En azından yolculuğunun çok kısa sürede sona ereceğini söyleyebilirim. Dolaşırken kendininkinden daha küçük ve önemsiz on bir adet eve rastlayacaksın ve hepsinin de ahmaklarla, şerefsizlerle ve düzenbazlarla dolu olduğunu göreceksin. Özellikle deniz kenarında bulunanlara dikkat etmelisin; sarı saçlı ve cani ruhlu insanların yaşadığı bu evler diğerlerinden çok daha kötüdür. Vadideki tek işe yarar evin Svein'in Evi olduğunu kısa zamanda anlayacaksın." Brodir ateşe doğru tükürerek sözlerini sürdürdü. "Kısa zamanda evine geri döneceksin. O zamana kadar da babanı böylesine acımasızca yargılamamaya çalış. Babanın kendi insanlarına karşı sorumlulukları olduğunu ve Astrid'in de onun tepesinden bir an bile ayrılmadığını unutma. Sonuçta babanın istediği tek şey senin iyi olman."

"Yine de onun umut ve planlarının tutsağı olmamayı isterdim." Halli'nin yüzü alev alevdi. Ateşten uzaklaşarak kendini soğuk ve yumuşak çimenlere bıraktı ve yıldızları seyre daldı.

Halli eve döndüğünde avluda harıl harıl çalışmakta olan büyük bir kalabalığın ortasında buldu kendini. Bir ay boyunca yalnız yaşamış olduğundan karşılaştığı gürültü ve hareket kısa bir an için bile olsa başının dönmesine neden oldu. Az sonra annesi çıkageldi. Rengârenk kumaşlarla tepeleme dolu bir sepet taşıyordu. Sepeti yere bırakıp oğlunu kısaca kucaklayan Astrid "Hoş geldin oğlum," dedi. "Eve geri döndüğüne sevindim. Fakat anlatacaklarını daha sonraya saklayalım. Şimdi beni iyi dinle. Büyük toplantıya çok az zaman kaldı ve henüz hazırlıklarımızı tamamlayamadık. Daha yapılacak çok iş var ve sen de herkes gibi var gücünle çalışmalısın. Oyunlarla, eğlenceyle, yalan dolanla ve diğer saçmalıklarla kaybedecek zamanımız olmadığını iyice anlamalı ve bu tür davranışların en ağır şekilde cezalandırılacağını bilmelisin. Söylediklerim yeterince açık mı?"

"Evet anne."

"Pekala. Şimdi git de Grim'e yardım et biraz; bir sürü demir tavayı toplantının yapılacağı düzlüğe taşımaya çalışıyor."

Havada uçuşan heyecan neredeyse elle tutulup gözle görülecek kadar yoğundu. Halli'de bu coşkudan payına düşeni alıyordu. Sonbahar toplantısı sırası onlara gelmişti ve bu Halli'nin hatırladığı Svein Evi'inde yapılan ilk toplantıydı. Bu hayatında ilk kez karşılaşacağı birçok şeyi de beraberinde getirecekti. Pek yakında çevredeki düzlükler, dört yüz kadar insanın gelişine tanık olacaktı. Halli dört yüz insanı bir arada hayal ederken bile oldukça zorlanıyordu. Bu düzlükler hem diğer on bir evin temsilcilerine, yani önde gelen ailelere ve tüccarlara, onların uşaklarına, atlarına, arabalarına ve öteberilerine hem de daha az varlıklı ailelere ev sahipliği edecekti. Ziyafetler verilecek, hikayeler anlatılacak, at dövüşleri düzenlenecek, güreş turnuvaları ve çeşitli müsabakalarla vadinin en güçlü erkekleri seçilecekti. Tüm bunların yanı sıra konsey yeni davaları görüşmek için toplanacaktı. Yaşanacakları düşünmek bile Halli'nin başını döndürmeye yetiyordu. Hayatında ilk kez kendini kapana kısılmış değil de zincirlerinden boşalmış hissedecek, evin dışına adımını bile atmaksızın tüm vadiyi görme şansını yakalayacaktı.

Tam iki gün boyunca herkes gibi var gücüyle çalıştı. Çayırı kuşatacak olan tezgahları kurdu. Kalasları dik tutarak diğerlerinin bunları yumuşak toprağa çakmasına yardım etti. Gübre kurutulan bölmelerden tezek balyaları taşıyarak bunları kazıkların arasında duvar oluşturacak şekilde yerleştirdi. Hayvan eti kızartmak için toprağa kuyular kazdı ve ızgaraları yerleştirdi. Konukların hayvanları için saman ve kuru ot toplayıp getirdi.

Üçüncü gün, evin süslenmesine gelmişti sıra. Svein Evi'nin renkleri avludaki bayrak direğinde gururla dalgalanıyordu. Çatılara asılmış olan siyah ve gümüş renkli bayraklar deniz kuşları gibi uçuşmaktaydı. İpe dizilmiş çok sayıda bayrak Trol duvarının üzerine bırakılmıştı. Avlunun önüne büyük bir çadır kurulmuştu. Çadırın içi açılmayı bekleyen arpasuyu fıçılarıyla doluydu. Etrafına hayvan derisi, giyecek, kemik eşya ve düdük gibi Svein Evi'ne özgü ürünlerle dolu masalar sıralanmıştı. Akşama doğru hazırlıkların sonuna gelinmiş ve insanlar ağırdan almaya başlamışlardı. Halli'nin ağabeyi Leif, gözalıcı gümüş-siyah peleriniyle ortalıkta dolaşarak dört bir yana büyük övgüler yağdırıyordu.

Halli çalışmaktan yorgun düşmüştü. Kendisi gibi işten bunalan bir grup çocuğu tabakhanenin arka tarafındaki sokaklardan birine çağırarak sordu:

"Biraz oyun oynamaya var mısınız? Ölü Kargalar mı yoksa Kaya Savaşı mı?"

Çoğu zamanki gibi Kaya Savaşı'nda karar kılındı. Halli, Svein'i kendisinin oynayacağını söyledi.

"Oyunu hareketlendirmek açısından Trollerden birini canlandırman daha iyi olmaz mı?" dedi Grim'in oğlu Ketil.

Halli kaşlarını çatarak söylendi. "Aramızda Svein soyundan gelen başka biri var mı? Elbette ki Svein'i ben oynayacağım."

Ketil, Sturla ve Kugi (domuz ağılını temizleyen şaşı genç) Trol olarak seçildiler ve ellerine yırtıcı pençeleri sembolize eden kırık madeni paralar aldılar. Halli ve diğerleri miğfer niyetine demirci dükkanından yürüttükleri paslı kovaları geçirdiler kafalarına. Kılıç yerineyse ahırda buldukları tahta değnekleri kuşandılar. Büyük savaş, Trol duvarının yıkık dökük kısımlarından birinde, yosun tutmuş eski taşların etrafa saçıldığı bölgede meydana geldi. Kahramanlar dev kayanın üzerine yerleşerek etkileyici sözlerle meydan okurcasına bağırmaya başladılar. Trol sürüsü homurtularla ve çığlıklarla yukarı tırmanıyordu. Svein Evi'nin çatısındaki kuşlar uçuştular. Çayırda otlayan ineklerse ürküp endişe içinde etrafı izlemeye koyuldular. Tabakhanede çalışan kadınlar ellerini kollarını sallayarak küfrettiler. Sonunda savaşan iki taraf sopa ve yumruk yağmuru altında bir araya geldi.

Leif Sveinsson pelerinini dalgalandıran bir hışımla avludan çıktı ve savaşı nefret dolu gözlerle izledi. Bir süre sonra savaşçılar Leif'in varlığının farkına vardılar ve oyun sona erdirdi. Bir iki öksürük ve nefes sesi dışında çıt çıkmıyordu artık.

"Harika bir manzara doğrusu!" dedi Leif yavaşça. "Büyük toplantı neredeyse başlamak üzere ve siz bacaksızlar kemik yığınının üzerinde tepinen köpekler gibi oyun peşindesiniz. Daha yapılacak yüzlerce iş var. Şimdi Eyjolf'la birlikte kimin ne yapacağına karar vereceğiz. Verilen görevi reddedeni toplantı sona erene kadar odunluğa kapatacağım."

Leif on sekiz yaşında, iri kıyım ve güçlü kuvvetli bir adamdı. Başını hafifçe öne doğru eğip tıpkı bir boğa gibi gözlerini aniden kaldırarak kaşlarının altından bakma gibi bir huyu vardı. Sanki sağlam öz kontrolü olmasa ani bir tutkuya kapılıp her an harekete geçebilirmiş gibi bir hava yaratıyordu bu tutumu. Çocuklar korkuya kapılmışlardı. Yüzleri kül rengine dönmüştü.

Halli, Trol duvarının tepesinden seslendi. "Daha kısa bir zaman öncesine kadar bu oyunları sen de büyük bir keyifle oynuyordun kardeşim. Hadi, bize katılsana! Sana miğferimi ödünç verebilirim."

Leif duvara birkaç adım daha yaklaştı. "İyi bir sopa istiyorsun herhalde, Halli."

"Hayır."

"O halde hem konumumu hem de yaşımı hatırlamanı öneririm." Leif sırtını dikleştirip göğsünü şişirdi. En güzel gömleklerinden birini giymişti. Altında siyah bir tayt ve bir çift iyi cilalanmış bot göze çarpıyordu. "Günün birinde bu evin başına geçecek biri olarak sorumluluklarım var. Pislik içinde yuvarlanacak zamanım yok."

"Keçilere çobanlık yapan kız Gudrun hiç de öyle demiyor. Dün gece onun kulübesinden çıktığında her tarafından samanlar dökülüyormuş," deyiverdi Halli önemsemez bir havayla.

İşte o anda bir sürü ses birden duyuldu; çocukların gülüşü, Leif'in öfke dolu kükreyişi, kaçmaya çalışan Halli'nin botlarının Trol duvarı üzerinde çıkardığı tıkırtı. Ancak Halli'nin bacakları ağabeyininkilerden kısaydı. Sonuç hiç gecikmedi ve Halli için oldukça sert oldu.

Leif acımasızca başını sallayarak konuştu: "Bu gördükleriniz hepinize ders olsun. Küstahların haddini işte böyle çabucak bildiririm ben. Şimdi görevlerinize gelirsek..." Trol duvarının üzerinde dikilerek aşağıda kümelenmiş çocuklara emirler yağdırdı.

Leif'in arkasında duran Halli sessizce burnundan akan kanı siliyordu. İşi bittiğinde gömleğinin koluyla yüzündeki kan ve gözyaşı izlerini temizledi. Sonra ayağa kalktı, güzelce nişan aldı ve doğrudan Leif'in kaba etlerine bir tekme savurdu.

Leif tiz bir çığlık atarak ve kollarını kuş gibi çırparak duvardan aşağı uçtu. Duvarın dibinde büyükçe bir gübre yığını bulunmaktaydı. Leif havada yuvarlandı ve kahverengi yığına kafa üstü gömüldü.

Dikkat çekici bir gürültüyle Leif'in başı, omuzları, kollarının dirsekten yukarısı ve gövdesinin üst kısmı gözden kayboluverdi. Yukarıya bakan bacakları tuhaf bir biçimde hareket edip duruyordu. Gümüş-siyah pelerininin ucu kibarca tezek yığınının kötü kokulu yamacına serilmişti.

Dehşet içinde nefeslerini tutmuş olan çocuklar, şimdi de hayretle gözlerini fal taşı gibi açmışlardı.

"Ne kadar derine daldığına baksanıza! Gübre yığınının bu kadar yumuşak olduğunu tahmin bile edemezdim," dedi Halli.

Domuz ahırı sorumlusu Kugi elini kaldırarak konuştu, "Az önce taze bir sevkiyat yapmıştım ben."

"Şimdi anlaşıldı. Fakat nasıl oluyor da bu şekilde dimdik kalabiliyor? Çırpınan bacaklarına bir baksanıza! Oldukça atletik bacaklara sahip olduğu söylenebilir. Bu gösteriyi büyük toplantı sırasında da yapmalı bence."

Ancak çocuklar olan biteni seyrederken Leif'in bacakları alçaldı ve sırtı aniden bükülüverdi. Şimdi Leif, kafası ve omuzları hâlâ gübre yığınına gömülü bir şekilde diz çökmüş gibi duruyordu. Elleriyle kendini geriye doğru itmeyi denedi. Önce kasları gerildi. Sonra da boşlukta uzayıp giden tok bir sesle ve şiddetli bir gübre yağmurunun arasında gövdesinin üst kısmı belirdi. Birdenbire ortalığı kuvvetli bir dışkı kokusu sardı.

Çocuklar kaşla göz arasında en yakındaki kulübelere ve sokaklara doğru koşmaya başladılar.

Halli yavaşça duvardan aşağı inme zamanının geldiğini fark etti.

Leif duraksayarak ve her an devrilecekmiş gibi sallanarak ayağa kalktı. Botları gübre yığınının içine gömülüyor ve tehlikeli bir şekilde kayıp duruyordu. Sırtı çocuklara dönüktü. Pelerini cansız ve kendini salmış bir halde omuzlarından sarkıyordu. Yavaşça dönmeye başladı ve fazlasıyla temkinli bir biçimde pislikle kaplı, havası sönmüş başını kaldırarak kalabalığa baktı. Bir an için çevredeki herkes donakaldı. Leif'in bakışlarının değdiği kimse yerinden kımıldayamıyor gibiydi.

Sonra, rüzgarda uçuşan karahindiba tohumları gibi dağıldı herkes. İçlerinde en hızlı koşan Halli'ydi. Ağabeyinin yüzü duygularını pek ele vermiyor olsa da, hissettiklerini gözlerinden açık seçik okumak mümkündü. Halli, Trol duvarından aşağıya sıçradı. Ayakları yere değdiğinde birbirine çarpan taşların çıkardığı öfke dolu sesi duydu ve Leif'in duvara tırmanmakta olduğunu anladı.

Halli yol boyunca koşarak Unn'un tabakhanesine vardı. Bacakları uçarcasına yol alıyordu; ancak adımları pek de büyük sayılmazdı. Leif'in kükreyişini ve kaldırım taşlarını döven ayak seslerini duydu. Biraz ilerisinde, kucağında yeni yıkanmış bir sürü çamaşırla kadının teki dikiliyor ve Halli'nin yolunu olduğu gibi kapatıyordu. Halli'nin tabakhaneye girmekten başka çaresi kalmamıştı. Üzerinde derilerin dövüldüğü tabakaların arasından koşarak geçti, yerde duran koyun yağına basarak kaydı ve sırtüstü yere yuvarlandı. Derilerin su atması için kullanılan varillerden birinin üzerine oldukça sert bir iniş yapmıştı.

Unn tepesinde dikilmekteydi. Suratı pespembe, elleri kir pas içindeydi. "Halli, neler...?"

O anda Leif göründü. Tabakhaneye fişek gibi dalan Leif, Halli'yi görüp ona doğru atıldı. Halli ise yana doğru yuvarlanarak varilin ayakları arasına kaydı. Yumruğu tüm gücüyle indirmeye kararlı olan Leif, hedefini ıskalayarak varile vurunca, varil yere yuvarlandı ve kötü kokulu sarımsı bir sıvı tüm zemine yayılmaya başladı. Unn acı dolu bir çığlık attı; oğlu Brusi ise üzerine doğru ilerleyen sarı sudan kurtulmak için sıçrayarak yukarıdaki kirişlerden birine tutundu. Leif ikisine de aldırış etmeden Halli'nin peşinden ana kapıya doğru koştu. Yolda karşısına çıkan deri fırçalarından birini kavrayarak Halli'nin kafasına doğru fırlattı. Ancak bu kez de hedefi tutturamamıştı. Kapının pervazından seken fırça geriye doğru uçarak Leif'i gözünden vurdu.

Svein Evi'nin ana bahçesinde büyük toplantıyla ilgili hazırlıklar mutlu sona ulaşmak üzereydi. Delikanlılar kaldırım taşlarını süpürüyorlardı. Masalar özenle üst üste dizilmişti. Bayraklar sevinçle dalgalanıyordu. Arnkel ve Astrid avlunun girişinde durmuş, çalışanlara serinlemeleri için soğuk arpasuyu dağıtıyordu.

O anda Leif koşarak bahçeye daldı. Halli nereye saklanmış olabilirdi ki? İşte oradaydı, tahta bir masanın altından sürünerek geçmeye çalışıyordu! Leif hızla atıldı; masanın üzerinden sıçrayarak geçmeye kalktı ve masada duran kap kacağı yerle bir etti. İnsanlar kargaşadan uzak kalabilmek için geri çekilmeye çalıştılar ve sendeleyerek birbirlerinin üstüne yuvarlandılar. Tabaklar ve diğer eşyalar yere düşüp tuzla buz olmuştu.

Halli Leif'in ileriye doğru uzanan elinden son anda sıyrılarak üzeri kumaşla dolu bir masaya sıçradı. Kardeşinin peşinden koşan Leif'in pislik kaplı botları, kumaşları berbat ediyordu. Bunun üzerine masadan aşağı atlayan Halli arpasuyu fıçılarıyla dolu çadıra daldı. Kardeşini yakalamaya kararlı olan Leif ise onun ardı sıra çadıra doğru koşmaya başladı. Yoluna çıkan kadının tekini kabaca bir tarafa savurarak çadıra giren Leif üst üste dizilmiş fıçılardan birkaçını devirerek koşmaya devam etti. Devrilen fıçılar çadırdan dışarı yuvarlandılar, çevredekileri çil yavrusu gibi dağıtarak avluyu geçtiler ve evin duvarına çarparak paramparça oldular.

Leif gittikçe arayı kapatıyordu. Sonunda Halli'yi üst üste dizilmiş arpasuyu fıçılarının tepesinde köşeye sıkıştırmıştı. Halli çaresizce etrafına bakındı ve çadırın tepesinden aşağıya sarkan kalınca bir ip gördü. Sıçrayarak bu ipe tutundu, çılgınca sallandı ve birden kendini yerde buldu. Çadırın yarısı da onunla birlikte yerle bir olmuş ve Halli, büyükçe bir kumaş yığınının ortasına oldukça sert bir iniş yapmıştı. Devrilen çadırdan dışarı çıkmak için davrandığında ise olduğu yerde donakaldı.

Leif, Halli'nin hemen arkasında bitivermişti. "Pekala, kardeşim..."

Ancak tıpkı Halli gibi Leif de olduğu yerde kalakalmıştı. Başını yavaşça kaldırıp etrafına bakındı ve Arnkel'le Astrid'in buz gibi bakan kapkara gözleriyle karşılaştı. Dört bir yanları neler olup biteceğini görmek isteyen insanlarla dolmaya başlamıştı. Svein Evi'nin erkekleri, kadınları ve çocukları büyük bir sessizlik içinde beklemekteydi.

Astrid'in düzgünce örülmüş açık renk saçları kıvrılarak başına tokalanmıştı. Açıkta kalan bembeyaz boynu incecikti. Suçluların inildeyerek darağacına yollandığı davalarda takındığı ifadeyi taşıyordu yüzünde. Bakışları Leif'le Halli arasında gidip geliyordu.

"Yüzlerinize bakınca kendi oğullarıma benzediğinizi düşünüyorum. Ancak davranışlarınıza bakılırsa benim için birer yabancıdan farksızsınız," dedi Astrid. Kimseden çıt çıkmıyordu. Kalabalık, sessizlik içinde Astrid'in sözlerine kulak kabartmıştı. Arka taraflarda bir bebek ağlamaya başladı. Astrid aynı soğuk tonla konuşmaya devam etti, "Bu olanları nasıl açıklayacaksınız?"

Leif sendeleyerek öne doğru bir adım attı. Kendine acıyan mağdur birinin sözlerinden oluşan savunması saçma sapandı.

Babaları Arnkel elini havaya kaldırarak Leif'in sözünü kesti, "Yeter oğlum. Biraz geri çekil şimdi. Neredeyse gözlerimi yaşartacak kadar kötü kokuyorsun. Peki, senin söyleyeceğin bir şey var mı, Halli?"

Halli umursamazca omuz silkti ve "Evet, Leif'i gübre yığınına ittim. İtmeyip de ne yapacaktım? Üzerime yürüyen, bana ve arkadaşlarıma kötü davranan oydu. İsterseniz hepsine sorabilirsiniz," dedi. Bunları söylerken etrafına bakındı; ancak Sturla, Kugli ve diğerleri kalabalığa karışıp gözden kaybolmuşlardı. Halli içini çekerek sözlerine devam etti, "Sonuçta durum benim için onur meselesiydi ve hiçbir şey olmamış gibi davranmam mümkün değildi."

Brodir de kalabalığın içindeydi. "Halli'nin söyledikleri kulağa mantıklı geliyor." dedi.

Astrid'in Brodir'e tepkisi oldukça sert oldu, "Senin değerli katkılarına ihtiyacımız yok, Brodir. Sana gelince, Halli, bana onurdan bahsetme cüretini gösterme sakın! Senin gibi sefil ve zavallı bir çocukta onur ne gezer!"

"Ayrıca eğer Leif'in sana haksızlık ettiğini düşündüysen onunla mertçe karşı karşıya gelmen gerekirdi. Onu arkasından vurman kabul edilemez," diyerek karısının sözlerini tamamladı Arnkel.

"Fakat Leif benden çok daha kuvvetli, baba. Eğer yüz yüze dövüşseydik beni zavallı bir et yığınına çevirirdi. Öyle değil mi Leif?"

"Aynen öyle, ayrıca bunu ispata da hazırım."

"Görüyor musun baba? Açıkçası senin dediğin gibi davranmanın kime ne fayda sağlayacağını anlayabilmiş değilim."

"Şey..."

"Ayrıca Büyük Svein de, Kaya Savaşı'ndan önceki ateşkes döneminde, diğer kahramanları tuzağa düşürmez miydi?" diye haykırdı Halli. "Hakon'u atıyla tek başına çağlayanın kıyısında gezinirken gördüğünde Svein de açıktan açığa meydan okumamıştı. Sivri Tepe'den aşağıya koca bir kaya yuvarlamayı tercih etmişti. Ayağımdaki botu Svein'in kayası, Leif'in kıçını da Hakon'un ta kendisi olarak düşünün; prensipte değişen hiçbir şey yok! Aradaki tek fark benim hedefi Svein'den daha iyi tutturmuş olmam."

Arnkel ayaklarını huzursuzca hareket ettirdi. "Haklı olduğun yanlar var, ama..."

İşte tam bu sırada Astrid, Arnkel'in sözünü keserek konuşmayı devraldı. Sesi cam parçaları kadar keskindi, "Böyle bir durumda senin tek yapman gereken Leif'in davranışlarını görmezden gelmekti, Halli. Leif de aynı şekilde seninkileri görmezden gelmeliydi. İkiniz de yüzümü kara çıkardınız! Kırıp döktüğünüz şeyleri konuklar gelmeden tamir edip düzeltmek büyük bir çabaya mâl olacak. Yine de bunu yapmaktan başka çaremiz yok. Şimdi hepimiz arpasuyu bardaklarımızı bir kenara bırakarak işe girişmeliyiz. Bu gece yemek her zamankinden geç yenecek." Kalabalıktan hoşnutsuz bir mırıltı yükseldi. "Ancak önce cezalarınızı açıklamamız gerek. Leif, utanç verici şu görünüşün ve davranışların yüzünden senin büyük toplantıya katılmanı yasaklamak isterdim. Ancak Arnkel'in varisi olduğun için orada bulunman gerek. Burada herkesin önünde küçük düşmek senin için yeterli bir ceza olmalı. Şimdi git ve atların yalağında üstünü başını temizle."

Leif kaçarcasına oradan uzaklaştı. "Şimdi sıra sende, Halli," dedi Astrid.

"O sadece küçük bir çocuk!" diye bağırdı Brodir Amca. "Çocuklara özgü coşkuyu yaşamaktan başka bir suçu da yok! Karışıklığı toparlamak o kadar da büyütülecek bir iş değil."

Astrid'in sesi oldukça soğuk ve yüksek perdedendi. "Gençliğinde senin yaşadığın coşkuyu ve o coşkunun nelere mâl olduğunu hepimiz iyi biliyoruz, Brodir. Tüm ev senin coşkunun bedelini en ağır şekilde ödemek zorunda kaldı."

Astrid doğrudan Brodir'e bakıyordu. Brodir kızardı, dudakları ince beyaz bir çizgi haline gelmişti. Önce ağzını açar gibi oldu, sonra kapadı ve ani bir hareketle kalabalığın içinde yitip gitti.

Bunun üzerine Astrid, Halli'ye dönerek sözlerine kaldığı yerden devam etti, "İki gün sonra büyük toplantı başlayacak. Keçi çobanı Gudrun bile bu büyük şenlik boyunca gündoğumundan günbatımına dek gönlünce eğlenecek. Burada bulunan herkes bu büyük olayın tadını çıkaracak. Yalnızca sen olan biten her şeyin dışında kalacaksın. Bu süre zarfında toplantının ve her türlü kutlamanın düzenleneceği çayırlara girmen kesinlikle yasak. Ayrıca bu salonda verilecek resmi şölene katılmanı da istemiyorum. Fıçılardaki arpasuyundan içmeyecek, açık havada kızartılacak etten yemeyeceksin. Aşçılar sana mutfaktaki artıklardan bir şeyler ayarlayacaklar. Yani önümüzdeki dört gün boyunca mezarlığın orada inzivaya çekilmiş gibi yaşayacaksın. Kimbilir, belki de bu şekilde davranışlarını kontrol altında tutmayı öğrenirsin."

Halli hiçbir şey söylemedi. Ancak öfkeden alev alev yanan gözlerle annesine bakmaktan da geri kalmadı.

Avluyu kendisiyle gurur duyan birinin dimdik yürüyüşüyle terk etti. Yüzünde çevredekilere meydan okuyan küstah bir ifade vardı. Aile üyelerine ayrılmış bölüme geldiğinde ise kendini savunmak için ördüğü duvar yıkılmış, adımları yavaşlamıştı. Yatağında sessizce uzanarak gözlerini tavana dikti. Koridor boyunca aileden birilerinin ve hizmetçilerin ayak sesleri yankılanıyordu. Her an kapı açılacak da içeri birisi girecek diye gerginlik içinde bekledi Halli. Hatta ne kadar kızgın olursa olsun, birisinin yanına gelmesini umuyordu içten içe. Ancak herkes ya çok öfkeliydi ya da onun yüzünden büyük bir utanç yaşıyordu. Belki de Halli'yi umursadıkları bile yoktu. Sonuçta onu görmeye kimse gelmedi.

Bakıcısı Katla elinde taşıdığı tepsiyle kapıyı açıp içeri girdiğinde Halli uykuya dalmak üzereydi. Tepsinin üzerinde biraz tavuk, birkaç dilim turp ve mor renkli birtakım filizler vardı. Katla tepsiyi gösterişsiz bir biçimde yatağa bırakırken Halli'nin yüzüne baktı.

"Acıkmışsındır diye düşündüm canım," dedi.

"Evet, acıkmıştım."

"O zaman ye hadi."

Halli, yatağında doğrularak tepsidekilerden atıştırmaya başladı. Yemek yerken bir yandan da Katla'nın odanın içinde telaşla koşuşturmasını izliyordu.

Yemeğini bitirip bıçağını tepsiye bırakan Halli alçak sesle konuştu, "Harikaydı. Bir süre için, yani en azından büyük toplantının sonuna kadar yiyeceğim en doğru düzgün yemek olduğundan tadına doyamadım." Bunları söylerken sesi titredi; eliyle gözlerini kapadı ve öylece bekledi.

Katla durumu fark etmemiş gibiydi. "İlerde başka toplantılar da olur tatlım. Önümüzdeki yaz sandığın kadar uzak değil. Seneye büyük toplantı Orm Evi'nde yapılacak sanırım."

Halli oldukça hırçın bir sesle yanıtladı onu, "Hayatım boyunca içinde yaşadığımız dünyayı merak edip durdum. Şimdi dünya ayağıma kadar geliyor ve benim onu görmem yasak! Kaçıp uzaklara gitmeyi düşünüyorum Katla. Burada kalmaya hiç niyetim yok."

"Haklısın canım. Ancak bacakların pek de uzun sayılmaz. Fazla uzağa gidemezsin. Şimdi geceliğini giymeye ne dersin?"

"Hayır. Katla?"

"Efendim?"

"Mezarlığın ardından geçen yollar var mı?"

Yaşlı kadın hayretle Halli'ye baktı, "Yollar mı? Ne demek istiyorsun?"

"Bölgeye ilk gelen yerleşimcilerin kullandığı yollardan bahsediyorum. Svein'den önce bu vadiye gelenlerin kullandığı, başka vadilere, başka insanlara uzanan yollardan."

Katla şaşkın bir ifadeyle Halli'ye bakarak yavaşça başını salladı. "O zamanlar kullanılmış olan yollar çoktan yok olup gitmiştir. Vadide yerleşimin başlaması oldukça eskilere dayanıyor. Zaten yeryüzünde başka vadi de, başka insanlar da yok."

"Nasıl bu kadar emin olabiliyorsun?"

"Trollerin yaşadığı bölgede insanların kullandığı yollar olduğuna inanmak mümkün mü? Yakınlarına gelen herkesi kaşla göz arasında yok ediyorlar."

Halli yitirdiği koyunu düşünerek omuzlarını kamburlaştırdı. "Peki, yeniden kılıç kuşanıp Trollerle savaşmaya karar versek? Belki de onların yaşadığı bozkırı geçip..."

Katla dizlerinden gelen seslere aldırış etmeden Halli'nin yanına çöküverdi. "Halli, Halli. Bir zamanlar sana çok benzeyen bir oğlan vardı. Ama sanırım onun boyu seninkinden biraz daha uzundu. Bu oğlan Trolleri hiç mi hiç umursamazdı."

"Ben onları umursamadığımı söylemedim ki. Sadece..."

"Svein Evi'nden değil de, aklın ve mantığın daha kıt olduğu başka bir evdendi bu çocuk. Eirik ya da Hakon Evi'ndendi büyük ihtimalle. Neyse, günün birinde bozkıra dolaşmaya gideceğini duyurdu herkese. Anlaşılacağı üzere aklını yitirmişti. Onu zincirleyip bir kulübeye kapatmaları gerekirdi aslında. Ancak kimse gitmesine engel olmadı. Mezarlığı geçişini, hoplaya zıplaya bayırı tırmanışını izledi herkes. Oğlan bir iki kez arkasına bakarak kendisini izleyenlere cahilce el salladı. Sonra ne oldu, biliyor musun?"

Halli içini çekti. "Pek de hoş olmayan şeyler herhalde."

"Doğru tahmin. Yoğun bir sis etrafı sardı. Oğlan sisin içinde yi-

tip gitmişti. Ortalık gece olmuşçasına karardı. Oysa henüz öğle sa-
atleriydi. Sisin en yoğun olduğu anda tiz çığlıklar duyuldu. Ses çok
uzaktan gelmiyordu; fakat haliyle kimse yardıma gidemedi. Son-
ra bir rüzgar çıktı ve sisi bozkırın yukarı kısımlarına süpürdü. Gü-
neşin belirmesiyle insanlar oğlanı fark ettiler. En yakındaki mezar
taşından yaklaşık on metre kadar ilerde beline kadar toprağa gö-
mülmüş bir halde beklemekteydi. Hâlâ hayattaydı; zayıf bir ses-
le bağırıyor ve yardım dileniyordu. İzleyenler arasından cesur bir
adam en yakındaki çalılığa koşarak körpe bir dal kesti ve bozkıra
doğru uzattı. Oğlan dalı yakaladı; insanlar tüm güçleriyle dala asıl-
dılar ve..."

"Gerisini tahmin edebiliyorum," dedi Halli.

"Hayal gücünün yeterince ürkütücü olabileceğini sanmıyorum.
İnsanların farkına vardığı ilk şey oğlanın beklediklerinden çok daha
hafif oluşuydu. Sonra ardında bıraktığı kırmızı kan izini gördüler.
Ve gövdesinin alt yarısının yok olup gittiğini anladılar."

"Evet. Sanırım..."

"Gitmişti! Göbek deliğinden aşağısı yoktu. Ya yenmiş yutul-
muştu ya da Trol deliklerinden birine sürüklenmişti. Tabii çocuk
mezar taşlarının bulunduğu yere gelene kadar çoktan can vermiş-
ti. İşte böyle. Trollerin ciddiyetine inanmayı reddeden oğlanın hi-
kayesi böyle sona eriyor. Benzer türde daha bir sürü hikaye anlata-
bilirim istersen."

"Biliyorum. Şimdi izin verirsen uyuyacağım."

"Şu bahsettiğim oğlanın öyküsü hiç değilse bir şeyi kanıtlıyor.
Evet, belki bacakların biraz kısa, ama hâlâ onların üzerinde yürü-
yorsun. Durumun için şükredip her şeyi olduğu gibi kabullenirsen
pek yakında işlerin yoluna gireceğinden emin olabilirsin." Bu söz-
lerin ardından Katla ışığı söndürdü ve ayaklarını sürüyerek oda-
dan çıktı.

4

SVEIN, EGIL'LE İYİ ANLAŞIRDI. Ancak diğer kahramanlar
daha küçük yaşlardan beri sinirine dokunurdu. Ne zaman
bir şenlik ya da at pazarı düzenlense birileri gelir ve Svein'e
meydan okurdu. Küstahlıklarına olduğu kadar boş konuş-
malarına ve tuhaf kılıklarda gezinmelerine de kızardı Svein.
Ama hepsinden çok vadinin güneyinden gelen rakiplerinin
her zaman balık kokmasına sinir olurdu. Bir keresinde Arne
ve Erlend gelip de kaya fırlatmayı önerdiklerinde Svein'in
kayası sahanın dışına kadar uçmuş, nehrin ortasına düşmüş
ve ufak bir adaya dönüşmüştü. Ardından Arne ve Erlend'in
kokularından rahatsız olan Svein onları da bacaklarından
yakaladığı gibi nehrin ortasına yollayıvermişti.

İki gün sonra büyük toplantı başladı. Şafak söktükten hemen son-
ra Svein topraklarına doğru uzanan yolda ilk atlılar göründü. Ka-
yın ormanının kıyısında beliren ve ağır hareket eden bu gri silüetle-
ri, çamura bulanmış kirli arabalar izlemekteydi. Kuzey Kapısı'ndan
yükselen bir boru sesi duyuldu. Çayırlarda et çevirmek için kazılmış
kuyularda ateşler yakıldı ve arpasuyu fıçıları açıldı. Soğuktan ko-
runmak için kalın pelerinlere bürünmüş olan Arnkel ve Astrid ge-
lenleri karşılamak için yolun aşağısına doğru yürümeye başladılar.

Güneş, Sivri Tepe'nin arkasında yükselerek avlunun üzerine düş-
tü. Mutfaktan fırlayan kadın ve erkekler bembeyaz keten örtülerin
altına gizlenmiş ekmek ve pastaları meydandaki masalara taşımaya
başladılar. İlk gelenler çadırlarını kurmakla ve seçtikleri tezgahlara
kendi bayraklarını asmakla meşgullerdi. Çocuklar ıslak çimenlerde
koşturup bağırıyorlardı. Yol oldukça kalabalıklaşmıştı artık. Toynak

sesleri ve tekerleklerden yükselen gıcırtı etrafı sarmıştı. Hava ısınınca pelerinler bir kenara atılmış, rengarenk tuniklerle elbiseler çayırı donatmıştı. Herkes el sıkışıyor ve birbiriyle kucaklaşıyordu. Zaman zaman yükselen boru sesleri kalabalığın uğultusunu bastırıyordu. Ortamdaki heyecan sonbahar rüzgarlarına karışıyordu.

Trol duvarının tepesinde oturan Halli yaşanan bu coşkuyu uzaktan izlemekle yetiniyordu. Sonunda dayanamayarak duvardan aşağı atladı ve mutluluk dolu seslerin neredeyse duyulmaz olduğu odasına çekildi.

İçinde sessizce kabarmakta olan öfke ve hayal kırıklığı sonunda alev almıştı. Tüm vadi kapısının önünde düzenlenen bir şenliğe katılmak için toplanmıştı ve Halli'nin bu şenliğin sunacağı zevkleri tatması yasaklanmıştı. Ailesi tüm bunların hesabını verecekti.

Yatağından kalkarak koridoru geçti ve perdeleri aralayarak şimdi bomboş olan konağa girdi. Avludan kahkahalar yükseliyordu. Batı tarafındaki pencerelerden içeri süzülen güneş ışığı havada uçuşan tozları aydınlatıyordu. Yönetici koltuklarının hemen arkasında duran Svein'in hazinesi, üzerine düşen ışık hüzmesiyle ışıl ışıldı; ezilmiş ve berelenmiş miğferi, üzerinde biriken yüzlerce yıllık is yüzünden kararmış mızrağı, arka taraftaki telin parçalarını hâlâ üzerinde taşıyan yayı. Svein'in kara tahtadan yapılmış, üzeri ufak çukurlarla kaplı, kenarı ve ortasında metal parçalar bulunan kalkanı da oradaydı. Hemen yanında çürümekte olan sadağı* ve okları duruyordu. Tüm bunların aşağısında ise taştan yapılma bir raf vardı. Raftaki küçük kutuda Svein'in uğur getirdiğine inandığı gümüş kemeri saklıydı. Halli orada öylece durmuş, Svein'in macera dolu yaşamının imgeleri olan bu eşyaları seyrediyordu.

Hazinedeki tek eksik parça kılıçtı. Çünkü kılıç hâlâ Svein'in elindeydi ve tepenin doruğunda gömülüydü.

---

* Sadak: İçine ok konulan torba veya kutu biçiminde kılıf. (Ç.N.)

Birdenbire içinde kabaran şiddetli öfkeyi dişlerinde hissetti Halli. Svein ölü olduğu halde Halli'ye göre çok daha canlı sayılırdı. Her şeyden önemlisi cansız bedeni Halli'ninkinden çok daha büyük bir amaca hizmet ediyordu. Svein hâlâ halkını Trollerden koruyordu. Halli ise çaresizlik içinde annesiyle babasının emirlerini uyguluyor, boş boş zaman geçiriyor, ölene ve taşlar altında yatan atalarına katılana kadar sonsuz sıkıntıyla yüklü bir hayata mahkum ediliyordu.

Artık daha fazla dayanamazdı. Salon onu boğuyor gibiydi. Hızlı adımlarla binanın arka kapısından dışarı süzüldü. Ahırların arasından geçerek Trol duvarına vardı. Duvara şöyle bir göz attıktan sonra lahana tarlalarının ortasından geçen oldukça dolambaçlı bir yol izlemeye başladı. Çok geçmeden büyük toplantının tüm hızıyla sürdüğü çayırların yakınından geçen yola ulaşmıştı.

Tezgahların çoğu ticaret için getirilmiş öteberiyle doluydu. Karmakarışık bir insan yumağı arpasuyu fıçılarıyla hikaye anlatan ozanların arasında mekik dokuyordu. Çayırlardan biri rengarenk çadırlarla tıkabasadolup taşmıştı. Ancak konuklar gelmeye devam ediyorlardı. Ağdalı bir biçimde süslenmiş olan giriş kapısı, ardı ardına yeni ziyaretçileri buyur ediyordu içeri.

Halli çekinerek çayıra yaklaştı. İçeri girmeyi istiyordu, ancak bunu başarabileceğinden emin değildi. Kapıda demirci Grim'in fazlasıyla kaslı ve dikkatli bir biçimde beklediğini gördü. Halli'nin farkına varan Grim onun bulunduğu yöne doğru kısa ve tehditkar bir el hareketi yaptı.

Halli'nin morali bozulmuştu. Eve doğru yorgun adımlarla yürümeye başladı. Fakat sonra şalgam tarlalarının arasında uzanan daracık bir patika gördü ve hızla yönünü değiştirdi.

Evin doğu sınırına yakın, çöken Trol duvarının çimen ve otlar arasında gözden kaybolduğu kısımda, Svein'in meyve bahçesi bulunurdu. Daha çok kışa dayanıklı armut ve elma ağaçlarıyla dolu olan bahçede otuz kadar ağaç vardı. Bahçenin çevresinde tezek yığınlarından yapılmış alçak bir duvar vardı. Ağaçlar fazla meyve vermezdi. Bu yüzden de bahçe çoğunlukla tenha olurdu. Halli bugün orada kimseye rastlamayacağından emindi. Kendisiyle baş başa kalmak istediğinden rotasını bahçeye çevirdi.

Henüz bahçe girişinden içeriye iki adım atmıştı ki koyu yeşil dallar dış dünyayla ilişkisini tamamen kesti. Birdenbire büyük toplantının gürültüsü çok uzaktan gelir gibi olmuştu. Halli'nin nefes alıp verişi yavaşladı. Birkaç adım atıp durdu ve gözlerini yumarak düşüncelere daldı.

İşte tam o anda ağaçların tepesinden gelen anlaşılması güç bir ses duydu. Önce kulak tırmalayan bir bağırtı, sonra kırılan incecik dalların çıtırtısı, ardından da tiz bir çığlık geldi kulağına. Tüm bu sesleri takiben çok sayıda elma bir anda kafasına iniverdi.

Halli çevik bir hareketle yana doğru eğildi, ancak aşağı düşen elmaların bir tekinden bile kurtulamadı. Bu sırada en yakınındaki ağacın dibinden kuvvetli bir gümbürtü duyuldu. Dönüp baktığında ağacın kökleri arasında uzanmış, yukarı doğru sıyrılmış eteğini acele hareketlerle düzeltmeye çalışan bir kızla karşılaştı. Kucağında ve hemen yanı başındaki çimenlerde bir sürü elma vardı. Ayakları çıplaktı ve kirden kapkara olmuştu. Elbisesi aslında olgun erikler gibi mordu, ancak her yanı yeşil lekelerle kaplıydı. Ağaçtan düştüğü sırada uzun saman rengi saçları tokadan kurtulmuş ve yüzüne dökülmüştü. Bu yüzden suratı belli belirsizdi.

Kızlar söz konusu olduğunda Gudny'nin bakımlı ve sakin haline alışkın olan Halli için bu görüntü kesinlikle merak uyandıracak cinstendi. Kıza kararsız bir ifadeyle baktı.

Kızsa içini çekerek yüzüne düşen saçları umursamazca geriye doğru taradı.

"Eteğime yirmi tane elma alırsam böyle olur işte," dedi. "Düşenlerden kafana gelen oldu mu?" Oldukça endişeli görünüyordu.

"Hemen hemen hepsi."

"Lanet olsun. Elmaların hepsi berelendi. Hiçbir işe yaramazlar artık. Yerdeki yosuna düşmüş olsalardı sorun olmazdı." Eliyle yere dokundu. "Burada yosun tabakası oldukça kalın. Kıçımın şansı varmış. Yardım et de ayağa kalkayım."

Halli ağzını açtı, ancak söyleyecek bir şey bulamadı. Elini uzatarak kızın ayağa kalkmasına yardımcı oldu.

"Teşekkürler." Kız, Halli'nin önünde durmuş elbisesine bulaşan ağaç kabuklarını silkeliyor, bir yandan da koyu tenli çıplak kollarındaki çizikleri inceliyordu. Halli'den on santim kadar uzun, belki yaşça biraz da büyüktü. Üzüntüyle elbisesini gözden geçirdi. "Teyzem beni öldürecek," dedi. "Yarınki müzakereleri izlerken bu elbiseyi giymem gerekiyor. Başka şık kıyafetim de yok. Aslında üstümü değiştirmeden gelmemem gerekirdi buraya. Fakat çadır henüz kurulmamıştı. Ben de çayırın ortasında soyunmak istemedim. Evlilik hayallerim açısından iyi olmayacağını düşündüm. Ama yanılmış da olabilirim tabii. Neyse, şu yerdeki elmaları toplayıver, olur mu? Sanırım bu kadarı yeterli."

Halli şaşkınlık içinde kıza bakakalmıştı, "Ne dedin sen?"

"Elmaları toplayıver dedim." Biraz bekledikten sonra kaşlarını kaldırarak konuşmaya devam etti. "Uşak olarak pek de işe yaramazsın. Babam olsaydı çoktan kıçına tekmeyi yapıştırmıştı senin."

Halli gırtlağını temizleyerek sırtını dikleştirdi. Buna rağmen kızın ensesine ancak yetişebildiğini görmezden gelerek kendine güvenen bir sesle konuşmaya başladı. "Yanlışın var. Ben uşak falan değilim."

Kız bıkkınlıkla gözlerini devirdi. "Svein Evi'nde 'uşak' sözcüğü kullanılmıyor mu? Peki, senin gibilere ne deniyor? 'Hizmetkar' mı, 'Yardımcı' mı? Buldum, 'Köle!' Burada durup bütün gün konuşabiliriz, ama sonuçta hepsi de aynı yere çıkıyor. Hadi topla şu elmaları."

"Benim adım Halli Sveinsson. Ben..."

"Sakın kendini 'hizmetli' olarak adlandırdığını söyleme bana. Yanılmıyorsam Hakon'un Evi'nde hizmetkarlar bu isimle anılıyorlar. Gösterişe pek bir düşkün olduklarından tam da onlara yakışır bir durum! Oysa biz Arne Evi'nde lafı dolandırmayız; her şeyi basitçe ve doğrudan dile getiririz. Uşaksan uşaksındır." Sustu. "Az önce ne dedin sen?"

Halli şimdi dişlerini göstererek gülüyordu. Abartılı bir dikkatle yanıtladı kızın sorusunu: "Adım Halli Sveinsson, bu evin hakimi Arnkel'le yasa yapıcısı Astrid'in oğluyum. Sen, her kimsen, şu anda evimde misafirsin ve elmalarımı çalıyorsun. Şimdi, bana gerektiği gibi saygıyla davranmak yerine hor gören bir tavırla yaklaşmanın, beni basit bir uşak sanmanın nedenini öğrenebilir miyim acaba? Bu durumu nasıl açıklayacağını çok merak ediyorum doğrusu."

Kız Halli'nin elbiselerini işaret ederek konuştu, "Evinin renklerini taşımıyorsun."

Halli başını öne eğerek kıyafetlerini gözden geçirdi. Kız haklıydı. Toplantının yapıldığı yerde tüm aile bireyleri gümüş ve siyah renkteki resmi kıyafetlerine bürünmüş olmalıydılar. Hatta Leif, büyük olasılıkla kasım kasım kasılarak resmi kılığı içinde çayırda turlamaktaydı. Grim, Unn ve hatta Eyjolf gibi evin diğer önde gelenlerinin bile koyu renk kıyafet giyip gümüş şeritler kuşanmasına izin verilmişti. Ancak Halli'nin resmi kıyafet kullanması kesinlikle yasaklanmıştı. Üzerindeki kahverengi tunik oldukça eski ve lekeliydi. Böyle bir durumda üstündekiler 'uşak' diye bağırıyordu sanki.

Kız öksürerek boğazını temizledi. "Pekala, sen nasıl bir açıklama yapacaksın bakalım."

Halli ensesini kaşıyarak konuştu, "Evet, haklısın. Üzerimde evimin renklerinin bulunmadığı doğru."

"Farkındayım. Zaten bunu az önce ben söylemiştim."

Halli yüzünün kızardığını hissetti. "Seni temin ederim ki ismim Halli..."

"Sülalenle ilgili ayrıntıları tekrarlamana hiç lüzum yok," dedi kız. "Şu anda bulunduğumuz yer meyve bahçesi, tören salonu değil. Hem artık kim olduğunu biliyorum. Hatta sizinle ilgili her şeyi biliyorum. Evinizle ilgili hikayeleri teyzemden aldığım dersler sırasında öğrendim. Üzücü bir durum doğrusu. Çoğunuz saçma sapan şekillerde ölüp gidiyorsunuz."

Öfkeden kaskatı kesilen Halli itiraz etmeye kalktı, "Hiç de öyle değil."

"Yo, tam da öyle. Ayılar, kurtlar, şelaleler, karınca sokmaları... Tüm bunlar sence komik nedenler değil de ne?"

"Aslına bakarsan söz konusu hayvan bir arıydı. Arı sokması yani."

"İşin doğrusu, henüz içinizden birinin kazayla ağzına giren bir sinek yüzünden boğulmamış olmasına şaşıyorum. Gerçi çenen böyle düşük oldukça sineği senin yutacağın kesin gibi." O ana kadar aşağılayıcı ve umursamaz bir ifadeye bürünmüş olan yüzü birdenbire kocaman bir gülümsemeyle aydınlandı. Işıl ışıl yanan gözlerinin çevresinde sevimli kırışıklar oluşmuştu.

"Her neyse," diye sürdürdü söylerini kız. "Evlerin tarihçesi ve soyağacı kimin umurunda ki? Hepsi de saçmalık. Son derece can sıkıcı. Ben Arne Evi'nden Aud, Ulfar'ın kızı." Bunları söylerken elini öne doğru uzattı. Ancak kirli olduğunu fark edince elini hızla geri çekti ve elbisesine sürterek temizlemeye çalıştı. "Bu da nereden çıktı böyle? Ağacın üzerinde yaşıyordu herhalde. Hem de bu mevsimde! Neyse, şimdi daha temiz en azından."

Halli ufak bir duraksamanın ardından uzanarak kızın elini sıktı. Bir taraftan da vadinin aşağısında bulunan Arne Evi hakkında bildiklerini hatırlamaya çalışıyordu. Ulfar, Arnesson'un, Astrid'in kuzeni olduğunu biliyordu. Adam onları büyük olasılıkla defalarca ziyaret etmişti. Halli, anne ve babasının Ulfar'ın kanunlar konusundaki yetkin bilgisine saygı duyduklarını hayal meyal anımsar gibiydi.

"Babanı tanıyorum," dedi Halli tüm cesaretini toplayarak. "Aklı başında ve bilge bir adam."

Kız burnunu buruşturarak "Gerçekten mi? Bana sorarsan fazlasıyla kendini beğenmiş ve kibirli biri. Oysa sen hiç öyle değilsin sanırım."

Halli sinirli sinirli cevap verdi, "Hayır, değilim."

"Sevindim. Peki, söyle bakalım, sen neden evinin renklerine bürünmüş halde büyük toplantıda değilsin? Ailenin geri kalanı biz geldiğimizde kapının yanı başında sıraya dizilmişti. Şu kız kardeşin var ya soğuk ve burnu havada bir tip. Kurumundan yanına varılmıyor. Bana nehirden yeni çıkmış çürümüş bir eşyaymışım gibi tepeden baktı. Oysa elbisem henüz kirlenmemişti bile." Birden elini karmakarışık olmuş saçlarına götürdü. "Şimdi tokam da kayıp, saç örgüsü konusu da böylelikle noktalanmış oluyor." Başını endişeyle iki yana sallayarak konuşmayı sürdürdü, "Teyzem beni gerçekten öldürecek... Ne diyordun?"

Halli gözlerini kırpıştırarak baktı. "Ne?"

"Neden gündelik paçavralarınla burada gizlendiğini anlatıyordun."

"Şey..." Halli bir dizi yalana ve bahaneye başvurmayı düşündü, ancak hiçbiri kulağa inanılır gelmeyecekti. Sonunda omuz silkerek "Toplantıya katılmam yasak," dedi.

"Peki neden?"

"Gurur meselesi olan bir konuda ağabeyime karşı kendimi savunduğum için."

Kız tek kaşını kaldırarak sordu, "Yani? Tam olarak ne demek istiyorsun?"

"Ağabeyim bana vurdu. Ben de onu gübre yığınına ittim."

İşte o anda Ulfar'ın kızı köpek havlamasına benzer kısa ve keskin bir kahkaha patlattı. "Aslına bakarsan toplantıya katılmamakla bir şey kaçırıyor değilsin. Herkes çadırların arasında dolanıp servet yarıştırıyor. Eirikssonlar yanlarında getirdikleri ayıyı tezgâhlarına bağlamışlar; boynundaki tasmanın som altından yapıldığını iddia ediyorlar." Ani ve küçük bir kahkaha daha attı. "Tasma altından olsun ya da olmasın, sonuçta ayı tam da Ketilssonlar gelirken tezgahın önünde bulunan kabul halısına işedi. Yaşlı Ljot Eiriksson'un pantolonu ıslanırken orada öylece oturup dişlerinin arasından konuşmaktan başka çaresi kalmadı. Utancından yerinden bile kalkamadı."

Kızın keyfi bulaşıcıydı. Halli günlerdir ilk defa güldüğünü fark etti. Sonra içini çekerek, "Bu önemli insanlardan sanki onları çok yakından tanıyormuş gibi bahsediyorsun," dedi. "Keşke ben de senin gibi olabilseydim. Bugüne kadar bir tek toplantıya bile katılmadım ben." Bu ayrıntıyı saklamak aklının ucundan bile geçmemişti. Kızın samimi davranışı onu da dürüst olmaya yöneltmiş gibiydi.

"Kurucuların aileleri çok ama çok sıkıcıdır," dedi Aud. "Tabii seni saymazsak. En kötüsü de komik saçları ve tahammülü zor caka satışlarıyla bataklığa yakın yaşayanlar, yani Ormssonlar ve Hakonssonlar. Hakonssonlar az önce bizim tezgaha geldiler. Babamın yalakalık yaptığını, sanki kendisi de kahramanların soyundan gelmiyormuşçasına küçülüp süklüm püklüm olduğunu görünce kanım beynime sıçradı. Bu yüzden buraya kaçtım. Biraz dolaşmak istedim ve bu bahçeyi keşfettim. Birkaç elma almama izin verir misin, Halli Sveinsson? Etrafta ağır yemeklerle arpasuyundan başka bir şey yok."

Halli rahat bir tavırla cevap verdi, "Buyur lütfen. Hatta sana yardım edeyim istersen."

İkisi de eğilerek rüzgarın çimenlere düşürdüğü meyveleri toplamaya başladılar. Halli ellerinde tuttuğu birkaç elmayla birlikte doğrularak beklemeye başladı. Aud'un kalçaları üzerinde çömelişini, elmaları evirip çevirişini, seçtiği birkaç taneyi eteğine bırakışını izledi. Meyve bahçesindeki hava oldukça sıcaktı; Halli yüzünün pembeleştiğini hissetti. Evin gerisindeki çayırlıktan yükselen şamata yüzünden gözlerini kısarak ağaçların arasından ileriye baktı.

Aud doğrularak yüzüne düşen saçları geriye doğru attı. "Sanırım geri dönsem iyi olacak."

Halli derin bir nefes aldı ve birden, "Sana eşlik edeyim," dedi. "Tabii eğer istersen. Evin içinden geçen kestirme bir yol biliyorum. Duvara tırmanmaya itirazın yoksa o yolu kullanabiliriz."

Aud gülerek, "Tamam," dedi.

Bahçe sınırında ağaçların seyrelerek, yerlerini yıkılmış Trol duvarının taşlarına bıraktıkları bir bölüm vardı. Dikkatlice taşların üzerine tırmandılar. Uzun ve kuru çimlerin arasında kaybolmaya yüz tutmuş taşların keskin yüzeyini ayaklarının altında hissedebiliyorlardı. Hemen yukarılarında eve bağlı dış kulübelerin çıplak duvarları yükseliyordu. Yosunla kaplı sarı duvarlarda tek bir pencere bile yoktu. Trol duvarının tepesinden evin arka avlusuna atlamaları gerekiyordu. Yükseklik bir buçuk metre kadardı. Avluda ise tente altına istiflenmiş ve güneşte kurumaya bırakılmış kütükler vardı. Halli avlunun beton zeminine atladıktan sonra Aud'a yardım etmek için geri döndü. Ancak Aud, Halli'nin yanına inmişti bile.

"Berbat bir duvar," dedi. "Tek bacağı olan bir Trol bile geri geri gelip sıçrayarak duvarı aşabilir."

"Svein'in duvarı inşa ettiği zamanlarda yeterince yüksekti. Zaten şimdi hiçbir amacı da kalmadı. Öyle değil mi?" diye kestirip attı Halli.

"Arne Evi'nde duvar yerle bir edildi. Tüm binalar kendilerine ait bahçeler içinde bulunuyorlar."

Ahırların arasından geçerlerken, "Arne nasıl bir adamdı?" diye sordu Halli. Evin ana avlusundan koşuşturma sesleri geliyor, ekmekle arpasuyunun tatlı-ekşi kokusu burunlarına ulaşıyordu. "Hikayelerde pek dikkat çeken bir isim değil."

Aud durup Halli'ye baktı. "Neden böyle söylüyorsun? Önde gelen kahramanlardan biriydi o!"

"Belki önemsiz bazı hikayelerde," dedi Halli kaşlarını çatarak.

"Hayır efendim, tam da en önemli maceralarda! Trol kralının hazinesini kim çaldı dersin? Ya Flori'nin kardeşlerini sadece tek bir bıçakla öldüren kimdi? Peki, Kaya Savaşı'nda tüm kurucuları birlik haline getirmeyi başaran kimdi acaba?"

"Ne?" Halli olduğu yerde donakalmıştı. "Sen neden bahsediyorsun? Tüm bunları yapan Svein'in ta kendisiydi!"

Ulfar'ın kızı çınlayan bir kahkaha patlattı. "Çok komiksin Halli. İşte şimdi beni güldürmeyi başardın. Demek ki sizin ozanlar tüm bunları Svein'in marifeti olarak anlatıyor, öyle mi?"

Kızın sesindeki kibirli hava yeniden ortaya çıkıvermişti. Halli'nin tepesi iyice atmıştı. Sinirli sinirli konuşmaya başladı, "Eğer senin söylediklerin doğruysa, eğer gerçekten Arne en büyük kahramansa, nasıl oluyor da Svein Evi vadideki en büyük ev oluyor?"

Ahırları ve Svein'in salonunu geride bırakmış, ana avlunun başlangıcına kadar gelmişlerdi. Yükseklerde gümüş-siyah bayraklar dalgalanıyordu. Avlu oldukça kalabalıktı. Girenler ve çıkanlar tepsilerle arpasuyu bardakları taşıyor, yerde arpasuyu fıçıları yuvarlıyorlardı. Ev halkı Halli'nin hayatında hiç görmediği kadar meşguldü. Aud bir anlığına avludaki hareketliliği seyretti, sonra bakışlarını Halli'ye çevirdi. Gülümsüyordu; ancak gözleri kızgınlık ve öfke doluydu. "Senden farklı olarak ben kapımın dışına sadece iki adım atmakla kalmadım," dedi. "Bu yüzden Arne Evi'nin, Svein Evi'nin iki katı kadar büyük olduğunu, ancak diğer bazı evlerin Arne Evi'ni bile solladığını söyleyebilirim. Bilgi sahibi olmadığın şeyler hakkında konuşma."

Halli dudaklarını kemiriyordu. Aud'un öfkesinin kendisini bu denli incitmesine şaşırmıştı. "Özür dilerim." dedi çekinerek. "Aptalca konuştum. Evini ve kurucusunu eleştirmem yanlıştı. Umarım budalanın teki olduğumu düşünmüyorsundur."

Duraksayarak Aud'un gözlerinin içine bakmaya zorladı kendini. Kızın gözlerinde hâlâ öfke pırıltıları seziliyordu. Ancak aynı zamanda durumdan keyif alıyor gibiydi. Halli rahatlamıştı. "Sorun değil." dedi Aud aniden. "Aslına bakarsan umurumda da değil. Bu ev meselesi bence tam bir saçmalık. Aptalca hikayelerden başka bir temeli yok. O hikayelerin de bir tekine bile inanmıyorum."

Halli kıza bakakalmıştı. "Hangi hikayeler?"

"Kahramanlarla ilgili anlatılanlar işte. Onların o büyük maceraları."

"Kahramanlara inanmıyor musun?"

Aud tekrar güldü, "Hayır."

"Peki Troller nasıl..."

"Sahi, onların varlığına da inanmıyorum. Bence hepsi... oh hayır. Bir bu eksikti."

Turuncu ve kırmızının en parlak tonlarında gösterişli tunikler giymiş olan bir grup genç kalabalıktan ayrılıp onlara doğru yürümeye başlamıştı. Tüm cehaletine rağmen Halli bile gelenlerin vadinin aşağı kesiminden olduklarını hemen anladı. Hepsi de annesine benziyorlardı; pembe tenli, mavi gözlü, soluk sarı saçlı. Onlu yaşlarının ortasında, erkekliğe adım atmak üzere olmalıydılar. Ancak buna rağmen bir iki tanesi tıraş olmaya kalkışmış, tüylerini babasından bile daha kısa kesmeyi başarmıştı. Saçları geriye doğru taranmış ve cilalı bronz halkalarla sımsıkı bağlanmıştı. Tuhaf, hatta erkeksilikten uzak bir görüntüydü bu Halli için. Manşet ve yaka kısımları brokardan* yapılma kıyafetleri oldukça dikkat çekiciydi.

---

* Brokar: Sırma veya gümüş işlemeli bir tür ipekli kumaş. (Ç.N.)

Grubun lideri olan en uzun boylu, en sarışın ve en köşeli çeneye sahip delikanlı başını eğerek selam verdi, "Ulfar kızı Aud."

Aud başını hafifçe eğerek selama karşılık verdi, "Ragnar Hakonsson."

"Seni burada Svein Evi'nin hizmetlileriyle birlikte bulacağımı düşünmemiştim doğrusu." Genizden gelen sesi oldukça inceydi ve Halli'nin daha önce hiç duymadığı bir şekilde yükselip alçalıyordu. "Neden aşağıdaki çayırda değilsin? Az sonra dans başlayacak."

Aud umursamaz bir havayla yanıt verdi, "Canım elma çekti. Peki sen burada ne arıyorsun?"

"Çayırdaki arpasuyu çadırı çok kalabalık. Babam kendi tezgahımızda kullanabileceğimiz bir fıçı getirmek üzere yolladı bizi. Eğer Sveinssonlarda bir parça akıl olsaydı, daha en başından her tezgaha bir fıçı yerleştirirlerdi. Nitekim üç yıl önce babam öyle yapmıştı. Fakat boş yere konuşuyoruz. Şu aptal Leif Sveinsson çoktan sarhoş oldu ve ortalıkta dolaşarak kızlara göz süzüyor. Tam da kendisinden beklenecek ahmakça bir davranış. Seni gözüne kestirmiş olmamasına şaşırdım."

Aud'un gözleri huzursuzca yanında duran Halli'ye kaydı. Konuşmak üzere gırtlağını temizliyordu ki Halli uşaklara özgü bir biçimde selam vererek ileriye doğru bir adım attı. "Beyefendilere yardımcı olabilir miyim acaba? Arpasuyu arzu ediyorsanız bir koşu gidip yeni bir fıçı getirebilirim."

O ana kadar gençler, Halli'ye dönüp bakmamışlardı bile.

"Hakon'un evinde hizmetliler kendilerine bir şey söylenmeden konuşmazlar," dedi içlerinden biri.

"Ayrıca daha uzun boylu olurlar," dedi bir diğeri.

"Kulağını çekmek gerek bunun," dedi tilki gibi ince suratlı olan bir genç. "Tabii boyu değil, düşük çenesi yüzünden. Gerçi boyu da oldukça rahatsız edici."

Ragnar Hakonsson sakin bir tavırla konuşmaya başladı, "Pekala ufaklık. Git ve bize bulabildiğin en iyi arpasuyu fıçısını getir. Bu arada Lady Aud bize eşlik edip dans etmek üzere çayıra dönerse fıçıdakinin tadına bakabilir."

Aud şaşkınlık içinde Halli'ye bakıyordu; ancak sonunda kendini toplayarak, "Zevkle," dedi. Gözlerini süzerek çevresindeki delikanlılara gülümsedi. Gençler yerlerinde duramıyor, aptal aptal sırıtıyor ve zevkten dört köşe olmuşa benziyorlardı. Halli karnında garip bir gıdıklanma hissetti.

"Ne bekliyorsun?" diye sordu Ragnar Hakonsson. "Hadi, çabuk ol, ufaklık."

Halli yüzündeki kocaman gülümseyişle cevap verdi, "Elbette efendim. Rahatsızlık verdiğim için özür dilerim. Elimdeki elmaları Lady Aud'a vermeme müsaade eder misiniz? Şimdi, en acele tarafından bir fıçı arpasuyu geliyor! Ana kapının orada bekleyebilir misiniz acaba? Şu ilerdeki çadırdan fıçıyı alıp hemen geliyorum."

Halli hızla avludaki kalabalığa karıştı. Gençlerin kendisini göremeyeceğinden emin olduğunda adımlarını yavaşlattı ve daha planlı hareket etmeye başladı. Çadırda istiflenmiş fıçıları avludaki el arabalarına taşıyan uşaklardan sakınarak gizlice çadıra süzüldü. Fıçıların arasından ustalıkla geçerek arka kısma ulaştı. Üzerinde musluk bulunan fıçılardan birinde karar kıldı ve fıçıyı çadır bezinin yırtık olduğu noktaya kadar yuvarladı. Az sonra çadırın dışındaydı ve Hakonssonların beklediği tarafa doğru değil, avlunun arka kısmına doğru koşuyordu.

Fıçıyı hızla deri tabakçısı Unn'un atölyesine doğru yuvarladı.

Hayvan derilerini dayanıklı hale getirmek oldukça pis ve zevksiz bir işti. Atölyedeki acımtırak koku her zamanki gibi Halli'nin soluğunu tutup yüzünü buruşturmasına neden oldu. Unn'un varillerindeki sıvıda bekleyen kokuşmuş derilere bir göz attı. Fıçıların her birinde su, idrar, ağaç kabuğu, sebze ve meyve artıkları, ekşimiş süt, hayvansal yağ ve daha bir sürü şeyden oluşan bir çözelti bulunuyordu. Bu çözelti sayesinde hayvan derisi sertleşip dayanıklı hale geliyordu.

Şimdi ise bu çözelti çok daha farklı ve tatmin edici bir amaca hizmet edecekti.

Halli orada bulduğu bir testiyi fıçının altına yerleştirdi. Fıçıdaki arpasuyunun büyük bir kısmını testiye boşalttı. Bir kısmını içti, bir kısmını ise boş duran varillerden birine aktardı. Sonra fıçıyı ters çevirdi ve musluğu yerinden sökerek çıkardı. Şimdi fıçının üzerinde küçük yuvarlak bir delik vardı.

En yakınındaki varile uzandı ve bu kez boş testiyi kötü kokulu siyah sıvıyla doldurdu. Tehlikeli sıvıyı üzerine dökmemek için büyük bir dikkatle hareket ederek tamamını fıçıya boşalttı. Fıçının içindeki sıvı köpürüyor ve etrafa dumanlar saçıyordu.

Halli şöyle bir durup düşündü. Bu kadar yeter miydi?

Ragnar'ın kendini beğenmiş tavrını ve Aud'la ona hükmedercesine konuşmasını anımsadı sonra.

Belki bir parça daha çözelti eklemeliydi.

Hemen yakında duran bir çanaktaki beyaz macun kırıntılarıyla dolu bir testi çözelti daha fıçıyı boyladı. Halli'nin kokudan anlayabildiği kadarıyla bu beyaz macun deriyi et kalıntılarından temizlemek için kullanılan tavuk dışkısından başka bir şey değildi.

Her şey hazırdı. Halli musluğu yerine taktı ve yola koyuldu.

Ragnar Hakonsson ve arkadaşları kapıda bekliyorlardı. Hepsi de hayranlık dolu gözlerle Aud'un çevresinde yarım ay şeklinde sıralanmışlardı. Onlara doğru gelen Halli'ye sabırsız bir bakış fırlattılar.

"Amma da uzun sürdü, ufaklık."

"Çocukla uğraşmayın. Sanıyorum sadece yardım etmek istedi," dedi Aud.

Halli, grubu oldukça süslü ve abartılı bir şekilde selamladı. "Bulabildiğim en iyi arpasuyunu getirdim efendim. En soylu misafirler için ayrılmış, özel bir üretim. Cesaretimi bağışlarsanız, Lady

Aud'un denemesinin uygun olmayacağı kadar sert bir arpasuyu olduğunu belirtmek isterim." Aud'a imalı bir şekilde baktıktan sonra eğilerek selam verdi ve geri çekildi.

Çayırda Hakonssonlar neşe içinde eğlenmeye devam ediyorlardı. Aud'un çevresinden ayrılmayan gençlerin her biri arkadaşlarından daha yüksek sesle gülüyor gibiydi. Halli tüm olan biteni kapının yanı başındaki gölgelere saklanarak izledi. Sonra da salona geri döndü.

5

SVEIN'İN GENÇ YAŞINA RAĞMEN sahip olduğu cesaret diğer kahramanları öylesine kızdırıyordu ki bazıları onu öldürmeyi bile düşündüler. Ancak kurdukları pusular hiçbir zaman başarıya ulaşmadı. Bir keresinde Hakon gizlendiği yerden Svein'i ok yağmuruna tutmaya kalkıştı. İlk ok Svein'in kemerine isabet ederek herhangi bir zarara yol açmaksızın geri sekti. İkincisi boynunu sıyırarak karmakarışık saçlarından bir meşe ağacına çiviledi onu. Svein'in saçlarının yarısını ağacın gövdesinde bırakmadan oradan kurtulması mümkün değildi. Ancak bu yola başvurmak da Svein'in içine sinmiyordu. Onun böylesine çaresiz bir halde beklediğini gören Hakon kılıcını çekerek ağır adımlarla Svein'e doğru yaklaştı. Amacı onun işini bitirmekti. Ancak Svein meşeyi kökleriyle birlikte sökerek başının üzerinde çevirdi ve asa gibi kullanarak Hakon'a hayatında yediği en okkalı sopayı çekti. Daha sonra Svein olaydan bahsederken alçakgönüllülükle, "Sadece küçük bir fidandı, abartacak bir şey yok," demekle yetindi.

Toplantının ilk günü şenliklerle mutlu bir şekilde sona erdi. Ancak ertesi gün şafak sökerken Hakonsson heyetinin başına gelen talihsizlikle ilgili haberler Svein Evi'ne ulaşmıştı. Partiye katılan erkekler arasında şiddetli mide kasılmalarıyla bulantı baş göstermiş, hepsi de geceyi defalarca en yakındaki çalıların üzerine eğilerek ve iniltiler içinde yataklarına dönerek geçirmişlerdi. Onlara yakın konaklayan bazı gruplar çadırlarını ileriye taşımak zorunda kalmıştı. Çünkü tam altı at, Hakonssonlar'ın gürültüsünden ürküp debelenerek iplerinden kurtulmuştu.

Halli konuyla ilgili ayrıntıları mutfakta hastalara bitkisel karışımlar hazırlamakta olan Eyjolf'tan öğrendi.

"Berbat bir durum," diye homurdandı yaşlı adam."Çayırın o kısmında artık hiçbir şey yetişmez. Görürsün bak."

Halli'nin ifadesi oldukça hüzünlüydü. "Sebebini bilen var mı?"

"Hayır. Bir fıçı arpasuyu alıp içmişler. Ama neden bu olamaz bence. Toplantı sırasında herkes arpasuyu içti; ama başka hiç kimsede bu tip şikâyetler yok. Bana sorarsan, olay daha çok onların rezil alışkanlıklarından kaynaklanıyordur." Eyjolf sağına ve soluna baktıktan sonra alçak sesle konuşmayı sürdürdü, "Hakonssonlar nadiren yıkanırlar. Ayrıca kulağıma geldiği kadarıyla içlerinden bazıları ayak parmakları arasında biriken kiri özellikle temizlemiyor, sonra da onu salatalarına çeşni olarak katıyorlarmış. Bence suçlamaları gereken tek kişi kendileri!"

Halli bütün gün boyunca oldukça sessizdi. Akşam olduğunda salonun arka tarafında betona gömülmüş bir direğe, at nalları atarak zaman geçiriyordu. Elindeki nallardan birini daha fırlattığında babası yanı başında belirdi. Arnkel'in yüzündeki çizgiler yorgunluk ve endişeyle yüklüydü.

"Oğlum, annenle birlikte senden istediğimizi yapman ve beladan uzak durman çok güzel. Böylesine talihsiz bir günde bize ufak da olsa bir sevinç yaşattın bu şekilde," dedi ağır ağır.

"Sorun nedir baba?"

"Şu lanet olası Hakonssonlar! Kutlamaları umursamadan hâlâ kusmakla meşguller. Arada nefes aldıklarındaysa onları zehirlediğim iddiasıyla bana karşı dava açacaklarına yeminler ediyorlar. Elbette böyle bir davayı kazanmaları mümkün değil. Ancak savurdukları tehdit tüm toplantının havasını bozuyor. Lezzetli sosislerimizle tereyağında kızartılmış domuz etimizi yiyen yok. Daha da kötüsü, konuklardan bazıları arpasuyumuzdan içmeyi de reddediyorlar. Ölçüsüzce içip sarhoş olmadıktan sonra büyük toplantı neye yarar?" Başını çaresizlik içinde iki yana salladı. "Böyle giderse konuklarımız dağılıp evlerine dönecekler ve evimiz şerefine sürülen büyük bir lekeyle yaşamak zorunda kalacak."

"Belki de Hakonssonlar'ın tuhaf temizlik alışkanlıklarına dikkat çekerek suçu üzerimizden atmamız mümkün olur," dedi Halli düşünceli bir sesle.

Babası homurdanarak cevap verdi, "Bu yönde söylentiler yaymaya başladım bile. Umuyorum işe yarar. Yine de burnu havada sersemler kendilerine geldiklerinde onların gönüllerini alarak olası bir kanuni girişimin önünü kesmeliyim. Hakon'un evi oldukça güçlü bir ev ve onların dostu olarak kalmak çok önemli." Halli'nin koluna taktığı nallardan birini alarak fırlattı. Nal zarif bir dönüşle değneğin çevresine oturuverdi. "Bu konudaki görüşlerini dinlemek için Ulfar Arnesson'la konuştum. Kendisi bu tip sorunları tatlıya bağlama konusunda oldukça yetenekli biri. Toplantının bitiminde Hakonssonlar onuruna bir dostluk yemeği düzenlememizi önerdi. Elbette o da katılacak bu yemeğe. Ulfar yemek yemeyi çok sever. Neyse, şimdi çayıra dönmeliyim."

Ragnar Hakonsson'un büyük salona gelecek olmasının yarattığı endişe Halli'nin içini kemiriyordu adeta. En azından Halli'nin orada bulunması gerekmeyecekti. Birden aklına gelen soruyu sormadan edemedi, "Baba, Ulfar kızını da getirecek mi yemeğe?"

"Kızını mı?" Arnkel kaşlarını çatarak konuştu. "Şu lekeli elbisesi ve biçimsizce toplanmış saçlarıyla gezinen pasaklı kızdan mı bahsediyorsun? Ben onun hizmetçi falan olduğunu düşünmüştüm başta. Evet, sanırım o da gelecek. Ve tabii sen de orada olacaksın."

Halli olduğu yerde sıçradı. "Ama ben yasaklıyım! Baba, bunun iyi bir fikir olduğunu sanmıyorum."

"O zamana kadar toplantı sona ermiş olacak ve sen de cezanı tamamlamış olacaksın. Evimizi onurlandıracağından eminim. Biraz da şansın yardımıyla genç Ragnar Hakonsson'un keyfini yerine getireceğine inanıyorum. Tabii eğer mide kasılmaları geçerse. Sanırım onun durumu diğerlerinden daha kötü."

İki gün sonra toplantı sona ermişti. Böylelikle Halli'nin cezası da kalkmıştı. Evin çevresinde geziniyor, uzaktan uzağa çadırların sökülmesini, tezgahların boşaltılmasını, arabaların ve atların yüklenmesini izliyordu. Misafirlerin büyük bir bölümü o sabah yola çıkmıştı. Vadiye doğru uzanan yol adeta bir insan seliyle kaplanmıştı. Ancak Hakonssonlar çayırda beklemeye devam ediyorlardı. Halli dostluk yemeğinin hazırlıklarının sürdüğü avluya döndü. Geceyi orada geçirecek olan konuklar için yataklar yapılmış, masalar avlunun ortasına getirilmiş, lambalar yakılmış, kirişlere hoş kokulu biberiye demetleri asılmış ve yere taze saman serilmişti. Eyjolf'la uşaklar toplantıdan artan bir fıçı arpasuyunu avluya yerleştirmişlerdi. Aşçılar yeni kesilmiş bir domuzu mutfakta şişe geçirmişlerdi. Bir grup erkek nehirde yakaladıkları taze balıkları mutfağa götürüyorlardı.

Halli tüm olan biteni büyük bir endişe içinde izliyor, yemeğe katılmamak için akla yatkın bir bahane bulmaya çalışıyordu. Hazırladığı birkaç cümleyi söylemek üzere annesine yaklaştı; ancak kesin bir dille geri çevrildi ve kendini Katla'nın yanında buluverdi. Resmi kıyafetlerini giymekten başka çaresi kalmamıştı.

Üzerine geçirdikleri Halli'nin moralini yerine getirmeye yetmemişti. Giysiler ağabeyinin eskileriydi. Tunik neredeyse dizlerine kadar iniyor, tayt ise kalçalarından dökülüyordu. Katla şikâyetlerini ciddiye almak yerine hafifçe onun yüzünü okşadı. "Ah Halli, karşına çıkan her fırsatta homurdanıp kaşlarını çatıyorsun. İnsanların seni görünce neden burun kıvırdığını düşündün mü hiç? Kış ortasında doğan her çocuk gibi sen de öfke ve hınç yüklüsün."

"Ona bakarsan, ben Leif kadar kokuşmuş sayılmam; o yanlarından geçerken domuzların bile rengi atıyor."

"Kastettiğim şey bu değil, ancak buna oldukça yakın sayılabilir. Ben senin insanların üzerinde bıraktığın başka bir etkiden söz ediyorum. O tombul, kısa bacaklarınla attığın ilk adımdan beri en yumuşak huylu insanları bile çileden çıkarmayı başardın. Biraz sevimli ve masum görünüşlü olmayı denemelisin. Özellikle de alınganlıklarıyla ünlü Hakonssonlar söz konusu olduğunda. Onların yanında somurtmamaya gayret et. Unutma ki incir çekirdeğini doldurmayacak şeylerden büyük düşmanlıklar doğar."

Hava karardığında Arnkel, Astrid, Leif, Gudny ve Halli konakta toplanarak misafirleri beklemeye başladılar. Az konuşuyor, asabi bir şekilde ileri geri turluyor ve masadaki çatal bıçağı düzeltip duruyorlardı.

Halli'nin kız kardeşi Gudny'nin saçları, birbirine dolanarak yükselen örgülerden oluşmuş bir kuleye benziyordu. Saç toplama işlemi hem Gudny'nin hem de hizmetçisinin saatlerine mal olmuştu. Şimdi masanın önünde durmuş, havalı havalı gümüş tabaklardaki yansımasını seyrediyordu. Halli yanından geçerken dönüp endişeli gözlerle sordu, "Söylesene Halli, sence saç örgülerim yeterince sağlam mı? Bak, şu ince saç tokalarını görüyor musun? Şenlikteki tüccarların birinden aldım. Antika olmalılar."

Halli korku içinde Ragnar'ın gelişini bekliyordu ve kardeşini pohpohlamaya pek de müsait sayılmazdı. Ancak Katla'nın tavsiyesini anımsayarak alaycı bir yanıt vermekten vazgeçti ve hayırseverlikle sevimli bir ifade takınmaya çalıştı.

Gudny geriye doğru bir adım atarak konuştu, "Eğer sütü ekşitmek falan istersen, bu surat ifadesine başvurabilirsin. Oh Halli, Brodir'e bak! Annem uzak kalması için neredeyse yalvarmıştı oysa."

Amcaları Brodir perdeleri havalandırarak salona girdi. Yüzü oldukça soluktu ve gergin görünüyordu. Dosdoğru fıçıya giderek elindeki bardağı arpasuyuyla doldurdu. Halli'nin annesi Astrid sinirli ve endişeli bir şekilde aceleyle Brodir'e doğru yürümeye başladı.

"Brodir! Söz vermiştin! Lütfen, burada kalarak hepimize kötülük ediyorsun. Odana yemek getirebilirim. Etin en iyi kısmıyla en iyi meyveleri sana ayırırım..."

Brodir'in alkollü olduğu açıkça görülüyordu. Ancak sesi oldukça sakindi. "Eyjolf! Masanın bu ucuna fazladan bir servis koy. Yemeğe katılmaya karar verdim." Astrid'e bakarak sözlerini sürdürdü: "Bu gece Svein'in salonunun, Svein'in hatırasını yaşatanlarla dolu olması gerektiğini düşünüyorum, onun düşmanları önünde diz çökenlerle değil."

"Saçmalama Brodir!" Arnkel'in sesi oldukça gergin ve yüksek perdedendi. "Hakonssonlar'la uzlaşma sağlayalı çok oluyor. Aramızda hiçbir düşmanlık yok."

Sakalının ardında sevimli bir şekilde gülümseyen Brodir, "Peki o halde niçin benim yemeğe katılmama bu denli karşısınız?" diye sordu.

Arnkel derin bir nefes alarak yanıtladı onu, "Çünkü sen geçmişte yaşamaya devam ediyorsun, sevgili kardeşim."

"Ayrıca geçmişi yeniden ve yeniden yaşatma gibi bir beceriye sahipsin," diye tısladı Halli'nin annesi. "Şimdi lütfen çekip gider misin?"

"Hayır Astrid, gidemem. Hakonssonlar özlerine sadık kalarak Svein'in hazinesini çalmaya kalkışırlarsa ne olacak, söyler misin bana? Hazineyi koruyacak birinin bu salonda bulunması şart." Brodir dengesizce dönerek etrafına bakındı. Gözleri Halli'ye ilişti. "Sence de öyle değil mi, Halli? Sen soyunun gerçek bir temsilcisisin. Beni buradan kovmaya kalkışmazsın, değil mi?"

Tüm bakışlar Halli'ye çevrildi. Herkes bir adım geri çekilmiş onun vereceği cevabı bekliyordu. Brodir Halli'yle konuşmaya devam etti: "Gözlerinde bir sorun mu var evlat? Eğer tuvalete falan gideceksen, elini çabuk tutup konuklar gelmeden dönsen iyi olur."

Halli, amcasının açılmış iri gözleriyle attığı masum bakışı karşılıksız bıraktı. O sırada avlunun girişindeki kaldırım taşlarını döven toynak sesleri duyuldu. Arnkel, Brodir'i son kez uyararak "Kardeşim, eğer beni seviyorsan onların attığı oltaya takılma, olur mu?" dedi. Ardından tüm aile kapının yanında sıraya dizilerek beklemeye başladı.

Kısa bir süre sonra Hakonssonlar pelerinlerini Eyjolf'a uzatarak ve salonun sıcaklığıyla aydınlığı yüzünden gözlerini kırpıştırarak salona girdiler.

Hakonssonlar'ın ekibi Halli'nin beklediğinden çok daha küçüktü. Aslına bakılırsa sadece üç kişiydiler. İki yetişkin erkek ve genç bir delikanlı. Sıranın başında duran Arnkel konuklarını eğilerek selamladı. "Hord Hakonsson, sana ve ailene hoş geldiniz diyor ve burada bulunduğunuz sürece hepinize dostluğumuzu ve konukseverliğimizi sunuyoruz. Kendinizi evinizde hissedin." Halli yanında dikilen Brodir'in ağzının içinde homurdandığını duydu.

Hord Hakonsson Arnkel'in sözlerini yanıtladı, "Cömertliğinizle bizi onurlandırdınız. Muhteşem evinizdeki bu davete kardeşim Olaf ve oğlum Ragnar ile geldim. Eşim ne yazık ki bizlerle birlikte olamayacak."

"Umuyorum hasta falan değildir," dedi Arnkel endişeyle.

"Hayır, değil. Ancak hizmetkarlarla birlikte yola çıkmaya karar verdi. Biliyorsunuz yolumuz oldukça uzun."

Halli'nin yanı başında duran Brodir mırıldandı. "İşte ilk hakaret. Astrid'in yüzüne baksana."

Fakat Halli doğruca ileriye, ateşin olduğu taraftan yaklaşan Ragnar Hakonsson'a doğru bakıyordu. Ağzı heyecandan kupkuruydu. Ragnar, Halli'yi tanıdığı zaman nasıl bir tepki verecekti? Ona saldıracak mıydı? Bağırıp çağıracak mıydı? Yoksa lanetler mi yağdıracaktı? Her şey mümkündü.

Üç konuk, ev sahiplerini selamlayarak salonda ilerliyorlardı. Halli, Leif'in oldukça kaba selamını ve kız kardeşinin yapmacıklı gülümseyişini duydu. Ardından Hord Hakonsson Brodir'e yaklaştı.

Salon sessizliğe gömüldü. İki adam da tek bir kelime bile söylemediler. El bile sıkışmadılar.

Hord yürümeye devam etti. Şimdi Halli'nin önünde duruyor ve Halli'ye yüksekten bakıyordu. Sakalı kızılımsıydı ve yanaklarına doğru köşeli bir şekilde kısa kesilmişti. Ragnar ve Olaf gibi saçlarını sıkıca toplamıştı. Hord Hakonsson kaslı ensesi ve omuzlarıyla iriyarıiri yarı ve oldukça güçlü bir adamdı. Çenesi ve gözleri aşağı doğru sarkmıştı. Halli'ye ilgisiz bir bakış attı. Boğazını temizleyerek adını söyleyen Halli'nin eli devasa bir avuç içinde kayboluverdi. Sonra Hord yoluna devam etti.

Hord Hakonsson'u küçük kardeşi Olaf Hakonsson izliyordu. Olaf'ın yüzü daha ince yapılıydı. Bıçak gibi keskin hatlara sahip ince bir burnu, sakalının arasında sımsıkı kapalı duran dudakları vardı. O da Brodir'i görmezden gelerek Halli'yi başıyla selamladı ve masaya doğru ilerledi.

Şimdi de solgun ve sivilceli suratıyla Ragnar yaklaşıyordu. Hâlâ tam anlamıyla iyileşmemiş olduğu belliydi. Halli'nin önünde durarak ona doğru baktı. Halli gergin bir şekilde boğazını temizledi. Öfke patlaması ve suçlamalar duymayı bekliyordu. Ancak Ragnar'ın gözlerinde okuyabildiği tek şey sıkıntı ve ufak bir kafa karışıklığıydı. Halli'yi tepeden tırnağa süzüp kaşlarını çattı. Uykudan uyanıp gördüğü rüyanın ayrıntılarını hatırlamaya çalışan birine benziyordu. Ardından omuzlarını silkti, kafasını hafifçe iki yana salladı, boş gözlerle Halli'yi selamladı ve hizmetkarların arpasuyu ikram ettiği ateşe yakın bölüme doğru yürümeye başladı.

Halli şaşkınlık içinde Ragnar'ın ardından bakakalmıştı. Oysa Hakonssonlar'ı takiben diğer konuklar salona girmeye başlamışlardı bile. Önce arabulucu Ulfar Arnesson göründü. Saçları ve sakalları ağarmış, çevresine ok gibi bakışlar atan pırıl pırıl gözlü, zayıf bir adamdı Ulfar. Büyük bir cömertlikle herkesin elini tek tek sıktı. Sanki bu şekilde onları tepetaklak yere çakılmaktan kurtarıyor gibi bir havası vardı. Ardından salona giren ince ve uzun boylu, sakin tavırlı güzel kız, Halli'nin kendine gelmesini sağladı. Üzerinde sade ve temiz mor bir elbise vardı. Açık renk saçları süslü örgülerle arkasında toplanmıştı. Dimdik bir duruşla sıranın başından sonuna kadar ilerleyerek ev sahiplerini başıyla kibarca selamlıyordu. Halli, Leif ve Gudny'nin kızın arkasından bakakaldıklarını fark etti.

Halli'nin yanından geçerken Aud'un ağzının kenarları hafifçe kıpırdadı. Gözleri pırıl pırıldı. Ardından Eyjolf ve yardımcıları ellerindeki tepeleme dolu tabaklarla salona girdiler ve herkes masaya doğru ilerlemeye başladı.

Başlangıçta ziyafet oldukça güzel geçiyor gibiydi. Konuklar mutfaktan buharı tüterek gelen ördek ve kaz etinden, taze tutulmuş somondan, soğan sosundan, sebze ve salatadan tattılar. Bardak bardak arpasuyu tüketildi. Sohbet eğlenceli ve havadan sudandı. Oturma düzeni kıdem derecesine göre düşünülmüştü. Bu yüzden Halli kendini masanın ucundaki çöp tabaklarının arasında buluverdi. Eğer keçi çobanı Gudrun'da yemeğe katılmış olsaydı Halli'den daha uçta oturuyor olacaktı. Ancak Gudrun'un yemeğe katılması zaten başlıbaşına sıra dışı bir karar olurdu.

Halli büyük bir keyifle, Ragnar'dan oldukça uzak ve Aud'a epeyce yakın oturmuş olduğunu gördü. Rahatlamıştı. Gizli ve kaçamak bakışlarla Aud'un hareketlerindeki zarafeti, yemek yiyişindeki kibarlığı izliyordu. Meyve bahçesinde tanıştığı, üstü başı darmadağın, tepeden tırnağa yapraklarla kaplı kıza pek de benzemiyordu doğrusu. Sadece Halli'ye bakarken gözlerinde yanıp sönen neşe aynıydı. Halli hafifçe ona doğru eğilerek, "O akşam arpasuyundan içmediğine çok sevindim," dedi.

"Kokusundan anladım. O arpasuyunu içmek için aptal olmak gerekirdi." Sevinçle Halli'ye gülümsüyordu.

"Tuhaf olan ne biliyor musun?" diye sordu Halli. "Ragnar'ın beni tanımamış olması. Hiçbir şey anlamadım ben bu işten."

Aud elindeki kemikten bir parça kaz eti sıyırarak konuştu: "O kadar da anlaşılmayacak bir şey değil canım. Onunla tanıştığında üzerinde hizmetçilerin giydiği kıyafetlerden vardı. Sana baktıysa bile seni görmemiştir, eminim. Ancak şimdi kendi evinin renklerine bürünmüş durumdasın. Yani bu halinle ona denk bir genç adamsın. Bu yüzden şimdi seni görebiliyor. Seninle ilk defa karşılaşmış gibi hissetmesinin sebebi bu."

Halli başını sallayarak "Onun kadar kör olmadığıma seviniyorum doğrusu."

Yemeğin ilerleyen dakikalarında Halli, Hord Hakonsson'la ilgili tespitlerinde haksız olmadığını anladı. Hord Hakonsson yemek sımasasında sunulan lezzetler konusunda doymak bilmez bir iştaha sahipti. Ara vermeksizin konuşuyor, yiyor ve içiyor, bir eliyle kemikleri yere fırlatırken diğeriyle boşalan bardağını doldurmaları için hizmetçilere işaret ediyordu.

Olaf içinse durum farklıydı. Çok daha ince yapılı, göbeksiz ve neredeyse kadınsı hatlara sahip bir adamdı Olaf. Ağabeyi koca bir ayı gibi yiyip içerken o lokmaları tedirgin bir kuş edasıyla titizlikle tabağından alıyor, parmaklarının arasında tuttuğu her parçayla uzun uzun oynuyordu. Halli hipnozdaymışçasına adamı izlediğini fark ederek bardağına sarıldı ve birkaç yudum arpasuyu içti. Olaf pek de etkileyici bir konuk sayılmazdı. Ancak gözleri fazla hareketli ve hızlıydı. Ayrıca Halli'nin kardeşine alçak sesle komik bir şeyler anlatıyor olmalıydı. Çünkü Leif aptal aptal gülerken kaz etini boğazına kaçırarak öksürmeye başladı.

Halli'nin en sinir olduğu şey annesi Astrid'in sanki çok önemli biriymişçesine Ragnar'la uzun uzun sohbet etmesiydi. Hele Ragnar'ın sandığı gibi sıkıcı ya da sinir bozucu tepkiler vermek yerine annesini içtenlikle güldürecek şeyler söylemesi iyiden iyiye keyfini kaçırıyordu.

Arnkel saygılı bir şekilde Hord ve Ulfar'la konuşmaktaydı. Brodir ise Halli'nin yanında, yani masanın ucunda oturuyordu. Söyleyecek pek bir şeyi yok gibiydi.

Kullanılmış tabaklar kaldırılarak şişte kızartılmış domuz servisine geçildi. Ardından Hord Hakonsson elindeki arpasuyu bardağını masaya vurarak ayağa kalktı ve şöyle dedi, "Arnkel, yemekler bir harika. Misafiriniz olarak bizi epeyce sarsan zehirlenme olayını unutturmaya yeter de artar bile. Bizi sarsan diyorum, ancak Olaf ve ben bu durumdan pek de etkilenmedik aslında. Olan şu kırılgan yavrucağa oldu. Zavallı Ragnar neredeyse ölüyordu." Öne doğru eğilerek kabaca Ragnar'ın saçlarını okşadı. Ragnar ise hiçbir şey söylemeden tabağına bakıyordu.

Hord konuşmaya devam etti, "Bundan böyle bu zehirlenme olayı hakkında tek bir kelime bile etmeyecek ve misafirperverliğinizin tadını çıkaracağız. Şahsen ben özellikle bu ufak odanın sıcaklığını çok sevdim. Hakon Evi'nin fazlasıyla geniş salonundan sonra burası bana daha samimi geldi. İlgi çekici o kadar çok ayrıntı var ki! Örneğin çatı kirişlerindeki şu kabartmalar ne kadar da güzel..."

"Sizin salonunuzda bu tip kabartmalar yok mu?" diye sordu Gudny kibarca.

"Elbette var canım." dedi Hord. "Ancak Hakon salonu öylesine yüksek ki kirişleri görmek mümkün olmuyor."

Kardeşi Olaf da içtenlikle ağabeyine katıldı, "Yemeği sıcakken yiyebilmek gerçekten de çok hoş. Bizim salon mutfaktan öylesine uzak ki yemekler masaya vardıklarında çoğunlukla soğumuş oluyorlar."

Halli annesiyle babasına doğru baktı. İkisi de suratlarına birer gülüş oturtmuştu.

Hord keyifle sürdürdü konuşmasını, "Evet, evlerimiz arasındaki dostluk bizim için çok önemli. Kurucularımız Hakon ve

Svein'in Kaya Savaşı'ndan bir sene önce nehrin ağzında yaşadıkları macerayı anımsıyorum da... Şüphesiz hikayeyi sizler de biliyorsunuzdur. Hani şu kıyılardaki yerleşimleri yakıp yıkan deniz korsanları var ya. Kimse başa çıkamıyormuş onlarla. Sonunda Hakon ve Svein..." |

Aud Halli'ye doğru eğilerek, "İşte yine başlıyor. Bu muhabbet bitince beni uyandırırsın." dedi.

"Fakat bu gerçekten de güzel bir hikaye!" diye fısıldadı Halli. "Aslına bakarsan ben bunun Svein'le Egil'in macerası olduğunu sanıyordum. Ama fark etmez."

"Hikayeler ortama uyacak şekilde kılık değiştirip dururlar," dedi Aud. "Benim duyduğum kadarıyla da bu hikayenin kahramanları Arne ve Ketil idi."

Hord kendini hikayeye iyiden iyiye kaptırmış, sözlerini vurgulamak için masayı devasa yumruklarıyla dövüyordu. "Sonra korsanların gemisi kahramanların teknesine bindirdi. Kıç tarafında koca bir yarık oluşmuştu. Peki, kahraman Svein ne yaptı? Zaman kaybetmeksizin kıçını deliğe sokarak teknenin su almasını önledi. Bu cesur davranış sayesinde Hakon korsanları bir bir hakladı. Hem de on kişiye karşı tek başına olduğu halde."

Halli kaşlarını çatarak amcasının kolunu dürttü, "Bu, senin bana anlattığın hikayeye pek de benzemiyor." Ancak Brodir, Halli'yi umursamaksızın bardağındaki arpasuyunu yudumluyordu.

"Ve sonunda Hakon korsanlara, 'Ev sahipliğiniz oldukça iyidi, ancak şimdi gitmeliyiz,' dedi. Sonra da kılıcını çekerek mızrak gibi fırlattı ve korsanların acımasız liderini ağzından direğe şişledi. İşi bitince de dönüp Svein'i saçlarından yakaladı ve sıkıştığı delikten 'plop' diye bir sesle çekip kurtardı. Karanlık sular tekneye dolmaya başlamıştı. İki kahraman kendilerini dalgalara bıraktılar. Denizin ortasında çırpınan Svein'in taytı yırtılmıştı ve kıçı ay ışığında parlıyordu. Elbette yüzme bilmiyordu, fakat..."

Halli annesiyle babasına doğru baktı. Annesi donuk ve buz gibi bir bakışla kıpırtısız oturmaktaydı. Yanakları kıpkırmızı olmuştu. Babası ise Hord'un hikayesine herkesten çok gülüyordu. İçindeki neşeyi dizginleyemeyen birinin kahkahalarıyla sarsılmakta, arada da arpasuyundan büyük yudumlar almaktaydı.

Hord, hikayesini Hakon'un baygın haldeki Svein'i sürükleyerek kıyıya çıkarışıyla noktaladı. Sonra bardağını masadakilere doğru kaldırarak kalan arpasuyunu içti.

Arnkel oldukça ağır bir tempoyla konuşmaya başladı, "Evet, gerçekten de eğlenceli bir hikayeydi. Evlerimiz arasında çok eskilere dayanan bu dostluğun sürmesi beni çok mutlu ediyor. İsterim ki, geçmişte yaşanan anlaşmazlıkları bir kenara bırakalım ve atalarımızın yanına, dağın tepesine gömelim." Arpasuyundan bir yudum daha aldı. Hord gülümseyerek ağzındaki et parçasını çiğnemekteydi.

"Oldukça güzel sözler bunlar," dedi arabulucu Ulfar Arnesson. "Şimdi..."

Masanın karşı ucunda oturan Brodir ilk kez söz aldı, "Hikaye benim de çok hoşuma gitti. Neredeyse Trol kralının karısıyla ilgili olan hikaye kadar güzel. O hikayeyi hatırlıyor musunuz? Hakon, günün birinde tepelerde gezintiye çıkmışken bir grup Trol ile karşılaşır. Troller onu kendi dişilerinden biri sanırlar. Fakat bu yanlış anlamanın Hakon'un kadınsı görünüşünden mi yoksa vahşi tarzından mı kaynaklandığı hâlâ bilinmez. Neyse, Troller Hakon'u yakalayarak Trol kralının yatağına götürürler. Ve sonuçta..."

Gri sakallı Ulfar aceleyle boğazını temizleyerek "Hikayeye dair bilinenler çok az," dedi.

Brodir gözlerini kırpıştırarak ona baktı. "Öyle mi? O halde şimdi kulaklarını açıp ayrıntıları duymak isteyeceğinden eminim."

"Hayır, hayır. Teşekkürler. Bu kış Arne Evi'nde karahummanın boy göstereceğinden korktuğumu söylemiş miydim? İyi geçen sıcak bir yazdan sonra bu tip şeylere çok rastlanıyor. Geçen kış zavallı karım, yani Aud'un annesi bu hastalığa yenik düştü."

Hord ve Olaf Hakonsson gözlerini Brodir'e dikmişlerdi. Zoraki bir havayla bakışlarını Brodir'den Aud'a çevirdiler. Olaf, "Bunu duyduğuma üzüldüm, Ulfar," dedi.

"Ben de," dedi Arnkel.

"Evet, ne yazık ki oldukça berbat bir hastalık. Bu salgında tarlalarda çalışan adamlarımdan çoğunu da kaybettim. Gelecek senenin hasadını düşündükçe korkuyorum doğrusu."

Hord umursamaz bir tavırla, "Kendi tarlalarımızda çalışan adamların birkaçını yardıma gönderebiliriz. Karahumma bizim oralara pek uğramaz," dedi.

Brodir yüksek sesle konuştu, "Ulfar yardıma ihtiyacı olursa bize söyler."

"Belki de ödünç verebilecek fazla adamınız olmadığını biliyordur," dedi Hord. "Hem zaten tarlalarınız da onunkilere oldukça uzak."

"Eyjolf!" diye seslendi Halli'nin annesi fazlasıyla canlı bir sesle. "Sanıyorum kuş ve balıklarla işimiz bitti. Şimdi tatlı servisine geçebilirsin."

Yaşlı adam büyük bir tabak yığınıyla salondan çıktı.

"Böğürtlenli pasta," dedi Astrid. "Krema soslu. Umarım böğürtlen seviyorsunuzdur."

Karnını sıvazlayarak, "Oh, hem de çok!" dedi Hord.

"Vadinin aşağı kısmında böğürtlenin iyisine pek rastlanmaz." dedi Olaf. "Çünkü toprak böğürtlenler için fazla verimli. Burada, yani toprağın kısır olduğu kesimdeki böğürtlenlerinse tadına doyum olmuyor."

Brodir bu fırsatı kaçırmadı, "Sizin ufaklığın fazla atıştırmamasına dikkat etseniz iyi olur. Belli ki yaşlı kadınların hassas bünyesine sahip. Tek bir böğürtlenden bile etkilenebilir."

Salona sessizlik çöktü. Hord bir tepki beklercesine oğluna baktı. Ragnar ise gözlerini tabağında duran etten ayırmıyordu. Hord'un yüzü yavaşça kızarmaya başlamıştı. Sandalyesinden doğrularak konuştu, "Oğlumun onuruna leke sürmeyi isteyen derdini bana anlatsın."

Brodir gülümsüyordu. "Zaten kendisiyle konuşmayı aklımın ucundan bile geçirmiyorum. Adını sormaya kalksam korkudan bayılabilir ya da sinir krizi geçirerek ölebilir. Ragnar'ın gerçek bir Hakonsson olduğunu anlamak için suratına şöyle bir bakmak yetiyor. Hakonssonlar'ın ödlekliklerine ve sinsilikleriyle meşhur oldukları malum."

Arnkel aniden ayağa fırladı. Sandalyesi taş zeminde gıcırdayarak geriye doğru kaymıştı. "Brodir!" diye bağırdı. "Tek bir kelime daha etmeden masayı terk et! Sana emrediyorum!"

Halli'nin amcasının gözleri buz gibiydi. Yüzünden süzülen ter damlaları sakalında parlıyordu. "Büyük bir zevkle," dedi. "Midem bu insanlarla birlikte olmayı daha fazla kaldıramayacak zaten." Ayağa kalktı, elindeki arpasuyu bardağını gürültüyle masaya çarptı ve dengesiz adımlarla perdelere yöneldi. Salondan çıkarken yana doğru çektiği perde şöyle bir sallandıktan sonra yeniden eski haline döndü.

Salonu sessizlik kaplamıştı.

Halli'nin annesi alçak sesle, "Ulfar, eğer Aud bu kış karahumma tehlikesiyle karşı karşıya kalacaksa onu burada misafir etmekten büyük bir onur duyarız," dedi.

Ulfar'ın sesi kuzenininkinden daha da alçak çıkmıştı. "Teşekkürler Astrid. Bu teklifi değerlendireceğim."

Salon yeniden sessizliğe bürünmüştü. Herkes önündeki tabağa bakıyordu. Sonsuz gibi görünen bir sürenin sonunda Eyjolf ve yardımcıları büyük bir gururla hoş kokulu böğürtlenleri salona getirdiler.

6

Sert geçen kişlardan birinde Svein ve arkadaşları tepelerde avlanıyorlardı. Svein'in yanında sadece okları ve yayı vardı. Kılıcını evde bırakmıştı. Çam ormanından geçerken açlıktan ölmek üzere olan bir kurt sürüsünün saldırısına uğradılar. Svein üç tanesini oklarıyla öldürdü. Ancak çevrelerini saran kurtlar, çemberi daraltmaya başladılar. Svein'in ok atması imkansız hale gelmişti. Gri renkli devasa bir dişi kurt atılarak dişlerini koluna geçirdi. O sırada Svein kurtlardan bir diğerinin, arkadaşı Bork'u bacağından çalılara doğru sürüklediğini gördü. Hızla arkadaşının peşine düşen Svein, Bork'u ısıran kurdu serbest olan kolunun altına aldı ve boynunu incecik bir dalmışçasına kırıverdi. Kendine saldıran dişi kurdu öldürmeyi işte ancak o zaman düşünebildi.

Kurdun çenesi kilitlenmişti. Bu yüzden kafasını gövdesinden ayırmak zorunda kaldılar. Svein eve kolundan sarkan kurt kafasıyla döndü.

"Yeni bileziğim hoşuna gitti mi anne?"

Annesi kurdun kafasını manivelayla söktü, kafa derisini kaynatarak eritti ve kafatasını Svein'in eve getirdiği diğer ganimetlerin yanına, girişin üzerindeki duvara astı.

Dostluk yemeği mümkün olan en çabuk şekilde sona erdi. Konuklar odalarına çekildiler; Arnkel ve ailesi ise kasvet yüklü bir şekilde yataklarına dağıldılar. Halli eline bir mum alarak aileye özel koridorda yürümeye başladı. Brodir'in odasının önüne gelince durdu. Tahta kapının ardından gümbürtü, patırtı ve kırılan tabak çanak sesleri gibi tuhaf gürültüler geliyordu.

Halli ağır adımlarla odasına döndü ve uyumaya çalıştı.

Brodir'in davranışı saygısızca ve ev sahipliğine yakışmayacak türdendi. Ancak Halli'yi asıl şaşırtan bu davranışın sebebiydi. Amcasının içindeki öfkenin ve misafirlere duyduğu şiddetli nefretin, Hord ve Olaf Hakonsson'un masadaki ukalalığından çok daha öncelere dayandığı açıkça ortadaydı. Annesi bu düşmanlığın farkındaydı. Hatta Brodir'den yemeğe katılmamasını rica etmişti. Ayrıca soğuk selamlaşmalarından anlaşıldığı kadarıyla Hord'la Brodir birbirlerini oldukça iyi tanıyorlardı.

Peki, aralarındaki ilişki neydi? Halli'nin hatırladığı kadarıyla amcası gençken yaptığı seyahatlerden bahsederken Hakonssonlar hakkında pek konuşmazdı.

Halli bu sorunun cevabını bilmiyordu. Ancak gizli ayrıntıların, Brodir'in davranışını değilse de öfkesini haklı çıkaracağından emindi. Karanlıkta uzanmış tavana bakıyordu. Hord ve Olaf'ın o akşam attıkları sayısız palavrayı ve kurum kurum kurumlanmalarını hatırladıkça ellerini öylesine sıktı ki tırnakları avuçlarını kesti. Demek Svein Evi küçüktü, öyle mi? Demek yetersiz, her yere uzak ve adam bakımından fakirdi? Ve büyük Svein de taytı düşüp ayaklarına dolanmadan yataktan bile kalkmakta zorlanan karı kılıklı bir soytarıydı demek? Bu sözlerdeki alay Halli'nin dişlerini gıcırdatmasına neden oldu.

Sahte arpasuyunun Hakonssonları yere sermiş olması içini biraz rahatlatıyordu doğrusu. Ancak kurnazca düşünülmüş bu oyunun mertlikle ilgisi yoktu. Kahramanların bellerinde kılıçlarla dolaştıkları, şerefleri söz konusu olduğunda birbirlerine meydan okudukları zamanlarda yaşamak çok daha iyi olmaz mıydı? İşte o zaman Halli dimdik yürüyebilirdi. Evinin onuruna leke sürmeye kalkan Hord ve Olaf'ı da o anda masadan kovabilirdi.

Gözlerini kapadı. Karşısında kendini görüyordu. Kılıcı güneşin altında parıldıyor, Hakonssonlar korku içinde bağrışıyorlardı. Aud, Halli'ye bakıp gülümsüyordu. Tepedeki Troller Halli'den kaçmaya hazırlanıyorlardı.

Kahramanlıklarla dolu bu resimler içini ısıttı, Halli uykuya daldı. Gökyüzü kapkaraydı. Yakında bir yerlerde tehlike pusuya yatmış bekliyordu. Halli dönüp etrafına bakıyor, ancak söz konusu tehlike hep Halli'nin arkasında kalıyordu. Halli kılıcının nerede olduğunu bilmiyordu. Çıldırmışçasına kılıcını ararken tiz bir çığlıkla uyandı. Şiltesindeki samanların yarısını etrafa saçmış, ağa yakalanmış bir tavşan gibi battaniyesine dolanmıştı.

Bir süre rüyasını ve bu rüyanın neden bu kadar önemli olduğunu hatırlamaya çalışarak sessizce uzandı. Ancak tek söyleyebileceği başının korkunç şekilde ağrıdığı ve bir an önce işemesi gerektiğiydi. Arpasuyunu fazla kaçırdığında hep böyle olurdu.

Pencereden soluk bir ışık süzülüyordu. Halli yavaş yavaş ve dikkatli bir biçimde yatağından kalktı.

Tuvalet olarak kullandığı kap yerinde değildi. Katla, kabı boşaltmak üzere götürmüş ve geri getirmeyi unutmuş olmalıydı. Diğer seçenek olan tuvalet ise salonun gerisindeki özel bahçenin içindeydi ve Halli'nin oraya ulaşmak için arka kapıdan çıkması gerekiyordu. Henüz sabahın erken saatleriydi. Gökyüzü yeni yeni ağarmaya başlamıştı; her şey hareketsiz, sessiz ve gri bir sis perdesinin ardına saklanmış gibi belli belirsizdi. Halli çıplak ayaklarla Trol duvarının eski taşları üzerinde yürüyordu. Bayrakların arasındaki çimenlerde birikmiş çiyin ıslaklığını hissetti. Hafif ve serin bir esinti çıplak bacaklarına çarptı ve geceliğini havalandırdı.

Tuvaletteki işi biraz zaman aldı ve bahar dönemlerinde sık sık can kaybına neden olan sağanak yağmurları anımsattı Halli'ye. Sonunda tuvaletten çıktığında rahatlamıştı. Ancak başının ağrısı hâlâ geçmemişti.

Avluya açılan kapıyı ittiğinde ahırların olduğu taraftan gelen birtakım sesler duydu.

Sesler o kadar alçaktı ki sözcükleri ayırt etmek mümkün değildi. Ancak konuşanların oldukça kızgın olduğu anlaşılıyordu. Halli bulunduğu yerden ahır kapılarının açık durduğunu görebiliyordu. Ancak ahırda neler olup bittiği hakkında hiçbir fikri yoktu. İçerdekiler konuşmaya devam ediyorlardı; üç adam birbirinin sözünü keserek tartışıyordu. Bunun dışında atlara takılan koşumların şıkırtısı ve toynakların tıkırtısı duyuluyordu. Halli atların yol için hazırlandığını anladı.

Ensesini kaşıyarak ne yapması gerektiğini düşündü. Ardından parmak uçlarına basarak avlunun diğer tarafına geçti, ahır duvarının yanında duran ters çevrilmiş bir su kovasının üzerine tırmandı; tahta perdelerdeki deliklerden birini gözüne kestirdi ve içeriyi gözetlemeye başladı.

Gri renkli güzel bir kısrağın üzerinde oturmuş olan Ragnar Hakonsson tertemiz peleriniyle yola çıkmaya hazırdı. Yüzü hâlâ oldukça sinirli, gergin ve bitkindi. Ahırın arka tarafında duran üç adam arasındaki tartışmayı izliyordu.

Ahşap duvardaki çatlaklardan süzülen gün ışığı ince hüzmeler halinde içeriye düşüyordu. Adamlar, gri renkli yüzlerce hayali mızrakla oldukları yere mıhlanmış gibiydiler. Ayrıca biri en yakındaki saman balyasının üzerine bırakılmış, diğeri ise Olaf Hakonsson'un yumruk şeklini almış elinde sallanan iki fener de çevreyi soluk bir ışıkla aydınlatıyordu. Olaf ve Hord yola çıkmak üzere hazırlanmaktaydılar. Yukarı vadidekilere göre daha biçimli olan atları eyerlenmiş ve gemlenmişti. Ağızlarına takılmış torbalara bakılırsa sessizce sabah kahvaltılarını etmekteydiler. Hord atların dizginlerini gevşekçe elinde tutuyordu. Tıpkı Olaf gibi yolculuğa uygun bir pelerin giymiş ve sabah serinliğinden korunmak için yakasını sıkıca kapatmıştı. Ayaklarındaki botlar temiz ve cilalıydı. Her ikisinin de oldukça zengin ve önemli adamlar oldukları açıkça anlaşılıyordu.

Onların aksine, Halli'nin amcası Brodir'in üzerindekiler bir gece öncekilerin aynısıydı. Tuniği kirli ve buruş buruştu. Kolları gevşekçe aşağı sarkıyordu. Taytı yıpranmış, saçları ise darmadağınıktı. Gece boyunca hiç uyumamış gibi bir hali vardı. Duruşu oldukça garipti. Başını bir tarafa yatırmış, başparmaklarından birini kemerine takmış, küstah bir tavırla Hakonssonları işaret ediyordu.

Brodir'in tam olarak ne söylediğini anlamak güçtü, çünkü zaten pek düzgün çıkmayan sesi Hord ve Olaf'ın öfkeli karşılıkları arasında yitip gidiyordu. Ancak Halli amcasının pek de bilgece sözler sarf etmediğinden neredeyse emindi. Üç adamın bir gece önce Astrid'in sofrasında başlayan tartışmayı sürdürdüğüne şüphe yoktu. Özellikle Olaf Hakonsson iyice çileden çıkmışa benziyordu. Neredeyse Brodir kadar çok konuşuyor ve kollarını hiddetle sallayıp duruyordu. Elindeki fener ahırın dört bir yanına uğursuz ışık hüzmeleri düşürüyor ve atları ürkütüyordu.

Halli, amcasını çok sevdiği halde o anda annesinin ya da babasının, hatta Eyjolf'un gelip Brodir'i oradan uzaklaştırmasını umdu. Ancak ev sessizliğe gömülmüştü. Belli ki Hakonssonlar ev sahipleriyle karşılaşmadan mümkün olduğunca erken yola çıkmaya niyetliydiler.

Halli bir an için koşup annesiyle babasını uyandırmayı düşündü, ancak gözünü tahta duvardaki delikten ayıramıyordu.

Brodir öne doğru bir adım atarak parmağını ileri doğru uzattı ve Halli bu kez amcasının söylediklerini açıkça duyabildi, "O halde yola koyulun ve kadınlarınıza yetişin. Büyük olasılıkla leş kargaları gibi geceyi ormanda geçirmeye karar vermişlerdir." Hakonssonlara aptalca bir sırıtışla bakarak, saman yığınının üzerine yuvarlandı.

Şimdi de Olaf öfkeden titreyen bir sesle konuşmaktaydı, "Svein'in Evi doğuştan ayyaş adamlarıyla meşhurdur. Altıparmaklı ayaklarına dolanıp düşmeden avlunun bir yanından öbür yanına geçemezler. Ayrıca, senin de pek iyi bildiğin gibi Brodir, bizim oralarda Svein Evi toprak fakiri oluşuyla da ünlüdür." Bu noktada Brodir okkalı bir küfür patlattı, ancak Olaf sözlerine devam etti: "Yine de bu yolculuktan eli boş dönmeyeceğiz doğrusu. Evdekilere anlatacak yeni haberlerimiz var. Nasıl da berbat bir ev sahibi olduğunuzu bundan böyle herkes bilecek. Ayrıca cüce yeğeninle ilgili şarkılar da söyleyeceğiz. Öylesine çirkin ki dağlar kendisine sırt çeviriyor, nehirler sularını ona vermemek için öfkeyle kabarıyor diyeceğiz."

Hord Hakonsson öne doğru uzanıp kardeşinin ince uzun sırtına dokunarak atları işaret etti. "Bu şekilde bir yere varamayız. Bu ayyaşı kendi ahmaklığıyla baş başa bırakalım."

Kısa bir tereddüdün ardından başını onaylarcasına sallayan Olaf bir kez daha konuşmaya başladı, "Oldukça önemli bir gezgin sayılırsın, Brodir Sveinsson. Belki bir gece ıssız bir yolda karşılaşır ve bu tartışmayı kaldığımız yerden sürdürebiliriz. Konsey eski defterlerin kapandığına karar vermiş olabilir. Ancak bizler yaptıklarının bir tekini bile unutmadık." Arkasına dönüp dizginleri eline aldı. Sonra feneri yere bırakarak zarif bir hareketle atına bindi. Hord da kendi atına atladı. Birlikte atlarını Ragnar'a doğru sürdüler. Brodir geçmelerine izin vermek için sendeleyerek geriye doğru ufak bir adım attı.

Ahırın açık duran kapısına vardıklarında Brodir arkalarından seslendi.

"Eğer bir kez daha karşılaşacak olursak sizin adınıza dövüşmeleri için diğer evlerden adam getirmeyi unutmayın. Evet, yeğenim herkesin tüylerini diken diken edecek kadar çirkin olabilir. Ancak kesinlikle ödlek değildir. Sizin oğlansa önünden bir fare geçecek olsa saklanacak delik arar. Sırf bu özelliği bile damarlarında Hakon kanı dolaştığının açık seçik kanıtıdır. Bu arada, geçmişte olanları ben de unutmadım. Ne yaptıklarımdan ne de sonuçlarından pişman değilim."

Son sözcük Brodir'in dudaklarından döküldüğünde Olaf atından aşağı sıçrayarak iki adımda onun yanına vardı ve elinin tersiyle suratına bir tokat attı. Halli tokadı kendi yanağında hissetmişti neredeyse. Gördüklerinin yarattığı şok hissiyle yerinden sıçrayarak burun kemerini bakmakta olduğu deliğin üst kısmındaki bir kıymığa sürterek kesti.

Brodir'in başı tokadın etkisiyle yana savruldu. Ancak hem gafil avlanmasına hem de sarhoş olmasına rağmen yere yuvarlanmadı. Hatta geriye doğru sendelemedi bile. Ancak burnundan kan geliyordu.

Olaf olayı bu noktada bırakma taraftarıydı. Yeniden atına binmek üzere arkasını döndü. Ancak o anda Brodir öfke dolu bir kükremeyle Olaf'a arkadan saldırdı. Boğazı sıkılarak geriye doğru sürüklenen Olaf dengesini kaybetti ve yere yuvarlanacak gibi oldu. İnce yapılı oluşuna rağmen güçlü kuvvetli bir adam olan Brodir'in kolu, Olaf'ın boynunu demirden bir çubuk gibi sıkıyordu. Brodir diğer eliyle de Olaf'ın gövdesinin yan tarafına arka arkaya yumruklar indirmekteydi. Sonunda Olaf'ın gözleri yuvalarından fırladı ve dili dışarı sarktı.

Şimdi arkasında dalgalanan peleriniyle Hord onlara doğru koşuyordu. Atından hızla atlamış, öfkeyle Brodir'e doğru atılmıştı. Brodir güçlü yumrukların ilkinden kaçmayı başardı; fakat ikincisi çenesinde patladı. Yediği yumrukla sersemlediği halde Olaf'a sıkıca tutunup Hord'a sıkı bir tekme savurdu. Tekmenin şiddetiyle nefesi kesilen Hord hemen yanındaki saman yığınına doğru yuvarlandı.

Gördükleri Halli'ye yetmişti. Su kovasından aşağı sıçradı. Geceliği dalgalanarak bacaklarına dolanıyordu. Ahırın çevresinde koşmaya başladı. Önce atının tepesinde heykel gibi oturup kavgayı şiş gözlerle izleyen Ragnar'ın, sonra da amcasıyla Olaf'ın kapıştıkları saman yığınının çevresinde sessiz ve sakince bekleyen atların yanından geçti. Hord, Halli'nin yaklaştığını görmüştü. Halli hızla kavganın içine dalmak üzereyken Hord uzanarak onu kolundan sıkıca yakaladı ve geriye doğru çekti. Ayakları yerden kesilen Halli omzunda burkulmaya bağlı şiddetli bir ağrı hissetti. Kolları ve bacaklarıyla deli gibi çırpınmasına rağmen Hord'un elinden kurtulamıyordu. Adamın kolu fazlasıyla uzun, kavrayışı ise fazlasıyla güçlüydü. Fakat sonra Hord bir anlığına tutuşunu gevşeterek Halli'yi serbest bıraktı. Dengesini kaybeden Halli ahırın diğer ucundaki samanlıklardan birine doğru uçtu. Ahşap duvara öylesine büyük bir hızla çarptı ki nefesi kesildi ve gözlerinin içinde fırıl fırıl dönen beyaz ışık lekeleri belirdi.

Halli ağzındaki kan tadını hissederek samanların üzerinde uzanıp kalmıştı. Çevresindeki samanlık hızla dönüyor gibiydi. Sonra bu dönüş giderek yavaşladı ve nihayet her şey yerli yerine oturdu. Halli etrafına bakındı. Olaf Hakonsson yere külçe gibi çökmüş parmaklarıyla boğazını tutuyordu. Hord, Brodir'in pençesini gevşeterek kardeşini kurtarmıştı. Şimdi ise Hord ve Brodir birbirleriyle dövüşüyorlardı. İkisi de rakibini sımsıkı kavramıştı. İleri atılıp geri çekiliyorlar, homurtuya benzer sesler çıkarıyorlardı. Birbirlerini duvara her çarpışlarında, ahşap duvar çatırdayıp çatlıyordu. Ayaklarının altındaki samanla kaplı zemin savaş alanına dönmüştü. Sonunda çatlaklardan süzülen gün ışığı giderek kuvvetlenmiş, kalın bir toz tabakasının arasından kendini gösterir olmuştu.

Brodir sıkı dövüşüyordu, ancak Hord yetişkin bir boğa kadar güçlüydü. Mücadele fazla uzun sürmedi. Hord, Brodir'in kollarını birdenbire ters çevirerek sıkıca arkasına yapıştırdı.

Kireç gibi bembeyaz suratı ve yer yer kabarmış dudaklarıyla Olaf ayağa kalkmaya uğraşıyordu.

Aniden yerinden fırlayan Halli'nin omzuna kuvvetli bir sancı saplandı. Halli sancıyı görmezden gelerek ayağa kalkmaya çalışıyordu.

İşte o anda ensesine ağır bir şeyin indiğini fark etti. Birisi ayağıyla sıkıca bastırarak kalkmasını engelliyordu.

Ragnar Hakonsson'un sesini duydu, "Hayır, Trol suratlı. Sen burada bekleyeceksin."

Halli boğuluyormuşçasına sesler çıkararak parmaklarıyla botu yakalayıp uzaklaştırmayı denedi. İrileşen gözleriyle Olaf Hakonsson'un dalgın ve düşünceli bir şekilde Brodir'in önünde durduğunu gördü. Hord'un sıkıca kavradığı Brodir çaresizlik içinde başına gelecekleri bekliyordu.

Olaf Hakonsson ağır ve kesin adımlarla atların olduğu kısma doğru yürüyerek gözden kayboldu. Halli'nin kulağına deri gıcırtısı geldi. Olaf küfelerden birini açmış, içinde hızla bir şeyler arıyor olmalıydı. Yeniden göründüğünde yüzü ifadesizdi. Acının ve öfkenin yerini soğukkanlı bir kararlılık almıştı. Elinde peynir kesmek, meyvenin çekirdeğini çıkarmak ya da atların tırnaklarını kısaltmak gibi gündelik yüzlerce işte kullanılan ufak bıçaklardan biri vardı.

Halli ensesini ezen botun derisine kenetlenmiş parmaklarıyla Olaf'ı izliyordu.

Olaf Hakonsson, Brodir'e doğru ilerledi, bıçağı geriye doğru çekti ve hızla Brodir'in kalbine sapladı. Darbe ölümcüldü.

Olaf bıçağı samanların üzerine fırlattı. Ardından döndü ve atına doğru yürümeye başladı.

Brodir'in bedeni Hord Hakonsson'un gevşeyen parmakları arasından kayarak yere yığıldı. Hord da kardeşi gibi atına yöneldi. Bu arada Ragnar'a bakarak bir şey söyledi. Halli bir an için Ragnar'ın ensesine daha da güçlü bir şekilde bastığını hissetti. Ardından ensesini ezen ayak yok oldu. Pelerinin hışırtısı ve samanlar arasında ilerleyen ayak sesleri duyuldu. Ragnar gitmişti.

Halli kıpırdamaksızın samanların arasında yatıyordu. Gözleri açıktı.

Hakonssonlar'ın atlarının yavaşça avluyu geçtiğini duydu. Ahırda bulunan diğer atlar huzursuzca kıpırdanarak kişnemeye başlamışlardı. Hatta birkaç tanesi ahırlarının kapısına tekme atıyordu. Kan kokusu almış ve bundan hiç hoşlanmamışlardı.

Halli yerde kıpırdamaksızın yatıyordu. Atların aniden mahmuzlandığını duydu. Toynak seslerine bakılırsa Hakonssonlar, Svein Evi'nden dörtnala uzaklaşıp vadinin derinliklerinde gözden kaybolmuşlardı.

TROLLERİN HÂLÂ BAŞA BELA OLDUĞU o günlerde, çok az insan tepedeki bozkıra tırmanmaya cesaret edebiliyordu. Ancak Svein annesinin yalvarmalarına rağmen tepeye çıkıp orada ne olduğunu kendi gözleriyle görmeye kararlıydı. "Gün ışığında Troller yeryüzüne çıkmazlar," dedi annesine. "Hava kararmadan dönmüş olurum. Eve döndüğümde kurt gibi acıkmış olacağım. O yüzden en sevdiğim çorbadan pişir benim için." Böyle söyleyerek gümüş kemerini kuşandı, kılıcını aldı ve yola koyuldu.

Yamaca tırmanarak bozkırın kıyısına vardı. Düzlüğün her tarafı çalılarla kaplıydı. Etrafta kimsecikler yoktu. Svein çevresine şöyle bir bakındı. Uzakta fazla yüksek olmayan bir tepe gördü. Tepede bulunan kapı dikkatini çekti. Devasa ve siyaha boyanmış bu kapıya varıncaya kadar yürüdü.

Kendi kendine şöyle dedi, "Bunun Trollere ait bir kapı olduğundan adım gibi eminim. İki seçeneğim var: ya bırakıp gideceğim ya da açıp içerde ne olduğunu öğreneceğim. İlk seçenek elbette daha güvenli, ancak ikincisi bana itibar kazandıracak." Böylece kapıyı açmaya karar verdi. İçeriye baktığında insan kemikleriyle dolu bir salonla karşılaştı. Uzak bir köşede ateş yanıyordu. Temkinli bir şekilde salonda ilerleyerek ateşe yaklaştı. Ateşin önündeki bir kayanın üzerinde elindeki kafatasından kase yapmakla meşgul şişman bir Trol oturmaktaydı. Bu durumu gören Svein öfkeden deliye döndü. "Hiçbir şey olmamış gibi geri dönebilirim, ya da bu şeytana yaptığı kötülüklerin bedelini ödetebilirim," diye düşündü. "Birinci seçenek kesinlikle daha güvenli; ancak ikincisi evime itibar kazandıracak." Böylelikle kararını veren Svein Trol'e arkadan sessizce yaklaştı ve kafasını tek bir kılıç darbesiyle gövdesinden ayırdı.

Svein mağaranın derinliklerine doğru ilerlemeyi istiyordu. Ancak geriye dönüp baktığında kapıdan sızan ışığın gittikçe zayıfladığını ve maviye döndüğünü gördü. Akşam oluyordu. Bu yüzden geri dönerek tepeden aşağı doğru yürümeye başladı ve akşam yemeğine yetişti.

İşte bu, Svein'in Trol kralının sarayına yaptığı ilk ziyaretti.

II

7

SVEIN'İN KARDEŞİ HORKEL, toprakla ilgili bir anlaşmazlık yüzünden komşusu tarafından öldürülmüştü. Olayı haber alan Svein pek bir şey söylemedi. Onun yerine kılıcını ve kemerini alarak evden dışarı çıktı. Komşusu, uzaktaki kayalıklardan birinde bulunan bir kulübeye kaçmıştı. Kulübeye ulaşmanın tek yolu iki yüz basamaklı bir ip merdiveni tırmanmaktı. Ancak komşusu merdiveni yukarı çekmişti. Svein kayanın dibine vardığında başını kaldırıp dik yamaca baktı. Katil, tepeden küfür dolu sözler savuruyordu. Svein tek bir kelime bile etmeksizin kayaya tırmanmaya başladı. Kaya oldukça gevşekti ve elinin altında ufalanıyordu. Rüzgar ise oldukça güçlüydü ve onu tutunduğu kaya yüzeyinden koparıp almaya çalışıyordu. Kartallar kulaklarını gagalıyordu. Üstüne üstlük bir süre sonra gece karanlığı da bastırdı. Oysa Svein tırmanmaya devam ediyordu. Sabaha karşı katil, tepeden Svein'in üstüne büyükçe taşlar fırlatmaya başladı. Ancak Svein kayaya tek eliyle tutunup diğer eliyle tüm taşları savurarak kendini sakındı. Tepeye vardığında kardeşinin katilini tek bir kılıç darbesiyle öldürdü. Ardından kayadan aşağı inerek evine döndü. Hiçbir şey olmamışçasına yürüyüp sabanı bıraktığı yerden aldı ve annesine, "Şöyle bir hava alıp geldim," dedi.

Arnkel'in katillerin peşinden yolladığı adamlar hava kararmadan geri döndüler. Moralleri oldukça bozuktu ve tepeden tırnağa tozla kaplıydılar. Çağlayanların olduğu yere kadar var güçleriyle at sürmüşlerdi. Ancak aşağı vadinin atları hafif ve seriydi. Bu yüzden Hakonssonlar Sivri Tepe'yi çoktan geride bırakmışlardı. Bu durum Arnkel'in öfkeden köpürmesine neden oldu. Eline geçirdiği bir sehpayı duvara fırlatarak paramparça etti. Ardından kardeşini öldüren bıçağı yerden alarak kendi eline batırdı. Brodir'in katilleriyle tokalaşan eli şimdi kanlar içindeydi. Astrid bile kocasının yanına yaklaşmaktan çekiniyordu. Bu yüzden Arnkel bütün geceyi salonda tek başına geçirdi.

Sonunda yeniden sabah oldu. Halli'nin penceresinden süzülen parlak gün ışığı yatak örtüsünü aydınlatıyordu. İçeriye giren tertemiz hava vahşi çiçek kokuları taşıyordu. Derin uykusundan uyanan Halli bir süre tavanın karanlık kirişlerinde oynaşan üçgen biçimindeki ışık hüzmelerini seyrederek sessizce uzandı. İhtiyar Katla köşedeki koltuğunda horluyordu. Halli ayağa kalkarken omzunda bir ağrı hissetti. Ancak bakıcısının yaraların üzerine yerleştirdiği lapa, zedelenen kaslarını büyük ölçüde rahatlatmıştı. Bu sayede kolunu yeniden hareket ettirebiliyordu.

Bir önceki güne dair hatırladıkları şok, şaşkınlık ve acıyla yüklü bölük pörçük resimlerden ibaretti. Evet, evdekilere koşup haber veren kendisiydi. Peki sonrasında ne yapmıştı? Hemen hemen hiçbir şey. Tüm ev uykudan uyanıp harekete geçerken o öylece durup olanları seyretmişti. Katla dışında hiç kimse orada bulunduğunu bile fark etmemişti. Katla ise telaşa kapılıp abartılı bir şekilde üzerine düşmüş, onu yatağına götürene kadar rahat vermemişti.

Bu durumu değiştirmenin zamanı gelmişti artık. Halli yataktan kalktı, arada bir acıyla yüzünü buruşturarak ağır ağır giyindi ve salona gitti. Güneş çoktan tepeye yükselmişti; ancak ev hâlâ sessizliğe gömülüydü. Babası kanun koltuğunda oturuyordu. Başı göğsüne düşmüştü. Yaralı eli kurumuş kan yüzünden simsiyahtı. Yarayı sarmamıştı bile. Resmi kıyafetinin bir parçası olan gümüşsiyah pelerini kasvetli ve buruşuk bir halde omuzlarından sarkıyordu. Kıpırtısız ve sessizdi. Halli'nin annesi babasının yanında durmuş yumuşak bir sesle kulağına bir şeyler fısıldıyordu.

Salonun uzak köşelerinde birkaç kişi kıpırdanmaktaydı. Birkaç hizmetçi Brodir'in cenazesi için çiçek demetleri hazırlıyordu; ancak hiçbiri Arnkel'in oturduğu kısma yaklaşmaya cesaret edemiyor gibiydi.

Halli dosdoğru babasına yöneldi. "Baba, keşke bir kılıcım olsaydı."

Arnkel başını kaldırmadı. Sesi alçak perdeden ve oldukça derindi. "Neden?"

"Elbette amcamın intikamını almak için."

Arnkel uzun bir süre cevap vermedi. Sonunda, "Oğlum, kılıç diye bir şey kalmadı. Hepsi ateşte eritildi. Sadece tepedeki kahramanların kılıçlarına dokunulmadı."

"Grim'e söylersen benim için bir kılıç yapabilir."

"Tabii, Grim senin için bir kılıç yapabilir!" Annesinin tiz ve öfke dolu sesi salondaki sessiz kıpırdanmaları bıçak gibi kesmişti. Herkes işini bırakmış bekliyordu. "Hatta şu anda, Brodir'in bizi Trollerden korumak için mezarında nöbet tutarken kullanacağı kılıcı yapmakla meşgul. Ancak kılıcın yaşayanlar için söz konusu olmadığını pekala biliyorsun. Konsey bunu yasaklamakla çok iyi yaptı. Bu meseleyi de barışçı yollardan yine konsey çözecek ve biz de hakkımızı alacağız. Bir daha sersemlik edip intikamdan falan bahsettiğini duymak istemiyorum."

Halli omuzlarını silkti. "Brodir'e hiçbir zaman değer vermediğini herkes biliyor anne. Peki ya sen, baba? Benim gibi öfkeli ve üzgün olduğunu görebiliyorum."

Halli'nin sorusu üzerine Arnkel koltuğunda kıpırdandı ve biraz daha dik oturur hale geldi. "Halli," dedi bitkin bir sesle. "Eğer annenle daha saygılı bir şekilde konuşmazsan seni hemen buracıkta pataklarım." Burnunu çekiştirip ateşe doğru bakarak konuşmayı sürdürdü, "Ve bir daha bana intikamdan, kılıçlardan ya da Svein Evi'nin onurundan bahsetme sakın. Niyetin iyi, anlıyorum. Hatta seninle aynı hisleri paylaşıyorum. Hepimiz paylaşıyoruz." (Bu noktada Halli'nin annesinden bir homurtu yükseldi.) "Elinden gelenin en iyisini yaptın bile. Ahırda gösterdiğin cesaret hayranlık uyandırıcı. Savaşçı olmaman senin suçun değil. Ancak şimdi yapılması gereken..." Derin bir nefes aldı. "...sakin kalıp çözüm aramak. Annen haklı. Eski usulde hareket etmek kan davasından ve tepede oluşacak yeni mezarlardan başka hiçbir işe yaramıyor. Ve hiçbirimiz böyle bir şeyin gerçekleşmesini istemiyoruz."

"Brodir eski usullere hayrandı," dedi Astrid. "Ve o usullere uygun olarak hareket etmeyi seçti. Peki şimdi nerede? Soğuk bir eve girmek için beyaz bir örtünün altında bekliyor." Oğluna bakarak solgun bir şekilde gülümsedi. "Ah Halli, Brodir'in anlattığı hikayeleri sevdiğini, hatta ona hayranlık duyduğunu biliyorum. Ancak onun savunduğu değerlerin tamamı geçmişte kaldı. Biz başka değerlerin peşinden gidiyoruz. Tüm evlerin yasa yapıcıları mümkün olduğunca çabuk bir araya gelecekler. Ulfar Arnesson bugün aşağı vadideki evleri uyarmak için yola çıkıyor. Leif de yukarı taraftakilere haber verecek. Şansımız varsa konsey kış başlamadan toplanır. Onlara gördüklerini bir bir anlatacaksın. Konsey üyeleriyse meselenin çözümüne dair karar verecekler. Bu durumda en önemli görgü tanığı sen olacaksın Halli! Düşünsene! Senin gibi genç biri için çok önemli bir görev bu."

Halli kibarca, "Peki Hakonssonlara ne olacak?" diye sordu.

"Bize oldukça iyi bir tazminat ödemek zorunda kalacaklar."

"Yani toprak mı verecekler? Bu kadar mı? Bize bir parça toprak verecekler ve konu kapanacak, öyle mi?"

"Toprak öyle küçümsenecek bir şey değil, oğlum. Varımızı yoğumuzu toprağa borçluyuz."

Arnkel Sveinsson ateşten gözünü ayırmaksızın koltuğunda oturuyordu. Yaşlanmakta olan sıradan cılız bir adamdı. Kendi kendine konuşuyormuş gibi yumuşak bir sesle, "Anlaşma yoluna gitmekten başka seçeneğimiz yok. Hatta bu durumda bile istediğimizden çok daha azıyla yetinmek zorunda kalabiliriz. Hakon Evi oldukça güçlü."

"Arabuluculuk yüzünden şimdiye dek çok toprak kaybettik," dedi Astrid dudaklarını sıkıca birbirine bastırarak. "Hiç olmazsa bu kez kazanan taraf biz olacağız. Ah, işte Leif yola çıkmaya hazır bile!"

Leif yeni tıraş olmuş, yolculuklarda kullandığı pelerinini giymişti. Platforma sıçrayarak anne ve babasıyla hangi yolu izleyeceği konusunu görüşmeye başladı. Oldukça canlıydı ve yola çıkmak için sabırsızlanıyordu. Üstlendiği görevin ortaya çıkmasına neden olan gelişmeler konusunda pek de üzgün değil gibiydi.

Astrid, Leif'in kolunu sevgiyle okşadı. "Çok yakışıklı görünüyorsun oğlum! Evimize yaraşır bir elçi olmuşsun. Sence de öyle değil mi Halli?"

Ancak Halli annesinin sorusunu yanıtlamadan salonu terk etti. Perdelerin gerisinde uzanan koridora çıktığında adımlarını yavaşlattı ve bir süre sonra durdu. Derin derin nefes alıp veriyor, öfkesinin geçmesini bekliyordu.

"Halli."

Ulfar'ın kızı Aud misafir odasından çıkmıştı. Halli, Aud'un varlığını unutmuş değildi; ancak son günlerdeki gelişmeler yüzünden onu zihninin gerilerine itelemişti. Aud biraz pasaklı görünen bir pelerin giymişti ve saçıyla uğraşıyordu. Dudaklarının arasında iki adet kemik saç tokası vardı.

Yaşadığı duygu karmaşasının ortasında birden sohbete başlamak Halli için pek de kolay değildi. "Oh, selam."

"Amcan için üzgünüm." Kolları başının arkasında oynayıp duruyordu. Konuşurken saç tokaları dudaklarının arasında titreyip sallanıyordu.

"Teşekkürler."

"Kahrolası Hakonssonlar. Kimseyi umursadıkları yok. Yine de ilk kez böyle bir şey yapıyorlar. Yani ilk kez başka bir eve ait özgür bir adamı öldürüyorlar. Yoksa sık sık kendi evlerindeki adamları öldürdüklerinden şüphem yok. Peki, amcan ne yapmıştı ki?" Halli'nin yüzü ifadesizdi. "Hiçbir şey. Sadece sarhoştu."

"Haklısın, gerçekten de sarhoştu. Ama bu kadar küçük bir mesele için biraz fazla sert bir ceza gibi geldi bana. Hakonssonlarla komşu olmadığınız için kendinizi şanslı saymalısınız. Sınır çizgisini sürekli olarak kendi avantajlarına olacak şekilde değiştiriyorlar. Elbette babam da bu konuda hiçbir şey yapmıyor. Tabii diz çöküp onların çiğnedikleri toprağı öpmekten başka. Ancak şimdi oldukça büyük bir ikilemin içine düştü. Bir tarafta kuzeni Astrid, diğer tarafta Hord Hakonsson. Arabuluculuk sürecinde oldukça dikkatli davranmak zorunda. Fakat babamın dikkatlice atmadığı tek bir adım bile yoktur zaten. Tıpkı diğer herkes gibi." Tokaları aceleyle dudaklarından alıp başının arkasında topladığı saçlarına geçirdi. "Kahretsin, neredeyse bozuluyordu. Neyse, şimdi oldu sanırım. Eve dönerken yolumuzun üzerindeki yasa yapıcılara yeni gelişmeleri anlatacağız."

"Biliyorum. Annemle babam az önce söylediler. Uzlaşmayı sabırsızlıkla bekliyorlar." Sesi oldukça sert çıkmıştı.

Aud başını çevirdi ve saçını işaret ederek sordu, "Nasıl görünüyor?"

"Biraz yana yatmış gibi."

"İşimi görür. Onu çok seviyordun, öyle değil mi? Amcanı yani."

"Evet."

"Çok üzgünüm. Annemi geçen kış kaybettim, biliyorsun. Bir insanı kaybetmenin nasıl bir duygu olduğunu iyi biliyorum. Hele de o insan... Neyse." Elleriyle elbisesini düzelterek uzaklara baktı. "Hazırlanmam gerek. Babam beni bekliyordur."

"Dinle, ben de senin yaşadığın kayba çok üzüldüm," dedi Halli. Bunun üzerine Aud gülümsedi. Gözlerinin içi pırıl pırıldı. "Sık sık tepeye tırmanıp onunla konuşuyorum. Mezarlıkta oturuyorum, anneme çiçekler götürüyorum. Babam ve halamla evde oturup evlilik üzerine bitmez tükenmez konuşmalar yapmaktan çok daha iyi. Yine de –"

Fakat Halli'nin kaşları çatılmıştı. "Mezarlığa mı? Peki ya Troller?"

Aud alaycı bir tavırla yanaklarını şişirdi. "Sonuçta mezarlığı geçmiyorum. Ayrıca hava karardığında da tırmanmıyorum tepeye. Peki bir şey soracağım sana; Halli Sveinsson, gerçekten de bir Trol'le karşılaşmış kimi tanıyorsun?"

"Ben de bir Trol'le karşılaşmış sayılırım."

"Karşılaşmaktan bahsederken gerçek anlamda bir Trol'ü görmeyi kastediyorum ben; mezar taşlarının arasında uğuldayan rüzgarı ya da çalılıktan fırlayan bir tavşanın sesini duyunca korkudan altını ıslatmayı değil."

Halli sırtını dikleştirerek konuştu, "İki haftadan az bir süre önce yamaçta sürüyü otlatıyordum. Orada duvarın çökmüş olduğu bir kısım var. Dişi koyunlardan biri mezarlığın ilerisine geçip gözden kayboldu. Gece olduğunda..." Sesi bir fısıltıya dönüşmüştü. Yuvarlak gözleri sağa sola bakarak koridorun gölgede kalan köşelerini tarıyordu. "Gece olduğunda koyunun çığlıklarını duydum. Sabah güneş doğduğundaysa o felaket tabloyla karşılaştım; koyunun leşi yerde yatıyordu. Paramparça olmuştu."

Aud hiç de kibar olmayan bir biçimde esnedi. "Korkudan nefes bile alamıyorum, Halli. Doğuştan ozan olduğunu biliyor muydun? Peki, sonra ne oldu?"

"Şey, hepsi bu kadar."

"Ne? Hikaye bu mu yani? Sana tek bir kelime söyleyeceğim; kurtlar."

Halli burnunu çekerek cevap verdi: "Fakat Trol düzlüklerinden bahsediyoruz."

Aud gözlerini devirdi. "Tepede sürüyü otlatırken kurtlarla karşılaştın mı?"

"Evet, ama uzaktan."

"Kartallarla?"

"Evet."

"Peki diğer seçenekler açık seçik önünde duruyorken koyunu Trollerin öldürdüğüne inanmayı neden tercih ediyorsun? Neden her şeyi olduğundan daha da zor bir hale getirmeye çalışıyorsun?" Aud'un sesi iyice canlanmıştı. "Örneğin ben kıçım kaşındığında Trollerin arkadan sinsice yaklaşıp kıçıma dokunduklarını hayal etmiyorum, öyle değil mi? Basit bir açıklamayı tercih ediyorum. Lanet olsun, babam geliyor." Ulfar Arnesson'un salondan bağırışı oldukça net bir biçimde duyuluyordu. "Şimdi gitmeliyim. Bavullarım hâlâ hazır değil. Çok geçmeden yine görüşeceğiz. Annen beni bu kışı geçirmek üzere buraya davet etti. Ancak o zamana kadar Arne Evi'nin oralardan geçecek olursan mutlaka uğra. Bizim arpasuyumuzun sizin konuklara ikram ettiğinizden çok daha iyi olduğuna şüphe yok." Son bir kez Halli'ye gülümseyerek el salladı ve odasının kapısından girerek gözden kayboldu. Halli koridorun sessizliğinde Aud'un arkasından bakakalmıştı.

Brodir'in bedeni sazlardan örülmüş bir sedye üzerinde iki gün boyunca salonun ortasında bekledi. Halli amcasına saygısını sunmak için cenazenin başına geçmedi. Zaten Brodir'i ölürken görmüştü ve o an bir daha unutulmamak üzere hafızasına kazınmıştı.

Üçüncü günün sabahı, toprağı örten sis henüz dağılmamışken, cenaze ekibi avluda toplandı. Her cenazede olduğu gibi Arnkel'in görevi ekibi yamaca kadar geçirmekti. Şimdiyse salonun girişinde durmuş paltosunun önünü kapatmaya uğraşıyordu. Arkasında duran Halli, Leif ve Gudny adamların birer birer evin karşısındaki kulübelerden çıkışını izliyorlardı. Adamlardan her birinin elinde ya kazma ya çapa ya da kürek vardı. Demirci Grim de oradaydı. Aletleri gözden geçiriyor, bazılarını çabucak bileyip düzeltmek üzere atölyesine götürüyordu. Bileğitaşının sesi kulakları dolduruyordu.

Brodir kefene sarılı bir şekilde, kapının önündeki kaldırım taşlarının üzerinde yatıyordu. İki direk arasına gerilmiş bezden oluşan bir sedyeye yerleştirilmişti. Başka bir sedyede ise mezarının başına dikilecek olan taş duruyordu.

Adamlar fısıltıyla konuşuyorlardı. Pelerinlerinin başlıkları yüzlerini gölgeliyordu. Solukları havada ince bir iz bırakıyordu. Elleri ceplerindeydi ve ayaklarındaki botlar yola çıkmaya hazırlanan atların toynakları gibi taş zemini dövüyordu. Arnkel bekliyordu. Birden peşinde Eyjolf ve bir başka hizmetkarla birlikte Halli'nin annesi belirdi. Ağır adımlarla önceki gece bir yaşındaki bir koçun kurban edildiği kulübenin olduğu taraftan diğerlerine doğru yaklaşıyorlardı. Her birinin elinde hayvan derisine sarılmış bir parça et vardı. Bu etler cenazeye katılacak olan ekibe aktarıldı ve mezar taşının yanına yerleştirildi.

Son olarak Grim, elinde fazla uzun olmayan küçük ve biçimli bir demir parçasıyla atölyesinden çıktı. Bu cisim vadiyi savunurken Brodir'e yardımcı olması düşünülen kılıçtı. Mezar taşlarla kapanmadan önce göğsüne yerleştirilecekti. Arnkel kılıcı elindeki heybeye soktu.

Svein Evi sakinleri pencere ve kapılarda toplanmış, sessizlik içinde Arnkel'le Grim'in ilk sedyeyi kaldırışlarını izliyorlardı. Kalabalık avludan çıkıp tepedeki kapıya doğru yürümeye başladı. Kimsenin lafla kaybedecek zamanı yoktu. Daha çukur kazılacak, gece çökmeden dağ sırtındaki yeni mezara şekil verilecekti. İşleri başlarından aşkındı.

Halli grubun yola çıkışından hemen sonra yıkanıp giyinirken Katla'yı soru yağmuruna tuttu.

"Yanlarına aldıkları et ne içindi?"

"Gayet iyi biliyorsun. Kollarını kaldır. Etin bozkıra doğru fırlatılıp atılması gerek. Bu sayede Troller mezar kazmak üzere sınırın ötesine geçmemize ses çıkarmazlar. Biliyor musun, şu banyo işini biraz daha ciddiye alman şart. Özellikle de şuraları biraz daha iyi liflemelisin."

Halli lifi ilgisizce elinde tuttu. "Peki Troller hemen çıkıp etleri topluyorlar mı? Yani adamlar Trolleri görebiliyorlar mı?"

"Elbette hayır! Troller gün ışığında ortaya çıkmazlar. Hava kararana kadar beklerler. O zamana kadar da grup çoktan eve dönmüş olur."

"Peki bozkıra et falan bırakılmazsa ne olur?"

"O zaman Troller Svein Evi'nin sınırını geçip bize saldıracak ve hepimizin felaketine sebep olacak güce kavuşmuş olurlar."

"Bir Trolle karşılaşmak ilginç olabilirdi," diye mırıldandı Halli, sıradan bir şeyden bahsedermişçesine.

Katla hemen türlü türlü koruyucu büyü yapmaya başladı. "Hemen yalağa git ve ağzını yağlı suyla çalkala."

Fakat Halli, Katla'nın sözlerine boş vererek taytıyla güreşmeyi sürdürdü. "Bu kadar korkacak ne var, anlamıyorum. Ben de diğerleriyle birlikte cenazeye katılabilir, sonra da yukarda bekleyip olanı biteni seyredebilirdim. Tabii şu bahsettiğin çocuk gibi sınırı geçmez, taşların gerisinde kalıp Trollerin etleri almak için dışarı çıkışını izlerdim."

Katla hafifçe içini çekerek boğum boğum olmuş yaşlı elini Halli'nin koluna koydu. "Bunun üç farklı sebepten kötü bir fikir olduğunu söyleyebilirim, Halli. Öncelikle hava karardığında herhangi bir şey görmen imkansız olacaktır. İkincisi, sadece pençelerinden birini bile görsen gözlerin dehşetle yuvalarından fırlayıp yere düşecektir. Üçüncüsü, bu tip bir itaatsizliğe kızan atalarımız seni cezalandıracaklardır."

"Bizim düşmanımız Troller, Katla! Böyle bir durumda atalarımız neden beni cezalandırsın ki?"

"Bence şansını zorlamasan iyi edersin. Atalarımızın yargısı bazen oldukça acımasız ve katı olabiliyor. Belki de ölü olmalarının bununla bir ilgisi vardır."

"Bence senin kafan gittikçe daha fazla karışıyor, Katla. Hayır, terlikleri istemiyorum. Bugün botlarımı giyeceğim."

Yaşlı kadın gözlerini kısarak Halli'yi süzdü, "Umarım hâlâ amcanı düşünmüyorsundur. O şimdi Svein'in yanında. Hem, cesaretimi toplayarak şunu söyleyebilirim ki bu trajedi herkes için en iyisi oldu. Bana kalırsa Brodir senin pervasızlığını fişekleyip duruyordu."

"Aynı şeyi annemle babam da sık sık söylüyorlar. Pelerinim nerede Katla? En kalın olanı?"

"Kapının yanındaki kancada asılı. Halli, annenle babanın seni çok sevdiklerini sakın unutma! Senin başına gelenler her ikisi için de çok önemli. İstedikleri son şey senin darağacında sallandığını görmek."

Halli duraksadı. "Nasıl yani? Böyle bir şey ne kadar mümkün ki?"

"Pervasızlığın bugüne kadar sadece ufak suçlar işlemene yol açmış olabilir. Ancak kendini toparlamazsan daha büyük suçlar işlemen an meselesi." Katla iç geçirdi; gözleri geçmişin hatıralarıyla nemlenmişti. "Slees Çiftliği'nden Rorik'i hatırlamazsın. Başlangıçta komşuların kümeslerinden yumurta çalıyordu. O zamanlar tıpkı senin gibi on dört yaşındaydı. Fakat babası onu yeterince dövmedi. Rorik de yeni haylazlıklar peşinde koşmaya başladı." Katla başını sallayarak anlatmaya devam etti, "Sonrasında süt ineği üzerine giriştiği bir kavgada adamın tekini öldürdüğünü ve bir sonraki büyük toplantıda asıldığını duyduk."

Halli Katla'ya bakakalmıştı. "Sadece on üç yaşında olduğu halde mi?"

"Hayır, öldüğünde otuzlarında falandı. Ama paslanma erkenden başlar, benim söylemek istediğim de bu."

Halli kaşlarını çattı, "Tavsiyelerin için teşekkürler. Şimdi çıkıyorum ben."

Kapıya doğru ilerlerken Katla panik içinde konuşmaya başladı, "Halliciğim, umuyorum tepeye çıkmayı düşünmüyorsun, değil mi? Senin de çok iyi bildiğin gibi sadece yetişkin erkekler cenaze törenine katılabilir. Hem eğer Trollerle karşılaşmaya falan niyetliysen..."

Halli güldü. "Benim için endişelenme. Hoşça kal Katla!"

Böyle söyleyerek kaşlarını çatmış Katla'yı ardında bırakarak kapıyı çekti ve odadan çıktı.

Mutfaktan taze bir somun ekmek, koca bir tekerlek keçi peyniri ve beze sarılmış büyükçe bir parça tütsülenmiş et aşırdı. Ayrıca iki tane matara alarak birini üzümsuyuyla diğerini ise çeşme suyuyla doldurdu. Erzakın tümünü sırt çantasına yerleştirdikten sonra tüm dikkatini toplayarak babasının odasına yöneldi.

Köşedeki bankın üzerinde Arnkel'in sandığı duruyordu. Oldukça eski bu ahşap sandık, siyaha yakın bir renkteydi ve demir bantlarla sıkıca çevrelenmişti. Halli çocukluğundan beri bu sandığa defalarca bakmıştı ve içinde ne olduğunu çok iyi biliyordu. Babasının tarlada çalışırken kullandığı aletler saklıydı sandıkta; hasatta kullanılan bir orak, çalılıklarda çalışırken oldukça işe yarayan bir kanca, biraz saman ve bazılarını Grim'in yaptığı, bazılarıysa yıllar boyunca elden ele dolaşarak Arnkel'e ulaşan hasat bıçakları.

Ancak sandığın dibinde bir bıçak daha vardı. Uzun saplı, ince uzun biçimli ve oldukça keskin olan bu bıçak sadece resmi şölenlerde ve kurban törenlerinde kullanılıyordu.

Halli bıçağı aldı, sandığı kapadı ve salona geçti.

Her yer sessizdi; hüzün dolu bu günde erkeklerin çoğu yamaçtaydı. Kadınlar ise salonun dışında bir yerlerde çalışıyorlardı. İşte orada, kürsünün hemen arkasında hazinelerin bulunduğu duvar yükseliyordu: Svein'in zırhı, Svein'in silahları. Halli paslı yay ile sadağa, kırık kalkana, kancada asılı duran sağı solu ezik miğfere baktı. Gözleri bir an için miğfere takılıp kaldı. Gün ışığı başlığın tepesinde, boyun ve burun koruyucu kısımlarında parıldıyor, ancak gözlerin bulunması gereken delikleri karanlık, soğuk ve ifadesiz bırakıyordu.

Halli bakışlarını diğer yana çevirdi. Gözleri taştan yapılma rafin üzerinde duran küçük kutuya ilişti. Dönüp arkasına baktı. Salon tamamen boştu.

Halli parmaklarının ucunda yükselerek kutuyu kendine doğru çekti. Kutu beklediğinden çok daha ağırdı ve neredeyse Halli'nin elinden kayıp yere düşecekti. Oldukça koyu renkli olan ahşap yılların bıraktığı izlerle doluydu. Kalbi yerinden fırlayacakmışçasına heyecanlanan Halli, gözlerini bir anlığına bile kutudan ayırmaksızın kapağı açtı. Önce hafifçe direnen kapak ufalanan tozların gıcırtısıyla birdenbire açılıverdi.

Kutunun içinde bir şey parıldıyordu.

Halli salonun diğer ucuna doğru bakarak kulak kabarttı: yakınlarda bir yerde Eyjolf hizmetkarlardan birine çıkışıyordu. Kız kardeşinin odasındaki dokuma tezgahının uğultusu, avludaki çocukların gülüşmeleri geldi kulağına. Bir an için varlığına alıştığı tüm bu ayrıntıların, çocukluğunun geçtiği bu güvenli evin onu kendine doğru çektiği hissine kapıldı.

Bakışları odanın ortasında duran ufak bir masaya kaydı. Masanın üzerinde beyaz bir örtü bulunmaktaydı ve çevresine kurumaya yüz tutmuş çiçekler bırakılmıştı.

Halli, amcasının bedenini taşımış olan bu masaya bakakaldı. Sonra kutuyu hafifçe eğerek Svein'in gümüş kemerinin avucunun içine kaymasını sağladı. Soğuk ve ağır kemer oldukça sıkı bağlanmıştı. Halli hiç düşünmeden kemeri sırt çantasına attı. Sonra kutuyu eski yerine koydu, çantasını sırtına aldı ve hızla salondan çıktı.

Halli, Svein Evi'nden ayrılırken arka tarafta bulunan yolu tercih etti. Aşağı taraftaki çayıra ulaşmak için çamur birikintilerinin ve dikenli sazların arasından geçerek duvar boyunca ilerledi.

Sonra bir anlığına durup tepeye doğru baktı. Adamlar mezarı kazmaya başlamışlardı bile. Halli arkasını döndü. Bir daha ne yamaca, ne de yamacın kıyısında olanca rahatlığıyla onu bekleyen eve dönüp bakmadı ve Hakonssonları öldürmek üzere yola koyuldu.

8

KANUNSUZLUĞUN KOL GEZDİĞİ o günlerde vadide yolculuk yapmak oldukça tehlikeliydi. Çok fazla insan bu tip bir yolculuğa cesaret edemiyordu. Yine de Svein çiftçilikten sıkıldığı zamanlarda yola çıkar, rüzgar nereye eserse oraya doğru yürümeye başlardı. Bir defasında evden ayrılıp doğuya doğru ilerlemiş ve Eirik'e ait olan büyük çağlayanın yakınlarındaki topraklara varmıştı. O sene evlerin sınırları dışında öylesine büyük tehlikelere rastlanmaktaydı ki yola çıkan kişinin geri dönebileceğine ihtimal bile verilmiyordu. Ancak Svein kemerine soktuğu kılıcı ve elinde taşıdığı ağ ile tek başına yola düştü. Öylesine gezinirken kelebek ve çiçekleri seyretmek üzere ormana daldı. Üç gün boyunca uzaktan onu gözleyenler, ağaçlardan kuşların korku içinde havalandığını gördüler. Dördüncü günün sabahında Svein, Eirik Evi'nin yakınlarında belirdi. Ardında ağırca bir ağ sürükleyerek keyif içinde yürüyordu. Ağın içinde beşi haydutlara, üçü kurtlara, ikisi Trollere ve sonuncusu bir keşişe ait olan on bir adet kafa bulunmaktaydı. Zavallı keşiş, Svein'i nehirde yıkanırken görüp münasebetsiz bir laf söyleme hatasına düşmüştü.

Güneş parlak, gökyüzü yumurta kabuğu rengindeydi. Yün yumağına benzeyen yüksek bulutlar kuzey dağlarının tepelerinde dolaşıyor, rüzgarın hafifçe üflediği kar kümeleri ışıl ışıl doruklardan aşağı doğru uçuşuyordu. Vadideki her ayrıntı açık seçik görünüyordu. Her şey bir ışık hüzmesiyle kaplı gibiydi; keçilerin sırtları, taş duvarlar, Rurik Evi'nin yukarı kısmında yer alan sarp kayalıklardaki süt beyazı şelaleler. Sivri Tepe'nin yamaçlarındaki çam ağaçları bile Halli'nin içindeki gizli niyete işaret eden karanlık bir parıltı saçıyorlardı.

Halli evden yeterince uzaklaştığına karar verince ve biraz da terleyince çayırdaki kayın ağaçlarından birinin gölgesinde mola verip kahramanın kemerini incelemeye başladı.

Güneş ışınları, sırt çantasından çıkardığı ve parmaklarının arasında açtığı kemer üzerinden yansıyordu. Görüntü nefes kesecek türdendi; süslü ve karmaşık bir şekilde birbirine geçmiş ince gümüş halkalardan oluşan bir zincir. Metal halkaların kıvrımı eğreltiotunun yapraklarını anımsatıyor, halkalar bazı kısımlarda kalınlaşarak kuşa ya da diğer hayvanlara benzer şekillere bürünüyordu. Halli'nin o güne kadar gördüğü her şeyden üstün bir sanat eseriydi bu kemer. Halli bir anlığına durup hayranlıkla işçiliğe yoğunlaştı ve bu kemeri yıllar öncesinde kimin yapmış olduğunu düşündü. Ancak bu konu kemerin etkisi kadar önemli değildi. Büyük Svein bu kemeri takmıştı ve anlatılanlara bakılırsa kemer ona şans getirmişti.

Halli üzerindeki pelerini ve kolsuz yeleği çıkararak kemeri beline taktı. Kemerin kendi ölçülerine göre fazla uzun olduğunu görünce biraz canı sıkıldı. Belli ki Svein efsanelerde anlatıldığı gibi iri yarı bir adamdı. Halli ensesini kaşıyarak ne yapması gerektiğini düşündü. Sonunda kemeri bir omzunun üzerinden geçirerek çaprazlamasına göğsüne astı. Başarmıştı; kemer artık güvendeydi. Yeleğini giydiğinde kemer de görünmez olmuştu.

Halli yeniden yola koyularak uzun çimenlerden oluşan yeşil bir deniz boyunca yürüdü. Yolunu kaybetmiş zayıf bir sığır, ağır adımlarla düzlüğün diğer yanına doğru ilerliyor, bu arada sineklerden korunmak için büyük bir sabırla kuyruğunu sallıyordu. Çok yukarılarda bir şahin rüzgarda süzülerek Halli'nin üzerinden geçti. Taşıdığı kemerin gücünden mi, yoksa günün ışıltısından mı bilinmez,

Halli'nin neşesi her adımda artıyor gibiydi. Yıllardır içinde taşıdığı boğucu hapis duygusunu sonunda silkeleyip atmıştı üzerinden. Evi ve ailesi çok geride kalmıştı. Dünyayı yalnız başına dolaşan bir maceraperestti artık. Svein de tıpkı bu şekilde kendi maceralarının peşine düşmüştü. Halli yoluna devam ederken hırsla gülümsedi. Belki bir gün onun hikayesi de tıpkı Svein'inki gibi şölen sonlarında büyük salonda anlatılacaktı. Belki sırt çantasında taşıdığı bıçak salonda sergilenecek ya da hayranlık ve saygı dolu gözlerle elden ele dolaştırılacaktı...

Bu tip keyifli hayallerden aldığı cesaretle Halli tüm sabahı yürüyerek geçirdi. Kuzeydoğu yönünde dolambaçlı bir rota izleyerek ıssız çayırlardan geçiyordu. Tam karşısında keskin bir dişe benzeyen Sivri Tepe, gri ve sipsivri zirvesiyle yükseliyordu. Kimseyle karşılaşmadı; zaten karşılaşmayı da istemiyordu. Katla'yla konuşmasının ardından insanların cenazeye ve Trollere olan ilgisi nedeniyle yamaca tırmandığını düşünmeleri olasıydı. Böylesi çok daha iyi olurdu. Onu aramaya yamacın eteklerinden başlarlardı. Ve işin aslını anladıklarındaysa –tabii eğer anlarlarsa– Halli, Hakon Evi'ne giden yolu çoktan yarılamış, böylece amcasının intikamını almaya yaklaşmış olurdu.

Brodir hayatı boyunca pek de kolay bir insan olmamıştı. Hatta son günlerde Halli, büyük bir üzüntüyle amcasının ölümünün çok fazla insanın yüreğinde iz bırakmadığını fark etmişti. Cinayet elbette öfkeye yol açmıştı. Ancak çoğunluk, annesinin bakış açısını paylaşıyor, evin çıkarlarına uygun bir anlaşma yapılmasının en iyisi olacağını düşünüyordu.

Halli içinse durum tamamen farklıydı. Acısı gizliden gizliye büyüyen bir suçluluk duygusuyla besleniyordu. Hakonssonlara o oyunu oynamasaydı dostluk yemeği diye bir şey düzenlenmeyecek, Hakonssonlarla Brodir böyle bir tartışmanın içine girmeyeceklerdi. Aslına bakılırsa kavgayı Brodir'in sataşmaları ve Hord'un kibirli davranışları başlatmıştı. Fakat Halli'nin davranışlarının da bu işte payı olduğu bir gerçekti. Aradaki bağlantıyı yok saymak mümkün değildi.

Evden ayrılmadan önce, bu düşünce yüzünden uykusuz geceler geçirmiş, içten içe acı çekmişti. Şimdi açık havada, dağların arasında ilerlerken ve ayağının altında ezilen çimleri hissederken suçluluk duygusu da bir parça hafiflemişti. Fakat kendini hâlâ intikam almak isteyecek kadar kötü hissediyordu.

Olaf'ı tam olarak nasıl öldüreceğini bilmiyordu; ama bu işi pek yakında halledecekti. Güneşin altında tepeden aşağı inerken Halli'nin kaşları karanlık bir ifadeyle çatılmıştı. Çoktan evine dönmüş olan katil, kendini güvende hissediyor olmalıydı. Salonda oturmuş karnını doyurduğuna şüphe yoktu. Hatta bol bol arpasuyu içip bu işten yakayı kolayca sıyırmış olduğu için kendi kendine gülüyor olmalıydı. Sonuçta tarlalarından birkaçını mağdurlara vermek zorunda kalsa ne olurdu ki? Zengin bir adamdı; bu onun için oldukça ufak bir bedel sayılırdı. Hem böylece şerefine de leke sürülmemiş olacaktı. Yasa yapıcılar kendi açısından en kötüsüne karar verseler bile umurunda değildi. Ne de olsa koca evinin içindeyken kendini güvende sayıyordu. Ragnar'la Hord'un da ışıl ışıl gözlerle kafalarını geriye atarak ve bıyıklı ağızlarını koca koca açarak onun kahkahalarına katıldıklarından kuşkusu yoktu Halli'nin. Kimbilir, belki onların da ölmesi gerekecekti...

Aniden kabaran öfkeyle sarhoş gibi olan Halli, yaylaların sessizliğini bölerek yoluna devam etti. Tarlalardan, bahçelerden geçti. Yerine göre birtakım küçük çiftliklerden uzak kalmak için yolunu değiştirdi. Ama sonuçta hep vadinin merkezine doğru ilerleyerek bayır aşağı yol aldı. Öğle yemeğini çayırın ortasındaki bir kayalıkta yedi. Ardından yorgun bacaklarını dinlendirmek için güneşin altına uzandı. Uyandığında zamanın hayli ilerlemiş olduğunu fark etti. Kuzeydeki zirvelerin üzerinde koyu renkli bulutlar toplanıyordu. Gece bastırmadan anayolu görebilecek kadar ilerlemiş olmayı istiyordu. Bu yüzden hiç vakit kaybetmeden hızla yola koyuldu.

Anayol genişçe bir patikadan başka bir şey değildi. Düzensiz taşlarla döşenmişti, tekerlek izleriyle kaplıydı ve oldukça kötü durumdaydı. Yolun durumu Halli'yi şaşırtmıştı. Kendi evini aşağı vadiyle birleştiren yolun daha büyük ve gösterişli olacağını düşünmüştü hep. Yine de hayal kırıklığına uğramış sayılmazdı. Sonuçta bu yol onu çağlayanların ilerisine götürecek, Hakon'a ait topraklara ve uzaklardaki denize ulaştıracaktı. Bir sıçrayışta çayırın son bölümünü de ardında bırakarak taşlık vadi yoluna adımını attı.

Hayatında ilk defa Svein'in topraklarını terk ediyordu. Vadi yolu sınır çizgisiydi. Kuzeyde, yani şırıltısı duyulan nehrin bulunduğu uçurumun diğer tarafında Rurik Evi'nin tarlaları uzanıyordu. Halli bir anlığına sessizce durup yaklaşan yeni deneyimlerin heyecanına kaptırdı kendini. Sonra babasının bıçağını çantasından çıkartıp tuniğinin kuşağına, gümüş kemerin hemen aşağısına yerleştirdi. Savulun düşmanlar! Halli Sveinsson geliyor! Böylece fiyakalı bir yürüyüş tutturup yol boyunca doğuya doğru ilerlemeye başladı.

Akşam olurken gri bulutlar gökyüzünde toplandı ve yağmur başladı. Hüzünlü ve ısrarcı bir çisenti yol kenarındaki eğreltiotlarının ve Halli'nin kapüşonunun üzerinde hafifçe pıtırdıyordu. Yolun kenarındaki iki meşe ağacının altına sığınabilirdi. O kısımdaki toprak henüz kuruydu. Halli durup düşündü, sonra başını sallayarak yoluna devam etti. Onun yerinde Svein olsaydı, bir parça yağmurun kendisini yolundan alıkoymasına izin verir miydi? Kesinlikle hayır! Hava kararmadan birkaç mil daha yürüyebilirdi. Çenesini küstahça yukarıya kaldırarak yağmura meydan okurcasına ileriye doğru atıldı. Kolları kendinden emin bir edayla iki yanında sallanıyordu.

Şimdi yol, tek bir ağacın bile bulunmadığı, pancar tarlalarıyla bodur çalıların uzandığı nehir kıyısından geçiyordu. Yağmura siper olabilecek hiçbir şey yoktu. Çisenti önce iyiden iyiye yağmura, ardından da dağlara özgü bir sağanağa dönüştü. Halli birkaç sániye içinde iliklerine kadar ıslanmıştı. Su damlaları yüzüne vuruyor, yağmur suyu yol boyunca akarak kırık taşların arasında birikiyordu. Cakalı yürüyüşünü bir kenara bırakan Halli tıpkı bir sıçan gibi telaşla koşmaya, su birikintilerinden kaçmak için atlayıp zıplamaya başladı. Sonunda biraz ilerde sarı bir ışık gördü.

Halli ışığın kaynağına biraz daha yaklaşınca bunun, yolun gerisinde bulunan bakımsız ve derme çatma bir kulübe olduğunu anladı. Pencerelerden birinde tek bir ışık zayıfça titreşiyordu.

Halli yoldan ayrılarak kulübeye yöneldi ve kapıyı çaldı.

Önce hiçbir şey olmadı. Halli şiddetli yağmurdan mümkün olduğunca kaçabilmek için kapıya sıkıca yaslanmıştı. Yeniden, bu kez daha sert bir şekilde çaldı kapıyı. Kapıya vurduğu darbeler çatıdaki arduvazlardan* birinin yerinden fırlamasına, yakındaki bir çamur birikintisine düşmesine ve üstünün başının daha da beter ıslanmasına neden oldu. Sonra kapı birdenbire açıldı ve dengesini kaybeden Halli öne doğru sendeleyerek iki büklüm olmuş yaşlı bir adamla çarpıştı. Adamın üstünde eski püskü bir tunik vardı. Bir çift fırça gibi gür bembeyaz kaş dışında kafasında tek bir tel bile yoktu. Kaşların altındaki gözler, sessiz bir dehşet içinde Halli'ye dikilmişti.

Halli kendini toparlayarak, "İyi akşamlar," dedi.

Yaşlı adam suskunluğunu bozmadı. Bakışı binlerce suçlamayla yüklü gibiydi.

"Vadi yolundan güneye doğru ilerliyorum," diye canlı bir sesle sürdürdü konuşmayı Halli. "Önümde oldukça uzun bir yol var. Görüyorsunuz, hava biraz yağışlı..." Dışarıdaki sağanağı işaret etti. Yaşlı adamın ifadesinde en ufak bir yumuşama yoktu. Hatta biraz

---

* Arduvaz: Yaprak biçiminde, mavimsi bir taş. (Ç.N.)

daha keskinleştiğini söylemek bile mümkündü. Adam gördükleri karşısında gittikçe daha da ifadesizleşen bir suratla donakalmıştı.

"Düşünüyordum da..." diye devam etti Halli, "yağmur oldukça şiddetlendiğinden ve dışarısı geceyi geçirmek için biraz fazla ıssız olduğundan, belki de... Yani acaba..." Amansız bakışlar karşısında sersemlemişti. Biraz bocaladıktan sonra sözlerini aceleyle noktaladı: "...Aslında geceyi burada geçirebilir miyim diye merak ediyordum."

Uzun süren bir sessizlik yaşandı. Yağmur Halli'nin ensesinden aşağı daha büyük bir istekle akıyor gibiydi. Yaşlı adam burnunu kaşıdı, yanaklarını içeri doğru çekti ve düşünceli bir havayla konuştu, "İçeri girmek mi istiyorsun?"

"Evet."

Yaşlı adam homurdandı. "Bir keresinde çayır cinlerinden biri bir düğüne katılmak istemiş," dedi ağır ağır. "Gelinin davetlilerindenmiş. Gelin, bu onurun evliliklerine renk katacağını, müstakbel eşine ve kendisine şans getireceğini düşünüyormuş. Cin ayağında cilalı botlarla ve sırtında birinci sınıf deriden bir ceketle çıkagelmiş. Hoş geldin beş gittin derken sıra yemeğe gelince işin rengi değişmiş. Gelinin yanında oturmak isteyen cin, bu arzusu reddedilince sinirlenmiş. Aniden parlayan bir ışıkla ceketini yırtıp atmış, masanın üzerinden bir sıçrayışta diğer tarafa geçmiş, damada bir yumruk atmış, gelini tokatlamış, düğün pastasına işemiş ve bacadan çıkıp gitmiş. Ettiği bayağı küfürler uzun süre dört bir yanı çınlatmış."

Gür kaşlarının altından Halli'ye bakarak bekledi. Halli yüzünden akan damlaları elinin tersiyle silerek boğazını temizledi ve "Bunu 'hayır' olarak mı kabul etmeliyim?" diye sordu.

Yaşlı adam onu şaşırtarak başını iki yana salladı ve "Hayır, mantığım ısrarla aksini söylese de içeri girebilirsin," dedi. "Yeterince insana benziyorsun. Gerçi arkamı döner dönmez boğazımı keseceğine şüphe yok ya." Kaderci bir tavırla omuz silkerek arkasını döndü ve kulübeye girdi.

"Böyle bir şey yapmayacağıma dair sizi temin ederim." Halli hızlı adımlarla adamın peşinden yürüyüp kapıyı fırtınaya doğru çarptı. "Tam tersine, yaptığınız bu iyilik için size minnettarım. Bu arada, eviniz çok güzelmiş," diye ekledi kasvetli odadaki tozlu zemine, titreyen gübre ateşine, acınası saman döşeğe ve dikkatle odanın köşesine dayanmış olan üç ayaklı masaya bakarak.

"Altı üstü derme çatma bir kulübe işte. Kör bir adam bile bunu anlar." Yaşlı adam eliyle odayı işaret etti. "Döşeğin dışında istediğin yere oturabilirsin. Orası benim yerim. Fare kadar büyük ve miskin miskin hareket eden bir şey görürsen, ez gitsin. Buralarda yaşayan bitler oldukça büyük sayılır."

Halli büyük bir dikkatle kulübenin en idare eder köşesine ilişti. Yaşlı adam küllere gömülmüş siyah bir kazandaki sıvıyı karıştırırken, o da ateşe mümkün olduğunca yaklaştı. İçerisi oldukça sıcak ve boğucuydu; kekremsi gübre dumanı Halli'nin gözlerini yaşartıyordu. Ayaklarının dibinde küçük su birikintileri oluşmaya başlamıştı.

"Pelerinimle botlarımı ateşin yakınına koymamda bir sakınca var mı?"

"Hayır, ama üstündekilerin tümünü çıkarmaya kalkışacak olursan seni gecenin karanlığına doğru kovalarım, bilmiş ol. Yemekte pancar çorbasıyla kurutulmuş et var. Tabii eğer kahrolası şeyi kesmeyi becerebilirsem. Aylardır kancada asılı duruyor ve beni en az Troller kadar zorlayacağa benziyor. Herhalde senin yanında yiyecek bir şey yoktur," diye ekledi yaşlı adam. Gözleri kurnazlıkla Halli'yi süzüyordu.

Halli "Ekmek ve üzümsuyu var yanımda. Arzu ederseniz paylaşabiliriz," diyerek ayağındaki botları çıkardı.

"Üzümsuyu mu?" Bu yeni bilgi ev sahibine enerji vermiş gibiydi. Kulübenin içinde koşturarak kıyıda köşede gizlenmiş kapları, bardakları ve kaşıkları toplamaya başladı. Durmadan kendi kendine "Üzümsuyu mu? Üzümsuyu demek. İşte bu çok güzel," deyip duruyordu.

Kazanın içindekiler kaynamaya başlayınca odayı tatlı ve yoğun bir koku sardı. Halli'nin ateşin önüne bıraktığı pelerinden buhar çıkmaktaydı. Sonunda keyfi yerine gelmişti. İşte macera dolu bir gün tam da böyle sona ermeliydi; güven içinde, sıcacık, yiyecek içecek ve biraz da tatlı sohbetle.

"Rurikssonların kiracılarından birisin herhalde," dedi neşeyle.

Yaşlı adam bir anda buz kesildi. Kaşları çatılmıştı. Kafasını hızla geriye çevirerek ateşe doğru tükürdü. Kazanı ufak bir farkla ıskalamıştı. "Rurikssonlar mı? Zevzek bir embesile mi benziyorum yani? Her elimde altı tane perdeli parmakla mı dolaşıyorum? Hayır! Tabii ki hayır! O soysuzlarla işim olmaz benim."

Halli şaşırmıştı. "Özür dilerim. Külü..., şey, yani eviniz yolun kuzey yanında olduğu için öyle olduğunu sandım. Demek ki Sveinssonlar'ın kiracısısınız."

İhtiyar gözlerini öfkeyle devirerek yeniden ateşe tükürdü. Ateşten tıslamayla kıvılcımlar yükseldi. "Sveinssonlar mı? Bu ne cesaret! Onlar Rurikssonlardan çok daha beter! Hasis, zalim ve ahlaksız adamlardır Sveinssonlar. Duyduğuma göre kadınları sırf zevk için domuz yavrularını emziriyorlarmış. Erkekleriyse —"

Halli çoraplı ayağını yere sertçe vurarak konuştu. "Aslına bakarsan ben Sveinssonlardanım."

Yaşlı adam Halli'ye bakakalmıştı. "Elbette ki değilsin. Çünkü kuyruğun yok."

"Kuyruk muyruk fark etmez. Ben o evdenim."

"Ben senin vadinin biraz daha yukarı kısımlarından gelen bir genç olduğunu düşünmüştüm. Oralarda yaşam oldukça zordur ve çocuklar genellikle senin gibi bodur kalırlar."

"Belli ki ikimiz de varsayımlarımızda yanılmışız," dedi Halli çabucak. "Neyse, çorba hazır mı?"

Yaşlı adam homurdandı. "Üzümsuyundan bahsetmiştin."

Çorba ve üzümsuyu servis edilirken her ikisi de inatla ve kırgın bir ifadeyle susmayı tercih ettiler. Halli kuru ekmeği bandırdığı çorbanın çok lezzetli olduğunu fark etti. Bu sırada yaşlı adam çatı kirişlerinin birinde asılı olan tuhaf şekilli ne olduğu belirsiz bir nesneyi eline aldı. Bu nesnenin kurutulmuş et olduğuna şüphe yoktu. Birkaç dakika boyunca paslı bir bıçakla etten dilimler kesmeye çabaladı. Ama sonuç başarısızdı.

Halli "O bıçak kör. Bende daha iyi kesen bir tane var," dedi. Yeleğinin altına uzanarak babasının bıçağını kemerinden çıkardı ve kurutulmuş etten birkaç dilim kesti. İhtiyarın gözleri bıçağı görünce fal taşı gibi açılmıştı. Bıçağın zarif ve ustalıklı hareketlerini izlerken bedeni arzuyla kaskatı kesilmişti.

Sonunda bir rüyadan uyanırcasına feryat etti, "Dur! Dur diyorum! Daha aylarca bu etle besleneceğim ben. Ver şunu." Eti alarak yerine astı. Bu sırada Halli'nin kucağına bıraktığı bıçağa kıskançlık dolu bakışlar atmaktan da geri kalmıyordu.

Halli önce adamın üzerindeki yıpranmış kıyafete, sonra da kirli ve boş kulübeye baktı. Birden "Bakın, eğer bıçağı sevdiyseniz size verebilirim. Bu gece burada konaklamamın ve bu harika çorbanın karşılığı olarak elbette."

Umursamaz bir havayla bıçağı adama uzattı. Adam inanmaz gözlerle önce bıçağa, sonra Halli'ye, sonra tekrar bıçağa baktı. Bıçağı alırken elleri titriyordu. "İşte bu harika. Üzümsuyu da çok güzelmiş."

O andan sonra şarabın gevşetici etkisinin de yardımıyla aralarındaki buzlar eridi. Önce birbirlerine isimlerini söylediler. Snorri adındaki yaşlı adamın ailesi ya da herhangi bir akrabası yoktu. Vadi yoluyla nehir arasında kalan toprakları işliyor, yetiştirdiği pancarları yoldan geçenlerin elindekilerle takas ediyordu. "Bu sınır şeridi çok önceleri Svein ve Rurik evleri arasında kavga konusu olmuştu," diye anlattı Snorri. "Bu yüzden cinayetler işlendi, kıyımlar yaşandı. Yarım mil boyunca her yerin mezarlarla kaplı olduğunu kendi gözlerinle görebilirsin. Hem Svein hem de Rurik Evi oldukça gaddar ve zalimdi. Fakat sonuçta iki taraf da bir şey elde edemedi. Nihayet bu bölgeyi başıboş bırakmaya karar verdiler. Henüz genç bir adamken Ketil Evi'nden ayrılıp buraya geldim, bu alanın sahipsiz olduğunu gördüm ve toprağı kendi çıkarıma kullanmaya başladım."

Halli bardağını ağzına götürürken kaşlarını çattı. "Gaddar ve zalim mi? Sveinssonlar mı? Bu ne biçim bir saçmalık? Svein Evi soylu ve barışsever bir evdir."

"Dediğim gibi, o günlerin üzerinden çok zaman geçti." Snorri elindeki kaseyi bir parça ekmekle sıyırdı. "O zamandan bu yana alışkanlıklarınız ve özellikleriniz değişmiş olabilir." Gözlerini kısarak Halli'nin bacaklarına doğru baktı. "Oturduğun yerde rahatın yerinde gibi görünüyor."

"Emin olun ki kuyruğum yok. Peki, burada tek başınıza mı yaşıyorsunuz? Evlerden birinin mensubu olmadan kendinizi kimsesiz hissetmiyor musunuz?"

Yaşlı adam homurdanarak cevap verdi. "Belki korunmasız olabilirim. Ama kendime bakmayı beceririm. Mesela altı gün kadar önce, dörtnala yol alan üç atlı tarafından neredeyse eziliyordum. Son anda kendimi yol kenarına atarak, atların toynaklarından kaçabildim."

Halli oturduğu yerde dikleşti. Alevler dişlerinde parıldıyordu. "Öyle mi? Biraz daha ayrıntılı anlatır mısınız?"

"Başka anlatacak ne var ki? Yuvarlanarak dikenlerin içine düştüm. Mahrem yerlerim yara bere içinde kaldı. Ama bu kadar az tanıdığım birine yaralarımı gösterecek değilim." Snorri şarabından bir yudum aldı. "Sormana şaşırdım doğrusu."

"Esasında atlıları kastetmiştim."

"Hakonsson renkleri giymiş iki yetişkin ve bir delikanlı oldukları dışında bir şey söylemem mümkün değil." Yaşlı adamın gözlerinde soru işaretleri belirmişti. "Bu konuya gereğinden fazla ilgi gösteriyor gibisin."

Halli sevecen bir sesle, "Bakıyorum da, Hakon Evi'ni, Svein Evi ya da Rurik Evi gibi eleştirmiyorsun. Onları seviyor olmayasın?" diye sordu.

"Hiç alakası yok. Yukarı vadide yaşayan iki kişi olarak bu konuda aynı fikirde olduğumuzdan eminim."

Halli dikkati elden bırakmıyordu, "Yani?"

"Kibirli ve çekilmez oluşları, fırsat bulduklarında balıklarla bile çiftleşmeleri konusunda. Şimdi bir kez daha soruyorum; onlarla ne gibi bir alıp veremediğin var?"

Üzümsuyu Halli'nin damarlarında özgürce dolaşıyor, onu yumuşacık bir yatak gibi sımsıcak kuşatıyordu. Susmaya ya da kaçamak cevaplar aramaya lüzum görmedi. Herhangi bir kaygı hissetmeden Snorri'ye içinde büyüyen kini ve yola çıkış amacını anlattı.

Yaşlı adamın gözleri Halli'ninkileri delip geçiyor gibiydi. Yavaşça başını sallayarak konuştu. "Onurdan ve davanın adaletinden bahsedip duruyorsun. Ama işin özü şu ki amcanı öldüren adamı öldürmeye niyetlisin. Haklı mıyım?"

Halli omuz silkti. "Yapılması gereken bu."

"Neden? O zaman senin de o katilden bir farkın kalmayacak ki?"

"Hiç de değil! O adam bir katil ve yaptıklarının cezasını çekmeli!"

"Düşünüyorum da, yol boyunca gömülü olan adamlar da aynen böyle düşünmüşlerdir herhalde. Peki, şimdi neredeler dersin? Birbirlerinin kemiklerine sarılmış halde toprak altında yatıyorlar. Peki, söyle bakalım, bu işi nerede yapacaksın? Planın ne?"

"Hakon evinde herhalde. Plan falan da yapmadım, oraya varınca icabına bakacağım."

"İlginç..." Snorri bilgiç bir edayla başını salladı. "Söylemek istediğim bir şey daha var."

"Nedir?"

"Sen tam bir budalasın. Yanında başka üzümsuyu var mı?"

"Hayır." Halli kaşlarını çatmış ayağa kalkmaya çabalıyordu. "Eğer böyle düşünüyorsan seni daha fazla rahatsız etmek istemem. Hemen şimdi ayrılacağım buradan."

"Ah, saçmalama, fırtınanın içinde boğulup gitmek mi istiyorsun? Otur şuraya. Otur dedim!" Snorri'nin gözlerinde bir ışık yanıp söndü. Halli elinden geldiğince uzun bir süre yaşlı adama arkasını dönerek durdu. Fakat sonunda yenilgiyi kabul ederek olduğu yere çöktü. Snorri kısık sesle gülmeye başladı. "Hakon Evi'nin boyutları hakkında bilgin var mı ufaklık? Eve ait Trol duvarlarının yüksekliğinin altı metre olduğunu, duvarın hemen önündeyse dibi görünmeyen bir hendeğin bulunduğunu hiç duymadın mı? O duvarların içinde hepsi de senden büyük, iri yarı ve güçlü kuvvetli belki iki yüz kadar adam var. Düşmanına doğru tek bir saldırgan adım atmaya kalkacak olursan seni yakaladıkları gibi darağacında sallandırırlar. Hatta bu işi öyle çabuk yaparlar ki, darağacında sallanırken bile henüz aşağıdaymış gibi hissedebilirsin. Sen ne hepsiyle başa çıkabilecek güçlü bir savaşçı, ne de sinsice hareket edebilecek soğukkanlı ve zeki bir katilsin. Tüm bu söylediklerimden adım gibi eminim, üzümsuyundan bir yudum alınca tüm gizli planlarını bülbül gibi şakıdın bana." Elindeki kaseyi yere bıraktı ve huzur dolu bir iç çekişle döşeğine uzandı. "Sen iyisi mi beni dinle ve yarın eve dönüp annenin eteğinin altına saklan. Sanırım artık uyusak iyi olur."

Halli öfkesinden güçlükle konuşabiliyordu. Sonunda kendini yatıştırmayı başararak, "Yedek döşeğin var mı?" diye sordu.

"Evet, evin arkasındaki ek binada. Eğer döşeği almaya gideceksen köşede duran kalın sopayı da yanına al. Küçük fareleri savuşturmana yardımcı olur. Büyüklerinin dikkatini dağıtmak için taş atmayı dene, sonra da mümkün olduğunca çabuk sıvışmaya bak. En azından ben öyle yapıyorum."

Halli toprak zeminde uyumayı tercih etti.

9

SVEIN GENÇLIĞINDE ÇIKTIĞI yolculuklarda bir sürü korkunç yaratıkla savaşmak zorunda kalmıştı. Çukurda kalan yuvasından ok atıp kurbanlarını bütün olarak yutan Derindere ejderhası, insan etiyle dolu kazanının yanı başında oturan Sivri Tepe'nin yaşlı ve şişman Trolü, insan etiyle beslenen ve geceleri çocuk derisinden yapılma küçük kayıklara binip kürek çeken bataklık cinleri bu yaratıklardan sadece birkaçıydı. Çeşitliliği seven Svein hepsini kılıçla öldürmedi. Ejderhayı kendi deliğinde şişlemek için iyice sivriltilmiş bir ağaç kütüğü kullandı. Yaşlı Trolü kandırarak kızgın yağla dolu kazanın içine girmeye ikna etti. Bataklık cinleri içinse dana derisinden bir körük yaptı ve aniden kayıklara doğru hava pompalamaya başladı. Şaşkına dönen cinler ne olduğunu anlayamadan alabora olan kayıklarla birlikte sulara gömülüp boğuldular.

Ertesi sabah uyandığında Halli'nin sırtı kaskatı kesilmişti ve başı ağrıyordu. Taytının ayak kısmında yeni delikler oluşmuştu. Sanki gece boyunca bir şeyler kumaşı kemirmiş gibiydi. Snorri'nin, ekmeğin geri kalanını çantasından alarak, kahvaltı niyetine mideye indirdiğini anladığında keyfi iyice kaçtı.

Yaşlı adam, Halli'nin tepkisini büyük bir sessizlik içinde dinledi. "Hem bayat hem de kuruydu," dedi sonunda. "Eğer ekmeği yemiş olsaydın kendini berbat hissedecektin. Yemeseydin de boşu boşuna ağırlık yapacaktı çantanda. Aslında bana teşekkür etmelisin. Neyse, yağmur kesildi. Evine dönmek için sabırsızlandığından eminim."

Halli tek bir kelime bile söylemeden botlarını bağlayıp pelerinini giydi. Kulübenin kapısını açarak keskin ve soluk ışığa doğru adım attı. Yaylanın üzerinde süzülen alçak, beyaz bulutlar dağları gizliyordu. Hava serin ve nemliydi. Yağmur her an yeniden başlayabilirdi. Hafifçe öksürerek omuzlarındaki sırt çantasını biraz daha yukarı itti.

"Svein Evi'ne dönmeyeceğim," dedi. "Üstlendiğim görevi yerine getirmek için boğazdan ve çağlayanlardan geçerek vadinin aşağı tarafına doğru ilerleyeceğim. Bana bu rotayla ilgili, karşılaşabileceğim tehlikelere dair söyleyebileceğin bir şey var mı?

"Tehlikeler..." Snorri yanaklarını içeri çekti. "Bir kere oldukça ıssız bir bölgeden geçeceğin kesin. Bu rotada yürüyen bir yolcu kilometreler boyunca kimseyle karşılaşmadan yol alabilir. Ancak tehlikelere gelirsek..."

"Pek fazla tehlikeyle karşılaşmam diye düşünmüştüm."

"Bu mevsimde özellikle tepeden aşağı yuvarlanan kayalara dikkat etmelisin. Ufak bir kaya bile seni nehre kadar sürükleyebilir. Ayrıca mezarların oldukça yakınından geçeceksin. Rüzgar, boğaz duvarları boyunca yükselerek kokunu yamaçların tepesindeki mezarlara kadar taşıyabilir. Bu yüzden Troller geceleri seni ele geçirmeye çalışacaklardır. Savaşın yaşandığı bölgede yol kenarına gömülmüş ölülerin hayaletlerini de unutmamalısın tabii. Onlara Svein Evi'nden olduğunu asla söyleme! Yoksa rüyalarına girerler. Hem sadece Svein Evi'ne düşman olan Ruriksson hayaletleri de değil. Sveinsson hayaletleri de gerektiği gibi gömülmediklerinden dolayı seni suçlayacaklardır. En iyisi boğazın yakınlarındayken uyumamak. Benden söylemesi."

Halli'nin yüzü biraz durgunlaşmıştı. Snorri'nin, kemerine güvenli bir şekilde yerleştirdiği babasının bıçağına pişmanlık dolu bir bakış attı. Aptalca cömertliği yüzünden silahsız kalmıştı. Vadi boğazına varıncaya dek de yeni bir silah bulması mümkün değildi.

Derin bir nefes alarak sakinleşmeye çalıştı. Svein onun yerinde olsaydı yaşlı bir adamın boğazına sarılır mıydı? Hayır! Hem zaten bıçak hayaletlere karşı ne işe yarayacaktı ki?

"Bahsettiklerinin hepsiyle başa çıkabilirim," dedi rahat bir tavırla. "İniş yaklaşık ne kadar sürer?"

"Kuş uçuşuyla fazla sayılmaz. Ancak yol çağlayanların orada kıvrılarak ilerler. Eirik Evi'nin tarlalarına ulaşman nereden baksan iki gün sürer." Yaşlı adam vedalaşır gibi bir hareket yaptı. "Delice maceranda bol şans sana! Ayrıca, bıçak için de teşekkürler. Şimdi içeri girip, keyifle pancarlarımı temizleyeceğim. Bana verdiğin bu bıçak gerçekten güzel bir hediye ve bu iyiliğini asla unutmayacağım. Bir ihtimal sağ salim geri dönecek olursan belki ilerde ödeşiriz."

Halli kibarca gülümsedi. Yaşlı adama baştan savma bir şekilde veda ederek patikayı geçti ve yola çıktı. Kısa bir süre sonra, hâlâ Halli'nin ardından bakan Snorri ve kulübesi tepenin arkasında kalarak gözden kaybolmuşlardı.

Nehrin şırıltısını izleyen yol, bulutlarla ve sisle kaplı karanlık düzlüklerin arasından geçerek aşağı doğru ilerliyordu. Halli düşüncelere dalmış bir şekilde yürüyor, hep birkaç adım ileriye bakarak şaşırtıcı bir hızla yol alıyordu. Yaşlı adamı fazla sert bir şekilde eleştirmek elbette ki doğru değildi. Dostluk bağlarına ya da evlerden herhangi birinin sunabileceği aidiyet duygusuna sahip olmadan sürdüğü ıssız yaşam, uzun ve zorlu yıllar boyunca zihnini köreltmiş olmalıydı. Yine de söylediklerinden bazıları Halli'nin içine dert olmuştu. Snorri haklıydı, Halli dışarıdan bakıldığında savaşçıya pek benzemiyordu doğrusu. Ancak asıl önemli olan içinde yanan ateşti ve Olaf Hakonsson çok yakında bu ateşin tadına bakacaktı.

Halli çok geçmeden inatçı ve umutsuz bir çabayla, Snorri'nin söylediklerini bir kenara bırakarak yeniden amacına odaklanmayı başarmıştı. Bu yüzden yol kenarındaki sisin içinde üç tane ince uzun tümsek gördüğünde yaşlı adamın tespitlerinden birinin gerçek olduğunu anlayarak şaşırdı. Tümseklerden ikisi yolun biraz gerisinde tarlanın içinde yer alıyordu. Diğerlerinden daha küçük ve salaş olan üçüncüsünün kenarı ise yoldan geçen arabaların tekerlekleri altında kalarak aşınmıştı. Mezarların üstünde biten gür çimenler arazinin geri kalanına göre daha canlı ve daha yeşildi. Toprak o bölgede daha verimli gibiydi. Oldukça büyük bir karga tepede bir yere tüneyip tek gözünü tüm dikkatiyle Halli'ye dikmişti. Halli hiç düşünmeden koruyucu işaretlerden birini yaptı; ancak daha işareti yaparken enayiliğine lanetler yağdırıyordu. Sonuçta gördüğü sadece bir kuştu, ne bir eksik ne bir fazla.

Burada Sveinssonlara ait kemiklerin gömülü olduğuna ilişkin hiçbir kanıt yoktu. Bu yüzden Snorri'nin anlattığı hikaye uydurma olmalıydı. Ne Brodir, ne Katla ne de bir başkası bu konuda tek bir söz bile etmemişti. Ancak yine de üzerlerinde tek bir taş bile bulunmayan mezarlar Halli'nin canını sıkmıştı. Dağın tepesindeki soydaşlarından böylesine uzakta yatıyor olmaları oldukça hüzünlüydü. Vadiye gece indiğinde huzursuz ruhların uzun ve ıslak çimenler arasında süzüldüğünü pekala hayal edebiliyordu Halli. Hatta şimdi bile çevreyi saran sis tuhaf bir şekilde canlı gibiydi. Sanki garip şekiller...

Yeter! Hayal ürünü canavarlardan korkacak kadar budala mıydı yani? Pelerininin başlığını yüzüne doğru çekerek hızla yürümeye başladı.

Öğlene kadar yolun eğimi durmadan arttı. Nehrin sesi her adımda daha güçlü, daha hevesli, daha heyecanlı ve daha ısrarcı hale geliyordu sanki. Düzlüklerin yerini çevreye dağılmış ufak moloz kümeleri, kaya parçaları ve çam ağaçları aldı. Halli, Svein ve Rurik Evleri'ne ait toprakların artık geride kaldığının farkındaydı. Çağlayanlara gitgide daha çok yaklaşıyordu. Güneydeki sis perdesinin ardında yükselen dik yamaçlar ilişti gözüne. Yukarı vadi burada neredeyse sıfırlanıyordu. Yukarılarda bir yerde bulutların arkasında diş şeklindeki Sivri Tepe yükseliyordu. Zirvenin yüksekliği neredeyse her iki yandaki yamaçlar kadar vardı. Bu dağın eteğinde, yani az ilerde, nehir birden bir çağlayana, yol ise uçuruma dönüşüyordu. Çağlayan kıvrılarak ve büyük bir hızla akıyor, aşağı vadiye dökülüyordu. Halli durup kulak kabarttığında suyun sesini duyabiliyordu.

Bu kez arkasından gelen başka bir sesle irkildi. Yay gibi gerilen vücuduyla kıpırdamadan durup dinlemeye başladı. Yol boyunca koşan bir atın nal seslerini duyduğundan en ufak bir kuşkusu bile yoktu. At fazla hızlı koşuyor sayılmazdı; ancak yine de kısa bir süre sonra Halli'ye yetişirdi.

Halli etrafına bakındı. Kaya parçalarından, çalılardan ve birkaç çam ağacından başka bir şey yoktu. Zaman kaybetmeksizin yoldan ayrıldı, ıslak çimenlerin arasından geçti ve en yakındaki ağacın arkasına gizlenerek beklemeye başladı.

Toynak sesleri gitgide yaklaşıyordu. Belki de babası ya da Svein Evi'nden birisi Halli'nin peşine düşmüştü. Ama yine de dikkatli olmakta yarar vardı. Halli gözlerini yoldan ayırmadan bekliyordu.

Gri bir sis yumağı gittikçe yoğunlaşarak beklenen şekle büründü; at ve binicisi.

Halli ağacın gövdesine sıkıca yaslandı.

Atın başı öne doğru eğilmişti. Hareketlerinden yorgun olduğu anlaşılıyordu. Kumaş yığınından farksız görünen binicisi eğerin üzerinde dimdik oturmaktaydı. Pelerinine sıkıca sarınmış, soğuktan korunmak için başlığını kafasına geçirmişti. Yüzü görünmüyordu; ancak Halli, atın rengine (beyaz kürk üzerinde koyu kahve lekeler) bakarak binicinin Svein Evi'nden olmadığını anladı.

İlk düşündüğü yabancının sessizce geçip gitmesine izin vermekti. Fakat sonra bulunduğu bölgenin ıssızlığı ve yol kenarındaki mezarların hayaletleri aklına geldi. Bir süreliğine yol arkadaşı edinmek hiç de fena olmazdı doğrusu. Hiç olmazsa şelaleden iniş daha kolay olurdu. Sırlarını ortaya dökmemeye özen gösterirse, yol arkadaşının ona ne gibi bir zararı dokunurdu ki? Zaten bir daha kimseye Snorri'ye davrandığı kadar açık davranmamaya kararlıydı.

Halli ağacın arkasından çıkarak yolcuyu selamladı. Onu gören yolcu aniden atının dizginlerine asıldı. At durdu ve başını kaldırmadan yoldaki taşların arasında bitmiş olan otları yemeye koyuldu. Gövdesinden yükselen buhar soğuk havaya karışıyordu. Başlığını geriye iten yolcunun yüzü artık görülebiliyordu. Aşağı vadinin kırmızı yanaklı insanlarını anımsatan şişman bir adamdı. Kum rengi saçları kısacıktı. Yüzünde sakal yoktu. Gözleri şiş ve gevşek bir et yığınının içine yerleştirilmiş parlak birer kuş üzümüne benziyorlardı. Endişeli bir havası vardı.

"Bir haydut için pek ufak tefeksin," dedi. "Diğerleri neredeler?"

Halli şaşkın şaşkın çevresine bakındı. "Hangi diğerleri?"

"Birinin yolunu keseceğiniz zaman önce çevresini sararsınız sanmıştım. En azından üçe bir şeklinde bir çoğunluk bekliyor insan. Seninki oldukça zayıf bir gösteri doğrusu."

"Sana pusu kurmuş falan değilim."

"Gerçekten mi? Peki haydut falan da mı değilsin?"

"Hayır, değilim."

"O zaman ağacın arkasında ne arıyordun?"

Halli bir an için duraksadı. Sonra utanarak elini salladı. "Şey, bilirsin işte..."

Şişman adam ağzını büzerek konuştu. "Hazırlıksız yakalandın, değil mi? Yalnız kalmayı mı istiyordun?"

"Başka neden saklanayım ki?"

Adam kuş üzümüne benzeyen gözlerini kırpıştırarak cevap verdi, "Belki de suçluluk duyduğun için? Adın ne senin?"

Halli boğazını temizleyerek konuştu. "Ben... Leif. Gest'in yukarı vadideki tarlalarında çalışan bir çiftçinin oğluyum. Hakon

Evi'ndeki amcamı ziyarete gidiyorum. Eğer sen de o yöne doğru gidiyorsan bir süreliğine birlikte yolculuk edebiliriz." Birden sustu. Şişman adam pek de hoşuna gitmeyen alaycı bir ifadeyle dinliyordu Halli'yi. "Tabii atsız olduğumdan hızını keseceğimi düşünüyor olabilirsin. İstersen sen bensiz devam et."

"Hayır hayır." dedi adam. "Böyle bir kabalığı aklımın ucundan bile geçirmem. Aslına bakarsan bu ihtiyar son günlerde pek de koşuyor sayılmaz." Atın sırtını sertçe okşadı. "Yani yanımızda yürürken zorlanacağını sanmam. Hadi yola devam edip öğle yemeği için kuru bir yer bulalım."

Kafile ilerlerken şişman adam yanaklarını titreterek neşeli bir ezgi mırıldanmaya başladı. İhtiyar at büyük bir çabayla ilerlemeye çalışıyor, Halli de sessizlik içinde atın yanı başında yürüyordu.

"Anlat bakalım Leif, Demek Gest'in evindensin," dedi şişman adam bir süre sonra.

Sıradan bir şeyden bahseder gibi konuşuyordu; ancak Halli tehlike kokusu aldı. "Gest'e ait tarlaların birinden geliyorum."

"Ben de geçen hafta oradayken seni neden görmediğimi düşünüyordum. Şimdi oldu. Kimi ziyarete gidiyordun? Hangi ev demiştin?"

"Hakon Evi."

"Akrabanın adını söylesene. Ben çok seyahat ederim ve Hakon Evi'ne de oldukça sık yolum düşer. Adım Bjorn," diye sürdürdü konuşmasını şişman adam. "Ticaretle uğraştığım için evler arasında gidip gelir ve bu nedenle vadiyi baştan sona dolaşıp dururum. Satın alır, takas eder, değiştirir ve kadınların sahip olmayı isteyeceği çeşitli şeyler satarım. Zaten en iyi müşterilerim de kadınlardır." Eğerinin üzerinde yana doğru eğilerek Halli'ye göz kırpınca gözlerinden biri, kalın bir deri katmanının arkasında kalarak gözden kayboldu. "Kadınlar ihtiyaçları olmayan şeyleri almaya pek heveslidirler. Geçenlerde Svein Evi'ndeki büyük toplantıda evin hakimi-

135

nin kendini beğenmiş kızına birkaç tane antika saç tokası sattım. Karşılığındaysa özel dokunmuş bir kilim aldım ki aşağı vadide satıldığında bir sürü altın eder. İşin komik tarafı, o tokaları bir ay kadar önce ahmağın biri yaptı ve bana bir parça ekmek karşılığında verdi." Gülüşü bitkin bir hırıltıdan farksızdı; sarsıntısı atın kavisli sırtını titretiyor, kalçalarının altındaki küfeleri tıkırdatıp şıngırdatıyordu.

Halli ağacın arkasından çıktığına çoktan pişman olmuştu. Adamı onaylarcasına bir homurtuyla sözde ata yol açmak için yana doğru çekildi. Arazide ilerlemek zorlaşmıştı. İniş oldukça dikleşmişti ve yol gevşek taşlarla kaplıydı. Kuzeye doğru aktığı net olarak görülen nehir bir dizi ufak çağlayan oluşturarak yoluna devam ediyordu. Hava soğuk ve nehrin saçtığı damlacıklar nedeniyle nemliydi. Her iki yanda kaya ve molozdan oluşan yığınlar bulunuyor, bu yığınların ortasında kalın gövdeli çam ağaçları yükseliyordu. Dağ yamaçları ağaçlardan oluşan karanlık ve hüzünlü bir etek giymiş gibiydiler. Orada burada yukarıdaki tepelerden düşen büyük kayaların parçaladığı ağaçlar ve dev çukurlar göze çarpıyordu.

"İşte bu harika bir manzara!" dedi Bjorn. "Yine boğaza girip iyice iç karartıcı yerlerden geçmeden önce burada durup bir şeyler yesek iyi olacak."

Parçalanmış devasa bir kayanın yanında mola verip yemeklerini paylaştılar. Tüccar Bjorn ortaya tütsülenmiş balık ve peynir koydu, Halli ise bir parça kurutulmuş et çıkardı. Birlikte üzümsuyu ve su içtiler. Çağlayanın sesi oldukça yüksekti ve birbirlerini duymakta zorlanıyorlardı. Bu yüzden sis bulutunun içinde yükselen çam ağaçlarını seyrederek kendi düşüncelerine daldılar.

Yemek molası sırasında ufak bir kaza yaşandı. Halli'nin yeleğindeki düğmelerin yarısı iliklenmemişti. Su matarasına uzandığında geri kalan düğmeler birden açıldı ve bir anlığına göğsünde asılı olan kemerin bir bölümü ortaya çıktı. Gümüşi bir ışık yansımasını beceriksiz hareketler izledi. Sonunda Halli yeleğinin önünü kapayarak son düğmesine kadar ilikledi. Yol arkadaşına kısa bir bakış atan Halli, tüccarın küçük kara gözlerinin ani bir arzuyla parladığını gördü. Tam o sırada çam ağaçlarının arasından bir karganın keskin bağırışı duyuldu. Halli sesin geldiği yöne doğru bakmak için başını çevirdi. Yeniden yol arkadaşına döndüğünde ise Bjorn'u kendi halinde kurutulmuş etiyle ilgilenir halde buldu.

O gün öğleden sonra boğaza doğru inişe geçtiler. Vadi duvarları birbirine yaklaştı; çam ağaçları yolu iyice kapatır oldu. Hava iyiden iyiye soğudu; ortalık karardı. Duvarların koyu mavi gölgeleri arasında zikzak çizerek ilerleyen ikili yoğun bir sis perdesi altında gittikçe dikleşen yokuştan aşağı indiler. Etraf yosun ve suyla kaplıydı. Suyun çıkardığı ses çevredeki her şeyi uyuşturmuş gibiydi. Bir sağlarında, bir sollarında kalan nehirden pek uzaklaşmadan yol alıyorlardı. Eski taş köprülerden geçiyor, altlarında köpürerek çağlayan suyun etrafa saçtığı damlalarla ıslanıyorlardı.

Yol kimi zaman vadi duvarlarının izin verdiği ölçüde kıvrılarak nehirden uzaklaşıyor, biraz daha az eğimli bir hale geliyordu. Böyle zamanlarda gürültünün azalmasını fırsat bilen Bjorn Halli'yi, geçmişi, ailesi ve amcasına yapacağı ziyaret hakkında sorguya çekiyordu. Halli elinden geldiğince sıradan yalanlar uyduruyor; ancak adamın bitmek tükenmek bilmeyen ilgisi karşısında rahatsızlık hissediyordu. Yola tek başına devam etmeyi istiyor; ancak seçeneği olmadığından atın yanı sıra yürümeyi sürdürüyordu.

Akşam olunca günün son ışıkları da boğazı terk etti. Halli'yle yol arkadaşı yeşilimsi gri benekli siyah gölgelerde ilerlemeyi sürdürdüler. Yaşlı at defalarca tökezleyerek üzerinde oturmakta olan tüccarı öne doğru silkeledi.

"Seni kemik torbası!" diye bağırdı adam bir seferinde, atın ensesine bir tokat yapıştırarak. "Seni çoktan tabakhaneye satmalıydım. Hayvan acıktı!" diye seslendi Halli'ye doğru. "Bugün doğru dürüst bir şey yemedi. Bu sabah kulübenin tekinde deli bir ihtiyarla pancar sapı üzerine pazarlık yapmayı denedim; ama ihtiyar teklifimi geri çevirdi. Her şeye rağmen birkaç tane pancar almaya kalkışınca da beni bir bıçakla kovaladı. İşte böyle, herkesin hırsla kendi malını koruduğu bencil bir dünyada yaşıyoruz." Halli'ye doğru bakarak ekledi. "Dostum, yakında hava iyice kararacak. Geceyi geçirmek üzere kamp kursak iyi olur. Buraya yakın bir yer biliyorum. Orada rahatça dinlenebiliriz."

Halli kaşlarını çattı. "Bugün aşağı varırız diye umuyordum."

"İmkansız. Uçuruma yuvarlanırsak geberip gideriz. Hem niye bu kadar sabırsızsın ki? Anlatacak bir sürü hikaye, içilecek bir sürü üzümsuyu var daha. Ne dersin ahbap, var mısın?"

Halli'nin şaraba tahammülü iki bardaktan sonra mutfakta zıplayarak gezinen Katla'nınkinden daha da kötüydü. Ancak omuzlarını silkerek, "Elbette," demekle yetindi.

"Güzel. İşte geldik..."

Yolun sol tarafındaki çamların arasında, ortası kamp ateşleri yüzünden kararmış ufak bir düzlük bulunuyordu. Alan hem atların bağlanabileceği hem de aynı anda birkaç yolcunun birden uzanıp dinlenebileceği kadar genişti. Ancak yola uzak kalan kısma fazla yaklaşmamak gerekiyordu. Burada çimenlerle kaplı zemin yavaş yavaş eğim kazandıktan sonra birdenbire büyük bir boşluğa dönüşüveriyordu. Bjorn atını bağlarken Halli de çevreyi dolaşmaya başladı. Boğaz boyunca akan nehrin dalgaları, ormanlarla kaplı dik yamaçlar ve aşağı vadi nefes kesen bir manzara sunuyordu. Uzaklarda hâlâ ışık alan yerlerde altın sarısı tarlalar ilişti gözüne. Önünde ise dik ve derin bir uçurum bulunuyordu. Halli uçurumun ağzına iyice yaklaşarak aşağı baktı ve hızla geri çekildi. Midesi öfkeli nehre, büyüklü küçüklü kayalara ve parçalanmış ıslak ağaç dallarına ait karmaşık resimlerle alt üst olmuştu.

"Dikkat et Leif!" diye seslendi tüccar Bjorn. "Korkunç bir uçu-

rumdur bu! Gel de yanıma otur, konuşacak daha güzel şeyler var."
Odun toplayıp ateş yaktılar; etten parçalar kesip kızarttılar. Yemek sırasında Bjorn Halli'ye durmaksızın üzümsuyu veriyor, Halli de şarabın büyük bir kısmını tüccarın arkası dönükken çimlere boşaltıyordu. Ayrıca Bjorn çantasından çıkardığı garip şeylerle muhteşem bir gösteri de sundu. "Bak dostum, bu flütü Eirik kendi elleriyle kemikten oymuş. Çalındığında kahramanı yeniden hayata döndüreceği söyleniyor. Ben çalmayı denedim, ancak flütten hiçbir ses çıkmadı. Şu üzerinde tuhaf motifler olan deriye bak hele! Ne olduğunu tahmin edebilir misin? Çorak Kumsal'da deri değiştiren bir deniz canavarına ait bu parça. Eline al da bak." Halli'nin parmakları arasındaki deriyi incelemesini seyrettikten sonra sözlerini sürdürdü, "Sence de paha biçilmez bir hazine değil mi? Karşılığında gerçekten ender rastlanan bir şey alacak olmazsam takas etmeyi düşünmüyorum bu deriyi." Küçük gözlerindeki pırıltılarla kafasını yana doğru eğerek Halli'ye gülümsedi. "İşte bu da sahip olduğum en kıymetli şey..."

Çantasından hilal gibi kıvrımlı, orak gibi keskin ve Halli'nin parmaklarının iki katı uzunluğunda simsiyah bir cisim çıkardı. "İşte Leif, karşında gördüğün gerçek bir Trol pençesi. Bu pençeyi Ketilssonların yaktığı Thord Evi'nin külleri arasında buldum. Thord'un kalçasına saplanan pençenin ta kendisi olduğunu düşünüyorum. Benim bildiğim kadarıyla vadide ikinci bir Trol pençesine rastlamak mümkün değil. Tabii mezarlığın ötesine gidip Trollerden birinden pençesini rica etmeyi düşünmüyorsan." Yaptığı bayat espriye kendi kendine güldü. "Ee, ne diyorsun bakalım?"

"Boyaya batırılmış siyah bir ağaç parçasına benziyor doğrusu," dedi Halli. "Ahmağın biri tarafından bir ay kadar önce yontulmuş ve ekmek karşılığında takas edilmiş olabilir diyorum."

Bjorn sinirlendiğini belli etmemek için kendini zor tutuyor gibiydi. "Yukarı vadiden olduğun belli oluyor, bu tip şeylerin kıymetini anlayacak göz yok sende." Bir süre sustuktan sonra karanlık ağaçlara doğru bakarak hüzünlü bir sesle konuştu, "Tek eksiğim gümüş gibi az bulunan metallerden yapılmış eşyalar. Bu tip eşyalar, kahramanların yaşadığı zamanlardan beri üretilmediğinden oldukça az rastlanan şeyler haline geldi. Böyle bir şey için oldukça yüklü bir ödeme yapabilirim doğrusu."

Halli elindeki ağaç şişe geçirdiği peyniri çevire çevire kızartmakla meşguldü. İşiyle ilgileniyor gibi görünerek tüccarın söylediklerine tepki vermedi.

Bjorn kendi kendine yumuşak bir sesle konuşmaya devam etti. "Egil Evi'ndeki hazine odasında gümüş bir kupa olduğunu duydum. Bir de Svein Evi'ndeki bir kutuda gümüş bir kemer varmış. Benim bildiklerim bunlar. Tabii ikisinden birini elde etmem neredeyse imkansız. Sahipleri bu gümüş eşyaları satmazlar, hırsızlarsa bu tip bir ürünü elden çıkarmakta zorlanacaklarından çalmaya yanaşmazlar. Hem böyle bir eylem tehlikeli de olabilir. Çünkü darağacının gölgesi o hırsızı adım adım takip ediyor olacaktır. Ancak her evde bağlantıları bulunan benim gibi biri bu işten alnının akıyla sıyrılabilir. Elbette bu iş için avuç dolusu altınla ödeme yapacağımı söylememe gerek yok herhalde." Küçük siyah gözleri kamp ateşinin ışığında parıldadı. "Peki, buna ne dersin Leif?"

Halli tahta şişi ateşten alarak peyniri olduğu gibi ağzına attı ve Bjorn'un tüm dikkatinin üzerinde olduğunu bilerek uzun uzun çiğnedi. Birkaç defa konuşacakmış gibi oldu; ancak her defasında vazgeçerek ağzındaki lokmayı çiğnemeye devam etti. Bjorn sabırsızlıktan delirmek üzereydi. Halli sonunda ağzını gömleğinin koluna silerek geğirdi ve konuşmaya başladı: "Ticaret hayatınla ilgili hikayeleri dinlemek tuhaf bir şekilde büyüleyici. Bu tip gümüş bir eşyaya sahip birine rastlarsam sana yönlendireceğimden emin olabilirsin. Şimdi izninle yatacağım, çünkü içtiğim tüm üzümsuyu başımın içinde dolaşıyormuş gibi geliyor."

Ayağa kalkıp ateşin çevresinde dolaşarak kendine rahat bir köşe seçti. Pelerinine sarınarak bir iki ufak homurtu ve iç çekiş arasında uykuya dalmış gibi uzandı.

Tüccar Bjorn ateşi seyrederek oturmaya devam ediyordu. Uzun bir süre hareketsiz kaldı. Alevlerin ışığı büyük ve ruhsuz yüzünün tüm hatlarını aydınlatıyordu. Sonunda bardağındaki son yudumu da içti ve ateş sönerken kamburunu çıkararak düşüncelere dalmış bir şekilde bekledi. Gölgeler vadi boğazının ortasındaki küçük düzlüğe toplanmaya başlamıştı. Hemen yanı başında kemikleri sayılan ihtiyar at çimleri kemiriyor, tepedeki belirsiz ağaç dallarının arasında yıldızlar parıldıyordu.

Ateş sönmeye yüz tutmuştu. Halli sessizce uzanmaya devam ediyordu. Bjorn kamburu çıkmış karanlık bir şekilden ibaretti.

Aşağılarda nehir dağınık kayalardan oluşan yatağında çağlıyordu. Yamaçlardaki ormanın derinliklerinden bir baykuş sesi yükseldi. Ateşin ortasındaki bir dal aniden çatırdayarak yer değiştirdi. Bjorn hâlâ sessizce oturuyordu. Halli'nin nefes alıp verişi ağırlaşmış, derin uykuya işaret eden bir ritimle düzlükte yankılanıyordu.

Ateşin zayıf ışığında Bjorn'un omuzları hafifçe yükselip alçaldı. Tüccar üzerindeki gerginlikten kurtulup rahatlamışa benziyordu. Birkaç dakika bekledikten sonra yavaşça yana doğru eğildi. Sessizce çantasını karıştırırken hafif bir gürültü yükseldi. Sonra sesler tamamen kesildi. Şimdi düzlük az önceki kadar sessizdi.

Bjorn ağır ve tutuk hareketlerle ayağa kalkarken tendonlarından birinden bir kıtırtı yükseldi. Yarı kapalı gözleriyle yol arkadaşını izleyen Halli adamın bir süre başını eğerek kıpırdamadan beklediğini gördü. Sonra Bjorn ölmekte olan ateşin son ışıklarından faydalanarak ağır adımlarla yürümeye başladı. Onca ağırlığa rağmen botları çimlerde sessizce ilerliyordu. Elinde bir şey tutuyordu.

Halli'nin uzandığı yere yaklaşan Bjorn önce yavaşladı, sonra durdu. Ateşin dış hatlarını belirlediği, yüzü olmayan dev bir gölge gibi dikildi Halli'nin önünde. Halli pelerininin altında sessizce yatıyordu. Bedenindeki her kas dehşetle gerilmiş olduğu halde uyuyormuş izlenimini veren sesleri çıkarmaya özen gösteriyordu. Gırtlağı daralmış gibiydi; nefesi açık duran ağzında hışırdıyordu. Göğsü düzensiz aralıklarla alçalıp yükseliyordu. Kalp atışını kulaklarında hissediyordu.

Karanlık şekil hâlâ harekete geçmemişti. Sonra birden kollarından birini havaya kaldırdı.

Halli'nin boğazındaki basınç dayanılmaz boyutlara ulaşmıştı. Vahşi ve şiddetli bir çığlık attı.

Gölge korkuyla geri çekilmişti. Halli'nin çığlığı boğazın karanlık sularında yankılandı.

Halli pelerinini kenara fırlattı.

Gölge ani bir kararla kollarından birini ileriye doğru uzatarak Halli'nin üstüne atıldı. Siyah bir orağın kavisi kısa bir an için parlayıp söndü. Halli yana doğru yuvarlandı ve başının hemen arkasında bir şeyin çimenlerin arasından toprağın derinliklerine gömüldüğünü hissetti. Elleriyle dizlerinin üzerinde duran Halli hızlı bir hamleyle ayağa kalkıp yattığı yerden uzaklaşmaya çalıştı. Ancak ayağındaki bot pelerinine takılınca sendeleyerek yere yuvarlandı.

Bir şey ayak bileğini yakalamıştı. Öylesine güçlü bir şekilde çekiyordu ki Halli geriye doğru sürüklendiğini hissetti.

Korku dolu bir iniltiyle kendini sırtüstü yere attı. Serbest olan ayağıyla saldırıyı püskürtmek için karanlığa tekmeler savurmaya başladı. Az sonra ayağının yumuşak ve dirençsiz bir şeye denk geldiğini hissetti. Acı çeken birinden gelen tuhaf bir ses duydu.

Bileğini kavrayan el gevşedi. Ateşin zayıf ışığında Halli kendisine saldıran gölgenin sersemlemiş bir şekilde iki eliyle karnını tuttuğunu gördü. Ayağa fırlayarak düzlüğün karanlığına doğru kaçtı.

Birkaç adımdan sonra durup geriye doğru baktı. Sönmek üzere olan ateşin yanında duran Bjorn, Halli'nin peşinden gelmeye çalışıyordu. Vücudunun yarısı karanlığa gömülmüş, yarısı ise kırmızımsı ışıkla aydınlanmıştı. Elini karnına sıkıca bastırmış, yumuşak bir sesle konuşuyordu, "Küçük Leif, canımı oldukça acıttın. Bağırsaklarıma zarar vermiş bile olabilirsin. Bunu yanına bırakmayacağım."

Halli ağır adımlarla geri çekildi. Ardında nehrin uzaklardan yükselen kükreyişi duyuluyordu. Havadaki akımı, hemen gerisindeki boşluğun büyüklüğünü hissetti. Uçurumun kıyısına yaklaşmış olmalıydı. Daha fazla ilerlemesi aptallık olurdu. Cildindeki karıncalanmayla gözlerini kocaman açarak durup bekledi. Tüccar hantal hareketlerle yaklaşmaya devam ediyordu.

Bjorn'un ağzı açıktı; dudaklarında ve çenesinde ter birikmişti. "Küçük Leif, sevgili küçük Leif. Kemeri hemen bana ver, yoksa hani iki hırsız arasında gizli saklı olmaz, kafanı bir taşa yatırıp gırtlağını kesiveririm."

Halli dişlerini göstererek gülümsedi. "Benim de bir önerim olacak; Kıçını sefil atının sırtına yerleştirip utanç içinde defolup git buradan. Çünkü bu kemere asla sahip olamayacaksın."

Bjorn kıkırdayarak güldü ve Halli'nin beklediğinden çok daha hızlı bir şekilde öne doğru atıldı. Halli yana doğru çekilmeye çalıştı, ancak çok geç kalmıştı. Ezici, büyük bir ağırlık çöktü üzerine; ter, üzümsuyu ve vücut salgılarının karışımından oluşan kuvvetli bir koku genzini doldurdu. Kolunun üst kısmına inen bir darbe yüzünden çığlık atmak zorunda kaldı. Ateş gibi sıcak parmaklar boğazını kavradı; dizleri büküldü ve karanlığa doğru yuvarlandı. Ama daha havadayken yana doğru kıvrıldı ve adamın ağırlığının üzerinden geçerek geriye doğru uçtuğunu hissetti.

Halli sert bir biçimde sırtüstü yere düştü. Bjorn'un da biraz geride yere çakıldığını duydu. Boğazını sıkan parmaklar bir anda yok oldu. Can havliyle ayağa fırladı. Bjorn'un da karanlığın derinliklerinde aynı şeyi yaptığından emindi.

Bir el sırtına yapıştı. Halli hiçbir şey görmeksizin karanlığa bir yumruk attı. Yumruğun hedefini bulmasıyla şaşkına dönen Halli'nin kolu sertçe sarsıldı. Önce öfke dolu bir çığlık yükseldi. Ardından çimenlerin üzerinde gerileyen adımların sesi duyuldu. Sonunda ortalığı sessizlik kapladı.

Halli sendeleyerek birkaç adım attı. Bjorn'un her an üzerine atılmasını bekliyordu.

Fakat hiçbir şey olmadı.

Soluk soluğa kalmış olan Halli ağlayarak çimlere çöktü ve beklemeye başladı.

Aşağıda bir yerlerden nehrin gürültüsünün perdelediği çok silik bir çarpma sesiyle taşların birbirine çarpmasını andıran bir takırtı yükseldi. Ardından ortalık yeniden sessizliğe büründü. Nehrin çağlayışı kesintisiz devam ediyordu. Rüzgarsa tepedeki çam dallarını oynatıp duruyordu. Bunun dışında gece sessiz ve bomboştu.

Düzlüğün ilerisindeki kamp ateşi incecik bir köz yığınına dönüşmüştü.

Halli olduğu yere çöktü ve fal taşı gibi açılmış gözlerle karanlığa bakakaldı.

IO

SVEIN GİTTİĞİ HER YERDE COŞKUYLA karşılanıyordu. Evlerin ileri gelenleri avuçlarına altın ve hediyeler tutuşturuyor, güzel kızlar yol boyunca dizilip onun geçeceği anı bekliyorlardı. Kıskançlıkla dolup taşan vadinin diğer genç kahramanları ise var güçleriyle Svein'e benzemeye çalışıyorlardı. Ketil haydutlarla savaşmak için ormana gitmiş, ancak elindeki çakıyı savuran bir cüceyle dövüşmekten öteye geçememişti. Eirik insan yiyen bir ayıyı haklamak için Kuğu Kayası'na tırmanmış; ancak ayının yavrusu tarafından dağın tepesinde kilometrelerce kovalanmıştı.

Svein bu gibi durumlarda herhangi bir yorum yapmaktan kaçınıyordu; zaten sözcüklerle arası pek de iyi sayılmazdı. O sıralar tam anlamıyla yetişkin bir adam haline gelmişti; uzun boylu, sert bakışlı, geniş göğüslü dev gibi bir adamdı. Atik ve kendinden emindi. Özgüveninin yüksek olduğu hemen anlaşılıyordu. Çabuk karar verir, kararın gerektirdiği biçimde davranmakta gecikmezdi. Evde onun fikirlerine karşı çıkmaya cesaret edebilen çok az insan vardı.

Güneşin doğuşundan önceki en karanlık saatlerde Halli pelerinini bulup sıkıca üzerine örttü. Ancak sabah olduğunda buz kesmişti ve ateşi vardı. Titreyen ellerle yeni bir ateş yaktı ve kalan et parçalarından yedi. Bu arada üzümsuyu matarasından büyük yudumlar almayı da ihmal etmedi. Yaşlı at, çam ağaçlarından birinin altında durmuş Halli'yi izliyordu. Uzaktaki ağaçlar arasında ince sis çizgileri asılıydı.

Svein'in de ilk kez birini öldürdüğünde kendini kötü hissetmiş olabileceğini düşündü Halli. Sonuçta hikayeler kahramanın duygularını, kalbinin yumuşak tarafını yansıtmıyordu. Ama mutlaka o da ciddi ölçüde etkilenmiş hatta belki de dehşete düşmüş olmalıydı.

Bu tip bir korkuyu yaşıyor olmak elbette iyiye işaretti. Bu tip duygulardan yoksun olmak yarım insan olmakla eşdeğer sayılmaz mıydı? Asıl cesaret bu duyguların üstesinden gelebilmek ve her şekilde zafer kazanabilmekti.

Halli bunları kendi kendine tekrarlayıp duruyordu. Ancak yine de uzun süre ateşin yanında oturmaya devam etti. Sonunda Bjorn'un çantalarına bakmak için ayağa kalktığındaysa bacakları hâlâ titriyordu.

Küfelerdeki eşyaların büyük bölümünü bir çırpıda kenara itti Halli; tahta saç tokaları ve kaba saba süslü kahraman kabartmaları, boncuklar, amber kolyeler, kemik broşlar, lekeli keten örtüler. Bjorn'un bir gece önce gösterdiği hazinelerin hiçbirinin cazibesi kalmamıştı; çünkü Halli hepsinin sahte olduğunu biliyordu. Fakat ikinci çantanın dibinde işe yarar bir şey keşfetti; madeni paralarla dolu yumuşak kumaştan bir kese.

Halli, kesenin yanı sıra Bjorn'un çantasında kalmış olan yiyecekle şarabı da aldı. Ardından küfeleri çam ağaçlarının arasına fırlattı. Ateşi ayaklarıyla söndürdükten sonra hâlâ düzlüğün kenarındaki yerinde bağlı olan ata doğru yürüdü.

"Sırtına binecek kadar acımasız değilim," dedi ata. "Sonunda ondan kurtulduğuna göre istediğin yere gitmekte özgürsün."

Atın sırtını sevgiyle okşadı. Hayvan biraz durduktan sonra hızla dağ yolundan aşağı ilerlemeye başladı. Az sonra ağaçların arasında gözden kaybolmuştu.

Atın ardından düzlükten ayrılan Halli'nin gözü çimenlerin arasından uzanan siyah bir cisme ilişti; sözde Trol pençesi kötücül bir kuvvetle toprağa gömülmüştü. Halli pençeyi güçlükle çekip çıkardı. Pençeyi yontan sanatçının becerisi şaşkınlık uyandırıcıydı. Ağaç

146

parçası beklediğinden çok daha ağır ve sertti, ancak yumuşak bir cilayla kaplanmıştı. Aynı zamanda da çantasının kumaşını yırtacak kadar keskindi. İşte buna sevindi Halli. Yeni bir bıçak edininceye kadar bu pençeyle kendini koruyabilecekti.

Boğazdan aşağı inişin ikinci yarısı olaysız geçti. Yamaçlar yavaş yavaş geriye doğru çekildi ve yolun eğimi azaldı. Sonunda yol üzerindeki ağaçların yerini parçalanmış kayalarla moloz yığınlarından oluşan bir manzara aldı. Aşağı vadi burada başlıyordu. Nehir hızlı birkaç dönüş ve kıvrılışla adeta aşağı vadiyi selamlıyordu. Akarsu yatağı burada yukarı vadiye oranla daha genişti. Hiddetli su bazı kısımlarda taşların oluşturduğu doğal basamaklardan aşağı hızla dökülüyor, nehrin koyu renkli ve derin bölümlerinde birikiyordu. Halli, yamaçların eteklerinde otlayan sığırlar ve taşlık arazide gezinen keçiler gördü. Toprak yavaş yavaş düzelmeye, çimenlerse daha canlı bir yeşile bürünmeye başladı. Karşılaştığı çiftlik hayvanlarının sayısı gittikçe artıyordu. Vadi duvarlarından uzaklaştıkça ortalık havadar ve geniş görünmeye başlamıştı Halli'ye. Güneş sis bulutlarını dağıtınca uzaktaki tepeler arasında bir açıklık belirdi. Deniz olması gereken yer, ufukta tuhaf bir şekilde düzdü.

Güneş ışınlarıyla iyice ısınan ve boğazın iç sıkıcı basıklığından kurtulan Halli'nin morali her adımda daha da düzeliyordu. Bir gece önce yaşadığı dehşet geride kalmıştı. Yaşadıklarını bir kez daha gözden geçiren Halli çaresizce değil de, mantığın gerektirdiği şekilde davrandığını düşünür olmuştu. Yoluna devam ederken kıs kıs gülüyordu. Amma da akıllıydı! O haydudu nasıl da uçurumun kenarına götürmüştü!

Yolun kenarında duran tahtadan yapılma kahraman heykeli az sonra adım atacağı arazinin sınırını belirliyordu. Maviye boyanmış heykel oldukça yıpranmış, şekilsiz ve eskiydi. Tarların ilerisinde bir dizi ağaç vardı. Ağaçların arkasındaysa kırmızı kiremitli ve tuhaf görünüşlü çatılar göze çarpmaktaydı. Çatıların her birinde büyük bir evin tartışılmaz sembolü olan bayraklar dalgalanmaktaydı. İşte bu harikaydı. Burada yiyecek bir şeyler bulabilir, bıçak edinebilir ve başka ihtiyaçlarını karşılayabilirdi. Hatta son zaferiyle ilgili haberlerin kulaktan kulağa yayılmasını bile sağlayabilirdi. Bjorn'un ıssız yollarda bir sürü insanın malını çaldığından kuşkusu yoktu Halli'nin. Ölümü muhtemelen neşeyle karşılanacaktı. Kimbilir, belki almayı düşündüğü şeylerin karşılığında para ödemesine bile gerek kalmayabilirdi.

Böyle keyifli düşüncelere dalmış yürürken, yolun bir taş sütun etrafında çatallandığını gördü. Sağ tarafta kalan yol meyve ağaçları arasından geçiyor ve kahramanlardan birinin evine kadar uzanıyordu. Oldukça geniş ve güzel görünen yolun üzerinde bir sürü meyve bahçesi, bahçelerde de merdivene tırmanmış erik toplayan bir sürü kadın vardı. Sütunun dibinde koyu tenli, kumral saçlı ufak tefek bir oğlan yoldan kalkan tozun arasında oturmaktaydı. Oğlanın üzerinde fitilli bir gömlekten başka hiçbir şey yoktu. Oğlan, Halli'yi uyuşuk ama meraklı gözlerle süzdü.

"İyi günler ufaklık," dedi Halli. "Söyle bakalım; ağaçların arasından görünen şu çatılar da neyin nesi?"

"O çatıların Eirik Evi'ne ait olduğunu herkes bilir" diye cevap verdi oğlan. "Bacaklarının daha uzun olması gerekmez miydi? Ne oldu? Üzerine ağaç falan mı devrildi?"

Halli hiç düşünmeden yanıtladı çocuğu, "Altın kazanmayı mı yoksa kafana inecek şamarı mı tercih edersin? İyi düşün!"

Çocuk burnunu kaşıyarak bir süre düşündü ve sonunda, "Altın kazanmayı," dedi.

"O halde böyle kaba saba yorumlar yapmayı bırak da koşmaya başla. Evindekilere bir kahramanın yaklaşmakta olduğunu söyle."

Oğlan heyecanla dört bir yana bakarak sordu, "Nerede?"

"Burada." Halli sert bir sesle konuşmayı sürdürdü: "Hayır... Burada! Benim. Kahraman benim."

Oğlanın yüzündeki heyecan söndü. "Şu altını şimdi versen iyi olur. Hatta iki altın versen daha da iyi olur. Çünkü, düpedüz yalan söylediğim zaman hep dayak yiyorum. Hiç olmazsa harcadığım zamana değsin."

Halli çocuğa yaklaştı, "Söylediklerimden şüphe etmeye nasıl cesaret edersin? Sen bu pisliğin içinde boş boş otururken ben daha az önce vadi boğazının ıssızlığında sersem bir hırsızı öldürdüm. Sana verdiğim görevi koşa koşa yerine getirmelisin."

Oğlan bitkin bir tavırla ayağa kalktı. "Boş boş oturmuyorum ben. Babamı bekliyorum. Ayrıca koşacak halim de yok. Son birkaç haftadır babam seyahatte olduğu için annem de ben de oldukça az yemekle idare etmek zorunda kaldık. Yolculuk sırasında kazandığı parayla birlikte çok yakında eve dönmezse ikimiz de açlıktan öleceğiz."

Halli kumaş keseyi çantasından çıkararak içinden seçtiği parayı çocuğa uzattı. "Al bakalım. Bu güzel altın parçası sıkıntılarını dindirir herhalde. Hadi hadi, keseye bakmayı kes artık. Elinden geldiğince hızlı koş ve sana az önce anlattıklarımı ev halkına ilet. Ben de arkandan geliyorum."

Oğlan yola koyuldu. Oldukça yavaş ilerliyor, durup durup ardına bakıyordu. Halli'nin söylediklerinin aksine yol boyunca koşmak yerine yakındaki ağaçlardan birine doğru seğirtti. Ağacın altında duran kızıl saçlı cılız kadın yukarıdan kendisine uzatılan erikleri yanındaki sepete yerleştiriyordu. Oğlanla kadın arasında oldukça heyecanlı bir konuşma geçtiği anlaşılıyordu. Çocuk konuşurken Halli'yi işaret edip duruyordu. Sonunda kadın hızla ileri doğru atıldı. Arkadaşları ağaçların arasında durmuş olan biteni seyrediyorlardı.

Halli kendini toplayarak söze başladı, "Merhaba bayan, size önemli haberlerim var."

Kadın gergin bir sesle konuştu: "Oğlum yukarı vadiden geldiğinizi söylüyor."

Halli eğilerek selam verdi. "Evet, doğru."

"Bu ıssız topraklarda tek başınıza yolculuk yapabildiğinize göre gerçekten de cesur olmalısınız."

"Aslına bakarsanız o topraklar sandığınız kadar ıssız değil. Tabii, boğaz hariç. Vadi boğazında..."

"Bir şeyi merak ediyorum," diye devam etti kadın. "Yolda biriyle karşılaştınız mı? Eğer karşılaştıysanız lütfen söyleyin. Oğlumla ben kocam için endişeleniyoruz."

Halli elini yatıştırıcı bir edayla havaya kaldırdı. "Bayan, üzgünüm, fakat başka yolcuya rastlamadım. Sadece beni soyup öldürmek isteyen zavallı bir tüccarla karşılaştım. Alçağın tekiydi. İri yapılı dev gibi bir adamdı. Ahlaki değerlerden tamamen yoksun olduğu anlaşılıyordu. Neyse ki, öyle kolay lokma değilimdir. Boğazın en ıssız yerinde, gecenin en karanlık saatinde boğuştuk. Onu uçurumdan aşağı attığımı söylesem yeter herhalde. Artık o haydudun işleyeceği suçlardan korkmanıza gerek kalmadı. Fakat şimdi yorgunum ve evinizin sunacağı misafirperverliği zevkle kabul edeceğim. Şu eriklerden biriyle başlayabiliriz isterseniz." Göz kırpıp gülümseyerek elindeki erikten kocaman bir parça kopardı.

Kadın yüzündeki şaşkın ifadeyle Halli'ye bakıyordu. "Tüccar mı dediniz?"

"Öyle olduğunu iddia etti. Ama aslına bakarsanız sahte sanat eserleri, tuhaf tahta tokalar falan satan seyyahın tekiydi. Ayrıca da hırsızdı. Neyse, artık eve doğru yürüyelim mi?

"Tahta tokalar mı?"

"Evet, evet." Halli çevredeki diğer kadınlara bakıp gülümsedi. Kadınlar dört bir yandan onlara doğru yaklaşıyorlardı. "Tanrım, umuyorum ev halkının geri kalanı bu kadar kalın kafalı değildir."

O sırada oğlan kadının eteğiyle gömleğinin kolunu çekiştirmeye başladı. "Keseye bak anne, keseye bak!"

Halli kaşlarını çatarak konuştu, "Sana bir altın verdim zaten.

Bu sorgulama da mı ücret karşılığıydı? Ahlaksız Bjorn bile bu kadar açgözlü değildi."

Kadın nefesi kesilirmiş gibi bir ses çıkardı. Çevredeki kadınların birkaçından da benzer sesler yükseldi. "Bjorn mu dedin?"

Halli gözlerini devirerek cevap verdi, "Evet! Bjorn!" Birden tedbirli davranması gerektiğini hissederek duraksadı. "Ne olmuş yani? Oldukça sık karşılaşılan bir isim Bjorn."

Keskin bir çığlık atan kadın avuç içlerini alnına çarparak bağırdı, "Kocam! Kocamı öldürdün!"

"Babamın para kesesini almış anne! Baksana!"

"Zavallı tombul Bjorn'um benim!"

Meyve bahçesindeki kadınların dört bir yandan üzerine doğru yürüdüklerini fark etti Halli. Hepsinin de elinde parıldayan meyve bıçakları vardı. Endişe yüklü bir sesle konuştu, "Aşağı vadi insanları hep böyle deli midir? Öldürdüğüm adamın senin kocan olan Bjorn'la ilişkisi olduğuna dair en ufak bir kanıt bile yok. Kocan büyük olasılıkla kafayı çekmiş ve çitlerden birinin dibinde sızmıştır. Şimdi..."

Çocuk birden heyecanla bağırdı: "Bakın! İşte orada! Grettir!"

Herkes dönüp yola doğru baktı. Gün boyu yol kenarındaki yeşilliklerle karnını doyurmuş olan yaşlı at boğazdan aşağı inmiş evine dönüyordu. Tanıdığı topraklarda yürüdüğü belli oluyordu. Yaşlı at sessizliğin ortasında Halli'nin yanından geçerek oğlana doğru yürüdü ve büyük bir keyifle çocuğun elini yalamaya başladı.

Herkes binicisi olmayan ata bakakalmıştı. Ardından tüm başlar Halli'ye çevrildi.

Yavaş yavaş geri çekilirken ellerini itiraz edercesine havaya kaldırmıştı. "O bir soyguncuydu! Bir hayduttu!"

"Hayır! Bjorn Eiriksson saygıdeğer bir adamdı!"

"Evimizin ileri gelenlerindendi!"

Halli yol boyunca gerilemeyi sürdürdü. "Fakat hanımlar beni soyup öldürmeye çalıştı!"

"Böyle bir şeyi neden yapsın? Senin gibi bir serseriyle ne işi olabilir ki Bjorn'un? Yalan söylüyorsun!"

"Katil!"

"Cani!"

"Yakalayın! Trol borusunu çalın! Bağlayın şunu!"

Halli tatlı dille ikna çabalarını bir kenara bırakarak yol boyunca koşmaya başladı. Eirik Evi'nin kadınları da peşine düştüler. Bir sürü ayaktan oluşan koca bir ordu gibilerdi ve Halli para dolu keseyi yola boşaltıncaya kadar onu ele geçirmeye kararlı görünüyorlardı. Altın paralar dört bir yana saçılınca kalabalık bir anda durdu. Fakat Bjorn'un karısı hâlâ çığlık atıp uzun tırnaklarıyla Halli'yi yakalamaya çalışıyordu. Sonunda Halli, kadını bir hendeğe yuvarlamak zorunda kaldı. Ardından da var gücüyle kaçmaya koyuldu. Ancak köşeyi dönünceye dek üstü başı erikle ve diğer meyvelerle kaplanmıştı.

Sonraki günler Halli açısından pek de iyi sayılmazdı. Eirik Evi'nden gönderilen arama ekipleri oldukça ısrarcıydı. Bu yüzden Halli uzun süre burnunu koyu renkli çamura sokarak, çürümeye yüz tutmuş sazlıklarla dolu bir yerde saklanmak zorunda kaldı. Sonunda ekipler av partisine son vermeye karar verince Halli de saklandığı yerden çıktı. Bitkin adımlarla ilerlerken intikam için yola düşmüş bir kahramandan çok sendeleyerek yürüyen aylağın tekine benziyordu. Yanındaki yiyecekler ıslanmış, mataraları sülükler tarafından delik deşik edilmişti. Paraları yitip gitmiş, üstündekiler paçavraya dönmüştü.

Erzakını kaybeden ve yenisini alacak parası da olmayan Halli'nin yolculuğu hayal ettiğinden çok daha farklı bir boyut kazanmıştı. Aşağı vadide hızla yol almak yerine önünden geçtiği her evde duruyor, biraz sohbet, bir parça yemek ya da yatacak bir yer bulmayı umuyordu. Sefil bir korkak gibi hendeklere saklanıyor ve ufak çiftliklerde hırsızlık yapıyordu. Günleri ya kaçmakla, ya saklanmakla ya da peşindeki adamlara yakalanmamak için tetikte olmakla geçiyordu. Açtı ve bitkin düşmüştü. Hayatta kalmak için yiyecek çalmaktan başka bir çaresi yoktu. Çaldığı şeyler hep aynı olsa da (ekmek, peynir, meyve gibi) hırsızlığın sonuçları oldukça farklı olabiliyordu. Çiftçiler tarafından yabayla, ihtiyar adamlar tarafından sopalarla, çamaşırcı kadınlar tarafından tokaçlarla* ve çocuklar tarafından öbek öbek inek pisliğiyle kovalanmıştı. Hatta bir keresinde çalılıkların arkasına gizlenip bir sopanın ucuna taktığı Trol pençesiyle uzaktaki çocukların bisküvilerini aşırmaya kalktığında ufaklıklar tarafından taş yağmuruna tutulmuştu. Artık ün ve şeref kazanacağına dair hayaller kurmaya pek zamanı yoktu. Tek derdi hayatta kalabilmekti.

Yine de kararlılığı sayesinde yola devam edecek gücü bulabiliyordu kendinde. Aslında yolculuğunun herhangi bir anında vazgeçip Svein Evi'ne, geride bıraktığı eski hayatına dönmesi mümkündü. Ancak karşılaştığı tüm zorluklara rağmen amcasının intikamını alma arzusu güçlü ve değişmezdi. Bu sayede onca sıkıntıya göğüs gererek ve adım adım ilerleyerek günbegün hem Hakon Evi'ne, hem de denize yaklaşıyordu.

Sonunda Eirik toprakları geride kaldı. Yol Thord ve Egil Evlerine ait yemyeşil çayırların arasından geçiyordu. Genişleyen vadinin güzelliği göz kamaştırıcıydı. Pırıltılı bir kuşağa benzeyen nehir, düzlüğü boydan boya kesiyordu. Nehrin iki yanında uzanan yamaçlar Halli'nin hayal edemeyeceği kadar alçaktı. Arkalarında yükselen dağlarsa gri-kahve tümsekleri andırıyordu. Fakat yine de özellikle güneşin iyice alçaldığı akşam saatlerinde, uzun bir şerit

---

* Tokaç: Çamaşır yıkarken kullanılan, tahtadan, yassı tokmak. (Ç.N.)

halinde uzanan ve insanların yaşadığı bölgenin sınırlarını belirleyen mezarlık görülebiliyordu.

Bazen ormanda yalnız başına geçirdiği akşamlarda ya aşırdığı bir tavuğun kemiğini sıyırıyor ya da bir parça eti kemiriyor ve yolculuğu boyunca gördüğü şeyler üzerine düşüncelere dalıyordu. Günlerdir yolda olmasına rağmen, gördüğü dik çatılı, kırmızı kiremitli, beyaz alçı duvarlı onca farklı binaya rağmen, insanların giydiği tuhaf renkli kıyafetlere ve aşağı vadi insanlarının tartışılmaz cömertliğine rağmen, Halli karşılaştığı şeylerin kendisine oldukça tanıdık gelmesinden dolayı şaşkınlık içindeydi; evler, tarlalar, insanlar ve tepedeki mezarlar. Yukarıda Troller, aşağıda insanlar.

Amcası Brodir'in sesi geçmişten gelircesine çınladı kulaklarında. *Vadi senin sandığın kadar büyük bir yer değil...*

Buna rağmen birtakım ufak kazanımları da olmuştu elbette. Bir düzlüğün ortasında duran Savaş Kayası'nı uzaktan da olsa görmüştü örneğin. Koyu renk ağaçların arasında yerden yükselen siyah bir piramide benziyordu kaya. Ancak, kaybettikleri domuzun bacaklarından birini Halli'nin elinde gören köylüler tarafından kovalanınca, kayanın yakınına gitme şansını kaybetmişti Halli.

Sonra bir de deniz meselesi vardı. Halli hayatı boyunca denizi görmeyi hayal edip durmuştu. Şimdi kilometrelerce yol yürüyüp hedefine gitgide yaklaşırken, serin bir rüzgarın taşıyıp getirdiği tuz kokusunun farkına varıyordu. Bu yabancı koku yüzüne çarpıyor ve ciğerlerine iniyor, tüm yorgunluğuna rağmen Halli'yi canlandırıyordu. Vadinin merkezinden çok uzakta kanat çırpan, grup halinde süzülen, döne döne aşağı uçup gözden kaybolan beyaz kuşları seyretmeye başladı Halli. Şimdi nehirle yol arasında kalan topraklar, bataklıkla ve sazlıklarla kaplıydı. Halli sadece arada bir dönüp bakıyordu nehre. Güneş ışığının altın lekeleriyle kaplı beyaz-mavi bir enginlikti nehir. Bir iki defa nehrin üzerinde hareket eden garip şekillere rastladı Halli. Direkleri ve yelkenleri olan, karpuz kabuğuna benzeyen bu şekiller dalgayla birlikte akıntıya karşı yol alıyorlardı. Halli'nin hayatında gördüğü ilk teknelerdi bunlar.

Halli günlerdir yoğun bir trafikte yol alıyordu: arabalar, biniciler, işe giden erkek ve kadınlar. Her tarlada bir kulübe, her kilometre başında da bir çiftlik vardı. Sonunda Halli yolun ikiye ayrıldığı bir kavşağa geldi. Oldukça bakımlı olan yol şimdi yukarı vadidekine göre iki kat genişlemişti. Yeni yapıldığı belli olan iki kahraman heykeli, birbirine bakacak şekilde yolun iki yanına yerleştirilmişti. Her ikisinin de tahta sakalı, görmeyen gözleri ve sert bakışları vardı. Elleri bıçaklarının kabzasına yerleşmişti. Heykellerden biri parlak bir mora diğeri ise canlı bir kızıl-sarıya boyanmıştı. Halli evlerin ikisini de tanıyordu.

"Evet, bu sınırın ilerisindeki topraklar Arne ve Hakon Evleri'ne ait," dedi genç bir kadın. Öküz arabasını kavşakta durdurmuş su içiyordu. "Ormanın içinden geçerek üç kilometre kadar ilerlersen Arne Evi'ne ulaşabilirsin. Nehir boyunca beş kilometre yürürsen de Hakon Evi'ne varırsın. Senin yolculuk nereye?"

Halli önce cevap vermedi. Gözünün önünde Ulfar kızı Aud'un hayali uçuşuyordu. Yorgunluktan ve açlıktan bunalan Halli bir an her şeyi bırakıp Aud'u aramak için güçlü bir istek duydu içinde. Sonra derin bir nefes aldı. Çenesi gerginlikle kasılmıştı. Hayır. Uğruna yola çıktığı görevi henüz yerine getirebilmiş değildi. Ne kadar istese de Aud'un peşine düşmesi imkansızdı.

"Hakon Evi'ne," dedi sert bir ifadeyle. "Hakon Evi'ne gidiyorum."

"Seni uyarmalıyım," dedi kadın Halli'yi kurnaz bakışlarıyla süzerken. "Orada dilencileri pek de hoş karşılamazlar. Serseriler, dilenciler ve işe yaramaz takımı donsuz bir şekilde meydandaki direğe bağlanıp Hord'un emri üzerine kırbaçlanırlar. Güçlü ve acımasız bir adamdır Hord."

"Onun nasıl bir adam olduğunu gayet iyi biliyorum," dedi Halli. "Fakat ben dilenci falan değilim."

Ama kadın çoktan elindeki değneği sallayarak yola koyulmuştu.

Artık Hakon Evi'ne beş kilometrelik bir yol kalmıştı. Yürümeye devam eden Halli hava kararırken, geceyi geçirmek üzere yol kenarındaki bir korulukta kamp kurdu. Kuru yapraklardan oluşan incecik örtünün altında titreyerek yatarken içinde yükselen şiddetli heyecan duygusunun farkına vardı.

Nihayet ertesi gün, katil Olaf'ı ele geçirmiş olacaktı. Elbette önce etrafı kolaçan etmesi gerekecekti; ama sonuçta ana plan belliydi. Eve yaklaşacak, Trol duvarında bir gedik bulacak, içeri girecek ve saklanacaktı. Gece olunca demirci atölyesine ya da çevredeki evlerden birine süzülüp bir bıçak edinecek ve ardından Olaf'ın odasını bulacaktı. Odanın salonun arkasında olduğunu düşünüyordu Halli; belki bir penceresi falan da vardı. Pencere yoksa Halli gece boyunca beklemek zorunda kalacak, Olaf'ı sabaha karşı tuvalete ya da yüzünü yıkamak için avluya giderken öldürecekti. Sonra hemen oradan ayrılacak, duvarın aynı yerinden geçerek arazi boyunca ilerleyecekti. En önemlisi bu planı kimseye görünmeden gerçekleştirebilmekti.

Belki heyecandan, belki soğuktan belki de midesindeki boşluktan dolayı pek iyi uyuyamadı Halli. Sonunda sabaha karşı birkaç kez uykuya dalmayı başardı ve uyandığında güneşin doğmuş olduğunu gördü. Üzerindeki tozları silkeledikten sonra aceleyle yola koyuldu. Hedefe varmak için sabırsızlanıyordu.

Az sonra Hakon Evi göründü.

Ufak bir tepeye doğru yükselen yol, ardından Hakon Evi'ne doğru inişe geçiyordu. Sanki baştan beri tek amacı oraya varmaktı. Yolun bir tarafında buğday ve mısır tarlaları uzanıyor, rüzgarın hareketlendirdiği başaklar altın gibi parıldıyordu. Diğer yandaki yeşil çayırların gerisinde ise parlak renkli mendireklerin* çevrelediği çamurla kaplı gri-siyah düzlükler bulunuyordu. Mendirekler şimdi neredeyse ufuk çizgisine varacak şekilde genişlemiş, nehrin kıyısına kadar uzanıyordu. Mendireklerin dibinde kulübeler vardı. Kulübelerin hemen önünde ise demir atmış tekneler duruyordu. Her yer, ama her yer insanlarla kaplıydı. Kanca ve ağla, yaba ve tırpanla çalışan insanlar mendirek ve tarlaları dolduruyordu. Halli bu kadar çok insanın tek bir eve ait olabileceğini hayal bile edemezdi.

Tüm bunların gerisinde ise betondan yapılma upuzun bir duvar bulunmaktaydı. Duvarın ardında içi kara, tuzlu suyla dolu bir hendek vardı. Haliçten uzanan su kanalları hendeği besliyordu. Evi çevreleyen duvar, suya oldukça yakın inşa edilmişti; iki adam boyunu aşkın, penceresiz, kasvetli ve soluk griydi. Sadece üst kısımları beyaza çalıyordu. Duvarda herhangi bir gedik yoktu. Yol toprak bir rampayla eve doğru çıkıyor, geniş bir tahta köprü üzerinden hendeği geçiyordu. Duvarın arkasında bir sürü binanın çatısı yükseliyordu. Binaların çoğu iki ya da daha fazla kattan oluşuyordu. Kubbe biçimindeki çatılar oldukça gösterişliydi. Tüm bu binaların arasında bembeyaz büyük bir konak güneşin altında ışıldıyordu. Her çatıda görkemli bir azametle turuncu-kırmızı bayraklar dalgalanmaktaydı.

Halli ateşli gözler ve kupkuru bir ağızla tozlu yolun ortasında donakalmış gibiydi. Hayatında ilk kez Svein Evi'nin ne kadar önemsiz ve değersiz olduğunu kavramıştı. Bu yeni uyanış boğazına sıkışmış bir yumru gibi rahatsızlık vericiydi.

Omuzları aşağı düştü, sırtındaki çanta yere yuvarlandı. Halli sessiz ve bitkin bir şekilde kendini çimenlere bırakarak başını avuçlarına yasladı.

---

* Mendirek: Kıyılarda dalgakıranla yapılmış liman. (Ç.N.)

II

Svein'in birkaç tane kıymetli eşyası vardı; ejderha dişinden oyularak yapılmış ve arpasuyuna hafif bir duman tadı ekleyen bardağı, dişi bir Trolün parmak kemiklerinden oluşan ve yere yaklaştığında tıkırdayarak Svein'i toprağa doğru çekmeye çalışan kolyesi, savaşta şans getiren gümüş kemeri, halkaları yılan derisi kadar zarif olan metal zırhı ve hepsinden önemlisi, ömrü boyunca ele geçirip sakladığı mucizelerin en değerlisi olan eşsiz kılıcı.

Oldukça eski olan bu kılıç kendisine altı yaşındayken verilmişti. Bazıları, kılıcın her biri ince bir tel kadar esnek ve kaya gibi sağlam beş farklı metal şeridin birbirine eklenmesiyle yapıldığını anlatırlardı. Kılıç çimen sapı kadar ince, kurt dişi kadar keskindi. Bir yüzünün alt kısmında hafifçe oyularak işlenmiş bir yılan figürü vardı. Svein birini öldürdüğünde kurbanın kanı bu figürün ince çizgilerine dolup parlardı. Sırf bu yılanın görüntüsü bile Svein'in düşmanlarını dehşete düşürüp kaçırmaya yeterdi.

Yolculuğu boyunca birçok defa Hakonssonları nasıl öldüreceğini hayal edip durmuştu Halli. Atlarının tepesinde giderlerken ağaçların arasına gerdiği tellerle onları tuzağa düşürmüştü örneğin. Olaf'ın kafasını gidiş yolunda, Hord'la Ragnar'ınkini ise dönüş yolunda uçurmuştu. Ya da oturmuş arpasularını yudumlarlarken salona dalıp duvardaki mızraklardan birini kaptığı gibi üçünü birden tek vuruşta haklamıştı. Hakonssonları okla vurmuş, kafalarını kaya parçalarıyla ezmiş, hatta uyur uyanık arası gördüğü eğlenceli rüyada olduğu gibi kafalarını dev bir arpasuyu fıçısına daldırarak, üçünü birden boğmuştu.

Ancak şimdi, Hakon Evi'nin çarpıcı gerçekliği karşısında tüm bu hayaller buhar olup uçmuş gibiydi. Aynı şekilde, bir gece önceki gamsız varsayımları da havaya karışıp yok olmuştu sanki. Bu yükseklikteki duvarları atlayıp geçemez, bu genişlikteki bir hendeği aşamazdı. Eve girmenin tek yolu kapıdan geçmekti. Ancak bunun için herkesin gözü önünde köprü boyunca yürümek gerekiyordu. Sadece sıradan insanlar değil, duvar boyunca yerleştirilmiş muhafız ve gözcüler de eve doğru ilerlediğini göreceklerdi. Fakat geceleri kapıyı sıkıca kapatacaklarından emindi. Bu yüzden eve gündüz girmekten başka çaresi yoktu.

Midesini kemiren açlık duygusunu ve kollarıyla bacaklarındaki bitkinlik hissini bastırmak için elinden geleni yapıyordu. Evet, eve girmek biraz zor olacaktı. Evet, Hakon Evi tahmin ettiğinden çok daha büyüktü. Ama Svein böyle bir durumda vazgeçip geri döner miydi acaba? Hayır. O amacına ulaşmanın bir yolunu mutlaka bulurdu.

Durup düşündü. Aşağı vadi halkı açık renk saçlı, soluk benizli, uzun boylu ve ince yapılıydı. Kapıya yaklaşan kısa boylu, tıknaz, kara yeleli bir yabancı kesinlikle dikkat çekerdi. Kapıdan geçene kadar saklanmanın bir yolunu bulmak zorundaydı. Belki arabalardan birindeki mısır, sebze ya da gübre yığınının arasına gizlenebilirdi. Halli çenesini kararlılıkla yukarı kaldırdı. Her ne pahasına olursa olsun eve dikkat çekmeden girmek zorundaydı. Hakonssonlar zalim, saldırgan ve şüpheci insanlardı. Onu gördükleri anda gerçek niyetini bilmeseler bile yakalayıp kırbaçlamak üzere meydandaki direğe götürecekleri kesindi. Hakonssonların acımasızlıklarını düşünürken yumruklarını sıktı Halli. Çok yakında Olaf'ı haklayacaktı ve ağıtlar bu kez onların evinden yükselecekti.

"İyi misin?" dedi neşeli bir ses. "Yardıma ihtiyacın var mı?"

Halli kafasını kaldırıp sesin geldiği tarafa baktı. Yamaçta bir adam belirmişti. Uzun boylu ve güçlü kuvvetliydi. Orta yaşın başlarında sayılırdı. Saçlarını arkasında toplamış, kısa kestiği sakalına elmacık kemiklerinin altında köşeli bir biçim vermişti. Gömleğinin omuzlarında evinin renkleri olan turuncu-kırmızı çizgiler vardı. Saçlarındaki bronz toka sabah güneşinde parıldıyordu. Açık ifadeli ve neşeli yüzü yürümekten kızarmıştı.

Halli öksürerek boğazını temizledi, "Şey, hayır, ben iyiyim."

"Bir şeye canın sıkılmış gibi geldi bana. Hakonların en mutlu gününde böyle bir şeye izin veremem doğrusu!" Adam sırtındaki çantayı yere indirdi ve kaşlarında biriken teri gömleğinin koluyla sildi. "Bu mevsim için beklenmedik bir sıcak, öyle değil mi? Ne zamandır yoldasın bakalım?"

Halli duraksadı. "Şey..."

"Buralı olmadığın belli."

"Hayır, değilim."

Adam gülümsedi. "Ketil Evi'ndensin, değil mi? Yoksa Egil Evi'nden mi? Bahardaki sel felaketinden sonra Ketil Evi'nden gelen birkaç dilenciye rastladık buralarda."

"Egil Evi'nden geliyorum." dedi Halli düşünmeksizin. "Ayrıca kusura bakmayın ama dilenci değilim."

"Değil misin?" Adam biraz gerileyerek konuşmasını sürdürdü. "Umarım bulaşıcı hastalık falan taşımıyorsundur. Eğer sulu benek falansan evinde kalman gerekirdi."

"Dilenci de değilim, hasta da. Sadece biraz yorgunum." Üzerindeki kirli ve yıpranmış kıyafetleri işaret ederek konuşmayı sürdürdü. "Uzun zamandır yoldayım, hepsi bu."

"O halde Hakon topraklarına hoş geldin!" Adam Halli'nin omuzlarına dostça vurdu. "Ben Einar. Aç mısın? Bir şeyler yesen iyi olacak gibi görünüyor."

"Evet, lütfen." Halli kendini güçlükle dizginleyerek adamın çantasından ekmek, peynir ve bir matara üzümsuyu çıkarışını izledi. Yiyecek ve içecekleri adamın elinden çekip almamak için kendini zor tutuyordu. Sonunda elinden geldiğince yavaş bir şekilde kendisine verilenleri mideye indirdi.

"Oldukça kötü görünüyorsun," dedi Einar. "Egil Evi'nde senin gibilere biraz daha iyi bakmalılar. Burada Hakon Evi'nin hakimi olan Hord zor zamanlarda herkese tahıl dağıtır. Böylece sıkıntılı dönemlerde bile aç kalmayız."

Halli başını salladı, için için homurdandı ve mataradan büyük bir yudum üzümsuyu aldı.

"Evet, büyük Hord gerçekten de harika bir lider," diye devam etti Einar. "Güçlü, kendinden emin, cesur ve azimli bir adam. Bu eve yeniden zenginlik getirdiğini, bir bakışta anlamak mümkün. Muhteşem fikirleri ve kahramanlara özgü bir enerjisi var!" Neşeyle Halli'ye baktı. "Hepimizin büyük adam olması mümkün değil elbette, öyle değil mi? Her birimiz kendi ufak yolumuzda yürümeliyiz. Seni buralara getiren nedir peki?"

Halli son peynir parçasını da ağzına atıp yuttu. Biraz soluk soluğa kalmıştı. "Ben sadece bu ünlü evi görmek, bir de mümkün olursa kendime uygun bir iş istemek için geldim."

"İş konusunu bilemem, ama Hakon Evi'ni görmek için tam gününde geldin. Kurucumuz Hakon'un Kaya Savaşı'ndaki zaferinin yıldönümünü kutluyoruz bugün! Trol kaçırma şenlikleri düzenlenecek, bol bol arpasuyu tüketilecek ve..." Adam elini evin olduğu tarafa doğru salladı. "Benimle birlikte gel de kendi gözlerinle gör!"

Halli şaşkınlıkla sordu. "İçeri girmeme izin verirler mi?"

"Elbette. Neden vermesinler ki? Kapılarımız Hakonlarla dost olan herkese açıktır. Hatta senin gibi acınacak durumda olan gezginlere bile. Ayrıca bugün bizler için yardımlaşma günü. Çantanı taşımana yardım edeyim mi?"

"Hayır, hayır. Teşekkürler."

Birlikte yan yana yürüyerek eve doğru yol almaya başladılar.

Uzun toprak rampadan yukarı tırmanıp tarlalardan ve tuzla kaplı düzlüklerden geçtiler.

"Oldukça etkileyici bir yer burası," dedi Halli.

"Evet, öyledir. Hord duvarların yükseltilmesini ve güçlendirilmesini emretti. Duvar boyuna gece gündüz nöbet tutan gözcüler yerleştirildi. Babasının zamanında bu konuya yeterince önem verilmezdi."

"Kimden korkuyor ki?"

Einar gülmeye başladı. "Kimseden. Ama Hakon'un zamanında durum böyleydi ve Hord'da onun izinden gitmeye pek meraklı. Benim gibi çoğu erkek, eski düzeni sürdürmek için üzerine düşeni yapıyor; değnek ve okla savaşmayı öğreniyor, dağların zirvesine çıkıp avlanıyoruz."

"Yani mezarların ötesine mi geçiyorsunuz?"

Einar'ın gözleri fal taşı gibi açılmıştı. Eliyle kendini takdis edecek bir hareket yaparak konuştu, "Ne? Deli misin? İşte geldik. Evin demirle meşe ağacından yapılma yeni kapılarını gördün mü?"

Bir grup insanın peşine takılarak köprü üzerinde yürüdüler. Ardından alçak ve kavisli bir kapının altından geçerek dar bir yola saptılar. Birdenbire ışık azaldı, etrafı gri-mavi gölgeler kapladı. Mavi gökyüzü zaman zaman kendini gösteriyor, o noktalarda kaldırım taşlarının üzerinde parlak üçgen şekiller oynaşıyordu. Ahşap yüzeyleri beyaz alçıyla kaplanmış bina duvarları iyice birbirine yaklaşmıştı. Saçaklardan çiçekler sarkıyordu. Halli ufak bir yokuşu tırmanmaya başladı; güneşten uzaklaşınca serinleyip kendine gelmişti. Yerdeki taşların geçen yıllardır boyunca aşınarakıp sert çizgilerini kaybettiklerini fark etti. Yemek ve şarabın etkisi kendini göstermeye başlamıştı. Halli kendini yeniden capcanlı ve kararlı hissediyordu. Fakat yine de gördükleri karşısında şaşkındı. Bakırcı, derici, oyuncakçı, seramikçi, dokumacı gibi bir grup dükkanın önünden geçti. Hatta gölgede parıldayan kolyelerle, broşların sergilendiği bir dükkana bile rastladı. Bu tip ticari faaliyetler Svein Evi'nde de mevcuttu; ancak orada mallar sadece insanlar tarlalardan döndüğünde, kulübelerin arka odalarında halka sunulurdu. Mal değiş tokuşu resmi olmayan bir şekilde merkez avluda yapılır, satılık ürünler böylesine şatafatlı bir şekilde sergilenmezdi.

Sonunda binalar geri çekildi ve yol genişledi. Önlerindeki geniş alan tıpkı baharda çayırların çiçekle dolup taşması gibi insanlarla kaynıyordu. Alanın gerisinde, boğazın yüksek ve dik yamaçlarını andıran Hakon konağı yükseliyordu. Ahşap sütunların taşıdığı verandanın altında kalan ana kapılar neredeyse Svein konağının kendisi kadar yüksekti. Tepedeki çatıya bakarken Halli'nin boynu ağrıdı.

Yanaklarını şişirerek kaşlarını çattı. Evet, Hakon Evi gerçekten de büyüktü. Evet, aslına bakılırsa fazlasıyla heybetliydi. Ama bunun hiçbir önemi yoktu. Halli aklına koyduğu şeyi yapıp oradan ayrılacaktı.

O ana kadar her şey iyi gitmişti. Eve tahmin ettiğinden çok daha kolay bir biçimde girmişti. Şimdi sıra bir sonraki aşamadaydı. Kalabalığın içine karışarak kısık gözlerle avluyu gözden geçirdi. Çevresinde her çeşit insanın olduğunu fark ederek şaşırdı: daha uzun ve iri yapılı yerli halkın arasına karışmış kıvırcık siyah saçlı, yukarı vadi insanları dikkat çekiyordu.

Avlunun çeşitli yerlerinde kırmızı tenteli tezgahlar bulunuyordu. Bu tezgahlarda şans ve beceriye dayalı oyunlar oynamak, bir şeyler içmek ya da ozanların anlattığı hikayeleri dinlemek mümkündü. Her yerden gülüşmeler yükseliyor, herkesin yüzü neşeyle ışıldıyordu. Halli tüm bunları somurtkan bir ifadeyle izliyordu. Einar'dan ayrılıp kalabalığa karışmak kolaydı. Fakat sonra ne olacaktı? Hava kararana kadar saklanabileceği bir yer mi arayacaktı?

Einar Halli'yi dirseğiyle hafifçe dürterek sordu, "Ee? Ne diyorsun bakalım? Bedava arpasuyu ve eğlence! İşlerini bitirenler burada toplanıyorlar. Ve bu gece, salona davetli olanlar kurucumuzun şerefine kadeh kaldıracaklar!"

"Bir şölen mi düzenleniyor?"

"Üzgünüm, ama senin katılabileceğin bir şölen değil bu. Zaten hava karardıktan sonra evde yabancıların kalmasına izin verilmiyor. Yani şölen başladığında evin kapılarını çoktan kapatmış olurlar."

"Hord ve Olaf da orada olacaklar mı?" diye umursamazca sordu Halli. "Ya da Ragnar Hakonsson?"

"Hord'la Ragnar kesinlikle orada olacaklar. Ama Olaf'ın şölene katılabileceğini sanmıyorum, çünkü hasta."

Halli heyecanla sordu, "Hasta mı?"

"Trollerin lanetine uğramış. Atı sınırın yakınında tökezleyince mezarlardan birinin gölgesi de Olaf'a dokunmuş." Einar koruyucu işaretlerden birini daha yaptı. "Hakon yardımcısı olsun! Kardeşi gibi o da soylu bir adamdır."

"Zavallı adam." Halli dudaklarını yalayarak konuştu, "O zaman yataktan bile çıkamıyordur. Odasının nerede olduğunu biliyor musun? Konakta mı kalıyor acaba?"

Fakat Einar'ın ilgisi bir anda başka tarafa kaymıştı. Işıldayan gözlerle kalabalığın ilerisini görebilmek için ayaklarının ucunda yükseldi. "Çok şanslısın dostum! Baksana, evimizin hakimi geliyor!"

Halli'nin gözleri dehşetle açıldı. Geriye dönüp baktığında eğlenceye dalmış olan kalabalığın ilerisinde duran Hord Hakonsson'u gördü. Diğerlerinden uzun olduğu için yüzü hemen seçiliyordu. Geniş omuzları bir uçtan ötekine uzanıyordu. O yürürken herkes durup Hord'a yol veriyor, o da çevredekilerin elini sıkıyor, sırtına dostça vuruyor, tanıdığı insanları selamlıyordu.

"Sence de etkileyici bir adam değil mi Hord?" diye sordu Einar.

Halli sıkıntılı bir sesle cevap verdi, "Hem de çok." Ardından pelerininin başlığını kaldırdı.

"Belki de onunla tanışabilirsin. Baksana, bize doğru geliyor."

Halli birkaç adım gerileyerek etrafı kolaçan etti. Sağa sola bakarak kaçabileceği bir yer aradı. Einar haklıydı; Hord gerçekten de onlara doğru yaklaşmaktaydı. Göğsüne altın bir broşla tutturulmuş kenarı kürklü bir pelerin giymişti. Sesi, yürüyüşü, pelerininin dalgalanışı, hepsi de Hord'un gücünün izini taşıyordu.

"Hey dostum!" dedi Einar. "Nereye gidiyorsun? Hord seninle konuşacak."

"Hayır, hayır. Ben buna layık değilim."

"Böyle söyleme. Hakon gününde büyük Hord bile senin perişan halini görmezden gelecektir. Bekle, dikkatini sana çekmeye çalışacağım." Yüksek perdeden seslenmeye başladı, "Hakim Hord!"

"Hayır, yapma!"

"Hakim Hord!"

Başlığının derinliklerinden korkuyla olan biteni izleyen Halli, Hord'un Einar'a doğru baktığını ve onu selamlarcasına tek elini havaya kaldırdığını gördü. Ardından onlara doğru yürümeye başlayan Hord'un yolu çığlık çığlığa bağıran üç kadın tarafından kesildi.

Einar gülerek Halli'ye baktı. "Sakın endişelenme. Bir iki dakikaya kadar yanımızda olur." Halli'nin korkudan titreyen kolunu tutarak sözlerini sürdürdü, "Bu kadar utanmana gerek yok. Ben Hord'la birlikte ava çıkarım ve onu iyi tanırım. Üstün başın berbat olduğu halde çekinmene lüzum yok. Hord, dostu olan herkese saygılı ve cömert davranır."

Halli çaresizlik içinde koluna yapışmış olan eli kavradı. "Hayır, dinle! Onun yakınına gitmemem gerek!"

Einar'ın yüzündeki gülümseme söner gibi oldu. "Ama neden?"

"Çünkü, çünkü... Az önce söylediklerinde haklıydın. Taşıdığım bazı tuhaf hastalıklar var ve bunların başkalarına geçmesini, hele de Hord gibi büyük ve önemli bir adama bulaşmasını istemiyorum." Halli konuşurken bir yandan da gerilemeye başladı. "İçi cerahat dolu ağrılı sivilceler falan. Ayrıntıları bilmek bile istemezsin. En iyisi herkesten mümkün olduğunca uzak durmam."

Şimdi Einar'ın yüzündeki gülüş tamamen kaybolmuştu. "Bekle! Benim yanımdayken bir an bile tereddüt etmedin ama."

"Evet, haklısın, ama rüzgarın esiş yönüne hep dikkat ettim. Esintiler hastalığımdan kaynaklanan kötü kokuları denize doğru süpürdüler. İnsanların dip dibe olduğu bu rutubetli ortamda ise hiçbir şey için söz veremem. Ama neden bu tatsız konularla canımızı sıkıyoruz ki? Hadi gidip biraz arpasuyu alalım ve kol kola girip arkadaşlığımızın şerefine birbirimizin bardaklarından içelim."

Einar'ın yüzü kireç gibi bembeyaz olmuştu. "Teşekkürler, ama olmaz. Belki de evimizden çıkıp gitsen daha iyi olacak."

"Evet, haklısın." Halli biraz daha geriledi. "Yardımın için teşekkür ederim! Hoşça kal!" Einar'ı kalabalığın ortasında bırakarak gözden kaybolmuştu.

Kaybedecek zaman yoktu. Hord'un ve belki de Ragnar'ın bulunduğu bu ortam gevşek gevşek dolaşmak için fazlasıyla tehlikeliydi. Halli şenlik tezgahlarının arasından geçerek salonun köşesine doğru ilerlemeye başladı. Bu büyük beyaz binanın bir yerinde Olaf mışıl mışıl uyuyor olmalıydı. Hem de hasta, bir başına ve Trol lanetine uğramış olarak. Halli kendi kendine gülümsedi. Hedefine yarı yarıya ulaşmış sayılırdı.

Yine de salona girmek, cinayeti işlemek ve kimseye görünmeden çıkıp gitmek pek de kolay olmayacaktı. Elini gömleğinin içine götürerek yeleğinin altındaki gümüş kemere dokundu. Kemerin soğuk ağırlığı her zamanki gibi güven vericiydi. İşte tam o anda, salonun yan tarafında, daha küçük bir veranda ve bir kapı olduğunu fark etti.

Halli kalabalığı yarıp, kapıya doğru hızla ilerlemeye koyuldu. Hizmetkarlardan biri ufak bir arpasuyu fıçısını yuvarlayarak kapıdan çıktı. Şimdi ortalık sessiz, kapı aralıktı.

Halli Trol korkuluklarından birinin yanında durup verandaya baktı. Biraz ilerisinde, kızlı erkekli bir grup çocuk ellerindeki taşları ince uzun sırıklara doğru fırlatıyorlardı. Sırıkların her birinin üzerinde bir şalgam, şalgamların üzerindeyse siyah boyayla çizilmiş bir sürü dişle dolu gülen kocaman ağızlar vardı. Kızlardan biri attığı taşla şalgamlardan birini vurdu; şalgam kafa çığlıklar ve kahkahalar arasında uçarak yere düştü.

Veranda hâlâ sakindi. Giren çıkan yoktu.

Halli öne doğru atıldı. Tam o sırada kıpkırmızı suratlı ve ter içinde iki hizmetçi kadın kapıdan fırlayarak salonun yan duvarı boyunca koşmaya başladılar. Halli hemen yönünü değiştirerek tüm dikkatini şekerleme satılan bir tezgaha çevirmiş gibi yaptı. Ardından dönüp çevresine hızla bir göz attıktan sonra acele etmeksizin, ama kendinden emin adımlarla veranda kapısından içeri süzüldü.

Gölgelerle dolu loş bir ortam ve hafif bir küf kokusu; diğer bir deyişle kutularla, fıçılarla ve tahıl çuvallarıyla dolu dev gibi bir depo. Tavandaki kancalardan soğanlar, pazı yaprakları, baharat ve havuç demetleri sarkıyordu. Dizi dizi tütsülenmiş et, karanlık gölgelere karışıp kaybolmaktaydı. Halli derin bir nefes aldı –oda neredeyse Svein konağı kadar büyüktü– ve ana koridorda ilerleyerek karşıdaki merdivenlere yöneldi.

Ayak sesleri... Halli yengeç gibi yan yan yürüyerek un çuvallarının arkasına saklandı. Başını dizlerinin arasına alarak nefesini tuttu ve beklemeye başladı.

Az önce gördüğü iki hizmetçi birkaç adım ilerisinden geçerek gözden kayboldular. Elbiselerinin hışırtısıyla nefeslerinin fısıltısı Halli'nin kulaklarında asılı kaldı.

Sonra her şey yeniden sessizliğe büründü. Halli ayağa kalkarak çantasını sırtladı ve yavaşça koridor boyunca yürüdü.

Aşınmış basamaklar oldukça geniş ve beyazdı. Gün ışığı kireç yüzeyde parıldıyordu. Halli başını kaldırıp yukarıya doğru baktı. Çatıyı taşıyan uzun sütunlar sonsuz bir boşlukta yükseliyor gibiydi. Duvara iyice yaklaşarak hızlı adımlarla merdivenleri tırmanmaya başladı. Her an aşağı inen biriyle karşılaşmaktan korkuyordu.

Hakon konağının duvarlarının üst kısımlarını artık daha iyi görebiliyordu. Çatıyı taşıyan sütunlar dev kolonların üzerine yerleşmiş ince uzun kirişlerle birleşiyordu. Kolonların arasında parlak ışık panelleri, yani sonbahar güneşiyle ışıldayan ince uzun pencereler vardı. Pencerelerin altında kalan duvarlar geyik boynuzları ve vahşi hayvanlara ait kafataslarıyla, yelpaze gibi dizilmiş antik mızraklarla, ucu bucağı görünmeyen bir dizi siyah mangalla, çeşit çeşit dokumalarla ve kırmızı renkli bayraklarla kaplıydı.

Halli'nin başı büyük salonun zeminiyle aynı yükseklikteydi şimdi. Sağda ve solda büyük masalar uzanıyordu. Ortada, şişe geçirilmiş büyük bir öküzün kızarmayı beklediği ana mangal bulunuyordu. Her tarafta hizmetçiler dolaşıyor, masalara bardak ve bıçak yerleştiriyor, Halli'nin göremediği bir yerden tabaklar getirip duruyorlardı.

Kimse, Halli'nin bulunduğu tarafa bakmıyordu. Halli tereddüt etmeden son iki basamağı da tırmanarak öne doğru eğildi ve en yakındaki masaya doğru ilerledi. Masanın altına girerek yerdeki samanlarla masanın ayakları arasında gizlendi ve sessizce beklemeye başladı.

Aradan biraz zaman geçti. Hizmetçiler koşuşturarak masaya yiyecek içecek taşımaya devam ediyorlardı. Erkekler mangalın kenarına tırmanarak şişteki öküzü çevirmeye başladılar. Belki mutfakların birinden yükselen belki de ev halkını öğle yemeğine çağıran bir zil sesi salonda yankılandı. Hizmetçiler arka arkaya salonu terk ettiler.

Küçük ve siyah bir şekil masanın altından süzülerek çıktı. Avını beklerken pusuya yatmış bir kurt gibi kamburunu çıkararak sessizce dikildi. Halli sol tarafa doğru baktı; salonun ana kapıları hâlâ kapalıydı; ancak arkadan yaklaşmakta olan kalabalığın gürültüsü duyuluyordu. Sağ tarafta ise salonun arkasında bulunan ve üst kattaki bir balkona çıkan dik ve düz bir merdiven vardı. Balkona açılan iki, belki de üç kapı gördü Halli. Kürsüyle yönetici koltuklarının gerisinde kimisi perdeyle kaplı kimisi ise çıplak yeni kirişler dikkatini çekti.

Salonun ortasındaki açık bir ocakta kuvvetli bir ateş yanmaktaydı. Masalar akşamki şölen için hazırlanmıştı. Kızarmış et kokusu her yanı kaplamıştı.

Peki, Olaf neredeydi acaba?

Halli başını yana eğerek balkona doğru baktı.

İşte orada olmalıydı.

Halli yanı başındaki masaya uzanarak ince uzun bir bıçak aldı eline. Ardından masaların arasından geçerek merdivenlere doğru ilerledi.

Birden arkasında bir takırtı duyarak irkildi. Sesin salonun dışından geldiği anlaşılıyordu. Salonun kapıları açılmıştı. Halli içinden küfrederek öne doğru atıldı ve kolonlardan birinin ardına gizlendi. Hord'un yüksek perdeden ve buyurgan çıkan sesiyle botlarının taş zeminde yankılanan gürültüsü geldi kulağına.

"Umurumda değil!" diyordu Hord. "Önce amcanı görmeye gidecek ve istediği ne varsa götüreceksin. Ancak ondan sonra yemek yiyebilirsin. Zaten aptal aptal tıkınmak için yeterince zamanın olacak."

Ayak sesleri uzaklaştı. Halli neler olup bittiğini anlamak için başını uzattığında Hord'un kürsünün gerisindeki perdelere doğru yürüdüğünü gördü. Sapsarı saçları, soluk benzi ve sinirli ifadesiyle Ragnar Hakonsson ise merdivenlerden yukarı çıkıyordu. Halli

Ragnar'ın balkona varışını ve kapılardan birini açarak gözden kayboluşunu izledi.

Uzaktan, Hord'un bağırışlarını takip eden telaşlı sesler duyuldu. Halli hizmetçilerin hızla geri döneceklerini düşündü. Gözleri saklanacak bir yer bulmak amacıyla çevreyi taradı; arkasına gizlendiği kolonun hemen yakınında kimisi yan yatırılmış kimisi de üst üste dizilmiş bir grup fıçı duruyordu. Fıçıların hepsi boşalmış, içlerindeki arpasuyu ya mutfağa ya da masaya taşınmıştı. Acaba başarabilir miydi?

Koridordan ayak sesleri yükseldi.

Halli hızlı bir sıçrayışla gözden kayboldu. Ortada duran büyük fıçı hafifçe sarsıldı. Yandaki fıçının üzerinde duran kapağı ise bir iki kez titredikten sonra kayarak yerine oturdu.

Yirmi kadar hizmetkar bir anda salona doluşarak şölen hazırlıklarına devam ettiler.

Gün akşama, akşam da geceye döndü. Salon iyice hareketlendi. Hakon ismi neşeyle anıldı; kadehler Hord'un, oğlunun, kardeşi Olaf'ın ve evin azametinin şerefine kaldırıldı. Salonun köşesindeki fıçılardan birinden hafif horlama sesleri yükseliyordu. Fakat kimse bu sesleri duymadı; kimse fıçılara yaklaşmadı. Sonunda şölen yavaş yavaş sona erdi.

Hakon erkeklerinin bir kısmı konaktaki odalarına, bir kısmı da sokaklara ve çevre çiftliklere dağıldı. Ardından Trol duvarının kenarından bir boru sesi yükseldi ve Hakon Evi'nin kapıları kapatıldı. Yaşlı bir kahya da konağın kapılarını örtüp sürgüledi. Birileri açık ocakta yanan ateşe toprak attı. Böylece alevler yerini ufak bir kıvılcıma bıraktı. Nihayet son hizmetkarlar da yataklarına çekildiler.

Salonu gölgeler kapladı. Giderek zayıflayan meşalelerin alevi turuncu-kırmızı küçük bir ışığa dönüştü.

Hord ve Ragnar Hakonsson ortadaki masada, şölenden arta kalanların arasında oturuyorlardı.

Hord onca saattir içiyor olmasına rağmen gözlerindeki hafif kırmızılık dışında sabahkinden farksız görünüyordu. Elindeki üzümsuyu kadehini hafifçe sallayarak, uzun uzun oğluna baktı. Ragnar'ın yüzünde festivalin tüm yorgunluğu okunuyordu. Salonun ışığında yüzü kireç gibi bembeyazdı.

Fıçının kapağı saatlerden beri ilk defa hareket ederek yana doğru kaydı. Sabırsızca bakan iki göz çevreyi kolaçan etti.

Halli bedenindeki kasların gerildiğini hissetti.

Yolculuğu boyunca uyumaya alıştığı çalılıklardan çok daha sıcak olan fıçıda uzun ve oldukça horultulu bir uyku çekmişti. Ancak şimdi her tarafı ağrıyordu; kol ve bacaklarına iğneler batıyor gibiydi. Hareket etmek, fıçı içinde kımıldanmak istiyor, ancak ses çıkarmaktan korkuyordu.

Ragnar, "Onun beni istediğini sanmıyorum baba," dedi.

Hord koca bir boğa gibi homurdanarak konuştu, "Annen benimle evlenmeyi istemiş miydi sence? Babalarımız görüşüp aralarında anlaşmışlardı. Bu kararın ardından, annenin benimle ilgili öğrendiği ilk şey sakalımın yüzünü gıdıkladığıydı. Peki, bunu gerçekten istemiş miydi? Kim bilir.?.. Fakat tüm kadınlar gibi, o da bu durumu kabullenmeyi seçti. Böylece harika ve kurnaz bir yasa yapıcı oldu. Asla sümsük bir muhallebi çocuğu olma evlat! Asıl mesele senin ya da onun bu işe istekli olmanız değil."

"Biliyorum," dedi Ragnar sinirli bir sesle. "Ama yine de..."

Hord sözlerini sürdürdü. "Ben öldüğümde bu evin yeni hakimi sen olacaksın. Eğer onunla evlenirsen her iki evi de yöneteceksin. İşte bu evlenmek için doğru ve yerinde bir sebep." Elindeki kadehi şöyle bir çalkaladı ve içinde hareketlenen sıvıya gözlerini dikerek konuşmaya devam etti. "Her şey yerine oturuyor. Olaf'ın davranışı yüzünden kaybedeceklerimizi senin yapacağın evlilikle telafi edeceğiz."

Ragnar oldukça sıkıntılı görünüyordu. "Sence toprak kaybedeceğiz, öyle mi? Peki ne kadar?"

"Kaybedeceğimiz miktar Sveinssonların Konsey'e yapacakları baskıya bağlı. Ulfar Arnesson onlarla konuşmuş. Oldukça büyük taleplerde bulunmaya kararlı görünüyorlarmış. Aralarında en ısrarcı olan da Brodir'i öteden beri sevmeyen şu kadınmış." Tırnaklarından biriyle dişlerinin arasına sıkışmış yemek artıklarını temizledi.

Halli'nin sırtı ağrıyordu. Fıçının kapağının altında yüzünü ekşitti. Ağırlığının bir kısmını bacaklarına aktarabilse, oturmak yerine çömelmeyi başarabilse...

"Olaf bu hataya düşmemeliydi," dedi Ragnar çekinerek. "Cinayetin sonuçlarını hiç düşünmedi."

Hord'un yüzü kızardı. Elindeki kadehi masaya öylesine sert vurdu ki, tabaklar ve bardaklar titreyip şangırdadılar. "Brodir'in daha yıllar önce asılması gerekirdi. Herhalde bunu reddedecek değilsin."

Ragnar başını eğmiş kucağına bakıyordu. "Hayır."

"Tek sorun şu kurbağa suratlı yeğeninin cinayeti görmüş olması. Dava görüşülürken en önemli tanık o olacak."

Halli sırtına binen yükü hafifletmek için duruşunu değiştirmeye çalışırken Hord'un sözleriyle donakaldı.

"Onun da boğazını kesivermeliydik," dedi Ragnar. "Hiç olmazsa birkaç dönüm toprağı kurtarmış olurduk."

"Herif ayağının altında yatıyordu," diye hırladı Hord. "O şansı elinden kaçıran sensin. Neyse, şu an bu konuda yapabileceğimiz hiçbir şey kalmadı. Onu ele geçirmemiz imkansız. Fakat bir konu daha var. Konsey'in vereceği karardan bağımsız olarak..."

Halli'nin sırtındaki ağrı birden şiddetli bir kasılmaya dönüştü. Hafifçe öne doğru savruldu ve ellerini fıçının iki yanına dayayarak dengesini korumaya çalıştı.

Fıçı olduğu yerde sallanmaya başladı.

Zaten dengesiz bir şekilde üzerine oturmuş olan kapak tangırdadı.

Halli kapağın çıkaracağı sesi önlemek için hızla elini uzattı. Kapak parmaklarının ucundan kayarak fıçının kenarına çarptı ve yere yuvarlandı.

12

Kol Kin-killer yukarı ve aşağı vadide sayısız adam öl-
dürmüş sıkı bir savaşçıydı. Hiçbir eve bağlı olmadığı gibi,
haydutlardan oluşan bir çetenin de lideriydi. Kol'un çete-
si yukarı vadide bulunan Gest'in Evi'ne saldırdıktan sonra
doğudaki Svein topraklarına doğru ilerlemeye başladı. O
zamanlar Svein'in kuzenleri Derindere yakınlarındaki bir
çiftlikte yaşıyorlardı. Günün birinde Svein tepenin üstün-
de siyah bir duman bulutunun asılı olduğunu fark etti. Ne
olup bittiğini anlamak için atına atlayıp çiftliğe gittiğinde,
her yerin yanıp kül olduğunu ve kuzenlerinin teker teker
kazığa oturtulduklarını gördü. Svein öylesine öfkelendi ki
yanındakiler gazabına uğramamak için kaçışmaya başladı-
lar. Yeniden sakinleştiğinde etrafına bakındı ve haydutların
ormana doğru ilerleyen ayak izlerini buldu.

İşte o zaman adamlarına, "Siz eve dönün. Ben biraz av-
lanacağım," dedi.

Fıçıdan yükselen gürültü kolonlar arasında öyle güçlü yankılandı
ki, gece yarısının sessizliğine bürünmüş olan salon bir anda çalka-
landı. Ragnar ve Hord oturdukları yerde donakaldılar.

Ragnar fısıltıya benzer bir sesle, "Baba..." dedi.

"Ses şuradaki fıçılardan geldi. Git de bak," dedi Hord.

Ragnar'ın sandalyesi taş zeminde sertçe geriye doğru kaydı.

Hâlâ fıçının içinde gizlenmekte olan Halli elinden geldiğince
eğildi. Başının üzerinde kalan boşluğu hissediyordu; soğuk hava
ensesini gıdıklamaktaydı.

"Al şunu evlat," dedi Hord umursamaz bir havayla. "Bıçaksız
gitme."

174

Metalin bir yere sürtünmesinden çıkan ses duyuldu. Ardından Ragnar'ın salonun her yerinde yankılanan ayak sesleri Halli'ye doğru yaklaşmaya başladı. Halli fıçının karanlığında el yordamıyla kendi bıçağını buldu ve bıçağın kabzasını sıkıca kavradı.

"Sence bunlardan birinin içinde midir baba?" Ragnar'ın sesi pek de kendinden emin sayılmazdı.

"Ödleklik etme!" diye kükredi Hord. "Bak da kendi gözlerinle gör!"

Kararsız hareketler, ağaç fıçılardan yükselen sesler, kaldırılıp kenara bırakılan fıçı kapakları.

Halli, Ragnar'ın kısa ve hızlı nefes alışını duyabiliyordu. Artık oldukça yakınındaydı. Halli'nin vücudu gerilerek sıçramaya hazırlandı...

"İşte burada!"

Ragnar çığlık atmıştı, ama sesi neredeyse keyifli ve rahatlamış geliyordu. Şaşkınlık içinde havaya zıplayan Halli kendini son anda kontrol edebildi. Bir şeyin duvara çarptığını duydu. Ragnar'ın adımları hızla Halli'den uzaklaşıyordu. Ragnar bir kez daha bağırdı, "İşte, görüyor musun? Fareler!"

Hord kalın sesiyle uzun bir inilti çıkardı.

O arada Ragnar masaya geri dönmüştü. "Oldukça iri ve şişman bir fareydi baba! Neredeyse bir kapakla öldürüyordum onu. Eğer başarabilseydim kapak onu ortadan ikiye bölecekti."

"Şerefine yazılacak türküleri duyar gibiyim oğlum. Şimdi gel de beni dinle." Hord kadehi ağzına götürdü ve şarabı hüzünlü bir havayla dişlerinin arasından emerek içti. "Fareler!" dedi. "İşte gerçek bir Hakon erkeği. Neyse, son bir şey daha var. Bu öğleden sonra demirciyle konuştum. Neredeyse hazır olduklarını söyledi. Beni anlıyor musun?"

"Evet baba."

"Konsey, Brodir meselesinde büyük olasılıkla aleyhimize karar açıklayacak. Konsey üyelerinin uzun yıllardır politikayı adaletin önünde tutmakla ünlü olduklarını hepimiz biliyoruz. Tek istedikleri vadideki dengelerin korunması. Evlerden hiçbirinin fazla güçlenmesini istemedikleri malum."

"Evet baba."

"Yüce Hakon böyle bir şeyi asla kabul etmezdi, bu yüzden biz de kabul etmemeliyiz. İşler umduğum gibi giderse, seneye işleri kendi uygun bulduğumuz biçimde çözebileceğiz. Bunun nasıl gerçekleşeceğini şimdiden söylemek güç, ama kış boyunca çalışacağız. Antrenmanlara senin de katılmanı istiyorum."

"Elbette baba."

"Çok iyi. Şimdi yorgunluktan yığılıp kalmadan doğruca yatağına git. Bir de senin hastalığınla uğraşmayalım."

Ragnar neşeli bir sesle sordu, "Sence Olaf ölecek mi?"

"Hayır, ölecek olan o değil."

"Ama Trol lanetine uğradı."

"Sadece ateşi var. Batıl inançlı bir budala gibi konuşma."

"Mezarın gölgesinde kaldığını kendi gözlerimle gördüm."

"Evet, mezarların yakınından geçti. Peki, atı hastalandı mı? Hayır! Mezarın gölgesi atına da değdiğine göre neden o da binicisi gibi hastalanmadı dersin?" Hord kadehi masaya bırakarak ayağa kalktı. "Gerçek bir erkek, Trollerle ve lanetlerle ilgili kocakarı masallarına metelik bırakmaz. Olaf daha önce de ateşlendi. Her zamanki gibi gene iyileşip ayağa kalkacak. Hadi bakalım, şimdi doğruca yatağına git muhallebi çocuğu, yoksa düşüp bayılacaksın."

Hem Hord hem de Ragnar masadaki şamdanlardan birer tane alarak yürümeye başladılar. Merdivenleri çıkıp balkona vardıklarındaysa farklı kapılardan geçerek gözden kayboldular. Kapılar çarpılarak kapandı. Salon birden sessizliğe büründü.

Bir dakika boyunca salonda en ufak bir hareket bile olmadı.

Ardından fıçının içinde saklanmakta olan Halli ağrıdan buruşmuş bir yüzle ayağa kalktı. Bir sıçrayışta fıçıdan çıkarak yere atladı. Bir süre sessiz bir azap içinde seke seke ve sendeleyerek yürüdü. Sonunda bacaklarına saplanan sancı geçti.

Ayakları yere gitgide daha da sağlam basar oldu. Masalara doğru ilerledi ve bulduğu bir bardak arpasuyunu tek dikişte içti. Sonra ağzını sildi, çantasını sırtına attı ve bıçağını bir kez daha eline aldı.

Şimdi asıl işiyle ilgilenebilirdi.

Salonu boydan boya geçti. Uzun ve siyah gölgesi de ışık beneklerinin oynaştığı zeminde hayalet gibi kayarak ilerliyordu. Elinde tuttuğu bıçak tatlı tatlı parıldamaktaydı.

Ağır ve sağlam adımlarla merdivene yöneldi. En ufak bir ses bile çıkarmadan yürüyordu. Gözleri yukarıdaki balkona kilitlenmişti.

Halli ne acele ediyor ne de fazla rahat davranıyordu. Ufak bir sahanlığı geçip en tepeye varmak için tırmanmaya devam etti. Tıpkı Svein'in ormana dalan Kol Kin-Killer'i ya da Derindere'deki dev yaban domuzunu kovaladığı gibi.

Balkona ulaştığında daha önce Ragnar'ın geçtiğini gördüğü kapıya doğru yürüdü.

Bir an için durup kulak kabarttı. Evin tamamı mutlak bir sessizliğe bürünmüş gibiydi.

Yüreğini dolduran cinayet arzusuyla içeri girerek kapıyı ardından kapattı.

Halli kendini karanlık bir odada buldu. Az ilerisinde, oldukça kuvvetli tek bir ışık yanıyordu. Işıkla arasındaki mesafenin ne kadar olduğunu söylemek güçtü. Çünkü ışık yaşayan bir varlıkmışçasına şekil değiştirip bulanıklaşıyordu. Halli doğrudan ışığa bakmayı bir türlü beceremiyordu. Gözlerini kapayarak içinden yavaşça ona kadar saydı. Gözlerinin karanlığa alışmasını beklerken, bir taraftan da odanın hastalığı çağrıştıran kötü kokusu karşısında yüzünü buruşturuyordu.

Sonunda gözlerini açtı. Şimdi görüntü daha iyiydi. Işık kaynağı netleşmişti. Alevin ortasındaki beyaz çekirdek ve mum fitili rahatça seçilebiliyordu. Onun çevresindeyse sarı bir hale vardı. Halenin iç kısmı oldukça parlaktı. Dış kısmıysa gittikçe soluklaşıyor, nihayet karanlığa karışıp yok oluyordu. Işığın aydınlattığı alan fazla büyük sayılmazdı. Belirsiz bir uzaklıkta öylece duruyor, biçimsiz ışıltısıyla kış ortasında ayın göl yüzeyine vuran yansımasını anımsatıyordu.

Işığın aydınlattığı alanda bir yüz görerek irkildi Halli.

Onca kararlılığa rağmen bir anlığına geri dönüp kapıdan çıkacak gibi oldu. Ensesindeki tüylerin diken diken olduğunu hissetti. Karşısında duran şey Katla'nın anlattığı hikayelerden fırlamış şekilsiz bir dehşet, ışıl ışıl yanan bedensiz bir kafaydı sanki.

Ancak sonra kendisine kızarak başını iki yana salladı. Aptallığa gerek yoktu! Karşısındaki Olaf'ın ta kendisiydi. Yastığın üzerinde duran da sıradan ve hasta bir adamın başıydı sadece.

Olaf'ın gözleri kapalıydı. Ağzı hafifçe açılmıştı. Sivri burnu tavana bakıyordu. Neredeyse şeffaf gibi görünen cildi yüzündeki her kıvrımı sıkı sıkı sarıyordu. Elmacık kemikleri, burun kıkırdağı, çenesi, hepsi de deriyi yırtıp açığa çıkmak üzere bekliyor gibiydiler. Sakalının seyrek ve kıvırcık kılları taşın çevresine saplanmış dağınık dikenlere benziyordu.

Halli dikkat kesilip dinledi; fakat Olaf'ın nefes alıp verdiğini duyamadı.

Karanlığın ortasında kapının yanında dikilerek bakışlarını uyuyan adamın yüzünden ayırmaksızın bekledi.

Sonra ahırda gördüğü o sahneyi gözünün önüne getirmeye çalıştı; Brodir'in bedeninin yere kayışı, Olaf'ın elinin hızla ileri atılışı; bıçak amcasına yaklaşırken o uyuyan yüzde beliren şaşmaz kararlılık...

Halli gözlerini yumdu ve yüzünde beliren yaşları bıçak tutmayan eliyle sildi.

Sonunda düşmanına bu denli yakınken içinde büyük bir öfke

duyacağını, yaşayacağı adrenalin patlamasıyla amaçladığı hareketi gerçekleştireceğini düşünmüştü hep. Birdenbire ortaya çıkan mide bulantısını hesaba katmamıştı doğrusu. Bacakları tir tir titriyordu. Kendisini amcasının ölümünden hemen sonra olduğu gibi çaresiz, ıstıraplıacı içerisinde ve hasta hissediyordu.

Böyle bir durumda verilecek tepki bu olmamalıydı.

Sessizce nefes alıp vererek kendi kendine lanet yağdırdı.

Tüm yolculuğu birkaç adımın ardından tek bir bıçak darbesiyle sona erecekti. Amcasının intikamı alınmış, katili öldürülmüş olacaktı. Bundan daha basit ne olabilirdi ki? Tek yapması gereken harekete geçmekti.

Halli uyurgezer birinin tedirgin ve yavaş hareketleriyle ışık kaynağına doğru ilerlemeye başladı. Işık elindeki bıçağın parlak ve uzun yüzeyine vuruyordu. Eskisine göre daha bir ağır gelen bıçak kolunu aşağı doğru çekiyor gibiydi.

Giysiyle dolu bir sandığın yanından geçti. Sandığın kapağı açıktı; zenginlik kokan kaliteli ketenler dışarı sarkmıştı. Az ilerde, eğri büğrükarmaşık bir motifle süslenmiş arkası alçak bir koltuk duruyordu. Ufak bir masanın üzerinde bir kadeh üzümsuyu, biraz ekmek ve et vardı. Şöminedeki ateş sönmüş, ocağın süngüsü küllerin arasına bırakılmıştı.

Hepsi bu kadardı. Halli daha ne olduğunu anlayamadan, Olaf'ın yatağının yanı başında buluvermişti kendini.

Olaf Hakonsson ince uzun bedeniyle kalın kürkten yapılma bir yorganın altında uzanmış yatıyordu. Yorganın yarısı yere dökülmüştü. Yorganın dışında kalan kolları vücudunun iki yanında uzanıyor, avuç içleri dua ediyormuşçasına yukarı bakıyordu. Halli adamın cılız gırtlağında bir damarın inip kalktığını gördü. Yorganın göğsünü örten kısmında da hafif bir hareket seziliyordu.

Tek bir darbe yeterliydi. Peki, nereye indirecekti bu darbeyi? Gırtlağına mı yoksa göğsüne mi? Aslında bıçağı kalbine saplaması

daha doğru olurdu. Ne de olsa Olaf da Brodir'i bu şekilde öldür-
müştü. Ama gırtlak daha kolay bir hedefti... Halli'nin dudakla-
rı kurumuştu; kolları ve bacakları tuhaf bir şekilde güçsüzleşmişti.
Ayrıca başı dönüyordu. Herhangi bir şey yapmadan önce bir şeyler
yemek ve dinlenmek zorundaydı. Belki de salona dönse, kendini
toparladıktan sonra Olaf'ın yanına geri gelse daha iyi olacaktı.

Halli, karanlığın ortasında, kendisine karşı sessiz bir savaş yü-
rütüyordu. Planını daha fazla geciktiremezdi. Yakaladığı fırsatı de-
ğerlendirmeliydi.

Ucu aşağı bakacak şekilde tuttuğu bıçağı iki eliyle birden kav-
rayarak karyolaya iyice yaklaştı. Ellerini havaya kaldırdı ve bıçağı
Olaf'ın çıplak boynunun üzerine getirdi.

Derin bir nefes aldı ve tam o anda olduğu yerde donakaldı.

Gözlerinin önünde bir imge belirdi. Vadi boğazındaydı; kendisi-
ni uykuda öldürmeye hazır tüccar Bjorn'un kolu havada silüetini gö-
rür gibi oldu karşısında. Yattığı yerde az sonra inecek darbeyi bek-
lerken hissettiği dehşetle, şimdi bu tip bir darbeyi vurmak üzereyken
hissettiği dehşet birbirine karıştı. Arada hiçbir fark yoktu.

Halli'nin kolu titredi. Bıçak neredeyse elinden kayıp düşecekti.
Yaşlarla dolan gözleri etrafı göremez oldu. Burnunu çekme ihtiya-
cını güçlükle bastırarak bir adım geriledi ve kollarını indirdi. Peri-
şan haldeydi. Yüzünü gömleğinin koluyla sildi.

Yeniden yatağa baktığında, Olaf Hakonsson'un gözlerinin açık
olduğunu ve kendisini izlediğini gördü.

Halli'nin omurgasına taşlar bağlanmış gibiydi. Olduğu yere ça-
kılmıştı. Kımıldayamıyordu. Her an yere devriliverecekmiş gibi
hissediyordu kendini.

Yataktaki adama bakan gözleri, Trol görmüş gibiydi.

Olaf Hakonsson'un ağzı hafifçe kıpırdadı. Sesi silik bir fısıltı-
dan ibaretti.

"Yapamadın, değil mi?"

Halli'nin dili dişlerinin iç duvarına yapışmış gibiydi. Cevap veremedi.

Fısıltı yeniden duyuldu. "Peki neden?"

Halli transa geçmişçesine başını iki yana salladı.

Göz kapakları titredi; sarı gözleri bir baykuşunkiler gibi açıldı. "Ne oldu? Konuşsana!"

Halli tüm iradesini kullanarak "Bilmiyorum. Ama nefretimin yetersizliğinden olmadığı kesin," dedi.

Olaf'ın aralık dudaklarından hafif bir tıslama yükseldi. Hasta adam belki de gülmüştü. "Ona ne şüphe! Ona ne şüphe! Burada olman durumu açıklıyor zaten." Fısıltı titredi, gözler kapandı. "Söylesene, evin kapıları kapandı mı? Konağın kapıları sürgülendi mi?"

"Evet."

"Hakon Evi'nin erkekleri alt kattaki odalarına indiler mi peki?"

"Evet."

"Ağabeyim şu duvarın arkasında mı uyuyor?"

"Sanırım evet."

Olaf'ın gözleri hâlâ kapalıydı. Dudaklarından yükselen mırıltı neredeyse saygı yüklüydü. "Yani tüm bu engellere rağmen gelip beni buldun, öyle mi? Mezarından kalkan ufacık, kara gözlü bir hayalet gibi yanıma sokuldun. Etkilendim doğrusu. İşe yarar ve cesur bir gençsin sen."

Halli bir şey söylemedi.

"Sadece bir tek sorum olacak."

"Nedir?"

"Kimsin sen?"

Halli şaşkınlık içinde geriledi. "Ne? Beni tanımadın mı?"

Olaf Hakonsson'un gözleri donuk bir ışıkla Halli'ye bakıyordu. "Tanımalı mıydım?"

"Elbette!"

"Üzgünüm."

"Ama... ama nasıl olur?"

Olaf bir süre durup düşündü. "Hayır, tanımıyorum."

"Daha birkaç hafta önce amcamı gözlerimin önünde öldürdün. Şimdi de kim olduğumu bile hatırlamıyorsun, öyle mi? Buna inanamıyorum!" Halli karyolaya doğru yaklaştı. "Demek bu kadar önemsiz bir konuydu senin için. Bak bakalım, iyice bak bana!"

Olaf güçsüz elini kaldırarak, "Tamam. Hatırladım," dedi.

"Geç bile kaldın."

"Far Shingle'da astığımız şu sahtekar çiftçinin yeğenisin sen. Zaten tipin de ona benziyor. Kurduğum en alçak darağacında sallanmıştı amcan."

Halli garip bir ses çıkararak itiraz etti. "Hayır. Hayır, yanılıyorsun."

"Ambarlar tıklım tıklım dolu olduğu halde eve ödenecek tek bir kuruş vergisi bile yoktu, öyle mi? Amcan sahtekarın tekiydi ve sen de bunu göremeyecek kadar körsün. Onun adına buraya gelmekteki amacın ne? Onun oğlu bile değilsin ki! Ölü bir adamın intikamını almak oğlunun görevidir."

Halli'nin öfkesi yeniden kabardı. Bıçağı hafifçe kaldırarak öne doğru bir adım attı. "Sus! Utanmazca muamele ettiğin çiftçilerden biri olduğumu düşünüyorsan çok yanılıyorsun. Soylu bir aileden geliyorum ben."

Yataktan yükselen fısıltı alaycı ve hışırtılı bir şekle bürünmüştü. "Yaklaş. Aslına bakarsan hasta birine uykusunda saldıran bir çocuksun sen. Damarlarında soylu kan taşıyan biriyle aranda büyük farklar var."

"Hasta olduğunu bilseydim..." Halli birden sustu. Başı dönüyordu. Mum ışığı gözlerinde oynaşıyor, karanlık dört koldan üzerine üzerine geliyordu. Bıçağın ucunu Olaf'ın gırtlağına yaklaştırarak konuştu, "Belli ki ateş yüzünden hafızanı yitirmişsin. Dur da sana yardımcı olayım. Ben Arnkel'in oğlu ve neredeyse dört hafta önce öldürdüğün cesur Brodir'in yeğeni Halli Sveinsson'um. Amcamı tuzağa düşmüş, çaresiz bir hayvanı öldürür gibi öldürdün. Oysa tek yaptığı sizin küstahlığınıza karşı durmaktı." Halli bıçağın sivri ucunu Olaf'ın sarımsı tenine bastırdı. "Katillerin yüz karasısınız siz. Sarhoşken ettiği birkaç laf için bir adamın canına kıyacak kadar soysuzsunuz. Bu yüzden fikir sahibi olmadığın konular hakkında konuşup da bana soyluluktan bahsetmeye kalkma. "

Olaf'ın gözleri neredeyse kapanmıştı. Göz kapaklarının arasından ufak bir pırıltı sızıyordu sadece. Aralık dudaklarında hafif bir nefes titreşti. "Ah," diye fısıldadı Olaf.

"Şimdi hatırladın mı beni?"

"Evet. Sonunda başarısızlığa uğramak için fazla uzun bir yoldan geliyorsun, Halli Sveinsson."

Halli dişlerini göstererek, bıçağı adamın boynuna biraz daha bastırdı. "Henüz başarısızlığa falan uğramadım."

"O halde öldür beni."

Halli hareket etmeden bekliyordu.

"Ee?"

Halli bıçağın ucuna, bıçağı sıkan elinin beyaza dönen eklemlerine, Olaf'ın darbenin inmesini bekleyen çıplak boynuna boş gözlerle baktı. Kıpırdayamıyordu. Sonra ağır ağır ve derinden yükselen bir titreme nöbeti öne doğru uzattığı kolunu esir aldı.

Olaf Hakonsson örtünün üzerindeki ellerinden birini kaldırarak bıçağı zarif bir hareketle yana doğru itti. "İşte buna başarısızlık derim ben. Sence de öyle değil mi? Bekle! Kaçma! Kaçarsan her şeyi iyice berbat etmiş olursun."

Utançtan başı dönen Halli ne yaptığının farkında olmaksızın gölgelere doğru birkaç adım gerilemişti. Doğruydu. Başarısızlığa uğramıştı. Mezarında yatan amcasına, zavallı Brodir'e ihanet etmişti. Dahası, evinin onuruna ve Svein'in hatırasına leke sürmüştü.

İntikam almak için yola çıkan biri nasıl olur da düşmanının canına kıyamazdı? Bir kahraman nasıl olur da böylesine korkuyla titrerdi? Halli gümüş kemeri takmayı hak etmiyordu. Hatta ailesinin adını taşıması bile doğru değildi. Parmakları gevşedi; elindeki bıçak yere düştü.

Olaf kımıldamaksızın yatmaya devam ediyordu. Işıktan oluşan kozasından tavana bakarak "Sorun ne, biliyor musun?" diye fısıldadı. "Benim tahminim şu: bence amcanı sandığın kadar önemsemiyorsun."

Halli'nin boğuk sesi karanlığın ortasında çınladı. "Hayır! Sebep bu değil!"

"Neden beni öldürmekten vazgeçesin ki? Ödleğin teki olmadığını o gün ahırda kendi gözlerimle gördüm. Ama yine de amcanın intikamını alamıyorsun. Bundan da onu yeterince sevmediğin anlaşılıyor."

"Hayır. Seviyorum. Yani seviyordum."

"Hayır, sevmiyordun." Olaf başını kesik kesik ve dengesiz hareketlerle yastıktan kaldırdı. Omuzlarını öne, dirseklerini ise arkaya doğru itmişti. Şimdi ışık çemberinin kıyısında kollarından aldığı güçle doğrulmuş, görmeyen gözlerle Halli'nin bulunduğu karanlık kısma doğru bakıyordu. "Neden, biliyor musun? Çünkü amcanın nasıl bir adam olduğunu gayet iyi biliyorsun. Senin amcan şerefli, barışçı, erdemli ve dingin bir adam değildi. Aksine, ailesinin şerefine gölge düşüren, alkolik, kendini beğenmiş, palavracı, kavgacı budalanın tekiydi. Şiddet düşkünü bir zorbaydı Brodir."

"Öyle mi?" Halli alay edercesine güldü. "Cinayeti işleyen kişi sen olduğuna göre tüm bunları..."

"Ailen Brodir'le ilgili gerçekleri senden saklamış olabilir mi?" Yüzündeki kemikleri örten cilt gerildi. Olaf'ın gözleri keyifli bir gülüşle ışıl ışıldı. "Aman tanrım! Belli ki saklamışlar." Yatağının üzerinde biraz daha doğruldu. "Halli, Brodir sana gençliğine dair neler anlattı, evlat? Gerçeklere dair ipuçları verip imalarda bulundu mu? Bir gece ne yaptığını, evinize ait yaklaşık iki yüz elli dönümlük toprağı nasıl pat diye kaybettiğini anlattı mı?" Bekledi, ancak karanlıktan bir yanıt gelmedi. "Cevap vermende hiçbir sakınca yok," dedi Olaf. "Orada olduğunu biliyorum. Köşede dikilmiş bir kurt gibi ateşli gözlerle beni izlediğini görür gibiyim. Bana söyleyecek bir şeyin yok mu? Sana Brodir'in hikayesini anlatmamı ister misin? Ama dikkatlice dinlemelisin, ateş yüzünden sesim oldukça güç çıkıyor."

"Anlattıklarının tek kelimesine bile inanmayacağımı biliyorsun," dedi Halli.

"Aslına bakarsan birçok hikayeye ben bile inanmıyorum." Olaf şimdi yatağının üzerinde oturuyordu. Yorgan omuzlarından kaymıştı. Mum ışığında parıldayan uzun bir gecelik giymişti. Bacakları incecikti. "Fakat bu hikayenin gerçek olduğunu hemen anlayacaksın." Bacaklarını yorganın altından çıkararak aşağı sarkıttı. Ayakları yatağın yanında yerde duran kilime değiyordu şimdi. "Hava da bayağı soğukmuş. Aslında hareket etmem kesinlikle yasak. Ancak, gözlerini gerçeklere açma görevi belli ki bana düştü." Öksürerek, geceliğinin yakasını kapatmaya çalıştı. "Brodir, sana bir adamı nasıl öldürdüğünü anlattı mı? Hem de öyle şerefli, Hakon'un zamanındaki gibi erkek erkeğe bir düelloda ya da savaşın ortasında falan değil; tam tersine, sinsice, nedensiz ve kalleşçe öldürdüğünü anlattı mı hiç?"

Elini karanlığa doğru uzatarak masada duran üzümsuyu kadehini aldı. Halli'nin kalbi gümbür gümbür atıyordu. Kulaklarını tıkamak ve tek bir kelime bile duymadan oradan çıkıp gitmek istiyordu. Ancak olduğu yere mıhlanmış gibiydi. Ne cevap verebiliyor, ne de hareket edebiliyordu.

Olaf kadehinden büyük bir yudum alarak, iğrenç bir sesle yuttu. Gırtlağının derinliklerinden tuhaf şapırtılar yükseliyordu. Kadehi masaya bırakarak anlatmaya devam etti. "Amcan Brodir'in gençliğinde çok seyahat ettiğini; bazen ailevi meselelerden dolayı bazense canı çektiği için evlerin birçoğuna girip çıktığını duymak seni şaşırtmayacaktır herhalde. Brodir buraya da sıkça gelip giderdi, Halli. Kara gözleriyle zevk peşinde koşan ince yapılı ve uzun boylu bir dağ adamıydı amcan. Onu oldukça iyi tanırdık. Hatta damarlarında arpasuyu dolaşırken neye benzediğini bilecek kadar iyi tanırdık Brodir'i. Alkollü olduğu zamanlar fırtına gibi esip ortalığı birbirine kattığını sen de gayet iyi bilirsin."

"Bunun bir suç olduğunu sanmıyorum," dedi Halli öfkeden kısılmış bir sesle.

"Haklısın. Bu tip bir yaşam seninki gibi sefil yukarı vadi evlerinde normal karşılanır." Olaf yatağın kenarında oturmuş, öne doğru eğilerek konuşuyordu. Yüzü gölgelerin arasında görünmez olmuştu. "O zamanlar Hord'la benim bir kız kardeşimiz vardı. Adı Thora'ydı. Hakon Evi'nin kızıydı ve çok güzeldi. Bu yüzden istediği herhangi bir erkekle evlenebilirdi. Birçok erkek Thora'nın kalbini çalmak için şansını denedi. Amcan Brodir de bu erkeklerden biriydi. Fakat Thora hepsini reddetti. Brodir bu duruma pek sevinmedi. Ne zaman buraya gelse onun peşinden koşmaya devam etti. Hatta birkaç defa Hord'la birlikte Thora'nın yanına giderek duruma el koymak zorunda kaldık. Zavallı Thora... Brodir'in bu ilgisinden hiç hoşlanmazdı. Zaten başka birine aşıktı." Olaf yeniden öksürdü. Ellerini dizlerinin arasına sıkıştırmış, gözlerini yere dikmişti. "Bu evden bir marangozu seviyordu. Altın saçlı ve yakışıklı bir marangoza aşık olmuştu. Adamın yüzü şu an bile gözümün önünde; ama adını unuttum. Bir şölen gecesi amcan iş görüşmek için buraya gelmişti. Thora'nın aşık olduğu marangozla ilgili haberler onun da kulağına geldi. Öfkelendi. Sarhoş gururu yara almıştı. Peki, bunun üzerine ne yaptı, biliyor musun?"

Halli yumuşak bir sesle, "Yalan söylüyorsun," dedi.

"Orada, öylece dikilmiş, birileriyle sohbet eden zavallı gencin yanına gitti ve hiçbir şey söylemeden öyle güçlü bir yumruk attı ki çocuk yere yuvarlandı. Sonra ne oldu, biliyor musun? Genç adamın kafatası ocak taşına çarptı ve salyangoz kabuğu gibi çatırdayarak kırıldı. Yapılacak hiçbir şey yoktu. Marangoz kısa bir süre sonra öldü. Çevredekiler katilin kim olduğunu anlamak için etrafa bakındıklarında amcan çoktan kayıplara karışmıştı bile."

"Yalan söylüyorsun," diye fısıldadı Halli. "Hepsi yalan."

"Hiç de değil. İstersen annene sorabilirsin."

Sessizlik. "Barış ve uyum içinde yaşamayı her şeyin üstünde tutan bilgeliğiyle Konsey, hakimlerden birinin oğlunu asmaya yanaşmadı," diye sözlerini sürdürdü Olaf. "Olayın istemeden cinayete sebebiyet verme olduğuna karar verdiler. Böylece kasıtlı olarak işlenmiş bir cinayetten yargılanmayan amcanın da hayatı kurtulmuş oldu."

Halli boğuk ve kısık bir sesle konuştu. "Söylediklerin doğru bile olsa ortada kötü bir davranış ve talihsiz bir kaza var. Bir kaza yaşanmış ve bunun sonucunda ailem, ailene konseyin uygun gördüğü tazminatı ödemiş. Peki, senin aradan yıllar geçmesine rağmen adını bile hatırlamadığın birinin intikamını almak adına Brodir'i öldürmene ne demeli?"

"Onun intikamını değil," diye fısıldadı Olaf, "kardeşiminkini aldım ben. Zavallı Thora o çocuğu öylesine büyük bir âşkla seviyordu ki marangozun öldüğü günün gecesinde kendini asarak intihar etti. Kardeşim Brodir yüzünden öldü. Amcan ölümü çoktan hak etmişti." Başı öne eğikti; sesi Halli'nin öfkeden kıpkırmızı kulaklarına güçlükle ulaşıyordu.

Bir süre ikisi de sustu. Sonunda Halli, "Kardeşinin marangozla evlenmesine zaten izin verilmeyecekti," dedi.

Olaf başını kaldırıp Halli'ye baktı.

"Sonuçta sıradan bir adamdı, değil mi? Evlerden birinin oğluyla falan evlenmeye zorlanacaktı kardeşin. Öyle değil mi?"

Olaf belli belirsiz omuz silkti.

"Bundan en ufak bir kuşkum bile yok," dedi Halli. "Thora'nın kalbi öyle ya da böyle kırılmaya mahkumdu." Arkadaki kapıya doğru birkaç adım geriledi. "Ama anlattığın hikaye için yine de teşekkürler. Seni öldürmeyi neden başaramadığımı merak edip duruyordum. Sanırım cevabı buldum. Şimdiye kadar onurla ve şerefle ilgisi olmayan konular yüzünden öylesine çok insan öylesine boş yere ölmüş ki... Eğer hastalığı yenebilirsen dava sırasında aleyhine şahitlik yapacağımdan ve Hakon Evi'nin hem toprak hem de itibar kaybedeceğinden emin olabilirsin. Bu olay da bu şekilde sonlanacak. Hoşça kal." Odadan çıkmak üzere geri döndü, ancak arka taraf zifiri karanlıktı ve kapıyı görmek mümkün değildi.

Olaf'ın odanın diğer ucundan gelen fısıltılı sesi oldukça neşeliydi. "Ne kadar da budalasın ufaklık! Senin tanıklığın olmadan bu davanın düşeceği aklına gelmedi mi hiç? Bu durumda buradan canlı ayrılmana izin veremeyeceğim de ortada, öyle değil mi?"

Halli ellerini öne doğru uzatarak bir iki adım daha attı. "Güzel konuşuyorsun da hasta ve yaşlı bir adamsın sen."

"Aslına bakarsan sandığın kadar da kötü durumda değilim."

Halli arkasında bir hareket hissetti. Şiltedeki samanlar üzerlerinden büyük bir yük kalkmışçasına hışırtıyla yer değiştirdi.

Omzunun üstünden geriye doğru baktı.

Ve mum ışığının boş yatağın üzerinde öfkeyle titreştiğini gördü.

13

SVEIN, KOL'UN İZİNİ ÜÇ GÜN boyunca sürdü. Bu süre zarfında ne yemek yedi, ne de uyudu. Sonunda haydudun Sivri Tepe'ye yakın yüksek bir kayanın tepesine kurduğu kampa ulaştı. Kampta yirmi kadar adam vardı; fakat Svein bir an için bile tereddüt etmedi. Kılıcını savurarak aralarına daldı ve böylece savaş başlamış oldu. Az sonra sekiz haydudun cesedi yere serilmişti bile. Ancak düşman Svein'i köşeye sıkıştırmıştı. Svein dövüşe dövüşe yamaçtan aşağı doğru gerilemeye başladı. Yolda ufak bir çoban kulübesine rastladı. İçeri girerek kapıyı sürgüledi.

Kol ve adamları kulübenin çevresini sararak Svein'in dışarı çıkmasını beklemeye başladılar.

Kulübeyi gözden geçiren Svein ise içerde birkaç adet tüfek, bir mum ve ateş yakmak için kesilmiş odun buldu. Biraz durup düşündükten sonra odun parçalarından birini yontarak kabaca insan kafası şekli verdi.

O gece haydutlar kulübenin ışık sızan penceresinde Svein'in gölgesini gördüler. İçlerinden birini gece nöbetine bırakarak uyumak için köşelerine çekildiler.

Odundan yonttuğu kafayı odada bırakan Svein ise kulübenin arka tarafındaki duvara bir delik açtı ve emekleyerek dışarı süzüldü. Ardından sessizce yaklaşarak Kol'la adamlarının kafalarını uçurdu. Sonra da diğer eşkıyalara ders olsun diye hepsini vadi yolunun kenarına yerleştirdiği kazıklara oturttu.

Halli hızla ileri doğru atıldı. Öne doğru uzanan elleri sert ve soğuk alçı duvara çarptı. Kapı neredeydi peki? Yan yan ilerlemeye çalışırken arkasında bir şeyin hafifçe yere sürtündüğünü duydu.

Şöminenin süngüsü...

Halli'nin parmakları ağaçtan yapılma bir yüzeye değdi ve telaş içinde kapı kolunu arandı.

Birden havada bir dalgalanma oldu. Halli içgüdüsel bir şekilde yere doğru eğildi. Bir şey büyük bir gürültüyle başının üzerindeki duvara çarptı. Karanlıkta göremediği sıva parçaları saçlarına yağmaya başladı.

Karanlıktan yükselen bir fısıltı, "Kahretsin. Bu kadar kısa olduğunu hesaba katmamıştım." diye söyleniyordu.

Gürültüden anlaşıldığı kadarıyla şömine süngüsü saplandığı yerden çıkmıştı. Ardından Halli kapının kolunu yakaladı ve kapıyı çekerek açtı. Solgun ışık gözlerini kamaştırdı. Balkonun gölgelerine, tırabzanın gerisindeki salonun kırmızı bir ışıltıyla parlayan sonsuz boşluğuna baktı. Halli sıçradı. Ancak tam bu sırada bir şey kötücül bir güçle Halli'yi uyluğundan yakaladı. Bacağı aniden saplanan sancıya dayanamayarak kontrolden çıktı ve Halli kapının kirişine çarparak balkon zeminine yuvarlandı.

Yukarı doğru baktığında Olaf Hakonsson'un kapının gerisindeki karanlıktan çıkarak ağır adımlarla kendisine yaklaştığını gördü. Pamuklu bir gecelik giymiş olan sıska bir hayalete benziyordu Olaf. Elinde uzun ve siyah bir süngü vardı. Yüzü bembeyaz, bakışları dikkatliydi. Rakibine saldırmak için kaldırdığı kollarındaki gevşek deri kemiklerinden aşağı sarkıyordu.

Halli yana doğru yuvarlandı ve sağlam bacağıyla pençe haline getirdiği ellerini kullanıp balkon zemininde sürünerek ilerlemeye başladı. Ardında hasta bir adamın ağır ayak seslerini duyuyordu.

Halli sırtını kamburlaştırarak elleriyle dizlerinin üzerinde durdu. Ardından ayağa kalkmaya çabaladı. Bacaklarından biri tamamen uyuşmuştu. Uyluğu yol yol ağrıyordu. Tüm ağırlığını diğer bacağına vererek vücudunu doğrulttu ve öne doğru sendeleyerek tırabzana tutundu.

Arkasına baktığında, öfke dolu bir yüz ve havada savrulan süngüyü gördü.

Halli son anda yana doğru bir hamleyle merdivenin ilk basamağına doğru atıldı.

Tırabzan paramparça oldu. Kopan parçalar döne döne aşağıdaki salona döküldü.

Bacağı kaskatı kesilmişti ve üzerine her basışında ağrıyordu. Sıçrayarak ve sendeleyerek basamaklara ulaştı. Düşmemek için korkuluğa her iki eliyle birden tutunarak aşağı doğru inmeye başladı. Arkasında hızla savrulan bir şeyin havada çıkardığı ıslığa benzer sesi duydu.

Olaf'ın çığlığı ağlamaklı bir fısıltıya benziyordu. Dev gibi salon, adamın sesini yutuyor gibiydi. "Hord! Hord! Ragnar! Uyanın! Burada bir düşman var! Ah, lanet olsun! Sesim nereye gitti?"

Merdivenin alt basamaklarına ulaşan Halli topallayarak korkuluklara tutundu. Yana doğru uzattığı bacağı ne zaman yere değse acıyla irkiliyordu. Fazla hızlı ilerleyemiyordu; ancak Olaf için de durum pek farklı sayılmazdı. Halli peşine düşen adamın her basamağı büyük bir gürültüyle inişini, gırtlağının derinliklerinden yükselen hırıltıyı ve geceliğinin hışırtısını duyabiliyordu.

Sonunda sahanlığa ulaştı. Aşağıda, solda hâlâ yanan bir ocak vardı. Ocağın ve kızartma çukurundaki köz haline gelmiş kömürlerin ışığı dışında, her yer karanlığa bürünmüştü. Duvardaki mangal demirleri kırmızı noktalardan ibaret gibiydiler. Salon boyunca dizilmiş masalarda yüzlerce bardak ve tabak öfkeli bir sessizlikle parıldıyordu.

Sağ taraftaki duvara ise yelpaze biçiminde beş adet mızrak asılmıştı. Halli tökezleyerek ilerledi ve mızraklardan birini kavradı. Kendisini savunmak için bir silaha ihtiyacı olacaktı. Bıçağını ne demeye düşürmüştü ki? Ne kadar da budalaydı! Çekti, asıldı, neredeyse kolu yerinden çıkacaktı. Fakat tüm çabaları karşılıksız kaldı.

Mızrak duvara sıkıca asılmıştı. Gözleri gri birer çukura benzeyen Olaf da gittikçe yaklaşmaktaydı. Ayaklarını sürüye sürüye sahanlığa inmişti. Silahını hazırda bekletiyordu.

Merdivenin son basamaklarını da yalpayarak ve tökezleyerek geçti Halli. Sonunda salonun ortasına inmişti. Hemen merkezdeki masalara doğru yürümeye başladı. Sağ tarafındaki sayısız kolonun arkasında avluya açılan ana kapılar yükseliyordu. Halli bulunduğu yerden bile kapıların sürgüsünün çekili olduğunu görebiliyordu.

"Hord! Ragnar! Uyanın!" Azap içindeki fısıltı yeniden duyuldu. Dönüp ardına bakan Halli, Olaf'ın son basamağa ulaştığını gördü. Yüzü ter damlalarıyla parıldıyor, solgun saçları gözlerini yarı yarıya örtüyor, göğsü kasılmalarla inip kalkıyordu.

"Kabul et artık," dedi Halli. "İkisi de sarhoş birer domuz gibi horul horul uyuyorlar. Hâlâ gücün varken yatağına dön. Yoksa bu kovalamaca senin sonun olacak."

Olaf ağrıdan buruşmuş bir yüzle gülmeye çalıştı. "Fakat Halli, sevgili Halli, buradan nasıl çıkmayı planlıyorsun? Tüm kapılar kilitli."

"Bir çaresine bakarım." Halli bakışlarını salona girerken de kullandığı kiler odasının basamaklarına doğru çevirdi. Fazla riskli bir yol olurdu bu. Dışarıya açılan kapıların kilitli olduğu kesindi. Bu yüzden kiler odasında tuzağa düşmesi an meselesiydi. Tek seçeneği yönetici koltuklarının arkasındaki kirişleri kullanmaktı. Belki bir pencere ya da...

Olaf'ın soluk soluğa kaldığını fark eden Halli, gözünün ucuyla bulanık bir hareket algılayıp hızla yana doğru sıçradı. Şömine demiri havayı delerek omuzlarının hemen yanındaki döşeme taşlarına indi. Olaf lanet okudu.

Halli, "İyi denemeydi," dedi. "Fakat gittikçe gücün azalıyor. Oysa benim sakatlanan bacağım an be an güçleniyor." Sözlerinde haklıydı. Hâlâ topallıyordu; fakat yaralı bacağındaki uyuşukluk önemli ölçüde azalmıştı. Halli şişe geçirilmiş öküz leşinin asılı olduğu kızartma kuyusuna doğru ilerledi. Paramparça olmuş ışıltılı bir kemik ve et yığınından farksız olan öküz, hâlâ kor halindeki kömürlerin üzerinde duruyordu. Kuyunun hemen yanındaki yerler yağla kaplıydı. Halli yağa basıp kaydı. Neredeyse yere kapaklanıyordu. Kendini toparladığında kuyunun kenarına bırakılmış iki tane demir şiş gördü. Şişleri eline aldı ve sendeleyerek yaklaşmakta olan Olaf'a doğru döndü.

Olaf alaycı bir gülüşle tısladı. "Hakon'un ruhu aşkına, amma da korkunç bir manzara! Eğer kızartılmak üzere bekleyen bir tavuk olsaydım, şimdi can havliyle kaçıyor olurdum."

"Koru kendini!" diye kükredi Halli. "Yukarı vadi erkekleri çift kılıçla savaşırlar."

"Sinek avlıyor gibi bir halin var," dedi Olaf. "Buraya gelmiş olmana gitgide daha da çok şaşıyorum doğrusu. Adam öldüremiyorsun, savaşmayı da beceremediğin ortada. Şimdiye kadar karşılaştığım en kendini bilmez gençsin sen!" Şömine demirini sallayarak Halli'nin elindeki şişlerden birini yere savurdu. Şiş havada hızla uçarak öküzün kaburgalarının arasına saplandı ve titredi.

Dengesini yeniden bulan Halli kuyunun çevresi boyunca gerilerken elindeki ikinci şişi mızrak gibi tutarak Olaf'a doğru fırlattı. Şiş son anda yana doğru eğilen Olaf'ın yanağını sıyırarak büyük bir gürültüyle yere düştü. Parmaklarıyla yanağındaki yarayı yoklayan Olaf doğruldu.

"Bu salonda bir Hakon oğluna saldırmaya nasıl cüret edersin? Eğer sağlığım yerinde olsaydı..."

"Senin yerinde olsam her koşulda kaçacak delik arardım. Çünkü sonuçta ben de bir Svein oğluyum. Bu arada Svein senin atan olacak Hakon'u kıç üstü dikenli çalılara fırlatmıştı. Hikayeyi bilir misin? Hakon'un seninkinden daha uzun bir gecelik giyecek kadar zevk sahibi bir adam olduğunu umalım." Halli sakat bacağının tüm itirazlarına rağmen eskisinden çok daha hızlı bir şekilde salonun diğer ucuna doğru ilerliyordu.

Olaf da adımlarını hızlandırmışa benziyordu. Enerjisinin öfkeden mi, yoksa yanağındaki ağrıdan mı kaynaklandığını söylemek güçtü. "Seni ödlek! Şu haline bak! Kaçıyorsun!"

"Aslına bakarsan doğaçlama yapıyor sayılırım." Halli şölen artıklarıyla tepeleme dolu bir masaya yaklaştı. Masadaki kadehlerden birini alarak Olaf'a doğru fırlattı. Olaf eğilerek bu saldırıyı savuşturdu. Kadehi önce bir tabak, ardından da yağlı et parçalarıyla kaplı kaygan bir kemik izledi. Olaf tabaktan kurtulmayı başardı, fakat kemik kafasının ortasına denk geldi. Olaf arka arkaya bir dizi küfür sıraladı.

Halli eline geçirdiği her şeyi düşmanına doğru savurarak gerilemeye devam ederken, Olaf masaya yaklaşmayı sürdürüyordu. Bardaklar, meyveler, kaseler, tükürük hokkaları, tavuk kemikleri, bıçaklar, pişmiş ama yenmemiş yuvarlak biçimli sebzeler ardı ardına Olaf'ın suratına doğru uçuyordu. Olaf bazısını eğilerek, bazısını da yumruklayarak savuşturuyor; ancak buna rağmen arada bir vuruluyordu.

Halli son olarak bir avuç yumuşak erik fırlattı.

"Ağzını biraz açarsan, bir tanesini içeri yollamayı deneyebilirim," diye bağırdı.

Olaf'ın odasına girdiğinden beri ilk kez kendini böylesine keyifli hissediyordu. Evet, aklına koyduğu şeyi başaramadığı ve büyük olasılıkla da başaramayacağı doğruydu. Fakat hayatını kurtarmak için dövüşmek çaresiz bir düşmanı öldürmekten farklı bir şeydi ve Halli'ye daha çok uyuyordu. Özellikle de bacağındaki hissizlik geçmeye yüz tuttuğu için iyice neşelenmeye başlamıştı.

Dönüp salonun gerisine bir göz attı. Kürsüye kadar olan yolu yarılamıştı. Ama Olaf hâlâ yakın takipteydi ve eğer salondan çıkmayı başarırsa sağlığı yerinde olan diğerlerini uyandıracağı kesindi.

Bu durumda Halli'nin Olaf'ı bir şekilde durdurması gerekiyordu. Olaf havada salladığı şömine demiriyle topallayarak ilerlemeyi sürdürüyordu.

Halli biraz ilerdeki ocağa doğru koşup silah olarak kullanabileceği metal eşyalar aradı; fakat işe yarar bir şey bulamadı. Ter içinde kalmıştı. Dipteki odunlar yanmaya devam ediyordu ve üzerinde yürüdüğü beyaz küller oldukça sıcaktı.

Olaf hızla arayı kapatıyordu. Halli yerdeki külü tekmeleyerek havalandırdı ve Olaf'ın çıplak bacaklarına doğru savurdu. Olaf acıyla olduğu yerde hoplayıp zıplamaya başladı.

Ateşin kıyısında henüz tutuşmamış birkaç dal bulunuyordu. Halli kendisine en yakın olan dala asıldı. Şimdi elinde uzun ve kavisli bir değnek tutuyordu. Değneğin ucunda kırmızı-beyaz bir kıvılcım oynaşmaktaydı. Değneği iki eliyle birden tutarak ileri geri salladı. Değnek ıslığa benzer bir dizi ses çıkararak havayı yardı. Olaf bir an için korkup geri çekilecekmiş gibi göründü. Fakat hemen ardından lanet okuyarak fırtına gibi atıldı. Şömine demirini gözü dönmüş bir öfkeyle sallıyordu. Halli darbeden korunmak için ağaç dalını havaya doğru kaldırdı. Darbenin şokuyla dişleri zangırdadı ve dizlerinin bağı çözüldü. Elindeki dalı yere düşüren Halli kızgın beyaz küllerin arasına çöküverdi. Havalanan küller yüzünden ortalığı yoğun bir sis bulutu kapladı.

Olaf'ın yüzü, delice sırıtan ve ölümü andıran korkunç bir maskeye benziyordu. Ağzı kulaklarına öylesine yaklaşmıştı ki gerilen cildi her an yırtılacakmış gibi görünüyordu. Halli'ye doğru ilerleyerek kollarını havaya kaldırdı.

Halli serbest kalmak için çırpınmayı denedi; ancak bacakları düşmanının bacaklarının arasına sıkışmıştı. Panik içinde elini kolunu sallamaya, yılanbalığı gibi kıvranmaya başladı. Olaf'ın dizlerinin iç tarafına vurup duruyordu. Şömine demirini indirmekte olan Olaf dengesini kaybetti. Demir, Halli'nin başının hemen yanındaki döşeme taşlarına çarptı. Çıkan gürültünün yankısı çatı kirişlerine kadar yükseldi. Olaf, Halli'nin yanına, küllerin oldukça sıcak olduğu ateşe yakın kısma yığılıp kaldı.

Kısa bir süre sonra her ikisi de yeniden ayaktaydılar. Her taraflarına kül bulaşmıştı. Kaçmaya hazırlanan Halli sakat bacağının ihanetine uğradı. Bunu fırsat bilen Olaf da uzanıp Halli'yi boğazından yakalayıverdi.

Olaf'ın elleri Halli'nin boğazını demirden bir pençe gibi kavramıştı. Gözleri yuvalarından fırlayan Halli kurtulmak için umutsuzca çırpınmaya başladı.

"Sana acıyacağımı düşünmüyorsundur herhalde," dedi Olaf. Kolunu öylesine yukarı kaldırdı ki Halli'nin ayakları yerden kesildi. Eli hâlâ Halli'nin boynundaydı.

Halli öğürtüye benzer sesler çıkararak havaya tekmeler savuruyordu. Nefes almasına imkan yoktu. Parmakları Olaf'ın bileğini tırmalıyordu. Olaf keyifle güldü. "Boşuna uğraşma! Hasta da olsam seni serbest bırakacak değilim. Bu şekilde senden çok daha büyük adamları bile boğazladım ben."

Halli birdenbire çırpınmayı kesti. Kol ve bacakları gevşedi. Yavaşça ellerinden birini kaldırarak önce Olaf'ı, sonra yeri, ocağı ve ardından yine Olaf'ı işaret etti. Biraz bekledikten sonra aynı şeyi tekrarladı.

Olaf gözlerini kısarak Halli'ye baktı. "Ne var? Ne söylemeye çalıştığını anlamıyorum."

Yüzü gittikçe moraran Halli aynı şeyi bir kez daha yaptı.

Olaf başını iki yana sallayarak "Üzgünüm. Bence saçmalıyorsun," dedi.

Bu kez harekete uzun ve anlaşılmaz bir sesle kaşların düzensiz seğirmesi de eklendi.

Olaf kaşlarını çatarak konuştu. "Of! Hiç yararı yok! Eğer derdini adam gibi anlatamayacaksan, neden bu işe soyunuyorsun ki?"

Halli boğazını sıkan parmakları işaret edince Olaf gözlerini devirerek kavrayışını biraz gevşetti.

"Söyle bakalım."

"Yanıyorsun."

Olaf boş gözlerle önce Halli'ye, sonra da geceliğinin eteklerini yalayan uzun ve sarı alevlere baktı. Alevler büyük bir hızla yayılıyordu. Kumaşın lifleri birer birer tutuşuyor, önce beyaza, sonra siyaha dönerek yanıyordu.

Olaf korku dolu bir ulumayla Halli'yi bir kenara fırlatıp salon boyunca koşmaya ve çaresizlik içinde alev alan yerlerine vurmaya başladı.

Ensesini ovan Halli sendeleyerek aksi yöne doğru seğirtti. Az ilerde yerde duran yarı yarıya yanmış ağaç dalını alarak yoluna devam etti. Kürsüyü geçerek balkonun altına vardı. Geriye dönüp baktığında alevlerle duman bulutunun ortasında çırpınmakta olan Olaf'ın ince ve karanlık silüetini gördü. Olaf duvarda asılı olan kilime tutunarak alevleri boğmak için bir parça kumaş koparmaya çalıştı. Fakat turuncu-sarı alevler, kilimin kuru ipliklerini tutuşturarak duvara tırmanmaya başladı.

Bu fikir Halli'nin oldukça hoşuna gitmişti. Çevresindeki perdeleri elindeki ağaç dalını kullanarak tutuşturdu.

Duvardaki kilim büyük bir gürültüyle yere indi. Olaf, kilimin altında kalarak gözden kayboldu.

Olaf'ın hemen yukarısında yer alan balkondan bağırışlar ve telaşlı ayak sesleri yükseldi. Halli Hord'la Ragnar'ın merdivenlerden aşağı doğru koştuğunu gözünde canlandırabiliyordu. Hasta Olaf'ın ağır aksak takibinden sonra diğerlerinin hızı Halli'nin moralinin bozmuştu. Topallayarak koşmaya çalışan Halli sonunda salondan çıkmayı başardı.

İçine daldığı uzun ve karanlık geçitte bir sürü girinti çıkıntı vardı. Karşısına çıkan kapıların çoğu hizmetkarların odalarına açılıyordu. Ranzalara kıvrılıp uzanmış insan silüetleriyle, gölgelere gizlenmiş uyuyan yüzlere rastladı. Çok geçmeden hepsi uyanacaktı. Halli gücünün son kırıntılarını da kullanarak hızını iki katına çıkardı. Bir taraftan da binadan kaçmak için bir yol bulmaya çalışıyordu.

Koşarken oluşan rüzgar sayesinde elindeki ağaç dalı iyiden iyiye yanmaya başlamıştı. Halli kendisini takip edenleri yavaşlatmak amacıyla karşısına çıkan her şeyi ateşe veriyordu; perdeleri, bir sepet dolusu çamaşırı. Geçtiği yerler dumandan görünmez olmuştu.

Sonunda kepenkleri kapalı olan ince uzun bir pencere bulmayı başardı. Pencerenin kanatlarını ardına kadar açıp pervaza tırmanarak çömeldiği yerden karanlığa doğru baktı. Soğuk yağmur suratına çarpıyor, kaşının üzerinde biriken ter damlaları yüzünü gıdıklıyordu.

Bulunduğu yerin aşağısında birkaç adımlık mesafede uzanan, taşla örülmüş geniş bir şerit gördü. Tepeden gördüğü bu taş yapının evi çevreleyen büyük Trol duvarı olduğunu hemen anladı. Duvarın arkası ise tamamen karanlığa gömülmüştü. Pencerenin hemen altında derin ve simsiyah bir boşluk vardı. Atlamaya yeltense kemiklerinin tuzla buz olacağı ortadaydı.

Halli başını çevirip geçide doğru baktı. Yaklaşan ayak sesleriyle uzaktan gelen bağırtı ve çığlıkları duyabiliyordu. Karanlık salonun uzaklarında bir yerden, bir çan sesi yükseldi.

Kaybedecek zaman yoktu. Halli elindeki ağaç dalını omzunun üstünden geriye doğru fırlattı, pervazda elinden geldiğince gerindi ve sağlam bacağının üzerinde sıçrayarak kendini gecenin karanlığına bıraktı.

Birden bütün sesler kesildi. Yağmur yüzüne vurup duruyordu. Çarpmaya hazırlanarak bacaklarını büktü.

Halli duvara çarparak yuvarlandı; ayağa fırladı ve birden büyük bir acıyla irkildi. Zaten sakat olan bacağı bu sefer kırılmış olmalıydı. Fakat bununla uğraşacak zamanı yoktu. Çan sesi salonun dışından oldukça net duyuluyordu. Evin farklı yerlerindeki diğer çanlar da çalmaya başladı.

Trol duvarını oluşturan taşlar aşınmış ve pürüzsüz yüzeyleriyle yağmur altında oldukça kaygandı. Halli duvarın korkuluğu boyunca yaralı bir hayvan gibi uzun ve kararsız adımlarla ilerliyor, arada bir omzunun üstünden geriye ya da korkuluğun üstünden gecenin içine doğru bakıyor, bazen de evi çevreleyen duvarın etrafındaki kulübelere doğru göz atıyordu. Şimdi evlerin ışıkları tek tek yanmaya başlamıştı. Çanlar bile daha yüksek sesle çınlıyor gibiydi. Halli kararsızdı. Korkuluğun ilerisine geçme fikri pek hoşuna gitmiyordu doğrusu. Trol duvarının yüksekliğini ve duvarın gerisindeki derin hendeği fazlasıyla iyi anımsıyordu.

Fakat Hakon Evi'nde kalmaya devam etmek de pek cazip bir fikir sayılmazdı.

Duvar kapıya yakın bir yerde ufak bir kavis çiziyordu. Kavisin olduğu kısımda hareket eden, bir araya gelen, ardından dağılan meşaleler gördü Halli. Uğursuz bir amaç uğruna toplanan bu meşalelerin sayısı gittikçe artıyordu. Işık beneklerinin etrafındaki güçlü ve öfkeli aydınlık giderek büyüyordu. Işık kulübe duvarlarını aydınlatmanın yanı sıra Halli'nin dikkatinden kaçmayan tatsız bir ayrıntıyı daha gözler önüne serdi; duvarın üzerine kurulan bir darağacı. Işık benekleri farklı yönlere doğru dağıldılar. Birileri birilerine emirler yağdırıyor, ayak sesleri kaldırım taşları üzerinde yankılanıyor, köpekler sinirli bir şekilde uluyordu.

Halli kararsızlıkla derin bir nefes alarak geriye doğru baktı. Biraz uzağında, telaşla kıpırdanan ışıklar ve aceleyle hareket eden şekiller vardı.

Yüzünü gizlemek için pelerininin başlığını kaldırdı, duvarın kenarına yaklaştı ve gözlerini endişeyle derin karanlığa dikti. Aşağılarda bir yerde yağmur damlalarının suya vuruşunu duyabiliyordu.

Dudaklarını ısırarak duraksadı.

Hemen yanındaki korkuluktan sıçrayan ufak bir taş, gözünün oldukça yakınına isabet etti. Duvara çarpan kırık bir okun korkuluk boyunca kayarak uzaklaştığını gördü.

Halli gözlerini kapadı, öne doğru üç büyük adım attı ve kendini boşluğa bıraktı.

Düşüşü oldukça hızlıydı, fakat kesik kesik film karelerinden oluşuyor gibiydi. Bacakları kıvrık, kolları iki yana açık havada asılı kalıyor; aşağıdan vuran rüzgarla savruluyordu. Midesinde ne var ne yoksa ağzına yükseliyor; çantası vücudunu, saçlarıysa yüzünü dövüp duruyordu. Yine de yere çarpıp karanlığın içinde kayb[oluncaya kadar tüm bu yaşadıkları zamandan ve mekandan bağımsız sahnelermiş gibi geliyordu Halli'ye.

Hava bıçak gibi kesildi ve buz gibi bir karanlık Halli'yi içine aldı.

Her şey bir anda son buldu; yağmur, ışıklar, çan sesleri, gürültüler.

Halli ardına kadar açık gözleri ve yukarı doğru uzanmış elleri ile sessizlik içinde hendek sularının karanlığına gömüldü.

EVLENMEYE KARAR VEREN SVEIN kendisine eş seçmek ama-
cıyla Derindere'de üç kızıyla birlikte yaşayan bir çiftçiyi zi-
yarete gitti. Kızların üçü de mis gibi kokan saçları ve sağlık-
lı görünüşleriyle çok güzeldiler. Aralarından birini seçmek
kolay değildi.

Svein şöyle dedi, "Trol kralının sarayına gidiyorum.
Size ne getirmemi istersiniz?"

En büyük kız, "Boynuma takabileceğim altın ve gümüş
kolyeler isterim," dedi.

Ortancaları, "Bir tencereyle bir kepçe isterim, çünkü
benimkiler kırıldı," diye cevap verdi.

En gençleri gülümseyerek şöyle konuştu, "Trol düzlük-
lerinin kıyısında yetişen küçük ve güzel bir çiçek getirme-
ni isterim ben. Böylece seni düşünürken çiçeği seyredebi-
lirim."

Svein, Trol kralının sarayına doğru yola çıktı. Bu onun
Trol kralına yaptığı ikinci ziyaretti. Bu kez bir öncekinden
çok daha ileriye gitti. Yanmakta olan ateşle tavandan sar-
kan kemiklerin yanından geçerek Trollerin yaşadığı arka
bölmelere geçti. Deliklerle çatlaklarda uyumakta olan bir
sürü Trol'ü kolayca öldürmeyi başardı. Ardından toprağın
derinliklerine inen bir merdiven gördü. Fakat geç olmuştu
ve hava kararmaya başlamıştı. Bu yüzden hızla etrafı tara-
dı, biraz altın ve gümüş, bir tencere ve bir kepçe buldu ve
Trol deliğini terk etti. Düzlüğün kıyısına vardığında orada-
ki çiçeklerden birini kopardı. Sonra da geri dönerek kızlara
arzu ettikleri hediyeleri verdi.

"Aramızdan kimi seçeceğine karar verdin mi?" diye sor-
du kızlar.

"Evet." dedi Svein. "En büyüğünüz belli ki kendini be-
ğenmiş boş kafalının teki. En genciniz ise ileri derecede ka-

çık. Bu yüzden sağduyulu arzusundan dolayı ortancanızı kendime eş olarak seçiyorum." Böyle söyleyerek kızla birlikte eve döndü. Kız da onu yıllarca mutlu etmeyi başardı.

İşte bu Svein'in Trol kralının sarayına yaptığı ikinci ziyaretti.

III

14

BABASI ÖLDÜĞÜNDE SVEIN henüz on altı yaşında bile değildi. Fakat buna rağmen başa geçmesine kimsenin itirazı olmadı.

"Şöyle bir etrafınıza bakın," dedi Svein. "Ne görüyorsunuz? Kulübeler, lahana tarlaları, çamur ve gübreden başka bir şey var mı çevremizde? İşte bu durum değişecek. Evimizi vadideki en büyük ev yapmayı planlıyorum. Bunun için de daha çok toprağa ihtiyacımız var. Ayrıca çevrede bir sürü çiftçi yaşıyor. Tek yapmamız gereken onları kontrol altında tutmak. Şimdi dilerseniz kılıçlarımızı kuşanıp çiftçileri ikna etmek üzere yola koyulalım."

Adamlarından biri, "Fakat savaşa hazır değiliz. Tek becerebildiğimiz iş çiftçilik," dedi.

"Bu da önemli bir konu," dedi Svein. "Her gece Troller sinsice etrafta dolaşırken sizler yataklarınıza saklanıp uyuyorsunuz. Şimdi lideriniz benim ve bu durumun böyle sürmesine karşıyım. Düşmanlarımızın evimizden korkmalarının zamanı geldi artık." Kılıcını çekerek sordu. "İtirazı olan var mı?"

Kimsenin itirazı yoktu. Adamlar silahlarını almak üzere dağıldılar.

Halli'nin oyununa gelmemişlerdi. Halli, nehir yatağının gölgelerine gizlenerek bekledi. Yağmur damlalarının arasından onlarca insanın feryadı yükseliyor, tepenin ıslak yamaçları boyunca yuvarlanarak kayalıklara çarpıyor ve yankılanarak bin bir parçaya ayrılıyordu. Köpekler hoplayıp zıplayarak ve etrafa sular sıçratarak nehirden yukarı doğru koşuyorlardı. Başını çevirdi ve bir an için yüzünü çimenlerin arasına gömerek vücudunu hareket ettirmeye çalıştı. Eğer hemen şimdi nehir yatağından çıkmayı başaramazsa peşindekiler az sonra onun bulunduğu yere varmış olacaklardı. Grubun hızını, avını ele geçirmedeki kararlılığını düşündü. Ürkütücü görünümlü erkeklerin, ellerinde döven ve tırpanlarla yürüdüklerini hayal etti. Yanlarında bıçakları ve upuzun halatları da vardı mutlaka. Buraya kadar geldiklerine göre Halli'yi yakalayıp eve götürmeye falan niyetleri yok demekti. Karşılarına çıkan ilk ağacın az buçuk sağlam dalına kuruvereceklerdi darağacını.

Gözlerini yumarak, çimenlerin arasına yasladığı başını çamurlu toprağa doğru iyice bastırdı. Burnuna gelen koku kötü, yoğun ve ekşiydi. Aslına bakılırsa kaçmayıp beklemek daha kolay olacaktı. Bütün gün boyunca peşinden gelmeye devam etmişlerdi. Dizi iyiden iyiye şişmişti. Kurşuni göğün altında mola verip peşindekileri yanıltmayı denemiş; yanlış yola saparak nehir aşağı devam etmelerini ummuştu. Bacağı bu küçük mola sırasında bile kaskatı kesilmişti. Fakat kokusunu su bile gizleyemiyor gibiydi. Şimdi nefeslerini yine ensesinde hissediyordu. Koşabilseydi bile çok geçmeden yakalanacağı kesindi. Sonuç değişmeyeceğine göre de olduğu yerde kalması daha mantıklıydı.

Tepenin hemen aşağısından, nehrin birkaç küçük çağlayana dönüşerek döküldüğü noktadan bir grup köpek havlaması duyuldu. Kolunun kayalara çarpıp kesildiği yerdeki kan izlerini bulmuş olmalıydılar. Oldukça yakınından yükselen bu sesler Halli'nin bitkinliğini delerek ona devam etmesi için güç kazandırdı. Kafasını kararlılıkla geri çevirerek nehir yatağının yan duvarına doğru bakmaya zorladı kendini. Yokuş fazla dik sayılmazdı. Dizi bu haldeyken bile tırmanmayı becerebilirdi. Çimenleri iki eliyle birden kavrayarak ayağa kalktı. Çıplak ayakları ıslak zeminde kaydı, taşların sert yüzeyine çarpan parmakları sızladı. Hafifçe geriye doğru sendeledi. Fakat ayak parmaklarını kullanarak dengesini korumayı başardı ve bu kez çok daha kendinden emin bir şekilde doğruldu. Sakat dizi bu harekete itiraz ediyordu; fakat durum beklediğinden daha kötü değildi. Ellerini birbiri ardına ileri uzatıp parmaklarını tüm gücüyle çimenlerin arasına saplayan Halli yokuş yukarı tırmanmaya başladı. Çok geçmeden, her yanını çizen dikenli otlarla böğürtlen çalılarına aldırmaksızın kendini yukarı doğru çekerek nehir yatağından kurtuldu ve düzlüğe ulaştı.

Biraz ileride yamaç, çukurlardan ve sivri kayalardan oluşan karmaşık bir örtüyle batıya doğru iniyordu. Arkasında ise tepenin eteklerini kaplayan mavi-gri ağaçlar vardı. Ağaçlar orman, ormansa saklanacak bir sürü yer demekti. Açıkta kalıp ölümü beklemektense ormana ulaşmayı denemek daha akıllıca olacaktı.

Halli sendeleyip topallayarak ağaçlık bölgeye doğru ilerlemeye başladı.

Yanan evden yükselen koyu renkli duman sessizce gökyüzüne yayılıyordu.

Botlarının tekini hendeğin karanlık sessizliğinde yitirmişti. Yumuşak çamurla kaplı gevşek zemine dokunduğunda panik içinde kendini yukarı doğru itmişti. Ayağındaki bot da bu sırada hendeğin zeminine saplanıp kalmış olmalıydı. Sonuçta kafasını sudan çıkarıp yağmuru yüzünde hissettiğinde, karanlığın ortasında oklardan korunmaya çalışarak ilerlerken ve debelenip çırpınarak kıyıya yüzerken ayağı çıplaktı. Sol yanına baktığında ateşin su yüzeyindeki parlak yansımasını görmüştü.

Başlangıçta adamların alevlerle savaşmak için evde kalacağını düşündüğünden onları atlattığını sanmıştı. Göğsünde büyüyen bu umutla birkaç tarlayı geçtikten sonra küçük bir tepeye tırmanmış ve ardına bakmıştı. İşte o zaman gri şafağın altında uzanan denizi, alevler içindeki Hakon Evi'ni, yamacın eteklerinde biriken kalabalığı, hendeğin karaltısı boyunca kıpırdaşan fener ışıklarını görmüş, av köpeklerinin uluduğunu duymuştu.

Tepeyi kaplayan mezarlar ve doğuyu boydan boya kuşatan deniz yüzünden vadinin arka tarafına, yani batıya doğru ilerleyeceği belliydi. Peşindekiler de bunu biliyorlardı. Tepenin eteklerinde hızla yol almış, Halli'nin bilmediği kestirmeleri kullanarak yolunu kesmeye çalışmışlardı. Grubun öncüsü olan köpekler hızla koşup salyalarını akıta akıta üzerine atıldıklarında ufak bir patikaya dalarak, eğreltiotlarının arasında izini kaybettirmişti. Eğer ayağındaki ikinci botu çıkarıp iki kayanın arasındaki dar boşluğa elinden geldiğince sıkı bir şekilde yerleştirmemiş olsaydı, her şey oracıkta sona erebilirdi. Botu daracık deliğin mümkün olduğunca derinine itip nehre atlamıştı. Bu sayede kazandığı kısacık zaman onun kurtuluşu olmuştu. Köpekler hırıldayıp uluyarak delikteki botla uğraşırlarken Halli de tepeye doğru tırmanmaya başlamış, izini kaybettirmek için her fırsatta akarsuyun denize dökülen ufak kollarına girip çıkmayı ihmal etmemişti.

Ancak gün sona ermek üzereydi ve peşindekiler izini bir an olsun kaybetmemişlerdi. Halli'nin gücü yavaş yavaş tükeniyordu.

Ormanın kıyısına ulaşmak üzereyken arkasından gelen kalabalığın hız kazandığını gördü. Öfkeli köpek havlamalarından anladığı kadarıyla yerini tespit etmişlerdi. Ağaçlara ulaşıp ulaşamamasının pek bir önemi kalmamıştı artık; peşindekiler Halli'ye neredeyse yetişmişlerdi.

Ormanın kıyısındaki meşelerin geniş dalları altındaki bir tümseğe takılıp düştü. Sabahtan beri ilk kez kuru toprağa dokunuyordu. Sağ tarafında, evlerden birinin sınırını belirleyen ağaçtan yapılma bir heykel duruyordu. Kahraman heykelinin büyük bölümü kalın ve yeşil bir yosun tabakasıyla kaplıydı. Ancak gövdesinde yosunun henüz ele geçiremediği bazı kısımlar kalmıştı ve Halli sendeleyerek heykelin yanından geçerken eski ağaç yüzeyde hafif mora çalan bir renk görür gibi oldu.

Mor, Arne Evi'nin rengiydi ve Arne Evi de...

Hayır. Arne Evi henüz çok uzakta olmalıydı. Eve zamanında ulaşması mümkün değildi.

Halli ormanın gölgeleri arasına körlemesine daldı. Dalların altından eğilerek geçti; eğreltiotlarının kurumuş dallarıyla birbirine dolaşmış çalılar üstünü başını paramparça etti. Ayakları, yerdeki yaprak kümelerini süpürüyor, görünmez çukurlara dalıp tökezliyor, ağaç kökleriyle dikenlere takılıp duruyordu. Düşüyor, kalkıyor, yoluna devam ediyor ve az sonra yeniden düşüyordu. Gücü tükenmek üzereydi. Çok yakında, düşüp bir daha ayağa kalkamayacağını biliyordu. Büyük bir ağaç dalından destek alarak yeniden doğruldu ve eğreltiotu kümelerinden birini daha alt etmek için harekete geçti. Ancak üç adım sonra dizlerinin bağı çözüldü. Tökezleyerek ellerini öne doğru uzattı ve zeminin aniden dik bir yokuşa dönüştüğünü gördü. Eğreltiotlarını ezerek ve toprağı havaya savurarak yokuştan aşağı doğru yuvarlanmaya başladı.

Ve birden tozlu bir orman yolunun çakıl taşları arasına inerek durdu. Her yanı ağrıyordu.

Yuvarlanan taşlar bir süre sonra durdu; eğilip bükülen eğreltiotları eski halini aldı. Halli hareketsizdi.

Olduğu yerde kımıldamadan sırtüstü yatıyordu. Bacakları gevşekçe iki yana açılmış, bir dizi bükülmüştü. Yolun üzerini kaplayan dallar neredeyse bir ağ oluşturuyordu. Aralarından görünen gökyüzü kararmaya başlamıştı. Halli hafifçe gülümsedi. Peşindekileri bütün gün koşturmayı başarmıştı. Bu başarısı hiç de fena sayılmazdı. Ancak her şey sona ermek üzereydi. Kaçınılmaz olanı geciktirmenin bir anlamı yoktu. Başına gelecekleri kabullenip kaderiyle bir an önce yüzleşmesi gerekiyordu.

Gözlerini kapadı. Dinledi. Bekledi.

Evet. İşte geliyorlardı.

Halli hareket etmeye çalışmadı. Yaklaşan sese bile fazla ilgi göstermedi. İşte bu yüzden sesin beklediğinden çok farklı olduğunu ancak sonradan fark edebildi. Köpek havlamaları ya da adamların bağırışları değildi duyduğu. Daha tekil, daha berrak bir sesti.

Bitkin bir merakla başını hafifçe kaldıran Halli, tek bir atla binicisinin gittikçe yoğunlaşan karanlığı delerek orman yolunda ilerlediklerini gördü.

Atın başlığına mor kurdeleler iliştirilmişti.

Gırtlağının derinliklerinden yükselen bir çığlıkla Halli, kanla kaplı elini havaya kaldırdı.

Binici irkilerek tiz bir sesle bağırdı; atı ise korkuyla geriledi. Toynakları Halli'nin başından pek de uzak olmayan çamurlu zeminde tedirginlikle oynaşıp duruyordu.

Duyduğu tiz sesi tanıyan Halli'nin gözleri kocaman açıldı. Binicinin ince uzun silüetine bakarken içinde yükselen umudu hissetti.

"Aud?" Kırık dökük sesi belli belirsiz çıkmıştı.

Yağmur yaprakların üzerinde pıtırdıyordu. At hafifçe kıpırdandı. Ormanın derinliklerinden köpek sesi gelmiyordu. Fakat Halli peşindekilerin oldukça yaklaşmış olduğundan emindi. Az sonra onu ele geçirirlerdi.

Binici Halli'ye kısa bir bakış atarak başını çevirdi ve dizginleri salladı. At öne doğru atıldı; ön ayakları Halli'nin başının üstünden atlayarak yere indi.

"Aud! Benim! Halli Sveinsson!" Çaresizlik içinde dirseklerinden birinin üzerinde doğrulmaya çabaladı. "Yardım et!"

"Halli?" At olduğu yerde durdu. Kız aniden kısa ve keskin bir kahkaha patlattı. Gülüşü bir tilkinin havlamasına benziyordu. "Arne aşkına! Ne yapıyorsun burada?" Sesinde şaşkınlığını ve tedirginliğini gizlemeye çalışan yapay bir neşe vardı.

Halli yavaşça ayağa kalktı. "Seni ürküttüğüm için üzgünüm."

"Ürken ben değilim, at. Ben onu sakinleştirmek için bağırdım." Gevşekçe toplanmış saçları yağmur yüzünden ıslanmıştı. Yüzü,

Halli'nin anımsadığından daha solgundu. Fakat bunun sebebi ışık da olabilirdi. Eyerinin üzerinde kımıldamadan oturuyor ve dizginleri elinden bırakmıyordu. Halli kızın aklının hızla çalıştığının farkındaydı. "Arne aşkına!" dedi birden. "Berbat görünüyorsun. Ne kadar zayıflamışsın!"

"Evet, son zamanlarda pek iyi beslendiğim söylenemez." Yamacın yukarısındaki çalılıklardan bir ses geldi. Halli hızla dönüp ormanın gölgelerine doğru baktı. "Dinle..."

"Kokuya bakarsak pek iyi yıkandığın da söylenemez." dedi kız. "Hem de uzun bir süredir. Kokunu alınca atın nasıl gerilediğini fark ettin mi? En son yolumuza bir ayı leşi çıktığında böyle davranmıştı. Fakat leş en azından bir haftalık olduğu halde senin yarın kadar bile kötü kokuyor sayılmazdı. Hatırlıyorum da her tarafı şişmiş, yapış yapış olmuştu. Her yanını sinekler kaplamıştı."

"Evet. Aud..."

"Neyin peşindesin Halli?" Meyve bahçesindeki ilk karşılaşmalarındaki ilgisiz ve iğneleyici ifadeyle konuşmuştu.

Halli bir kez daha dönüp arkasına baktı. Kaybedecek zaman yoktu. Ama yine de Aud'u aceleye getirmesinin yanlış olacağını biliyordu. Doğrudan doğruya yardım dilenecek kadar iyi tanımıyordu kızı. Korkar ya da sinirlenirse dörtnala oradan uzaklaşıp Halli'yi yalnız bırakabilirdi. "Beni dinle, Aud. Durumu açıklamam biraz zor, fakat seni evinde ziyaret edebileceğimi söylemiştin, hatırlıyor musun? Ben de, şey, bu teklifi değerlendirmeye karar verdim. Ama öncesinde..."

Aud birden başını kaldırıp ağaçların arasına doğru baktı. "Bu da neydi?"

Halli derin bir nefes alarak konuştu. "Köpekler. Av köpekleri. Benim peşimdeler."

"Peşinde olan kim?"

Halli duraksadı. "Birtakım insanlar."

Ulfar kızı Aud, Halli'ye soğuk bir bakış atarak başlığını düzelti ve akşam ayazından korunmak için pelerinine daha sıkı sarındı.

"Birtakım insanlar mı?"

"Evet, öyle."

Örgüden kurtulan bir tutam saç yanağına dökülmüştü. Saç tutamını üfleyerek yüzünden uzaklaştırıp Halli'ye baktı. "Biraz daha açık konuşman mümkün mü?"

Halli ağırlığını tedirginlikle bir ayağından diğerine geçiriyor, durmadan arkasına bakıyordu. "Aslına bakarsan herkese anlatmak yerine kendime saklamayı tercih ettiğim kişisel bir konu bu. Fakat bana yardım edecek olursan sana gerçekten müteşekkir..."

"Senin adına sevindim," dedi Aud aniden. "Neyse, seni tutmayayım. Daha saatlerce koşman gerekecek gibi görünüyor. Dönüp yeniden doğuya doğru sekmeni ve Arnesson topraklarından çıkıp gitmeni rica edebilir miyim acaba? Buralarda kan dökülmesini istemiyorum. Hoşça kal."

Aud'un atı yeniden öne doğru hareketlendi. Fakat bu kez Halli kendini atın önüne atarak hızla konuşmaya başladı. "Hakonssonlar peşimde!" dedi çığlık çığlığa. "Hem de hepsi ya da büyük bir bölümü! Beni ele geçirirlerse bulabildikleri en yüksek ağaçtan sallandıracaklar. Aud, ne olursun bana yardım et! Eğer yardım edersen sana sonsuza kadar müteşekkir kalırım!"

Aud kaşlarını hafifçe kaldırdı. Yüzünde hafif bir tebessüm uçuşuyordu. "Merakımı uyandırdığını kabul etmeliyim. Peki, bu kez ne yaptın da onları bu denli kızdırdın?"

Tepedeki ağaçların arasından bir grup köpek havlaması yükseldi. Köpekler hızla yol aldıklarından sesleri de kesik kesik ve cılızdı. Halli erkeksi, ikna edici ve işe yarar bir yöntem olmasını umarak ellerini kavuşturdu ve Aud'a yalvarmaya başladı. "Lütfen. Her şeyi anlatacağıma söz veriyorum. Fakat şimdi olmaz..."

Avlarının taze kokusunu alan köpekler düşe kalka yamaçtan

aşağı doğru koşmaya başlamışlardı.

Aud çenesini kaşıdı. "Şey…"

Ekibin en hızlıları eğreltiotlarının arasına varmışlardı bile.

"…Pekala, atla bakalım." Elini uzatıp Halli'nin ata binmesine yardımcı oldu. Dizginleri şaklatmasıyla at dörtnala koşmaya ve yola varan ilk köpekleri geride bırakarak hızla uzaklaşmaya başladı.

Ormana gece çöktü. Ay ışığı hızla akıp giden ağaçları aydınlatıyordu. Halli'nin başı durmadan Aud'un omzuna çarpıyordu. Kızın saçı rüzgarda dalgalanarak Halli'nin yüzüne vurup durmaktaydı. Halli'ninse bu duruma bir itirazı yoktu.

Sonunda atın adımları yavaşladı. Halli başını kaldırıp ileriye doğru baktı. Önündeki bir grup ağacın karanlık gölgelerinin tam ortasında bir ev yükseliyordu. Hakon Evi'nden küçük, Svein Evi'ndense büyüktü. Fakat evi çevreleyen bir duvar bulunmuyordu. Renkli ışıklarla aydınlatılmış binalar parlak, eğlenceli ve davetkar görünüyordu. Binaların merkezindeki zarif konak tepeden tırnağa aydınlatılmış pencerelerle kaplıydı. Havada lezzetli yemeklerin tatlı kokusu uçuşuyordu. Halli'nin yüreği kuş tüyü yastıkların, sıcak suyun ve tıka basa dolu şölen sofralarının hayaliyle çarpıyordu.

Aud yan taraftaki kötü bir patikaya saparak, yıkık dökük bir ambara doğru ilerlemeye başladı. Ambarın kapıları ardına kadar açıktı. At içeri girmek istemediğini gözle görülür biçimde ifade etti; ancak binicisinin zoruyla eşiği geçti. İçerisi karanlık ve rutubetliydi. Havada çiftliklere özgü bir koku harmanı vardı.

Halli dikkatle konuştu. "Burası neresi?"

"Eski saman ambarı."

"Teşekkürler, ancak evinizi yarın dolaşsam daha iyi olacak. Konağa gidip akşam yemeğine katılmamız gerekmez mi sence?"

"Bu gece senin konağın burası," dedi Aud. "Babamın senin gibi paçavralar içinde gezen bir dilenciyi bağrına basacağını mı sanıyorsun?"

Halli gücenmişçesine bir ses çıkardı. "Hayırseverlik diye bir şeyden haberiniz yok galiba."

"Belli ki senin de kuşku ve iğrenme gibi şeylerden haberin yok. Buraya son gelen serseriyi değirmenin kollarına bağlayıp çevirdiler. Oysa o serseri, senin şu halini görse dehşet içinde bağıra bağıra kaçardı. Babam soğukkanlı davranmaya çalışsa bile sana bazı sorular sormaktan geri kalmayacaktır. Örneğin yeleğinin altında asılı olan şu gümüş kemerle ilgili."

"Hangi gümüş kemer?"

Aud başını öfkeyle iki yana doğru salladı. "Bana bak. Eğer şimdi dönüp Hakon Evi'ne gitmemi istiyorsan bunu yapacağımdan emin olabilirsin. Yolu iyi biliyorum."

"Şey, evet. Gümüş kemer. Bunu da yarın konuşabiliriz."

"Pekala. En iyisi yere hiç basma sen. Her ihtimale karşı buralara kokunu bırakmamanda fayda var. Bir yerlerde tepedeki samanlığa açılan bir kapak olacak. Ellerini kaldırıp tavanı yoklasana! Acınacak derecede kısa boylu olduğun için eyerin üzerinde ayağa kalkman gerekebilir."

Aud atını ağır ağır ambarın ortasına doğru sürdü. Halli ise büyük bir dikkat ve sert bir ifadeyle eyerin üzerinde doğrulmuş, bir eliyle Aud'un omzuna tutunuyordu. Dengesini korumaya çalışarak sağa sola eğilirken birden alnına yediği darbeyle afalladı. Gözlerinde şimşekler çakıyor gibiydi. Acı dolu bir çığlık atarak yana doğru devrildi.

"Evet, kapak alçak bir kirişin hemen yanında," dedi Aud Halli'nin kolunu kavrayarak. "Buldun mu?"

Halli güçlükle doğruldu. Sesi oldukça gergindi. "Sanırım."

"İyi. O halde hemen yukarı çık. Eğer bir sorun çıkmazsa yarın uğrarım."

"Gelirken yemek de getirir misin?"

"Denerim. Pekala, hadi bakalım. Akşam yemeğine geciktim ve açlıktan ölmek üzereyim. Acele etmezsem etle şarabı kaçıracağım."

Halli, kızın duyabileceği bir tepki vermekten kaçındı. Uzanıp yoklayarak görünmeyen kapağı buldu ve kapağın kulpunu kavradı. Kaslarındaki yanmayla vücudundaki titremeyi göz ardı ederek kendini delikten yukarı çekti ve kollarını iki yana uzatarak sırtüstü yere uzandı. Aşağıdaki toynak sesleri taş zeminde yankılandıktan sonra patika boyunca ilerleyerek uzaklaştı. Ancak at ambardan çıktığında Halli çoktan uykuya dalmıştı.

15

SVEIN'İN YUKARI VADİDEKİ çiftliklere yaptığı baskınlar birkaç ay sürdü. Başlangıçta birkaç inatçı çiftçi Svein'e karşı gelmeye kalkıştı. Ancak Svein bu adamları öldürüp evlerini ateşe verince geri kalan çiftlik sahipleri Svein Evi'ne sonsuza dek bağlı kalacaklarına dair yemin ettiler. Çok geçmeden, Svein nehrin güneyinde kalan tüm topraklara hakim oldu.

"Güzel," dedi bunun üzerine. "Buralara nihayet biraz düzen getirmeyi başardık."

Svein çiftliklere yaptığı seferler süresince adamlarına farklı alanlarda savaş eğitimi vermeyi de ihmal etmedi. Adamlar kılıç ve mızrakla, değnek ve yayla savaşmayı öğrenip dövüş sanatlarının her alanında ustalık kazandılar. Ardından Svein'in tüm dikkati Trollere yöneldi. Tarlalara ve kulübeler arasındaki yollara tuzaklar kuruldu. Canavarlar katranlı oklarla vurularak yakıldı, kayalarla ezildi ve Svein'in pusuya yatmış adamları tarafından çığlıklar içinde yağmalandılar.

"İşte şimdi tam oldu," dedi Svein.

Sırtına inen sert bir tekme Halli'yi hafif uykusundan uyandırdı. Gözlerini açarak sersemlemiş bir halde yukarıya doğru baktı. Kirişlerin oluşturduğu kafesi, örümcek ağlarını, aşağı doğru sarkan saman parçalarını, bir de eğilmiş kendisine bakmakta olan bir kızın yüzünü gördü.

"Hadi kalk da toparlan," dedi kız. "Uyurken salya akıttığını biliyor muydun?"

Kızın yüzü birden kayboldu; onun yerini sürtünme sesleri, kumaş hışırtıları, gümbürtü ve şıngırtılar aldı. Halli başlangıçta hareket etmedi. Bilinci yavaş yavaş yerine geliyor gibiydi. Çatı kirişleri arasında beliren gün ışığı ince çizgiler halinde parıldıyordu. Uçuşan toz zerrecikleriyle dolu hava sıcak ve pusluydu. Çatıdaki samanlardan kuş sesleri yükseliyordu.

"Hâlâ salyan akıyor," dedi ses. "Ağzını kapamayı dene istersen. Belki işe yarar."

Halli ani bir heyecan dalgasıyla öksürdü; çenesini sildi ve ayağa kalkmaya çalıştı. Ancak vücudundaki her nokta ya ağrıyor ya da sızlıyor, kaslarının her biri ayrı ayrı acı veriyordu. Eklemlerinden birkaçı neredeyse kilitlenmiş gibiydi. Sonunda doğrulmayı başardığında, Ulfar kızı Aud'un çatı kirişlerinden birinde soğukkanlı bir edayla oturmuş, kendisini izlemekte olduğunu gördü. Hafifçe buruşmuş mavi bir elbise vardı üstünde. Çimenlik araziden geçerken elbisesinin eteklerini kirletmişti. Açık renk saçları başının arkasında gelişigüzel basit bir örgüyle toplanmıştı.

"Günaydın kaçak," diyerek gülümsedi.

Halli kıza baktı. Kendi yüzü yaralarla ve şişliklerle dolu gibiydi. Avuç içlerini yüzünde gezdirerek, "Güneş nerede?" diye sordu. Sesi kalın ve tereddütlüydü.

"Ufuk çizgisinin biraz yukarısında. Vakit henüz erken; ama gelip nasıl olduğuna bir bakayım dedim. Aslında iyi de ettim. Aksi halde buradan geçenler horlamalarını duyabilirlerdi."

"Horluyor muydum?"

"Hem de öfkeden köpüren bir domuz gibi. Dışarıdan bakınca ambarın sarsıldığı, kuşların kaçıştığı, kirişlerde birikmiş tozun uçuştuğu falan görülebiliyordu. Binanın üzerine çökmemesine şaşırdım doğrusu." Anlayışlı gözlerle Halli'yi tepeden tırnağa süzerek ekledi. "Bugün nasıl hissediyorsun?"

"Şey, pek de..."

"Berbat görünüyorsun da. Dün gece karanlık yüzünden pek farkına varamamışım anlaşılan. Yüzün ölümün ta kendisi gibi, Halli. Giysilerin paçavradan farksız. Taytına bulaşmış lekelerin ne olduğunuysa sormaya bile kalkışmayacağım. Dün gece pelerinime yaslandığını düşündükçe fena oluyorum. Sanırım pelerini yakmaktan başka çarem yok. Şu ayaklarının haline bir bak; ikisi de çiziklerle ve kan izleriyle kaplı. Kurucuların oğullarından hiçbirinin senin kadar kötü göründüğüne şahit olmadım, Halli. Hatta vadinin tarihi boyunca böyle bir şey yaşanmadığından eminim. Mezardaki bazı cesetler bile senin şu anki halinden iyi görünüyorlardır herhalde."

Aud soluklanmak için sustu. Halli ise, "Ama bu söylediklerinin dışında oldukça iyi sayılırım, sorduğun için sağ ol," dedi.

"Bir şeyler yemek ister misin?"

Açlık Halli'nin midesini bir bıçak gibi kazıyordu. Hakon salonundan ayrıldığından beri, yani bir buçuk gündür hiçbir şey yememişti. "Evet, lütfen. Yanında yiyecek bir şey var mı?"

Aud yanı başındaki samanların üzerine bırakılmış büyük heybeye işaret ederek konuştu: "Şunun içinde yemek var. Ekmek, arpasuyu, turta, biraz da et. Dün gece yemekten sonra mutfağı hafiften yağmaladım. Hayvan derisinden yapılma şu matarada da her türlü ağrıya iyi gelen söğüt yaprağı çayı olacak. Hangisinden istiyorsan alabilirsin."

Bir an sonra Halli, Aud'un yanına varmış ve heybeye doğru eğilmişti bile.

Ulfar kızı Aud tiz bir çığlık attı, "Arne aşkına!"

Halli ağzındaki turtayla kıza doğru baktı. "Affedersin, biraz açım da."

"Sorun aç olman değil. Üzerindeki tuniğin ne derece delik deşik olduğunu henüz fark ettim de."

"Şey, evet."

Halli oturuşunu aceleyle düzelterek yemeğe devam etti. Söğüt yaprağı çayı beklediği üzere son derece acıydı. Tadı daha iyi olan arpasuyuyla üzümsuyuysa açlığıyla susuzluğunun şiddetine maruz kalmıştı.

Aud güvenli sayılabilecek bir mesafeye gerilemişti. "Şu durumun domuzları beslemekten hiçbir farkı yok doğrusu. Dinle, gitmem gerek. Babamın eskilerinden birkaç parça kıyafet aşırmaya çalışacağım. Sana uymayacakları kesin. Ama kıyafetlerle savaşırken seni izlemek oldukça eğlenceli olacak sanırım. Birazdan dönerim. Buradan ayrılma."

Halli ağzının kenarına bulaşmış hamur kırıntılarıyla Aud'a baktı. "Aud, bu yaptıkların için sana teşekkür bile etmedim henüz. Gerçekten... Şey, aslında nasıl teşekkür..."

Aud ambara açılan kapağa ulaşmış, zarif hareketlerle tahta merdivenden aşağı inmeye başlamıştı. Saç örgüsü her adımda sallanıyordu. "Hiç önemi yok. Ahırımda bir kanun kaçağı saklama şansıyla pek de sık karşılaşmıyorum doğrusu. Bu benim için büyük bir onur. Ayrıca dün gece yerlerde sürünerek bana hayat boyu borçlu kalacağına dair yeminler etmiştin, hatırlıyor musun? Bu fırsatı elimin tersiyle itecek değildim ya! Senin hayatta kalmanı sağlamak zorundayım. Bu yüzden kesinlikle dışarı çıkmamalısın. Avlunun arka kapısından çıkarken ana kapıdan içeri girmekte olan atların nal sesleri duydum az önce. Herhalde önemli bir şey değildir; ama önce gidip ne olduğuna baksam iyi olacak. Sonra yine gelir, hikayenin geri kalanını dinlerim. Her şeyi ayrıntılarıyla bilmek istiyorum. O yüzden biraz dinlenip güç toplasan iyi edersin."

Halli'ye göz kırparak el salladı. Ambarın ışığı yüzünü aydınlatıyordu. Kız gözden kaybolunca Halli de çantanın başına döndü.

Karnı doyunca Aud'u beklemeye başladı. Fazla yemekten midesi ağrıyordu. Çatının arka köşelerinden birine denk gelen kısmında ufak bir delik vardı. Bu sayede oval biçimli ince bir ışık hüzmesi samanlara vuruyordu. Halli delikten dışarı bakmak üzere ilerledi. Çevreye şöyle bir göz attığında sebzeyle dolu tarlalar, sonbahara özgü ekinler, alçak duvarlar ve Arnesson ormanının başlangıç çizgisiyle karşılaştı. Boynunu iyice uzattığında evin sol tarafta kalan en dış binalarını görebiliyordu. Ağaçların arasına inşa edilmiş ince uzun, alçak, kırmızı damlı kulübelerdi bunlar. Manzara sıradan, huzur verici ve keyifliydi. Kendini manzaranın tamamen dışında hissetti. Aniden başını içeri soktu. Samanlığın karanlık ve gölgeli olduğu kısmına giderek oturdu. Arada bir Arne Evi sakinlerinin gündelik işlerin peşinden koşarken eski ambarın önünden geçtiklerini duydu. Birlikte gülen kadınların yumuşak sesleri çalındı kulağına. Birden annesini anımsadı. Ardından ne dediği anlaşılmayan erkek sesleri yükseldi uzaklardan. Bir grup at hızla ambarın yanından geçip gitti.

Halli tüm bu seslerin akıp gitmesine izin verdi. Boşluğa diktiği gözleriyle hareket etmeksizin oturmayı sürdürdü. Söğüt yaprağı çayı sayesinde vücudundaki ağrılar azalıyordu. Ancak hâlâ her yanı uyuşmuş gibiydi. Ayrıca dolu midesine rağmen içinde büyüyen koca boşluğu hissedebiliyordu. Artık açlıktan değil, duygu eksikliğinden kaynaklanıyordu boşluk. İçinde dönüp duran, onu bu son haftalarda hep bir adım ileriye taşıyan, aklını tıkabasatıka basa doldurup şekillendiren kızgınlık, nefret, keder ve korku gibi duygular tamamen yok olmuş, Halli'nin bedenini terk edilmiş bir kabuk gibi geride bırakmıştı.

Bütün gün boyunca bu kaybın farkına varacak zamanı olmamıştı. Ancak şimdi durup düşündüğünde, henüz Olaf'ın odasından çıkmadan duyarsızlaştığını anlıyordu. Adam öldüremediği ve tüm yolculuğunu tamamen yanlış bir varsayım üzerine kurmuş olduğu gerçeği duygularını tepetaklak etmişti. Kendini bu denli az tanıyor oluşu dehşete düşmesine neden olmuş, onca zamandır içinde biriktirdiği idealler, yedikleri bu darbeyle birer birer havaya savrulmuşlardı. Akrabasının öcünü alamamış, kahramanlığın en önemli ilkesini uygulayamamıştı. Evet, sonuçta Olaf kaza sonucu ölmüştü. Yanmakta olan duvar halısının adamın işini bitirdiğinden emindi Halli. Ama sonuçta durum değişir miydi? Halli, Olaf'ın ölümüyle ilgili en ufak bir tatmin yaşamıyordu.

Olaf'ın odasında amcasına olan bağlılığı başta olmak üzere inandığı birçok gerçek yerle bir olmuştu. Halli, Olaf'ın anlattıklarına inanmayı istemiyordu. Ancak hikayenin Svein Evi'nde anlatılanlara tıpatıp uyduğunu da inkar edemezdi. Brodir gençliğinde pervasız bir adamdı... Evin büyük miktarda toprak kaybetmesine neden olmuştu... Bunlar kendi ailesinin dudaklarından dökülenlerdi. Peki, gerçekten adam öldürmüş müydü? Halli'nin bunu bilmesi imkansızdı. Fakat amcasının uzun yıllar önce Svein Evi'nin şerefine leke sürdüğü ve Hakon Evi'ndekilerin öfkesini üzerine çektiği açık seçik ortadaydı.

İşte şimdi Halli de davranışları sonucunda Brodir'le Olaf'ın izinden gitmeyi seçmişti. Biri daha ölmüş, evlerden biri yanıp küle dönmüştü. Peki, ne uğruna? Loş samanlıkta oturan Halli'nin bu soruya verecek cevabı yoktu.

Şimdi ne yapabilirdi? Nereye gidebilirdi? Olaydaki tek iyi nokta peşindekilerin Halli'nin kimliğini bilmiyor oluşlarıydı. Kovalamaca boyunca hep arkadakilerden uzak kalmayı başarmıştı. Ancak eğer yakalanacak olursa... Eğer onu samanlıkta bu halde ele geçirirlerse... Yanaklarını şişirdi. Neyse, Aud onu kurtarmıştı. Halli hâlâ hayatta oluşunu ona borçluydu.

Kızın merdivenden inerken heyecanla ve sabah güneşinin ışığıyla parıldayan yüzünü düşündü Halli. Hiçbir şeyden haberi yoktu. Zaten hiçbir şey öğrenmemeliydi. Halli, birden olduğu yerde doğrularak, çenesini büyük bir kararlılıkla öne doğru uzattı. Aud'u bu olayların içine çekmemeliydi. Ambara geri döndüğünde getirdiği kıyafetleri alıp teşekkür etmeli ve oradan uzaklaşmalıydı. Onu daha fazla tehlikeye atması yanlış olurdu. Hikaye falan anlatmadan çekip gidecekti.

Bu soylu ve melankolik düşüncelere dalmış otururken aniden merdivenin aşağısından sürtünmeye benzer sesler geldiğini duydu. Kısa bir süre sonra Aud'un açık renk saçları ve dağılmış at kuyruğu göründü. Merdivenden yere sıçrayarak kapağın yanında çömeldi. Nefes nefese kalmıştı. Acele ettiği için kıpkırmızıydı. Omuzları dik ve gergindi. Yüzü duygularını açığa vurmuyordu, ama gözleri parlak ve ışıl ışıldı. Halli'ye daha önce hiç bakmadığı bir şekilde baktı. Oturmuş onu seyrediyor gibi bir havası vardı.

Bir süre sonra Halli, "Şey, giysi konusunda şansın pek yaver gitmedi galiba," dedi.

Aud başını hafifçe iki yana sallarken Halli'ye bakmayı sürdürüyordu.

Halli boğazını temizleyerek konuşmaya başladı, "Dinle Aud, sana ne kadar müteşekkir olduğumu biliyorsun. Elbiseler o kadar da önemli değil. Aslında benim için bir at ayarlayabilir misin diye düşünüyordum ben. Tabii ufak tefek bir şey olması daha uygun olur sanırım. Gövdesi geniş atlara binerken üzengiler sorun yaratıyor da. Sorun şu ki başını belaya sokmamak için buradan bir an önce ayrılmam gerektiğini düşünüyorum."

"Gitmek mi istiyorsun?"

"Herkes için en iyisi bu olacak."

Aud küçük bir kahkaha patlattı. Kapağın yanından uzaklaşarak çatlaktan sızan gün ışığının ısıttığı samanlara yöneldi ve bağdaş kurarak oturdu. Dizlerinin üzerindeki eteği düzeltti. Sonra, "Bunun, şu an için iyi bir fikir olduğundan emin değilim," dedi.

"Neden?"

"Eve yaklaşan toynak sesleri duyduğumu söylemiştim, hatırlıyor musun?"

Halli içini çekerek sordu, "Hakonlardan biri mi?"

"Biri değil. Hepsi de atlı tam otuz adam! Her birinin elinde bıçaklar, ipler, av mızrakları ve kim bilir daha neler var. Grubun lideri Hord Hakonsson. Az önce eve döndüğümde babamla görüşüyorlardı. Ortalık bir sürü yeni haberle çalkalanıyor." Aud gözünü ayırmaksızın Halli'yi süzüyordu. "Hem de ne haberler! Belki sen de duymak istersin. Söylenenlere göre iki gece önce kimliği belirsiz bir kişi Hakon konağına girmiş, Hord'un kardeşi Olaf'ı öldürmüş, evi ateşe vermiş ve hendeğe atlayıp kaçmış. Adamlar kaçağı ormanımızın doğu sınırına kadar kovalamışlar. İzlere bakılırsa dün gece bölgeye gelen bir atlı kaçağı da alarak kayıplara karışmış. İzler kaybolup gitmiş, fakat Hord katille işbirlikçisini bulana kadar dört bir yanı aramaya kararlı görünüyor."

Halli duraksayarak konuştu, "Bak Aud, seni bu işe bulaştırmayı..."

"Bir şey daha var," diye devam etti Aud. "Eve girer girmez Hord'la konuşmak üzere salona çağrıldım. Çünkü babam dün gece ormanda ata bindiğimi biliyordu. Tam olarak nerede bulunduğuma ve ne gördüğüme dair ayrıntılı bir şekilde sorguya çekildim. Fazlasıyla inatçılardı. Durum bir kız için oldukça zordu. Sonunda onlara..." Durdu, Halli'nin samanlığın loş ortamında iyice gergin ve soluk görünen yüzüne baktı. "Onlara kimseyi görmediğimi söyledim. Elbette ki Hakonssonlara hiçbir şey anlatmadım. Niye anlatayım ki? Hakonssonların başına ne geldiği umurumda bile değil! Zaten sersem ve ödlek babamın Hord'un her dediğini yapması yeterince sinirimi bozuyor. Babam Hakonssonlara Arnesson topraklarında ayrıntılı bir arama yapma izni verdi. Bizim topraklarımızın gerçek sahibi onlarmış gibi! Buradan vadi yoluna kadar her ambara ve her ahıra bakacaklar. Arama çalışmaları günlerce sürecek." Ayak parmaklarını sinirli bir şekilde samanlara sürterek devam etti: "Yani kısacası, yerinde olsam hiçbir yere kımıldamazdım."

Halli şakağında beliren bir ter damlasını eliyle silerek konuştu,

"Aslında düşündüm de bu asma samanlık oldukça rahat. Belki de bir süre daha burada kalsam gerçekten daha iyi olacak." Birden aklına gelen bir düşünceyle irkildi. "Bir dakika, burayı da arayacaklar mı?"

Hayır, bizim konağa ait olan binaları aramayacaklar. Bu kadarı babam için bile alçaltıcı olurdu." Kaşlarını çatarak kollarını çaprazladı. "Bu olan bitene bulaştığımız yönünde hiçbir iddia yok. Tek söylenen suçlunun bizim topraklarımıza girmiş olduğu. Bu arada, Halli Sveinsson, artık her şeyi anlatmanın zamanı gelmedi mi sence?"

Halli bakışlarını başka yöne çevirdi. "Hayır. Seni daha da derine çekmemem en iyisi. Seni şimdiden büyük bir tehlikenin içine soktuğum ortada. Zaten hikaye de pek ilginç sayılmaz ve anlatacak bir şey bulacağımdan bile emin değilim. Tabii yardımına nankörlükle karşılık verdiğimi düşünmeni istemem."

"Tabii, tabii." Aud parmak uçlarını heyecanla birbirine vurarak ayağa kalktı. "Ben gidiyorum. Nedense canım birdenbire eve dönüp şarkı söyleyerek ortalıkta dolaşmak istedi. Kendi yazdığım bir şarkıyı söylemeyi planlıyorum. Adı da 'Aradığınız çocuk saman ambarında' olacak. Şöyle bir şey geçiyor aklımdan, 'Haydi gelin erkekler, baltalarınızı getirin, Halli burada saklanıyor. Gördünüz mü, samanların arasında, kıçı korkudan tir tir titriyor.' Ne dersin?"

Halli Aud'a bakakalmıştı. "Bunu bana yapamazsın."

"Yapamaz mıyım? Hemen konuşmaya başlasan iyi olur."

Halli'nin hikayesini anlatmak istemeyişi gururundan değildi. Aud'a her şeyi açık açık anlatmaktan ve bunun olası sonuçlarından korkuyor da sayılmazdı. Çünkü kıza gerçekten güveniyordu. Ancak Halli'nin içi bomboştu. Daha o sabah samanlıkta sessizce otururken ölümcül bir boşluğun kendisini yutmakta olduğu hissine kapılmıştı. Şimdi yaşadıkları hakkında konuşmanın ne gibi sonuçlar doğuracağını bilemediğinden korkuyordu. Fakat çaresizdi.

"Pekala," dedi. "Nereden başlayacağımı bilemesem de her şeyi anlatacağım."

"Amcanın öldürülmesine ne dersin?" dedi Aud tatlı bir sesle. "Ben de oradaydım, hatırlıyor musun? Bu yaşadıklarının amcanın cinayetiyle bir ilgisi var mı?"

"Olabilir."

Başlangıçta duraksayarak, sanki sözcükleri derin bir kuyudan çekerek çıkartıyormuşçasına ağır ağır konuşarak kıza her şeyi anlattı. Ailesinin cinayet karşısındaki vurdumduymaz tavrından ve kendi sessiz öfkesinden; kahramanın kemeriyle babasının bıçağını alışından; Snorri'nin kulübesinden; tüccar Bjorn'den ve aşağı vadide yaşadığı kötü olaylardan bahsetti. Olayları süsleyip abartmadan ve hiçbir ayrıntıyı atlamadan anlattı hikayesini. Anlattıkça açıldı ve yaşadığı her tatsız olay hakkında dürüstçe konuştuğunu fark etti. Son olarak Olaf'ın odasında yaşadığı can sıkıcı yüzleşmeye değindi. Kurduğu her cümle tuhaf bir şekilde kendini daha iyi hissetmesini sağlıyordu. Çok eskiden meyve bahçesinde olduğu gibi Aud, Halli'nin içinde saklı olan gerçeği ortaya çıkarıyordu. Brodir'in ölümünden beri omuzlarını çökerten ağırlığın bir kısmı yok olmuştu; taze hava bu yükün bir bölümünü sırtından üfürmüştü sanki. Aklı uzun süredir olmadığı kadar iyi işliyordu.

Aud, hikaye bitene kadar tek bir yorum bile yapmadı.

"Yani sonuçta onları sen öldürmedin," dedi. "En azından bilerek ve isteyerek öldürmedin."

"Hayır. Yapamadım. Yapamadım işte." Mutsuzca başını salladı. "Snorri adındaki şu deli ihtiyar daha en baştan söylemişti. Yapmaya niyetlendiğim şeyi gerçekleştirirsem Olaf Hakonsson'dan daha iyi bir adam olmayacağımı anlatmıştı. Bense ona gülmüştüm. Ama sonra, amcamın katilini karşımda görünce..." Çaresizlik belirten bir el hareketi yaptı. "Aud, tam olarak ne tür bir zayıflık yaşadığı-

225

mı bilmiyorum, fakat kendimi fiziksel olarak... Yani bıçağı kullanmayı beceremedim işte."

"Ama yaşadığın şey zayıflık değildi ki," diye söze başladı Ulfar kızı Aud. "Dinle Halli,..."

"İnandığım ne varsa tepetaklak olmuş gibiydi. Hem ilk kez de değil. Vadi boğazındaki o adam beni öldürmeye çalıştığında, onun hikayelerdeki gibi bir haydut olduğunu sanmıştım. Ama hayır! Adam Eirik Evi'nin saygıdeğer sakinlerinden birisiydi aslında. Ve onu öldüren bendim!"

Aud Halli'yi küçümsercesine burnundan nefes vererek konuştu, "Hadi ama. Sana saldıran ve ardından yamaçtan aşağı yuvarlanan kendisiydi. Öyle değil mi? Sen onu itmedin ki! Olaf için de aynı şey geçerli. Onu yere seren sen değildin. Senin peşinden koşarken ölmesi kendi suçuydu."

Halli homurdandı. "Belki de haklısın. Ama sözlerin biraz fazla teknik ayrıntı içeriyor. Konseyin seninle aynı fikirde olacağından şüpheliyim."

"Beni dinle, Halli," dedi Aud. Ayaklarını sürüyerek Halli'ye doğru ilerledi, elini uzatarak ona dokundu ve hızla geri çekti. "Aslına bakarsan, onların yerinde olsam ben de inanmazdım. Dur da sana biraz su getireyim. Bak Halli, Hakonssonların anlattıklarını duyduğumda ne düşüneceğimi bilmiyordum. Öylesine ikna edici... Her neyse, tüm olan biteni bir kez de senden duymak istedim. Eğer Olaf'ı planladığın gibi öldürmüş olsaydın, ben..." Omuzlarını silkti. Yüzü birden durgunlaşmış ve ciddileşmişti. "Ama öldürmedin. Öldürdüğüne inanmamıştım zaten. Ve buna çok sevindim. Hepsi bu."

Bir an için ikisi de sessizce birbirlerine baktılar. Sonunda Halli gözlerinin samanla kaplı zeminin ilgisiz köşelerine yapışıp kaldığını fark ederek boğazını temizledi. "Çok incesin. Ama aslında..."

"Şşşt." Aud işaret parmağını dudaklarına götürmüştü.

Halli kaşlarını çattı. "Sence de sıra bende..."

Kız başını öfkeyle iki yana sallayarak ayağa kalktı. Arkasında kalan kafes biçimli çatıyı işaret ediyordu. Sazlarla kaplı eski çatıdan ve kirişlerin arasından iğne gibi incecik ışık hüzmeleri sızıyordu. Hemen aşağıda önceki gece birlikte geçtikleri, Arne konağına giden yol uzanmaktaydı. Halli bu yoldan yükselen at kişnemelerini, metal seslerini, giderek yaklaşmakta olan bitkin adamların öksürmelerini duydu.

Halli çabucak ayağa kalktı. Vücudundaki ağrı ve kasılmaları çoktan unutmuş gibiydi.

Aud'un yanında duruyor; samanlığın karanlığında sessizce ve tetikte bekliyordu.

Elbette ambarın yanından geçip gideceklerdi. Ormana falan yürüyor olmalıydılar. Elbette...

Gürültülerin ilerleyişi önce yavaşladı, sonra durdu. Derinden gelen tanıdık bir ses ani ve göstermelik bir kibarlıkla sordu, "Peki ya bu, Ulfar?"

Halli, hayalinde Aud'un beyaz saçlı babasını canlandırabiliyordu. Yumuşak yapılı, sakin Ulfar Hord'un atına yetişebilmek için patikayı koşarak tırmanıyor olmalıydı. "Artık pek kullanılmayan eski saman ambarı bu. Ancak çok yakında eskisi gibi bereketli günler yaşayacağımızdan ve bu ambarı da tıka basa dolduracağımızdan eminim." Ulfar'ın sesi oldukça gergin ve heyecanlı çıkıyordu.

"Gelmişken şuraya da bir göz atmamızda sakınca var mı?" diye sordu Hord. Aslına bakılırsa soru sormaktan çok bilgi veriyor gibiydi.

Halli'yle Aud birbirlerine baktılar. Yüzleri kireç gibi bembeyaz olmuştu. Açık duran kapağa ve delikten yükselen ışığa bir bakış attılar.

"Elbette yok! Samanlığın en karanlık köşelerine bile bakabilirsiniz. Eğer suçlu buradaysa darağacını odamın penceresinden görülen bahçeye kurabilirsiniz. Ve eğer evden biri suçluya yardım etmeye kalkıştıysa gözüme görünmese iyi eder. Çünkü onun cezasını ben vereceğim! Onu kendi ellerimle asacağım!"

"Tamam, Ulfar. Çok iyisin. Pekala. Bork, Einar... İçeriye bir göz atın!"

Metal şıkırtısıyla deri giysilerden yükselen bir gıcırtı duyuldu. Ardından ağır deri botlar patikaya indi. İki adam taşlarla kaplı yolda ilerleyerek alt katın kapısına doğru yaklaşmaya başladılar.

16

Svein, tarlaların ortasındaki birkaç yıkık dökük kulübeden ibaret olan evinin dış görünüşünden rahatsız olmaya başlamıştı. Bir gün, "Bundan çok daha iyisini becerebiliriz," dedi.

Adamları kestikleri çam ağaçlarını ormandan aşağıya taşıyıp taş ocağından taş çıkardılar. Fakat konağı inşa etmeye başladıklarında önemli sorunlarla karşı karşıya kaldılar. Duvarlar çöküp duruyordu.

O zamanlar Lank Mere yakınlarında yaşlı bir kadın yaşıyordu. Kadının cadı olduğu yolunda söylentiler vardı. Çoğu insan bu kadına yaklaşmaya çekinirdi; ama Svein onunla başa çıkabilecek yapıdaydı. Duvarlar konusundaki fikrini almak için kadınla görüşmeye gitti.

"Çok basit," dedi yaşlı kadın. "Binanın temelini koruyacak birine ihtiyacın var."

"Nasıl biri?"

"Genç, yakışıklı, güçlü kuvvetli biri olmalı."

Böylece Svein eve geri döndü ve seferlerde alınan esirler arasından genç birini seçti. Seçilen delikanlı öldürülerek binanın temeline gömüldü. Bu sayede yüksek ve sağlam bir konak inşa edilebildi.

İki adam ambara girdiklerinde Halli'yle Aud birkaç saniyeliğine donakaldılar. Adamlarla aralarında birkaç adımlık havayla incecik bir tahtadan başka hiçbir şey bulunmuyordu. Toprak zemindeki ayak seslerini ve hemen aşağıda adamların sağa sola bakınırken çıkardıkları diğer kendinden emin ve planlı sesleri dinlediler.

Adamlar ahırlara, eskiden hayvanların konulduğu bölmelere,

eğer varsa saman balyalarının arasına bakacaklardı. Sonra alt kattaki arama sona erecekti.

Ve adamlar merdivenden yukarı tırmanacaklardı.

Halli'nin gözleri delice bir telaşla tavan arasındaki alanı tarıyordu. Zemini kaplayan seyrek saman yığınlarına, örümcek ağlarıyla kaplı eğimli çatı kirişlerine göz attı.

Bomboştu. Çırılçıplaktı. Gidecek hiçbir yer yoktu.

Sadece...

Aud'u kolundan kavradı. Yün kumaşın altındaki kolun bu kadar ince olması onu şaşırtmıştı. Kız kafasını çevirip Halli'ye baktığında başıyla ambarın arka tarafını, oval biçimli gün ışığı lekesinin olduğu tarafı işaret etti.

Çatıdaki delik.

Aud'un yüzü ifadesizdi; ancak Halli'nin söylemek istediğini anlamış olmalıydı. Hızla dönerek sessiz fakat acele adımlarla ambarın arka tarafına doğru ilerlemeye başladı. Aud'un arkasından yürümeye çalışan Halli, yakalanmalarına neden olacak kadar gürültü çıkarmadan Aud'la aynı hızda ilerleyemeyeceğini anladı. Hantal hareketlerle dikkatli bir biçimde kirişleri yoklayarak, her an arkasındaki kapaktan yükselen bir bağırış duymayı bekleyerek ağır adımlarla yol aldı.

Çatıdaki deliğin olduğu yerde bekleyen Aud'un yüzünde korku dolu bir sabırsızlık vardı. Bu ifadeyi elinden geldiğince görmezden gelmeye çalışan Halli tıpkı daha önce yaptığı gibi delikten kafasını çıkardı. Tarlalara şöyle bir göz attı; etrafta kimseyi görmedi. Çatıyı kaplayan kuru sazlara tutunarak kendini yukarı doğru çekti ve sonunda açık havaya çıktı.

Çatı boydan boya kalın saman demetleriyle kaplanmıştı. Demetlerin eskiden sıkıca bağlanmış olduğu anlaşılıyordu. Ancak zamanla ipler yıpranmış ve gevşemişti. Çatı oldukça eğimliydi ve deliğin biraz ilerisinde sona eriyordu. Aşağıda, inşaatta kullanılan taşlar, ahşap kalaslar ve birbirine girmiş dikenli çalılardan oluşan düzensiz bir yığın vardı.

Halli güçlükle nefes alarak deliğin hemen kenarında diz çöktü. Parmakları her iki yanda tutunacak bir şeyler aradı. Samanın gevşek olduğunu, tutam tutam eline geldiğini fark eden Halli paniğe kapıldı.

O sırada arkasından korku dolu bir fısıltı yükseldi, "Arne aşkına, saman yolmakla uğraşacağına kıçını kenara kaydırsana biraz!"

Halli dönerek deliğin sağ üst tarafında kalan samanlara tutundu ve kendini yukarı çekerek Aud'a yol açtı. Ayaklarını sıkıca basacak bir yer bulmayı başarmış, çatıya sıkı sıkıya yapışmıştı.

Ambarın alt katından bir erkek sesi yükseldi. Fakat Halli adamın ne dediğini anlayamadı.

Aud çatıya tırmanmak üzere delikten başını çıkardı. Halli elini uzatarak kıza yardımcı olmaya çalıştı.

Halli'nin elini yakalayan Aud'un yüzünde dehşet yüklü bir ifade belirdi. Kızı korkutanın Halli'nin eli olmadığı çok açıktı. Aud dudaklarını oynatarak bir şeyler söylemeye çalışırken Halli unuttukları şeyin ne olduğunu birden anlayıverdi.

Çantaları samanlıkta bırakmışlardı.

Halli henüz herhangi bir tepki vermeye fırsat bulamadan Aud elini onunkinden çekerek delikten geçti ve samanlıkta kayboldu.

Halli içinden lanet okuyordu. Bir eliyle çatıdaki samanlara tutunarak başını delikten aşağı doğru uzattı ve gözlerini kısarak karanlığa doğru baktı.

Aud samanlığın ön tarafına doğru koşuyordu. O sırada merdivenin görünen kısmı sallanmaya başladı. Basamakları tırmanan deri botların sesi duyuluyordu.

Aud seri adımlarla kapağın yanından geçti ve Halli'nin samanların arasında bırakmış olduğu çantasını aldı. Ardından kendi heybesinin bulunduğu tarafa yürüdü. İçi tamamen boşalmış heybenin kapağı açık duruyordu. Heybeyi eline alan Aud tam geri dönmek üzereyken durup yere doğru eğildi ve boş elini kullanarak telaşla samanları süpürmeye başladı.

Halli inanmaz gözlerle kızı izliyordu. Ama kısa süre sonra yemeği nasıl da vahşi bir iştahla ve hızla yediğini hatırladı. Her taraf kırıntıyla ve yemek artıklarıyla dolu olmalıydı.

Merdiven titredi. Aud başını kaldırıp o tarafa doğru baktı.

Halli dehşet dolu bir ifadeyle Aud'a geri dönmesini işaret ediyordu.

Aud yeri süpürmeyi bıraktı; ayağa kalkmaksızın yarı çömelmiş halde hızla Halli'ye doğru koşmaya başladı. Kirişten kirişe sıçrarken en ufak bir ses bile çıkarmıyordu.

Sonunda çatıdaki deliğe ulaşarak elindeki çantaları Halli'ye uzattı. Ardından her iki taraftaki samanları kavrayarak tek dizini yerden kaldırdı ve ayaklarından birini çatıya yerleştirerek kendini delikten dışarı çekti. Halli'den çok daha hızlı hareket etmişti; hareket yeteneği

Halli'ninkine oranla çok daha fazlaydı gelişmişti. Ayrıca Halli'nin yardımına da ihtiyaç duymamıştı.

Deliğin biraz ilerisine geçmeye çalışırken tutunacak saman öbeği aradı; dengesini kaybetti ve öne doğru düştü.

Halli hızla elini uzattı, Aud'un saç örgüsünü kavradı ve kızın çatının kenarına değil kendisine doğru düşmesini sağladı. Havada topuz gibi savrulan kollar Halli'nin tuniğine çarptı; kızın parmakları Svein'in kemerine kenetlendi. Halli tek eliyle çatıya tutunuyordu. Ayaklarını çatının kenarındaki samanlara basarak dengede kalmaya çalışan Aud'la Halli'yi bir tutam saçla bir kemer bağlıyordu.

Birinin merdivenden tavan arasına geçtiğini duydular.

Zemin döşemeleri gıcırdıyor, botların altında ezilen samanlar hışırdıyordu. Önce bir öksürük, ardından da muhtemelen kafanın kirişe çarpmasından çıkan bir gümbürtü duyuldu. Tavan arasındaki adam okkalı bir küfür savurdu. Sesler önce yaklaşır gibi oldu, sonra uzaklaştı. Tepelerinde sonbahar güneşi ışıldıyor, pembe-beyaz güvercinler kanat çırpıyordu. Aud hafif hafif sallanıyordu. Halli hareket etmeksizin beklemekteydi. Çatıdaki saman tutamına kenetlenmiş parmakları terden kayganlaşmaya başlamıştı.

Üstünkörü geçiştirilen ve pek de uzun sürmeyen arama, Halli'ye hiç bitmeyecekmiş gibi geldi. Sonsuza uzanan bir sessizliği, deliğin hemen yanındaymış hissi veren ayak sesleri bölüyordu durmadan. Kolu ağrıyor, omuzları titriyordu. Dişlerini alt dudağına sıkı sıkı bastırmıştı.

Az sonra merdivenden aşağı inen ayak sesleri duyuldu. Konuş-malar silikleşti. Nal sesleri ambarın arka tarafındaki yol boyunca uzaklaştı.

Halli onca zamandır tuttuğu nefesini sonunda serbest bıraktı. Aud ise yanı başındaki samanlara tutunarak kendini yukarı çekti. İkisi de tek kelime etmeksizin çatıya çöküverdiler.

"Ramak kalmıştı," dedi Halli.

"Evet." Ufak bir gülümseme. Ardından "Halli?"

"Efendim?"

"Artık saçımı bırakabilirsin."

Tavan arasının güvenli ortamına geri döndüklerinde yaşadıkları maceranın yorgunluğu çöktü Halli'nin üzerine. Bacakları titriyor, kalbi hızla çarpıyordu. Birdenbire kendini yere bırakarak elleriyle yüzünü sıvazlamaya başladı.

Aud ise tam tersine, bu deneyim sonucunda daha da hareket-lenmiş gibiydi. Başlangıçtaki haline hareketli denilebilirse şim-di heyecandan ışıl ışıl parladığını söylemek mümkündü. Kolları-nı iki yanda sallayarak ayaklarıyla samanları tekmeleyerek ve belayı ucundan sıyırmış olmalarına tekrar tekrar şaşarak tavan arasını tur-layıp duruyordu.

"Artık güvendesin." dedi Halli'ye. "Her şey yolunda. Artık buraya kimsecikler gelmez. Normalde de kimse gelmezdi ya zaten. Sersem babam! Yaptıklarına inanabiliyor musun? 'Elbette yüce Hord, emriniz olur! Siz isteyin, gerekirse kendi halkıma bile kıyarım. Nereye isterseniz bakın, ekinlerimizi çiğneyin, evimizin her köşesini didik didik arayın.' Of! Sırtına bir eyer vurup Hord'u istediği yere bizzat götürmeyi teklif etmemesine şaşırdım doğrusu! Babamdan nefret ediyorum! Ondan gerçekten nefret ediyorum!"

Kendini birden oldukça bitkin hisseden Halli omuz silkerek konuştu, "Belki de başka seçeneği yoktur. Sonuçta Hakonssonlarla komşusunuz. Baban da onların ne kadar güçlü olduklarının farkında. Hakonssonlara karşı çıkmasını nasıl beklersin ki?"

Aud'un yumuşamaya niyeti yoktu. "Annemin Hord gibi biriyle işi olmazdı. Haddini aştığı anda Hord'u süpürge sopasıyla kovalardı o." Çatıyı taşıyan kolonlardan birinin çevresinden dolaşırken sesi biraz silikleşti. "İşte o zaman Hord da böyle kasıla kasıla yürüyemezdi."

"Hoş bir kadınmış annen," dedi Halli.

"Ketil Evi'nden geliyordu. Ketilssonlar açık sözlü oluşlarıyla bilinirler."

"Sanırım sen de annene çekmişsin."

"Babamla en ufak bir benzerlik taşımadığım kesin. Birbirimizle olmaktan da pek zevk alıyor sayılmayız zaten." Yüzündeki ışıltı bir anlığına söner gibi oldu. "Hatta beni mümkün olduğunca çabuk evlendirmeye niyetli olduğunu saklamaya bile gerek görmüyor. Sanki satmaya çalıştığı etine dolgun genç bir boğaymışım gibi eline geçen her fırsatta beni sergilemekten kaçınmıyor. Neyse, bu sıkıcı konuları bir kenara bırakalım." Yeniden gülümsedi. "Halli, gerçekten de ucuz atlattık, değil mi? Çatıya çıkmayı akıl etmen harikaydı. Böyle bir şeye tek başıma asla cesaret edemezdim. Şimdi başından geçen onca şeyin üstesinden gelmeyi nasıl başardığını daha iyi anlıyorum."

Halli kısa ve sinirli bir gülüşle yanıtladı kızı. "Üstesinden geldim, evet. Ama elime hiçbir şey geçmedi. Tüm yaşadıklarım ne uğrunaydı? Brodir hâlâ mezarında yatıyor ve ben de başlangıçtakinden bir adım ileriye geçebilmiş değilim. Hatta durumumun daha da kötüye gittiği söylenebilir. Eve geri dönüp her zamanki gibi dayak ve kötü muameleye maruz kalmaktan başka çarem yok gibi. Beni yeniden karşılarında gördüklerinde annemle babamın neler yapacaklarını hayal bile edemiyorum."

Aud kendini Halli'nin yanındaki samanlara bıraktı. "Eve geri dönmeyi mi düşünüyorsun?"

"Başka ne yapabilirim ki? Evsiz biri gibi sokak sokak dolaşarak mı yaşamalıyım sence? Kimsenin beni evine buyur edeceğini sanmam. Bu kadarını bilecek kadar tanıdım bu vadiyi. Ya dilenci ya da hırsız muamelesi göreceğim kesin. Buradan boğaza kadar olan bölgedeki evlerin yarısından bir şeyler aşırmış olduğum gerçeği bile böyle bir durumda kendimi iyi hissetmemi sağlamıyor doğrusu. Özellikle de Eirikssonların, tüccarlarını öldüren adamı bulduklarına çok sevineceklerinden eminim." İçini çekerek sözlerini sürdürdü. "Hayır, en iyisi eve dönmek."

"En azından babanı memnun etmek için mantık evliliği yapmak zorunda kalmayacaksın," dedi Aud tatsız bir sesle. "Ailenin ikinci oğlu olmak seni bu yükten kurtarıyor. Bense bu evin varlığını koruyabilmesi için salağın tekiyle evlenmek, uzun yıllar Arne Evi'nin yönetici koltuğunda kocamın yanına kurulup ömür tüketmek, kim hangi koyunu çalmış, kim kimin domuzunun gözünü morartmış, domuza zarar veren tazminat olarak kaç tavuk verecekmiş gibisinden konular üzerine kafa patlatmak zorunda kalacağım. Yani içine girmek üzere olduğum dünya büyüleyici maceralarla dolu. Teyzemden altı aydır hukuk dersi alıyorum ve sıkıntımla kadıncağızı şimdiden bunaltmış durumdayım."

"Kusura bakma, ama bu anlattıkların beni bekleyen gelecekten çok daha iyi bence," dedi Halli. "Senin payına düşen yönetici koltuğu. Bense hayatımın geri kalanını tepedeki ufak bir çiftlikte ağabeyimin kiracısı olarak çalışıp didinerek geçireceğim."

"Hadi canım, bu söylediklerin kulağa pek de kötü gelmiyor doğrusu."

"Öyle mi dersin? Peki, çiftliğin adını biliyor musun? Bataklık Dibi. Çiftliğin son kiracısı rutubetten öldü. Ama her şey gibi bu çiftliğin de iyi bir tarafı var elbette. Çiftlik yakınlarında kurda falan rastlanmıyor; çünkü boğulma riski yüzünden kurtlar bataklığa yanaşamıyorlar."

Aud köpek havlamasını andıran kısa bir kahkaha patlattı. Halli de dayanamayarak güldü. Haftalardır ilk kez gülüyordu.

"Az önce saçını kavradığımda canını acıtmadım, değil mi?" diye sordu.

"Hem de çok acıttın. Bu arada yardımın için teşekkürler."

"Çanta işini iyi hallettin."

"Evet, neredeyse bizi ele verecekti o çantalar. Seninkinin içinde ne var? Ele alınca oldukça hafif geldi de."

"Artık pek bir şey yok. Şu tüccarın beni öldürmeyi denerken kullandığı sahte Trol pençesi dışında."

"Biliyor musun, Halli, o gün sizin evde karşılaştığımızda senin diğerlerinden farklı olduğunu anlamıştım" dedi Aud. "Ragnar'a o berbat arpasuyu fıçısını kakaladığında... Hiçbir şeyden korkun yok, öyle değil mi?"

Halli'nin kaşları çatıldı. "Annemlerin ya da senin babanın korktuğu şekilde korkmuyorum belki. Ama elbette ki korkuyorum. Sadece korktuğumda öfkeli ve sinirli bir adam haline geliyor ve dönüp korkmama neden olan şeyi ısırıveriyorum. Aslında tarif etmesi güç."

"Hiç de güç değil, sersem," dedi Aud. "Senin bu anlattığına cesaret denir."

"Hayır." Halli'nin yüzü ciddiyetle asılmıştı. "Hayır. Olaf'ı gördüğümde neler olduğunu anlattım sana. Tüm yolculuğum o an üzerine kurulmuştu ve ben başarısızlığa uğradım."

Aud başını arkaya atarak sızlandı. "Yine aynı mesele! Halli Sveinsson, senin hatan yanlış şeye odaklanman. Buraya varıncaya kadar yüzlerce cesur davranışta bulunmuşsun, ancak hiçbiri senin beklentilerini karşılamaya yetmiyor. En başından beri bir yerlerden bir kılıç bulmayı, yol boyunca kanun kaçaklarıyla canavarları alt etmeyi, sonunda da Olaf'ın kafasını gövdesinden ayırmayı hayal edip durmuşsun. Tabii bunların hiçbiri gerçekleşmedi, öyle değil mi? Sen de hayal kırıklığına uğradın. Ama uğramamalısın, Halli. Çünkü senin hayal ettiklerin saçmalıktan başka bir şey değil. Bu tip şeyler sadece hikayelerde olur. Hiçbiri de gerçek değildir."

Halli şaşkın gözlerle Aud'a bakıyordu. "'Hikayelerde mi? Bunu daha önce de söyledin. Kahramanlara ait hikayeleri mi kastediyorsun?"

"Kahramanlarla ya da Trollerle ilgili, kısacası bizi birbirimize bağlayan hikayeler, Halli. Hepimizin hayatını biçimlendiren, ne yapacağımızı ve nereye gideceğimizi öğreten hikayeler. Bize isimlerimizi, kimliklerimizi, ait olduğumuz yeri, nefret ettiğimiz insanları veren hikayeler."

"Hikayelere inanmıyor musun?"

"Hayır. Ya sen?"

"Şey, evet, yani..." Burnunu çekiştirerek çevresine bakındı. "Kahramanların hiç var olmadığını mı düşünüyorsun? Ya da Trollerle hiç savaşmadıklarını mı? Peki ya Kaya Savaşı'na ne demeli? Bunların hepsini inkar mı ediyorsun?"

"Belki bir şeyler yaşanmıştır. Arne, Svein, Hakon ve diğerleri mutlaka var olmuşlardır. Kemikleri hâlâ yok olup gitmediyse o mezarların içinde yatıyordur, bundan eminim. Fakat bu adamlar hikayelerde anlatılan her şeyi yapmış olabilirler mi? Hayır."

"Ama..."

"Bir düşün Halli," dedi Aud. "Hikayelerin nasıl da birbiriyle çakıştığını ya da birbirine zıt olduğunu bir düşün. Vadinin dört bir yanında aynı olaya dair farklı hikayeler anlatılmakta. Kahramanların yapmış olduğu öne sürülen onca şeyi bir düşün. Bu evin kurucusu Arne'yi ele alalım örneğin. Koyun ağılı kadar kayaları kaldırabildiği, bir sıçrayışta nehrin bir yanından diğerine geçebildiği anlatılıyor. Hatta bir seferinde tek elinde bir bebek tutarak kayalıklara tırmandığına dair bir hikaye bile var. Ama olayın tamamını hatırlamıyorum."

"Belki geçen yıllar olaylara bir parça abartı eklemiş olabilir, fakat..." diye söz almaya çalıştı Halli.

"Başka? Elleri sırtında bağlı olduğu halde on adamı birden öldürmüş bir keresinde. Tabii o anda ne kullanarak savaştığını düşünmek bile istemiyorum. Sahi, bir de yerin dibine inerek Trol kralını öldürmüş ve evindeki kahvaltıya yetişmeyi başarmış."

"Hayır," diye sözünü kesti Halli. "Akşam yemeğine yetişmiş. Ayrıca o hikayenin kahramanı Arne değil Svein'dir."

Aud öfkeli bir çığlık attı. "Hayır, Halli, ne Svein ne de Arne, Trol kralını öldürmediler. Bunun böyle olduğunu herkesten önce senin anlamış olman lazım. Son birkaç haftadır ne olmaya çalıştığını söyler misin? Evet? Tam da Svein gibi olmaya çalıştın, yanılıyor muyum? Peki, işler nasıl gitti? Kaç kaya fırlattın? Kaç nehri sıçrayarak geçtin? Kaç haydudun kellesini küçük bir heybeye atıp eve döndün?"

"Küçük bir heybe mi?" diye kaşlarını çattı Halli. "Biraz kadınsı bir hareket bence. Peki kim yapmış bunu? Arne mi?"

Aud hafifçe kızararak cevap verdi. "Hayır hayır, sanırım Gest ya da diğer salaklardan biri. Dikkatini asıl söylemek istediğim şeye versene! Bu yolculuğa çıkmanın gerçek nedeni eski kocakarı masallarına inanman ve kahramanı Halli olan yeni bir tane yaratmak istemendi, öyle değil mi?"

"Hayır, asıl sebep amcam..."

"O sebebin sadece ufak bir bölümüydü. İtiraf et."

"Şey..."

"Hikayeler konusunda biraz fazla fanatik olduğun doğru, fakat bu konuda yalnız değilsin. Herkes kafayı hikayelerle bozmuş durumda. Brodir'le Hord'un ziyafet sırasında birbirlerini karşı tarafın kahramanlarını kullanarak aşağılamalarını anımsıyor musun? Birine evinin kurucusuyla ilgili kaba bir söz söylediğin anda onun suratına koca bir yumruk indirmiş gibi oluyorsun. İçler acısı bir durum yani anlayacağın. Sana bir şey söyleyeyim mi? Bunların hepsi özünde kurallar koyup herkesi ait olduğu yerde tutmakla ilgili aslında."

Aud bunları söylerken ayağa kalkmış, tavan arasında turlamaya başlamıştı. Kiriş çıkıntılarını küçük ve zarif adımlarla aşıyor, pervazların altından geçerken kafasını hızla eğiyor, heyecanlı bir şekilde konuşuyordu. Saçlarına takılan örümcek ağlarıyla elbisesine bulaşan küfe ve kire aldırmıyor gibiydi. Karanlık odada gözleri alev alev, yüzü ışıltılıydı. Halli hayranlıktan ağzı açık kalmış bir halde kızı seyrettiğinin farkına vardı.

"İyi misin?" diye sordu Aud aniden. Kolonlardan birine tutunmuş sallanıyordu. Saç örgüsü açılmış, saçları tel tel dağılmıştı.

"Evet, evet. Şey diyecektim... Ne diyeceğimi unuttum."

"En kötüsü de mezarlar," diye sürdürdü konuşmasını Aud. "Trollerle ilgili şu uydurmalar. Trol korkusu daha beşikteyken anne sütüyle birlikte içimize işliyor. Ama onları görmüş ya da duymuş olan bir tek kişi bile yok. Bir tek kişi bile."

"Çünkü kimse sınırı geçmeye cesaret edemiyor."

"Doğru! Kimse buna cesaret edemiyor. Neden? Çünkü sınırları kahramanlar belirlemiş ve koydukları kurallar hâlâ geçerli. Oysa tepenin üst kısımlarında harika otlaklar ve kimbilir daha neler neler var. Annemin mezarı başında otururken bu duruma öfkelenmeden edemiyorum. Arne Evi bu fazladan araziye hayır diyecek durumda değil doğrusu. Svein Evi için de durumun pek farklı olduğunu düşünmüyorum. Ama hayır! Sakın sınırı geçme, yoksa Trolün teki gelip seni yer. Kuralları kahramanlar koydu ve konu kapandı."

"Mezarların en sevmediğim özelliği ne biliyor musun?" dedi Halli. Bir yandan da samanlığın arka tarafında yürümekte olan Aud'un hareketlerini izliyordu. "Görünüşleri. Yamacın üst kısmına yerleşmiş olmaları. Güneşle aramda duruyorlarmış gibi geliyor hep bana."

"Kesinlikle! Sözde bizi korumaları gerekiyor; ama insan başka bir hisse kapılıyor. Nerede dursak mezar taşlarını görebiliyoruz. Aslına bakarsan daha çok bizi olduğumuz yere hapsediyor gibiler."

"Fakat bu hep böyle değildi," diye sürdürdü konuşmasını Halli. "Eskiden kahramanlar tepeye tırmanabiliyorlardı. Ve tabii ilk yerleşimciler de. Onlar vadiye tepenin diğer tarafından gelmişlerdi. Acaba tam olarak nereden geldiler? Dağları geçmeyi nasıl başardılar? Ayrıldıkları bölge neye benziyor? Bunları merak etmişimdir hep. Vadiye Svein Evi'nin yakınlarında bir yerden giriş yaptıkları biliniyor, daha doğrusu, hikaye böyle söylüyor. Sanırım senin ev halkına göre de vadinin asıl girişi Arne Evi'nin yakınlarındadır."

Tam o sırada Aud Halli'ye doğru döndü. Yüzü gölgelerin arasında kaybolduğu halde bakışlarını üzerinde hissedebiliyordu Halli. "Hayır," dedi Aud yavaşça. "Arne Evi hakkında böyle bir söylenti yok. Ne yani, Svein Evi'nin yukarısında dağların tepelerine uzanan bir patika falan mı varmış?"

"Bilmiyorum. Katla'ya sormam gerek." İçini çekerek devam etti. "Tabii tüm bu yaptıklarımdan sonra benimle bir daha konuşur mu, bilinmez. O ve diğerleri."

"Sonuçta yalnız olmayacağın kesin. Unuttun mu, salgından uzak kalmak için bu kışı sizin yanınızda geçireceğim. Babam güven içinde evlenmeden ölüp gitmemi istemiyor..." Sesi kısıldı; aklı birdenbire bambaşka bir dünyaya uçmuş gibiydi. Uzun süredir ilk defa suskunlaşmıştı.

Halli konuşmayı sürdürmek istiyordu. "Aslına bakarsan Troller-le ilgili ne düşüneceğimi ben de bilemiyorum. Var olduklarına her-kesin inanmadığı doğru. Örneğin Hord Hakonsson Trollerin gerçek olmadığına inanıyor. Ragnar'la konuşurlarken duydum. Fakat asıl mesele kimsenin bu eski kuralların dışına çıkmaya cesaret edemiyor oluşu. Elbette yeniden kılıçlar dövülebilir ve bir grup insan tepeye çıkıp... ne var?" Aud ışıltılı gözlerle Halli'ye yaklaşmaktaydı. Halli ani bir tereddütle hafifçe geriye çekilip yeniden sordu, "Ne var?"

"Buldum!" Yüzünde sıcak, kararlı ve kocaman bir gülümseme vardı Aud'un. Halli kızın söylemek üzere olduğu şeye çoktan 'evet' demiş gibi hissetti kendini. Bir yandan huzursuz edici, bir yandan-sa keyif verici bir histi bu. "Buldum!" dedi Aud bir kez daha. "Ya-pılacak şey belli."

"Bu 'şey' tam olarak neymiş bakalım?"

Aud, Halli'nin yanına çömelerek konuşmaya başladı. "Dinle Halli, sen hep kahramanlara yaraşır bir şeyler yapmak istiyordun, öyle değil mi? İşte bu dileğin artık gerçekleşebilir. Hem ben de ya-nında olacağım. Ben Trollerin asla var olmadıklarını söylüyorum. Sense itiraf etmek istemesen de benimle aynı görüşü paylaşıyorsun. O halde gidip bir baksak ya! Bu kış kar kalktıktan sonra hem de. Sınırı geçer, hikayelerin gerçek olup olmadığını sınarız. İşimiz bi-tince de mezarları geçip daha da yükseğe tırmanır, dağların arasın-dan geçen patikayı buluruz. Hani şu ilk yerleşimcilerin kullandığı patikayı." Halli'nin yüzündeki ifade Aud'u güldürdü. "Anlamıyor musun? Böylece bütün sorunlar kendiliğinden hallolacak! Batak-lık Dibi'ni ve babamın evlilikle ilgili planlarını unutup buralardan gidebiliriz. Her türlü kural ve engelden, Hord gibi adamların ege-menliğinden kaçıp kurtulabiliriz. Sınırı geçip vadiyi terk edeceğiz. Sen ve ben. Ee, ne diyorsun bakalım?"

17

ARTIK SVEIN EVİ'NİN YENİ bir konağı vardı. Fakat Troller geceleri kapı önlerinde avlanmayı sürdürüyorlardı. Svein bu duruma çok kızdı. Evin sınırlarını içine alan koruyucu bir duvar örülmesi için emir verdi. Adamları oldukça sıkı çalışıyorlardı; ancak aradan bir yıl geçtiği halde henüz duvarın yarısı bile tamamlanmamıştı.

"Bu iş böyle devam edemez," dedi Svein. "Daha fazla adama ihtiyacımız var."

Nehrin kuzeyinde yer alan topraklar Rurik'in yönetimindeydi. Rurik'in güçlü kuvvetli adamları pekala duvar yapımında çalışabilirlerdi. Yanına bir sopayla biraz ip alan Svein nehre atladı. Vahşi dalgaların arasında yüzdü, karaya çıkınca şöyle bir silkelendi ve en yakın çiftlik evine giderek kapıyı çaldı. Kapıyı dört yetişkin adam açtı.

"Duvar inşasında çalışacak adama ihtiyacım var," dedi Svein. "Siz işimi görürsünüz. Dışarı gelin de bu konuyu bir görüşelim."

Çiftçiler ellerindeki kılıçları sallayarak evden dışarı koşturdular. Ancak Svein sopasıyla adamları bayılttı, ipiyle onları sıkıca bağladı, nehrin karşı kıyısına geçirdi ve işe koştu.

Bu şekilde yaklaşık yirmi beş adam daha getiren Svein böylece duvarın kısa zamanda bitirilmesini sağlamış oldu.

Aradan üç gün geçti. Üçüncü günün sabahında Ulfar Arnesson'a, Hakonssonların Arne topraklarındaki aramalarının sona erdiği ve evlerine geri dönecekleri bildirildi. Vadi yolunda devriye gezen ekipler de aynı şekilde geri çekildi. Eli boş geri dönen Hord Hakonsson'un öfkeden kapkara kesildiği, adamlarından çok azının ona yaklaşmaya cesaret edebildiği ve onun yanında herkesin alçak sesle konuştuğu kulaktan kulağa yayıldı.

Hava karardığında Arne Evi'nin sakinleri akşam yemeği için konakta toplandılar. Evin çevresindeki sokaklar sessizleşti. Her yanı gölgeler kapladı. Dışarıda çıt çıkmıyordu. Tam o sırada eski saman ambarının karanlığında bir şey hızla hareket etti. Birisi sessizce küfretti, ardından atın sırtına inen bir şaplağın sesi yükseldi. Bodur ve şişmanca bir ata binmiş kısa boylu ve başlıklı bir gölge ambardan dışarı süzüldü. Gölge konağın ışıl ışıl parlayan pencerelerine son bir bakış attıktan sonra dizginleri sertçe salladı. Hızını bir nebze olsun yükseltmeyen at gevşek adımlarla yolu takip ederek ilerdeki yan yollardan birine saptı ve ağaçların arasında gözden kayboldu.

Ambarda geçirdiği zaman süresince Halli'nin fiziksel durumu hızla düzelmişti. Aud her gün yiyecek, içecek bir şeylerle temizlenmesi için biraz su getirmeye devam etmiş, Halli'nin yaraları her geçen gün biraz daha kapanmış, gücü kuvveti yerine gelmişti. Aud, Halli'nin eski giysilerini domuzlara atmıştı. Şimdi Halli'nin üzerinde hizmetkarların giydiği gri fitilli kumaştan yapılma bir tunik vardı. Tuniğin mor şeritli manşetleri Arne Evi'ni simgeliyordu. Artık Hakon topraklarından firar eden o sefil kaçakla arasında dağlar kadar fark vardı.

Her şeye rağmen Halli yolculuğu sırasında tehlikeden mümkün olduğunca uzak durmaya kararlıydı. Genelde sabahın erken saatleriyle akşamın geç vakitlerinde yol alıyor, yolların işlek olduğu gündüz saatleri boyunca yol kenarındaki ormanlık arazide dinleniyordu. Geceleri dolunaya rastladığında ay ışığında seyahat ediyordu. Yüzünü ya da fiziksel özelliklerini tanıyabilecek insanların yaşadığı bölgelere yaklaşmaktan kaçınıyor; bu yüzden gerektiğinde uzun bir yay çizerek yoluna devam etmeyi tercih ediyor ve erzakını sadece yola uzak çiftliklerden temin etmeye çalışıyordu. Dikkatli davranması işe yaradı. Katrana bulanıp tüye batırılmadan, asılıp kesilmeden, hatta neredeyse etraftaki onca insanın ruhu bile duymadan çağlayanların aşağısındaki bozkırlara vardığını görünce gözlerine inanamadı.

Halli'nin boğazın dik yamacına yüksek bir tempoyla tırmanacak gücü kalmamıştı. Zaten Aud'un yaşlı ve yıpranmış hayvanların bağlı olduğu bir ahırdan yürüttüğü atın durumu da pek farklı sayılmazdı. Tırmanışları tam üç gün sürdü. Bu süre zarfında Halli ters yönden gelen çeşitli adamlarla karşılaştı. Gest Evi'nden üç yün tüccarı arka arkaya dizdikleri atlarla ve atlara yükledikleri ağzına kadar dolu küfelerle yol alıyorlardı. Rurik Evi'nden bir ulak, Thord Evi'ne ulaşmaya çalışıyordu. Bir de Sivri Tepe'nin dik yamaçlarının hemen aşağısında elinde arpla seyahat eden genç bir müzisyene rastladı. Adamların hepsi de hoşsohbetti; hiçbiri Halli'yi bıçaklamaya kalkışmadı. Buna rağmen Halli'nin zihni tatsız anılarla doluydu. Özellikle de ortasında külden bir çember bulunan ufak ve yuvarlak düzlüğün yanından geçerken kendini kötü hissetti. Aynı yerde kamp kurmak istemedi. Geceyi biraz daha yüksekte yer alan dar bir çıkıntıda geçirdi ve saatlerce çağlayanın sesini dinledi.

Şafak sökerken uyandığında pelerini ve saçları don yüzünden kaskatı kesilmişti. Kuzeydeki yamaçlara doğru baktığında büyük çam ağaçlarının arkasında bir dizi mezar taşının yükseldiğini gördü. Taşlar meydan okurcasına yan yana dizilmiş gibiydiler.

Aud'un teklifi şaşırtıcı olmasına şaşırtıcıydı. Hatta eskiden olsa Halli'yi oldukça tedirgin edebilirdi. Ama şimdi durum farklıydı. Halli ilk şoku atlattıktan sonra kafasında beliren itirazların birer birer yok olup gittiğini fark etti. Sanki Aud konuştukça Trollerle ilgili varsayımları da mantığa bürünüyordu. Bunun nedenlerinden birisi kızın efsanelere olan şüpheci yaklaşımı yüzünden Halli'nin öteden beri kafasını kurcalayan sorularla yüzleşmek zorunda kalmasıydı. Bir diğeri Aud'un cömert iltifatlarıyla Halli'nin yerlerde sürünen özgüvenini yeniden inşa etmiş olmasıydı. Ayrıca o sırada kız, yarı karanlık odada ışık saçan gözleriyle Halli'ye fazlasıyla yakın oturuyordu. Fakat her şeyin ötesinde Aud'un teklif ettiği macera –her ne kadar tehlikeli ve delice olursa olsun– Halli'nin içindeki deliği dolduracak, yaşadıklarının içinde bıraktığı kof duyguyu süpürüp atacak güçteydi. Kızın tutkusunun gücü bulaşıcı, birbirlerine duydukları güven çarpıcı ve inanılmazdı. Yasak tepelerde keşfe çıkma ve Trollerin varlığını sınama fikri Halli'nin heyecanlı bir bekleyiş içerisinde kendisini yeniden capcanlı hissetmesini sağlıyordu. Bu da eve dönerken kapıldığı umutsuzluk hissini dengeliyordu.

Svein Evi'nden ayrılırken geri döndüğünde neler yaşayacağını pek düşünmemişti. Fakat için için hayalini kurmuş olduğu şey açıktı; büyük işler başarmış bir kahraman ilan edilmek. Şimdi bu hayallerin yerinde yeller esiyordu; çünkü Olaf'la yüzleşmesi Halli'yi tamamen değiştirmişti. Gözü kapalı inandığı hiçbir şey kalmamıştı ve onu hep bir adım ileriye taşıyan içgüdülerine artık güvenmiyordu. Tek bildiği yaptıklarından dolayı saygıyla karşılanmayı istemiyor ve beklemiyor oluşuydu. Evinden hiç kimsenin onca zaman nerede olduğunu ya da neler yaptığını bilmesi gerekmiyordu. Bir hikaye uydurup sessiz kalacak, kaçınılmaz cezayı kabullenecek ve eski hayatına geri dönecekti. En azından Aud gelene kadar.

Çağlayanların yukarısında kalan bölgede sonbahar kışa dönmeye başlamıştı. Ağaçlar turuncu ve kırmızı yapraklarla doluydu; tepelerdeki kar ise yavaş yavaş aşağılara iniyordu. Vadi çukuru ve yol kenarındaki mezarlar tıpkı gidiş yolunda olduğu gibi sisle kaplıydı. Halli etrafına bakınmaksızın hızla at sürerek oradan uzaklaştı.

Snorri'nin kulübesine vardığında kapıyı çaldı, fakat kimse cevap vermedi. Zaten pencerede de ışık yoktu. İhtiyar tarlalarının bir köşesinde eğilmiş, Arnkel'in bıçağıyla pancar topluyor olmalıydı. Halli içini çekti. Eve döndüğünde bu konu hakkında da hesap vermesi gerekecekti.

245

Svein topraklarından ayrılalı henüz dört hafta bile olmamıştı. Ancak eskiden avcunun içi gibi bildiği arazi şimdi ona oldukça yabancı geliyordu. Acele etmeden, bitkin atın ayaklarını sürüyerek ilerlemesine izin vererek yoluna devam etti. Yolda kimseyle karşılaşmadı.

Eve vardığında akşam olmuştu. Kuzey Kapısı her zamanki gibi açık bırakılmıştı. Halli atından inerek kapıdan geçti. İşçilerin kulübelerini geride bırakarak küçük avluya yöneldi. O sırada bazıları Halli'nin gelişini fark ettiler. Brusi çeşmenin başında donakaldı. Ahırın yanında dikilmekte olan Kugi ise ağzı şaşkınlıktan bir karış açık kalmış halde Halli'ye doğru bakıyordu. Halli isminin sokaklar boyunca dalga dalga yayıldığını, ocaklarında tencereler kaynayan evlerin içine girip çıktığını duydu. Kadınlar ve erkekler işi gücü bırakıp Halli'yi görmeye geliyorlardı. Bu yüzden Halli'nin döndüğü haberi konağa kendisinden çok daha hızlı ulaştı. Hatta çöplüğün arkasındaki küçük kulübesinde yaşayan keçi çobanı Gudrun'un bile olan bitenden haberi vardı. Halli bunların hiçbirini umursamadı. Atını avluya götürerek bağladı; çantasını son bir kez sırtına aldı ve verandadan geçerek konağa adım attı. İçerisi akşamın ilk ışıklarıyla pırıl pırıldı.

Ailesi masada oturuyordu. Yaşlı Eyjolf, Halli'yi gören ilk kişi oldu ve şaşkınlıkla panik karışımı bir çığlık attı. Ardından annesi ve babası ona doğru koşmaya başladılar. Ateşin yanında duran Katla avazı çıktığı kadar bağırıyordu. Kız kardeşiyle ağabeyi ise hem kızgın hem de sevinçli gibiydiler. Sonunda hepsi de Halli'yi sıkıca kucakladılar. Yolculuğu boyunca yaşadığı sessizlik, haykırışlar ve sevinç dolu çığlıklar arasında son buldu. Hatta evdekiler öyle sıkı sarılıyorlardı ki Halli bir an nefesinin kesileceğinden korktu.

Halli'nin dönüşü tüm evi neşeye boğmuştu. Ailenin hissettiği mutluluğu ve rahatlamayı paylaşmayan bir tek kişi bile yoktu. Fakat bu durum beş dakika kadar sürdü. Ardından işler hızla değişti; şaşkınlık ve öfke devreye girince durum oldukça karmaşık bir hale büründü.

Katla'nın Halli'yle yaptığı son konuşma yüzünden herkes Halli'nin amcasının ölümünden duyduğu üzüntüyle cenaze günü tepeye tırmandığını, uzakta durup olan biteni izlemeyi arzu ettiğini düşünmüştü. Ancak akşam olup da Halli görünmeyince arama ekipleri yola koyulmuş, maden ocaklarından uçurumlara kadar her yeri didik didik etmişlerdi. Aradan birkaç gün geçmiş, Halli'ye dair en ufak bir ize bile rastlanmamıştı. Bu yüzden herkes istemeye istemeye de olsa akla gelen son açıklamayı kabullenmek zorunda kalmıştı. Halli kazayla ya da isteyerek mezarlığın ilerisine geçmiş olmalıydı ve bir daha asla geri dönmeyecekti.

Sonraki günlerde herkes Halli'yle ilgili hatırladıklarını anlatmış, tatsız hatıraların çevresini bulanık ve sıcak bir ışık bulutu kaplar gibi olmuştu. İnsanlar büyük bir hevesle Halli'nin yaşama sevinciyle enerjisinden bahsediyor, haylazlıklarına kıkır kıkır gülüyor, ortadan kayboluşunu arpasuyu fıçılarının arasında bir kez daha kabullenmek zorunda kalıyorlardı. Fakat şimdi birdenbire ortaya çıktığı, incelmiş yüzünün dışında da sapasağlam olduğu için bulanık ışık bulutu puf diye sönüvermiş; herkes yine birbirine Halli'nin durmaksızın yaptığı soytarılıkları ve çevreye verdiği rahatsızlığı anlatmaya başlamıştı.

Diğerlerinin ne düşündüğü Halli'nin pek umurunda değildi. Ancak ailesinin yaşadığı sıkıntı onu beklediğinden daha fazla rahatsız etmişti. Onlara yol boyunca hazırladığı hikayeyi anlattı. Konuşması bitince de susarak kendini ailesinin öfkesine teslim etti.

"Vadiyi keşfe mi çıktın?" diye kükredi Arnkel. "Nasıl yani? İznim olmadan mı?"

"Aşağı vadideki evlere gidip dilendin mi?" diye çığlık çığlığa sordu Astrid. Sinirden saçını başını yoluyordu. "Ailemizin şerefine sürdüğün lekenin farkında mısın?"

"Svein ailesinin oğlu olduğun halde ortalıkta hizmetkar kıyafetleriyle mi dolandın?" diye bağırdı Leif. "Üzerindekiler eskiyince de başka bir evden hizmetkar kıyafeti mi çaldın? Onuruna ne oldu senin?"

"Hepimizi gözü yaşlı bıraktın," dedi Gudny. "Annem o günden bugüne bir kez bile gülmedi. Peki, buna ne diyeceksin bakalım, seni ahmak?"

Halli tüm söylenenlere fırsat bulabildiği ölçüde kısa cevaplar vermekle yetindi.

"Brodir'in ölümüyle sarsılmış durumdaydım. Burada bir an bile kalmama imkan yoktu."

"Dilendiğim evlerde kimse adımı ve nereden geldiğimi bilmiyordu."

"Ailemin renklerini taşıyamayacak kadar değersiz hissediyordum kendimi."

"Sizi üzdüğümü biliyorum ve buna çok üzgünüm. Ama artık eve döndüm."

Onca şamatanın ortasında söylediklerinin duyulduğundan; duyulduysa bile tatmin edici bulunduğundan pek emin değildi Halli. Sorgu arada bir duraksayarak günlerce sürdü. Evdeki rahatlama ve öfke dalgaları birbirinin yerini alıp duruyordu. Halli azar işitti, kucaklandı, dışlandı, çevresindekilerin gözyaşlarına maruz kaldı. Arnkel'den dayak da yedi, hem de sadece bir kez değil, babasının görüş alanına girdiği her sefer.

Halli başına gelenlerin hiçbirine itiraz etmedi. Sadece yaptıklarının cezasını çektiğini biliyordu.

Onu en çok Katla'nın tepkisi üzüyordu. Ailesinin geri kalanının tam aksine yaşlı bakıcı sessizliğe bürünmüştü ve Halli'den uzak kalmaya çalışıyordu.

"Hadi Katla, konuşsana benimle!"

"Haftalardır küçük Halli için gözyaşı döküyorum. Benim için gerçekten öldü o."

"Olur mu hiç? Baksana, buradayım ben! Geri döndüm!"

"Benim tanıdığım çocuk asla böyle duyarsız ve bencil davranmazdı. Git de yasımı tutmaya devam edeyim."

Halli elinden geleni yaptı; fakat kadının onu affetmeye hiç niyeti yoktu.

Halli'nin dönüşünün yarattığı heyecana rağmen kış hazırlıkları devam ediyordu ve kimsenin ailenin işe yaramaz küçük oğluyla kaybedecek zamanı yoktu. Svein Evi'nin üzerindeki bulutlar gittikçe alçalıyor, sürü her geçen gün Trol duvarının biraz daha yakınına doğru güdülüyordu. Erzaklar istiflenmiş, binaların çatılarıyla ahırların duvarları elden geçirilmişti. Halli de herkes gibi bu süreçte üstüne düşeni sessizce yapmaktaydı. Çok geçmeden eskisine göre çok daha hızlı ve güçlü olduğunu, yüzünün iyice inceldiğini, gözlerininse daha sert baktığını fark etmeyen kalmadı. Pervasız davranışından dolayı onu azarlamak isteyenler dillerinin ucuna kadar gelen sözcükleri yutmayı tercih ettiler. İnsanların çoğu Halli'yi yan gözle süzer oldu.

Sonunda bir gün Halli, anne ve babasının odasına çağrıldı. Sonbahar ayları boyunca ardı arkası gelmeyen öksürük nöbetleri yüzünden bitkin düşen ve gittikçe zayıflayan Arnkel hantal bir şekilde sandalyesine gömülmüş, boş boş etrafı izliyordu. Annesi Arnkel'in yanında ayaktaydı. Bakışları her zamanki gibi deliciydi.

Arnkel göz ucuyla Halli'yi süzdükten sonra bakışlarını diğer tarafa çevirdi.

"Buradasın demek," dedi. "Hâlâ çekip gitmedin mi?"

"Baba, özür dilediğimi söyledim..."

"Hayatın boyunca özür dileyip durdun zaten. Bu sözcüğü daha fazla yıpratmasan iyi edersin. Neyse. Annenle benim sana bir sorumuz olacak. Şu rezil kumaşlarını satmaya uğraşan Kar Gestsson dün buraya uğradı. Ev sahibi olarak nezaket göstermem gerektiğini düşünerek kumaşlarından iki parça aldım; ama asıl konu bu değil. Kar'ın aşağı vadiyle ilgili anlatacakları vardı. Eksik dişleri yüzünden söylediklerini anlamak güçtür; ama Kar'ın sözüne güvenirim." Birdenbire Arnkel gözlerini Halli'ye dikti. "Söylediğine göre Olaf Hakonsson ölmüş ve evi yanıp küle dönmüş. Bu konu hakkında bir şey biliyor musun?"

Halli'nin midesi düğümlenir gibi oldu; fakat yüzü ifadesizdi. "Ölmüş mü? Nasıl?"

"Henüz belli değil. Fakat cinayete benziyor."

"Eve gizlice giren birine dair söylentiler varmış..." dedi Halli'nin annesi.

Derin düşüncelere dalmışçasına çenesini kaşıyan Halli, "İnanılmaz doğrusu. Yolculuğum sırasında bir ara havada yoğun bir duman bulutu gördüğümü anımsıyorum. Yanılmıyorsam duman doğudan geliyordu ve belki de Hakonssonların konağından yükseliyordu."

"Yani yolculuğun sırasında Hakon Evi'ne hiç gitmedin, öyle mi?"

"Hayır, baba."

"Öyleyse Olaf'ı da sen öldürmedin, değil mi?"

"Hayır, baba!" Halli abartılı bir kahkaha attı. "Benim öldürmüş olabileceğimi nasıl düşünürsün?"

Gülüşü yavaş yavaş silindi. Gözlerini babasından annesine doğru kaydırdı. Her ikisinin de ifadesi buz gibiydi. Uzun bir süre tek bir kelime bile etmeden oğullarını süzdüler. "Haklısın, düşününce komik bir fikir gibi geliyor," dedi Arnkel sonunda. "Fakat yine de... Neyse, eğer öyle diyorsan, öyledir. Sana bir soru sorduk, sen de cevap verdin. Mesele bizim için kapanmıştır." İçini çekti ve uzun kollarıyla bacaklarını öne doğru uzatarak gerindi. Kolları Halli'nin hatırladığından çok daha inceydi; derisinin altından kemikleri belli oluyordu. "Aslında erkek erkeğe konuşmak gerekirse" diye devam etti Arnkel, "kardeşimin katilinin ölümüne sevindim. Onu şişleyen her kimse iyi iş becermiş. Annene gelince, o biraz korkuyor. Haftaya Brodir'in ölümüne bağlı ödenecek tazminatı görüşmek üzere konseyin huzuruna çıkacağız. Annen de bu son gelişmelerin davamızı bir şekilde etkilemesinden çekiniyor. Oysa bana kalırsa korkulacak hiçbir şey yok. Tabii eğer..." Bu noktada söyleyeceklerinin altını çizercesine durakladı. "Tabii Olaf'ın ölümünde bizim hiçbir rolümüz yoksa ve bunun aksini iddia edecek herhangi bir delil bulunmazsa. Bu durumda korkmamızı gerektirecek hiçbir şey yok ortada."

Belki Arnkel'in kırılgan görüntüsünden belki de konuşurken takındığı ifadeden dolayı Halli babasına uygun biçimde karşılık verme ve onun içindeki tedirginliği giderme ihtiyacını hissetti. "Eminim katil kimliğini ortaya çıkarabilecek en ufak bir ipucu bile bırakmamıştır ardında. Olaf'ın bir sürü düşmanı olduğundan kuşkum yok. Ölümüne sevinmiş olan bir sürü adam vardır ve bu yüzden çok sayıda şüpheli bulunacaktır. Fakat bu konu bizi ilgilendirmez. Baba, sen iyi misin?"

"Evet, evet. Sadece kış mevsimi yaklaştığından bir parça bitkinim. Şu soğuk mevsimi bir türlü sevemedim. Oğlum, içindeki enerjiyi dizginlemeyi ve doğru yönlendirmeyi becerirsen evimizin önemli kişilerinden biri olursun. Yaptığın işe kendini verir ve sıkı çalışırsan iki yıla kalmaz, kendine ait güzel bir çiftlik edinirsin. Anlaştık mı? Güzel."

Halli'nin annesi elini Arnkel'in omzuna koymuştu. Yüzünden gerginlik ve endişe okunuyordu. Halli'ye bakarken ifadesi hâlâ buz gibi soğuktu. Sonunda sessizliğini bozdu: "Hepimizin iyiliği için söylediklerinin doğru olduğunu umuyorum. Davamızı konsey üyeleri önünde gerektiği şekilde savunman çok ama çok önemli."

"Şahitlik görevimi en iyi şekilde yerine getireceğim, anne."

"Tamam. Şimdi gidebilirsin."

Halli kapıya doğru ilerlerken, "Son bir şey daha var," diye seslendi Arnkel arkasından. "Bıçağımı görmüş olamazsın, değil mi? Hani şu en kıymetli olanı?"

Halli başını önüne eğerek konuştu. "Baba, bıçağını ben aldım... ve kaybettim."

Arnkel içini çekerek öksürdü. "Aslında seni bir kez daha dövmeliydim; ama şimdiye kadarki cezalar yüzünden kayışım aşındı. Şimdi git ve bu konuşmadan kimseye söz etme."

Halli salon tarafındaki kapıdan çıktı. Svein'in hazineleri kalın bir toz tabakasının altında her zamanki yerlerinde asılıydılar. Gümüş kemerin kutusu hâlâ bıraktığı yerde duruyordu. Kemeri yerine koymayı düşünen Halli, bunu henüz başarabilmiş değildi. Kemer şimdilik sahte Trol pençesiyle birlikte şiltesinin içinde beklemekteydi. Fırsat bulduğunda, yani insanlar ortadan kayboluşunu unutup Halli'yi gözlemekten vazgeçtiklerinde kemeri kutusuna koyacaktı.

Ne yazık ki Arnkel'le Astrid'e aşağı vadiyle ilgili haberleri getiren tüccarlar gelişmeleri Svein Evi'nin diğer sakinlerine de anlatmışlardı. Halli'nin davranışlarına gösterilen ilgi hızla artmaktaydı. İnsanlar kendilerince varsayımlarda bulunuyorlardı.

Demirci Grim sakalına bulaşan arpasuyunu silerken bir yandan şöyle diyordu, "Söylenenlere bakılırsa Olaf Hakonsson'u yatağından sürükleyerek çıkarıp gırtlağını kesivermişler. Sonra da akrabaları gelip olanı biteni görsün diye cesedi ateşe vermişler."

"Olaf'ın zayıf bir rakip olmadığını hepimiz biliyoruz," diye fısıldıyordu Eyjolf. "Bu cinayeti oldukça güçlü birinin işlemiş olması gerek."

"Oğlan böyle bir şey yapmış olamaz, değil mi?"

"Hayır. O ufak tefek boyuyla..."

Ekmekçi Bolli kafasını kendinden emin bir havayla iki yana sallıyordu. "Fakat ağılları onarırken nasıl çalıştığını gördünüz mü? Çekici nasıl kullandığını? Aleti her indirişinde içindeki şiddeti hissedebiliyor insan. Aslında ufak tefek olması daha da kötü. İri yarı bir adam olsaydı böyle şeyler normal karşılanabilirdi. Açıkçası o çocuk tüylerimi diken diken ediyor. Şahsen onun yoluna çıkmamak için elimden geleni yapmaya hazırım."

"Büyük amcası Onund'u hatırlıyor musunuz?" diyordu tabakçı Unn. "Anlatılanlara bakılırsa o da tıpkı bu çocuk gibiymiş. Normal koşullarda cılız ve çelimsiz bir adamken, öfkelendiğinde dur durak bilmezmiş. Az önce suratına baktığı birinin boynunu çıplak elleriyle çıt diye kırıverirmiş."

"Katilin o eve nasıl girdiğini bilmek isterdim doğrusu. O duvarları göreniniz var mı? Oraya tırmanabilmek için yarasa falan olmak lazım."

"Pek normal bir durum olduğu söylenemez, öyle değil mi?"

"Bence böyle birinden uzak durmakta fayda var."

Çok geçmeden Halli, insanların onu görünce sessizleştiklerini, arkasını döner dönmez birbirlerine kaş gözle onu işaret ettiklerini, aralarında gizli gizli fısıldadıklarını fark etti. Yetişkinlerin ona saçma sapan, hatta biraz da korku yüklü bir saygıyla yaklaşmaları, ufacık çocukların çalılarla direklerin arkasına gizlenerek peşinde dolaşmaları onu şaşırtıyordu.

Bir sabah kardeşlerine, "Bunların nesi var?" diye sordu. "Az önce tuvaletteyken üç tane hizmetçinin beni gözetlediğini biliyor musunuz? Kafamı kaldırıp baktığımda kıkırdayarak kaçıştılar. Evdekilerin hepsi delirmiş."

"Niye kızıyorsun ki?" diye kestirip attı Leif. Dedikodular yayılmaya başladığından beri Leif, Halli'ye içerlemiş gibiydi. Kardeşinden sakınır gibi bir hali vardı. Zamanının büyük bir kısmını arpasuyu fıçısının başında bardağını boşaltarak geçiriyordu. "Hayatın boyunca istediğin şey bu değil miydi?"

"Ne değil miydi?"

Ağabeyi sinirli bir kahkaha attı. "Ünlü olmak istemiyor muydun? Bana masum rolü yapmaya kalkma sakın."

Halli kaşlarını çatarak itiraz edecek oldu, "Masum olduğumu iddia etmiyorum zaten. Fakat..."

"Sahte alçakgönüllülüğe gerek yok, Halli," dedi Gudny. O da son günlerde biraz daha temkinli davranır olmuştu. Kardeşinin ilk kez farkına varıyor gibi bir havası vardı. "Olaf başına geleni çoktan hak etmişti. Hepimiz bu konuda hemfikiriz."

"Aramızda onun arkasından yas tutan biri var mı sence?" diye homurdandı Leif. "Benim Olaf için gözyaşı dökmediğim ortada."

"Benim de," dedi Gudny. "Aynı şekilde babamın da. Onu öldürmüş olmana hepimiz sevindik."

"Fakat..."

"Peki, nasıl becerdin?" diye sordu Leif. "Babamın bıçağıyla mı?"

"Hayır. Ben..."

"Yoksa boğarak mı öldürdün? O halde arkasından gizlice yaklaşmış olmalısın. Olaf başka türlü haklayamayacağın kadar güçlü bir adamdı çünkü."

"Yanarak öldüğünü duydum," dedi Gudny. "Bence korkunç bir şey bu. Sence de öyle değil mi, Leif? Demek istediğim, Hakon ailesinden biri olduğu halde korkunç bir ölüm değil mi bu?"

"Evet; ama katillerin hesaplaşması böyle bir şey zaten."

Halli gözlerini devirerek yumruklarını sıktı. "Dinleyin, aslında..."

Leif bir elini kaldırarak kardeşini susturdu. "Doğrusunu istersen, onu nasıl öldürdüğünle ilgili ayrıntıları bilmek istemiyoruz. Olan olmuş, ölen ölmüşken bu tip detaylara girmek oldukça sevimsiz geliyor bana. İyisi mi, sen haftaya görülecek davada üzerine düşeni yapmaya bak. Asıl önemli mesele bu. Yeni araziye ihtiyacımız var."

Birkaç gün sonra Svein Evi'nden bir delegasyon, konseyin görüşeceği ve Brodir'in katillerini yargılayacağı davaya katılmak üzere yola çıktı. Davanın tarafsız bir yer olan ve vadinin diğer tarafında bulunan Rurik Evi'nde görülmesine karar verilmişti. Halli evdeki bunaltıcı havadan kurtulduğuna seviniyordu. Annesi, ağabeyi ve evden beş adamla birlikte Rurik Evi'ne doğru yol almaya başladı. Babası davaya katılamayacaktı; öksürük nöbetleri kötüleşmiş, yükselen ateş yataktan çıkmasını engellemişti.

Yolculuk üç saatten biraz fazla sürdü. Rurik Evi nehrin yakınlarında, yemyeşil çayırların ortasında yer alan orta büyüklükte neşeli bir yerleşim yeriydi. Tıpkı Arne Evi'ndeki gibi burada da eski Trol duvarı tamamen yıkılmıştı. Fakat arazi, arı kovanlarıyla dolu meyve bahçeleriyle çevrilmişti. Rurik Evi bal üretimiyle tanınırdı. Koni biçimindeki çatısıyla vadideki diğer birçoğundan yüksek olan konağın girişi koşuşturan insanlarla doluydu. Kristal pencere camlarından bakınca Rurikssonların yeşil üniformalı hizmetçileriyle vadinin çeşitli yerlerinden gelen önemli kişilerin gösterişli kıyafetleri göze çarpmaktaydı.

Sveinssonlar atlarından inerek avluda beklemeye başladılar. Halli büyük bir sessizlik içinde damların üzerinde uçuşmakta olan kumruları seyrediyordu. Hakonssonlarla yeniden karşılaşmak üzere oluşu fazla umurunda değildi doğrusu. Tek düşündüğü üzerine düşen sorumluluğu bir an önce yerine getirip evin dönmekti. Hakonssonlara duyduğu tüm nefret Olaf'ı tutuşturan ateşle birlikte yanıp kül olmuştu. Ayrıca alevler içindeki konaktan çıkarken kimseye görünmediğine göre şimdi bu insanlarla bir kez daha karşılaşmaktan korkmasına gerek yoktu. Vadideki çekişmelerden bıkmıştı artık. Aud kışı geçirmek için Svein Konağına geldiğinde daha önemli şeylerle uğraşacaklardı. Halli bakışlarını evin gerisindeki yamaçların tepelerine doğru çevirdi.

Oralarda bir yerde... Bu hayattan kaçmak için bir yol vardı...

Belki bugün Aud da Rurik Evi'ndeydi. Babası Ulfar'ın yasa yapıcı kimliğiyle orada bulunduğundan kuşkusu yoktu Halli'nin. Bu fikir kalbinin daha da hızlı çarpmasına neden oldu. Islık çalarak avluyu bakışlarıyla taramaya başladı.

Birden omzunun gerisinde bir gölge belirdi. Annesi, Halli'nin kulağını yakalamış çekiyordu.

Astrid'in sesi oldukça gergindi. "Bana bak, Halli. Tüm dikkatini bana vermeni istiyorum. Az sonra konseyin yasa yapıcıları önünde, yani benim gibilerin karşısında davamızı savunacağız. Amcanın başına gelenleri anlatırken açık seçik, saygılı ve bilinçli bir şekilde konuşmalısın. Birçok şey buna bağlı çünkü. Konuşurken sadece yasa yapıcıları muhatap almalı ve salonda bulunan Hakonssonlarla en ufak bir temasa bile geçmemelisin. Seni tahrik etmeye çalışabilir ya da anlattıklarına itiraz etmeye kalkışabilirler. Onların kurduğu tuzağa asla düşme! Hakonssonlarla tek bir kelime bile konuşmak yok, anlaşıldı mı?"

Halli biraz gücenmiş gibiydi. "Anne, seni duyan da söylediklerine bakarak bana güvenmediğin kanısına varacak."

"O halde beni duyan bu kişi oldukça uyanık biri, çünkü sana şu kadarcık bile güvenim yok. Hord'la Ragnar birkaç metre ileride oturuyor olacaklar. Düşmanca ya da aşağılayıcı bir tavır sergilemekten kaçınmalısın. Onlara ters ters bakmak, hakaretler yağdırmak, ayıplanacak bir davranışta bulunmak, kaba el hareketleri yapmak, her şeyden önemlisi de herhangi bir fiziksel saldırıya girişmek kesinlikle yasak. Sözlerim yeterince açık mı?"

"Belki biraz daha ayrıntıya girebilirdin, ama sanırım demek istediklerini anladım."

"Güzel. O halde içeri girebiliriz."

18

Svein'in Çiftçileri Nasıl kaçırdığını duyan Rurik öfkeden çılgına döndü. Yanına birkaç adam alarak nehri geçti, Svein Evi'nin topraklarına girdi ve karşısına çıkan ilk birkaç çiftçiyi öldürdü. Bunu duyan Svein başını hafifçe iki yana sallayarak konuştu. "Bir adamın bitiremeyeceği bir işe kalkışması kadar tehlikeli bir şey yoktur," dedi. Ardından adamlarıyla birlikte nehrin diğer tarafına yüzdü ve karşısına çıkan ilk çiftliği ateşe verdi. Ancak eve döndüğünde Rurik'in yeni bir saldırıda daha bulunduğu haberini aldı.

Karşılıklı ataklar bütün sene sürdü. Sonunda Svein, "Rurik fazlasıyla inatçı. Ama bakalım aç kalınca da bu kadar hareketli olabilecek mi" diyerek Rurik'in ambarlarını ateşe verdi ve beklemeye koyuldu. Akıllıca bir hamle yapmış olduğu kısa sürede anlaşıldı. Kış geldiğinde Rurik, Svein'in kapısının önünde diz çökerek ev halkını ölümden kurtarmak için yiyecek dilendi. Svein ise Rurik'i biraz süründürdükten sonra ambarlarındaki tahılı onunla paylaştı.

Evin içi fısıldaşmalar, kahkahalar, selamlaşmalar, normal koşullarda birbirinin ayağını kaydırmaya bakan, fakat şimdi büyük bir uyum içinde sohbet eden önemli kimselerin sesleriyle uğulduyordu. Ev her zamankinden farklı düzenlenmişti. Salonun bir ucunda on sandalye yarım daire oluşturacak şekilde dizilmişti. Diğer sandalyeler iki farklı grup oluşturacak şekilde yerleştirilmişti. Davacı ve davalı ailelerin temsilcileri salonun iki uzun duvarı boyunca sıralanan bu sandalyelere oturacak ve birbirlerini seyredeceklerdi. Sandalyelerin çoğu dolmuştu bile. Hizmetkarlar ortalıkta dolaşıyor, konsey üyelerinin arpasuyu bardaklarını doldurup atıştırmalık bir şeyler getiriyorlardı. On yasa yapıcının sekizi kadındı. Diğer iki hakim, eşleri ölmüş ve yasa yapma görevini üstlenmiş Ulfar Arnesson ve Halli'nin tanımadığı başka bir adamdı. Davada taraf olan Svein ve Hakon Evleri'nin yasa yapıcıları konsey heyetinde yer almıyorlardı. Fakat diğer tüm evlerin temsilcileri oradaydı; pembe suratları, açık renk saçları, kalın belleri ve geniş kalçalarıyla aşağı vadi insanları ve daha ince uzun yapılı, koyu renk saçlı ve zeytin gözlü yukarı vadi insanları. Kendi evlerinin renklerine bürünmüş olan konsey üyeleri aralarında akıcı bir dille konuşuyorlardı. Bu ihtişamlı görüntü karşısında biraz tedirgin olmamak imkansızdı.

Halli, Astrid ve Leif davacı tarafın sandalyelerine iliştiler. Svein Evi'nden gelen diğer beş adam da arkalarına geçerek duvar dibinde dikilmeye başladılar.

Karşı taraftaki sandalyeler henüz boştu. Davayı izlemeye gelen ev halkıyla yasa yapıcıların uşakları salonun kenarında birikmişlerdi. Halli bu insanlara bir göz attı; fakat Aud'u aralarında göremedi.

Ak sakallı Ulfar Arnesson, konsey üyeleri arasındaki yerinden kalkarak davacı tarafa doğru ilerledi ve Astrid'in elini abartılı bir rahatlıkla sıktı. "Ah sevgili kuzenim, olanlar bizi buralara kadar getirdi demek! Arabuluculuk girişimimin sonuç vermemesine üzüldüm doğrusu. Fakat bugün bu meseleyi en doğru şekilde çözeceğimizden eminim."

Astrid bitkin bir şekilde gülümsedi. "Biz de bunu umuyoruz. Aud nasıl? Gelişini sabırsızlıkla bekliyoruz."

Ulfar'ın yumuşak ifadeli yüzünde hafif bir tedirginlik belirdi. Bakışlarındaki sıcaklık kayboldu. "Sahi, bu şekilde sözleştiğimizi unutmuşum. Üzgünüm, fakat Aud bu kış size gelemeyecek. Ragnar Hakonsson, Aud'un kış mevsimini kendi evlerinde geçirmesini teklif edince çok sevindim. Deniz havası Aud'a çok iyi gelecek. Hem Hakon Evi sizinki kadar uzak da sayılmaz. Hatta belki bir parça daha konforlu olduğu bile söylenebilir. Sonuçta Hakon konağının ihtişamını bilmeyen yok." Konuşurken dönüp dönüp salonun girişine doğru bakmaktaydı. Davalıların gelişini sabırsızlıkla bekliyor gibi bir hali vardı.

Halli'nin annesi üstü örtülü bu aşağılama karşısında öfkeden kızardı. Duyduğu haber yüzünden midesine koca bir yumruk yemiş gibi olan Halli ise neşeyle gülümsemeye devam etmek için kendisini zorluyordu. "Hakon konağı hâlâ o kadar ihtişamlı mı? Duyduğuma göre evin yarısı yanıp kül olmuş."

Ulfar sakalının kenarını diliyle ıslatarak konuştu. "Konağın sadece ufak bir bölümü hasar görmüş. Hem sen bu konuda ne bilebilirsin ki? Şey, pardon, ismini hatırlayamadım."

"Halli Sveinsson. Bugün şahitlik yapacağım."

"Ah, evet." Ulfar Halli'yi önemsemez bir havayla süzdü. "Davanın tek tanığı sensin. Evet, hatırladım şimdi. Neyse, izninizle." Böyle söyleyerek yerine döndü.

Astrid'in yüzü asılmıştı. "Ulfar'ın bugün hangi tarafı tutacağını tahmin etmek için müneccim olmaya gerek yok. Zenginlik ve güç ona her zaman çekici gelmiştir. Kızının kışı Hakonssonların yanında geçirmesini istemesi de bundan. Eğer Ulfar istediğini elde edebilirse seneye bir düğüne çağrılacağız demektir. Halli, iyi misin? Yüzün bembeyaz oldu."

Halli annesinin sesini duymakta zorlanıyordu. Aud gelmeyecekti. Gidip Ragnar Hakonsson'un yanında kalacaktı. Rüyadaymışçasına Ragnar'la Hord'un, Hakon Evi'nin salonunda yaptıkları mantık evliliğine ilişkin konuşmayı anımsadı.

Leif ellerini kavuşturarak parmaklarını teker teker çıtlattı. "Ulfar'la bu şekilde küstahça konuşmandan hiç hoşlanmadım, Halli," dedi. "Eğer kendini kontrol edemezsen her şeyimizi kaybederiz."

Halli üzüntüsünü zar zor bastırarak konuştu. "Herkese gerektiği şekilde saygılı davranacağımdan emin olabilirsin," dedi alçak sesle. "Bu arada, bir şey soracağım, anne. Şuradaki kısa boylu şişman hizmetçi neden yasa yapıcıların arasında oturuyor? Birinin onu oradan kaldırması gerekmez mi?"

"Aslına bakarsan hizmetçi sandığın o kadın Thord Evi'nin yasa yapıcısı ve konseyin bu yılki yöneticisi Helga'dan başkası değil."

"Gerçekten mi?"

Salonun arka tarafında telaşlı bir hareketlenme yaşandı. Halli omuzlarının gerildiğini, birdenbire odaya düşmanca bir nefret duygusunun yayıldığını hissedebiliyordu. Başını yavaşça ve kontrollü bir soğukkanlılıkla çevirdiğinde salon boyunca ilerlemekte olan Hord ve Ragnar Hakonsson'la karşılaştı. Arkalarında Hakon Evi'ni temsilen gelen bir grup adam vardı. Başlarına kürklü birer şapka oturtmuşlardı; saçları ise sıkıca geriye taranmış ve süslü tokalarla toplanmıştı. Hord şapkasını çıkararak gösterişli bir hareketle sandalyesine bıraktı. Oturdu, ellerini gevşek bir ifadeyle dizlerine yerleştirdi ve kibirli bakışlarla çevresini süzmeye başladı. Adamları duvarın önünde sıralandılar. Çelimsiz adımlarla arkadan gelen Ragnar ise şapkasını çıkarmakta zorlanıyordu. Hatta Thord Evi'nden Helga oturumu açmak üzere ayağa kalktığında hâlâ şapkasıyla savaşmaktaydı. Helga kaşlarını çatarak ona bakınca aceleyle yerine oturmaktan başka çaresi kalmadı.

Thord Evi'nden Helga boğazını temizleyerek konuşmasına başladı. İriyarı, güçlü bir kadındı. Sesi birkaç metre ilerden bile kulak zarını titretecek cinstendi. O konuşurken tüm salon çıt çıkarmadan Helga'yı dinliyordu. "Konsey bugün Svein Evi'nin Hakon Evi aleyhine açtığı davayı görüşmek üzere toplandı," dedi. "Hord, Olaf ve Ragnar adındaki üç adamın geçen yılki toplantıdan üç gün sonra Brodir Sveinsson'u öldürmüş olduğu iddia ediliyor. Şimdi isterseniz vadimize özgü o asalet ve ağırbaşlılıkla davayı görüşmeye başlayalım. İlk olarak Svein Evi'nden Astrid o gün yaşananları özetleyecek."

Halli'nin annesi ayağa kalkarak soğukkanlı ve mantıklı bir yaklaşımla olayın ana hatlarını sıraladı. "Oğlum Halli yaşananlara birebir tanıklık etti," dedi sonunda. "Konuşmasına ve gördüklerini anlatmasına izin verir misiniz?"

"Elbette."

Bütün gözler Halli'ye çevrildi. Halli derin bir nefes alarak ayağa kalktı ve konsey üyelerine doğru dönerek saygıyla eğildi. "Bu konuya dair bildiklerimi anlatırken yalnızca doğruyu söyleyeceğime yemin ederim," dedi. "Amcamın öldüğü o sabah..."

Gest Evi'nin yasa yapıcısı olan buruşuk yüzlü yaşlı kadın çapaklı gözlerini Halli'ye çevirip elindeki değneği gürültüyle yere vurarak konuştu, "Bu çocuk neden bu kadar uzaktan konuşuyor?"

Ulfar hafifçe kadına doğru eğilerek, "Aslında uzakta değil, sadece biraz kısa." dedi.

Thord Evi'nden Helga ise, "Devam et, Halli Sveinsson," diyerek konuyu kapattı.

Halli'nin ifadesi, annesinin tembihlediği gibi kısa, öz, açık ve aşırı duygusallıktan uzaktı. Ancak o sabah ahırda yaşanan dehşetin tüm ayrıntılarını içeriyordu. Hakonssonların oturduğu tarafa bir kez bile dönüp bakmadı. Konuşmasını bitirdi, kendisine yöneltilen bir iki soruya cevap verdi ve ardından yerine oturdu. Annesi onaylarcasına dizini sıvazladı.

Yasa yapıcıların başı Helga başını salladı. "Teşekkür ederiz. Şimdi de davalı tarafın savunmasını dinleyelim. Hord Hakonsson, bu konuda söyleyecek bir şeyin var mı?"

"İşte bu oldukça ilginç olacağa benziyor," diye fısıldadı Halli'nin annesi. "Suçlamalara itiraz edebileceğini sanmıyorum. Aleyhindeki deliller açıkça ortada."

Hord ayağa kalktı, öksürdü ve konsey üyelerini eğilerek selamladı. Tevazu ve pişmanlık gösterircesine alçak perdeden konuşuyordu. Adamın anlattıklarının gerçeğe fazlasıyla uygun olduğunu fark eden Halli şaşırmıştı. "Fakat kardeşimin davranışı o anki koşullara göre değerlendirilmeli," dedi. "Unutmayın ki ailemizin şerefine cüretkarca dil uzatan bu sarhoş serseri yıllar önce evimizde büyük bir suç işleyip de ceza almadan yakayı sıyıran adamın ta kendisidir."

Astrid öfkeyle ayağa kalktı. "Ceza almadan mı? Bu dava zamanında yine konsey tarafından görüşüldü ve sonuçta evimiz ciddi miktarda arazi kaybına uğradı."

Thord Evi'nden Helga, Astrid'e oturmasını işaret etti. "Astrid haklı, Hord. Davranışların ve sözlerin yaşanan olayın basit bir cinayet değil, sürmekte olan bir kan davası olduğunu ima ediyor. Oysa senin de çok iyi bildiğin gibi, kan davası gütmek kahramanların yaşadığı dönemden bu yana kesinlikle yasaklanmıştır. Bugün bu tip ilkel tepkileri çoktan geride bırakmış olmalıyız."

Hord'un yüzündeki kaslar gerilmişti. Ama adam saygıyla konsey üyelerine eğilerek "Siz bilirsiniz," demekle yetindi.

Başkalarının ifadesine de başvuruldu. Ancak davaya ilişkin konuşmalar kısa zamanda sona erdi. Thord Evi'nden Helga, "Durum yeterince açık," dedi. "Az sonra kararımızı açıklayacağız. Fakat öncelikle davacı tarafın davayı kazanması durumunda tazminat olarak ne talep ettiğini öğrenmek istiyoruz." Bunun üzerine bakışlarını soru sorarcasına Halli'nin annesine çevirdi.

Halli'nin annesi ayağa kalktı ve eğilerek konseyi selamladı. "Bu konu bizim için maddi kazanç kapısından çok gurur meselesidir. Sevgili amcamızı, kardeşimizi, arkadaşımızı kaybettik... On iki bin dönümden bir nebze bile eksik tazminatı asla kabul etmeyiz."

Görüşmeler sürerken Halli, koltuğuna gittikçe daha fazla gömülüyordu. Onca lafın gelip dayandığı nokta işte tam da buydu. Davanın görüşülmesinin asıl nedeni belliydi. Politik çıkarlar ve arazi! Eskiden yücelttiği intikam duygusunun ne denli zavallı ve aldatıcı olduğunu anladığından beri bu çıkar kavgası midesini daha da fazla bulandırmaya başlamıştı. Tüm bu görüşmeler amcası için değil, daha fazla güç elde etmek için yapılıyordu. Peki, bu işin onurlu bir tarafı var mıydı? Akrabalar arasındaki sıkı bağlara ne olmuştu? Sevgi neredeydi? Aud haklıydı. Vadinin Halli için hiçbir çekiciliği kalmamıştı artık.

Konsey Astrid'le Hord'a tazminat miktarına ilişkin ayrıntılı sorular yöneltiyordu. Halli beklerken bir kez daha Aud'u, kurduğu kaçış planlarını, evlilikten ölesiye korkuşunu düşündü. Ragnar Hakonsson'la koca bir kışı, hatta belki de koca bir hayatı paylaşmak durumunda kaldığı için acı çekiyor olmalıydı. Bu düşünce öfkeden kızarmasına ve daha hızlı solumasına neden oldu. Gözleri hareketlendi; farkında olmadan Ragnar Hakonsson'a doğru bakmakta olduğunun farkına vardı. Ragnar da ona doğru bakıyordu. Yüzünden nefret okunuyordu. Halli gözlerini kaçırmadan bekledi. İki gencin gözleri birbirine kenetlendi; bakışları salonun ortasında sessiz bir mücadeleye girişti. Kalabalık salondaki hiç kimse bu mücadelenin farkında değildi. Hemen yanı başlarında yer alan aileleri ticari bir mesele görüşür gibi pazarlığa dalmış, söz konusu arazilerin ve sürülerin avantajları üzerine konuşuyorlardı. Konsey üyeleriyse bu konuşmalara katılıyor, önerilerde bulunuyor, emsal teşkil eden kararlardan bahsediyorlardı. Yasal yollardan çözümü aranan hukuksal bir sorundu söz konusu olan. Çok yakında Brodir cinayeti unutulacak, mesele iki ev arasında sağlanacak uzlaşmayla çözümlenecekti. Fakat Ragnar ve Halli hareket etmeksizin oturuyor ve birbirlerine bakıyorlardı. İradeleri iki geyiğin kavgasına benziyordu. Önce biri sonra diğeri geriliyor; fakat yenilgiyi kabullenmeye yanaşmıyorlardı.

Thord Evi'nden Helga, sesini hafifçe yükselterek salonun dört bir yanına kurulmuş masalarda duran arpasuyu bardaklarını çınlattı. "Pekala, bunu da hallettiğimize göre artık vereceğimiz karar üzerine konuşabiliriz."

"Bir saniye lütfen!" Konuşan Ragnar Hakonsson'du. Gözlerini Halli'den ayırmaksızın hızla yerinden kalkarak salonun ortasına doğru yürüdü. "Değerli konsey üyeleri, kararınızı vermeden önce davayı ilgilendirebilecek diğer birkaç noktaya daha dikkatinizi çekmemize izin verirsiniz, öyle değil mi?"

Konsey başkanı başını sallayarak onayladı. "Evet, elbette."

Hord Hakonsson sandalyesinde öne doğru eğilerek sordu. "Ragnar, ne var, ne oluyor?"

"Biraz beklersen anlayacaksın, baba. Sveinssonlara olan borcumuzu sıfırlayacak, hatta belki de onları bize borçlu hale getirecek bir karşı dava açmak istiyorum. Kısa bir süre önce ölen amcam Olaf'tan söz ediyorum. Eminim çok şaşıracaksınız; fakat az sonra söyleyeceklerimle ilgili en ufak bir şüphem bile yok." Pırıltılı gözlerle Halli'ye bakmayı sürdürdü. "Amcamın katili bugün aramızda oturuyor."

Ragnar'ın bu sözleri üzerine yasa yapıcılar derin bir nefes alıp sandalyelerinde doğrularak dikkat kesildiler. Hord Hakonsson da en az diğerleri kadar şaşkın görünüyordu. Ragnar'a çılgınca el hareketleriyle oturmasını işaret etti; fakat bu çabası sonuçsuz kaldı.

Konsey başkanının sesi oldukça sertti. "Böylesine ciddi bir iddianın sağlam temellere dayanması gerekir."

"Dayanıyor zaten." Ragnar eğilerek konsey üyelerini selamladı. Ardından salonun ortasına doğru ilerledi ve oturduğu yerde donup kalmış olan solgun bakışlı Halli'ye dönerek yumuşak bir sesle konuşmaya başladı, "Babam benim kadar hızlı koşamıyor. Bu yüzden salonun diğer ucundaki pencereye ulaşması zaman aldı. Pencereye vardığında görecek bir şey de kalmamıştı. Fakat ben kaçan kişinin kim olduğunu gördüm. Katilin kim olduğunu biliyorum."

"Söylediklerin hukuksal açıdan bakıldığında fazlasıyla kapalı," dedi Ulfar Arnesson. "Hem biraz daha yüksek sesle konuşabilir misin? Oldukça önemli bir konu bu."

Ragnar'ın gülüşü belli belirsizdi. "Halli Sveinsson'un söylediklerimi oldukça iyi anladığından eminim."

Annesinin uyarılarını hatırlayan Halli sessizce oturmaya devam etti.

Ragnar salonun diğer tarafına doğru dönerek bağırdı, "Gördünüz mü? Suçlu olduğu için söyleyecek tek bir söz bile bulamıyor. Gören de amcam mezarından fırladı ve kanlı elini Halli'nin kurbağa sırtını anımsatan omzuna koydu sanacak. Belli ki..."

Annesi Halli'nin kolunu uyarırcasına kavramıştı. Fakat Halli annesine boş vererek birden ayağa kalktı. Susup beklenecek zaman değildi. "Özür dilerim," dedi. "Fakat suskunluğumun asıl nedeni şaşkınlıktı. Belki bilmece gibi konuşmak Hakon Evi'nin sakinleri arasında ineklerle öpüşmek ve bataklıklarda yuvarlanmak gibi bir eğlence biçimi olabilir. Fakat maalesef ben bu tip bilmecelerden hiç hazzetmiyorum. Ya söylemek istediğini açıkça ortaya koy, ya da ortadan kaybol."

Yasa yapıcıların bir bölümü kaşlarını çatarak Halli'ye bakıyordu; ama büyük bir çoğunluğu onaylarcasına başını sallamaktaydı. "Bu kadar maskaralık yeter!" dedi Gest Evi'nin yasa yapıcısı. "Olayın özü neymiş, bir dinleyelim bakalım."

Ragnar kabul edercesine başını eğdi. "Pekala. Amcam kısa bir süre önce yanarak öldüğünde birinin kaçarak evimizden uzaklaştığı görüldü. Günlerce kaçağın izini sürdük, ancak kendisi sırra kadem basarak ortadan kayboldu. Hikayenin buraya kadar olan kısmını zaten hepiniz biliyorsunuz."

"Evet," dedi Ulfar. "Fakat kaçan serserinin kimliği..."

"Evet, o kişinin kimliğini ben biliyorum. Suçlu Halli Sveinsson'dur."

Bu sözler salonu alt üst etti. Hord Hakonsson sandalyesinden fırladı. Aynı şekilde yasa yapıcıların birkaçı da oturdukları yerden kalktılar. Gest Evi'nin yaşlı yasa yapıcısı dışında herkes dönmüş Halli'ye bakıyordu. Halli, annesinin sandalyesinde oldukça gergin bir şekilde oturup beklediğini fark etti. Leif ise alçak sesle okkalı bir lanet okuyordu. Halli'nin midesi düğüm düğüm olmuş gibiydi; nefesi kesiliyordu sanki. Ancak yüzüne herhangi bir duygunun yansımamasına, ifadesinin ise mümkün olduğunca soğukkanlı olmasına gayret etti. Kendinden emin bir şekilde öne doğru ilerledi ve gülümseyerek "Ragnar'ın bu saçmalıkları dayandırdığı bir kanıt var mı acaba?" diye sordu. "Benim hiçbir şeyden korkum yok. Tüm bunlar Brodir cinayetiyle ilgili belirlenecek tazminatı ödememek için ayarlanmış zavallı bir Hakonsson oyunundan başka bir şey değil çünkü."

Ragnar'ın cevabı Hord'un, Astrid'in, Leif'in, her iki evden gelen adamların ve ortamın heyecanına kapılan bazı konsey üyelerinin bağırışları arasında yitip gitti. Gest Evi'nin yasa yapıcısı ayağa kalkmış, elindeki değneği tehlikeli bir biçimde savuruyordu. Thord Evi'nden Helga ise bir boğa gibi kükreyerek salondakilere susmalarını söylüyordu. Sonunda güçlü ciğerlerinin yardımıyla seslerin tümünü bastırmayı başardı. "Herkes sussun! Yerlerinize geçin! Bu konuyu sağduyuyla ve sakince ele almalıyız. Hayır, izin verilene kadar tek bir kelime bile etmeni istemiyorum, Halli Sveinsson! Ragnar, tam olarak kimi neyle suçladığını öğrenebilir miyiz?"

"Halli Sveinsson zavallı ve hasta amcamı haince yakarak öldürdü. Amacı kendi amcasının intikamını almaktı. Bütün bunları nereden mi biliyorum? Alevler içindeki salonu geçerek pencereye ulaştığımda aşağıdaki duvara doğru baktım ve Halli'nin hendeğe atladığını gördüm. Katilin o olduğundan en ufak bir şüphem bile yok."

Helga, "Halli, bu suçlama karşısında ne diyeceksin?" diye sordu.

Halli cevap verirken oldukça temkinliydi. "Olaf'ı ben öldürmedim."

"Svein Evi'nden Astrid, senin söyleyecek bir şeyin var mı?"

Halli'nin annesi ayağa kalktı. "Gülünç bir suçlama bu! Halli henüz bir çocuk, hem de oldukça ufak tefek bir çocuk. Olaf gibi yetişkin bir savaşçıyı öldürmüş olması imkansız!"

"İmkansız değil. Belki biraz sıra dışı..." Helga parmaklarını dizlerine vurup duruyordu. "Halli ya da evden herhangi bir başkası geçen sonbaharda aşağı vadiye gitmiş miydi?"

"Hayır, hiç kimse. Hele de küçük Halli'mizin böyle bir şey yapmış olmasına imkan yok! Halli bizim yanımızdan hiç ayrılmadı. Her zamanki gibi bütün gün tarlada işinin başındaydı."

"Yalan söylüyorsun!" diye bağırdı Ragnar. "Yasa yapıcı olduğun halde oğlunu korumak adına bile bile yalan söylüyorsun! İşte bu çok aşağılık bir durum!"

Bunun üzerine Leif Sveinsson ayağa fırlayarak Ragnar'a doğru saldırgan tavırlarla hareket etmeye başladı. Svein Evi'nden gelen diğer adamlar da öfke içinde bağırıp çağırıyorlardı. Karşı tarafta duran Hakonssonlar yavaş yavaş öne doğru ilerlemeye başlamışlardı. Rurik Evi'nden birkaç kişi de salonun gerisinden ortalarına doğru geldiler. Kolları oldukça kalındı ve amaçlarının ortalığı sakinleştirmek mi, yoksa kavgaya karışmak mı olduğunu anlamak mümkün değildi.

Thord Evi'nden Helga, çatı kirişlerini titreten ve en iriyarıiri yarı adamların bile yerlerine dönmelerini sağlayan öfke dolu bir çığlık attı. Ardından öfkeli bir sessizlik içinde salondakileri süzdü. "Burada hepinizin çok iyi bildiği kahramanlık hikayelerinden birinin içinde değiliz," diye bağırdı. "Burada kaba kuvvetin yeri yok. Konsey toplantılarında sorunlarımızı başka şekillerde çözmeyi nesiller boyunca becerdik. Her iki tarafın da az önce yaşananlar yüzünden utanç içinde olduğunu umarım. Konuşmalı, fikirlerimizi dile getirmeli, gerektiğinde tartışmalı, sonuçta da konseyin verdiği kararı olgunlukla kabul etmeliyiz. Söylediklerime katılıyor musunuz, yoksa şeref ve onur uğruna birbirinizin gırtlağını mı keseceksiniz? İyi düşünün! Davranışlarınızın hesabını vereceğinizi unutmayın!"

Salonda öksürük sesleriyle homurdanmalar duyuldu. Helga sert bir ifadeyle başını salladı. "Pekala."

Ulfar Arnesson elini havaya kaldırarak söz istedi. "Bir sorum var. Ragnar'ın asil bir delikanlı olduğunu hepimiz biliyoruz. Fakat Halli'yi suçlamak için neden bu kadar beklediğini, hatta konuyla ilgili babasına bile neden tek kelime etmediğini merak ediyorum."

Ragnar çaresizlikle omuzlarını silkti. "Halli'yi benden başka kimse görmedi. Suçlu olduğunu benden başka kimse bilmiyor. Elimde kanıt olmadığı için meseleyi büyütmek istemedim. Ayrıca babamın bu tatsız olayları mümkün olduğunca çabuk sonlandırmak istediğinin ve sorunu büyütmekten kaçındığının da farkındaydım. Fakat bugün, Halli'nin o iğrenç yüzünü karşımda görünce daha fazla suskun kalamayacağımı anladım. Vereceğiniz karar ne olursa olsun, ben üzerime düşeni yaptığımı ve gerçekleri dile getirdiğimi biliyorum."

Ulfar anlayışla başını salladı. "Yerinde bir açıklama. İçimden gelen ses anlattıklarının doğru olduğunu söylüyor."

"Tıpkı her zaman Hakonssonlara yanaşman gerektiğini söylediği gibi mi?" diye seslendi Astrid. "Kızının keyfi yerinde mi, sevgili kuzenim? Ragnar'la evlenene kadar kaçmasın diye odasına mı kilitlendi?"

Ulfar öfke dolu bir tıslamayla ayağa fırladı. Helga Ulfar'ı sakinleştirmeye çalışırken Halli söz aldı, "Ragnar'ın ağzıyla değil de başka bir tarafıyla konuştuğu çok açık. Peki, soralım bakalım; duvarın üzerindeki şu gizemli siluet dönüp de kendisine bakmış mı?"

Ragnar başını salladı. "Hayır."

"Yani sonuçta bu kişinin yüzünü görmediğini mi söylüyorsun?"

"Görmedim."

Halli konsey üyelerine bakarak gülümsedi. "Başka bir deyişle, gördüğün kişi herhangi biri olabilir."

Şimdi de Ragnar ayağa fırlamıştı. "Senin şu iğrenç vücut ölçülerine sahip olan başka biri var mı?" diye bağırdı. "Yüzünü görmeme gerek bile yoktu! Alevlerin bir anlığına da olsa aydınlattığı sevimsiz ve bodur siluüeti görmem yetti de arttı bile!"

Halli omuzlarını ilgisiz bir havayla silkerek konuştu. "Gördüğün kişi aşağıdaydı; sense oldukça yüksekte bulunan pencereden aşağıya bakıyordun. Yani duvarın üzerinde kim olsa normalden kısa görünecekti."

"Hiç kimse senin kadar kısa görünemez. Gördüğüm kişi sendin."

Halli dişlerini göstererek güldü. "Gerçekten mi? Bu suçlamayı ilk kez burada duyduğumuzu herkesin bir kez daha hatırlamasını rica ediyorum. Anlatılanların evime yönelik nefret duygularıyla yoğrulmuş saldırı amaçlı bir safsata olduğunu düşünüyorum. Hepinizin bildiği gibi, son görüşmemizde Ragnar'ın ayağı benim boğazımı eziyordu."

Ragnar tiz bir kahkaha attı. "Evet, o iğrenç kokun botumun tabanından bir türlü çıkmıyor."

"Bu durumda başka kanıta ihtiyaç var mı?" diye sordu Halli. "Neden benimle uğraşıyorsun, Ragnar? Azılı suçlu görünüşüne biraz daha uygun bir hedef seçsene kendine! Mesela babana ne dersin?"

Ragnar'ın öfkeyle içine çektiği nefes tüm salonda yankılandı. Baştan beri beyaz olan yüzü şimdi iyice kireç gibiydi. Karşı tarafta oturmakta olan Hord öfkeyle yerinden fırladı. Boynundaki damarlar patlayacak gibi kabarmıştı.

Helga Thordsson kükrer gibi bir sesle konuştu. "Hord, hemen yerine dön! Ortalığı karıştırmayın lütfen! Halli Sveinsson, sen de yorumlarını kendine sakla."

Halli, Helga'nın karşısında saygıyla eğildi. "Özür dilerim. Anlık bir heyecana kaptırdım kendimi. Yapım bu. Fakat neyse ki bu tip durumlarda şu yaşlı Hord'un yaptığı gibi gidip de başkalarını bıçaklamıyorum." Hord bir kez daha ileriye doğru uzanarak Halli'yi yakalamaya çalıştı. Bu haliyle çırpınmakta olan bir ayıya benziyordu. Halli ise geri çekilerek Hord'un menzilinden çıktı. "Neden şimdi de beni bıçaklamıyorsun?" diye bağırdı. "İstersen önce ahbaplarına söyle de beni sıkıca tutup hareketsiz hale getirsinler. Ama dur... o durumda bile çaresiz kalacağımın garantisi yok ki! Sen en iyisi bıçağını uzun bir sopanın ucuna bağlayıp yan odaya geç. Beni oradan öldürürsen olası tehlikelerden de korunmuş olursun."

Daha sözlerini bitirmeden fazla ileri gitmiş olduğunu anlamıştı. Hord'un boynundaki kaslar çadır ipi gibi gerilmişti. Yüzü mosmor olmuş, gözleri kararmıştı. Pençe haline getirdiği elini havaya kaldırıp Halli'ye doğru atıldı. Halli hızla çekilmeye çalışınca sertçe sandalyesine çarparak yanlamasına annesinin kucağına yuvarlandı.

Hord havaya kaldırdığı yumruklarıyla Halli'yle annesinin önünde dikildi. Astrid keskin bir çığlık attı; Halli ise annesiyle kendisini korumak istercesine elini havaya kaldırdı.

Birden bir gölgenin soldan sağa doğru hızla hareket ettiği görüldü. Gölgenin değdiği yerde Hord'un kafası çenesine bir çekiç inmişçesine geriye doğru savruldu. Hord sendeledi, fakat sersemleyen bakışlarına rağmen yere yuvarlanmadı.

Elini yavaşça indiren Leif parmak eklemlerini ovuşturarak, "İşte bu yüzden sakal uzatmakta fayda var. Adamın yüzünde yumruğun etkisini azaltacak hiçbir şey yoktu," dedi.

Bir anlık sessizliğin ardından ortalık savaş alanına döndü.

Yasa yapıcılardan bazıları acı çığlıklar attılar. Davayı izlemeye gelenler panik içinde bağrışıyorlardı. Salonun iki yanında bulunan Sveinsson ve Hakonssonlar birbirlerine doğru koşmaya başladılar. Bazıları sandalyelerin üzerinden atlıyor, bazılarıysa düşmanlarına erişebilmek için karşılarına çıkan her şeyi tutup bir kenara fırlatıyorlardı. Rurik Evi'nin hizmetkarları da hızla olaya dahil oldular.

Salonun ortasında büyük bir çarpışma yaşanıyordu; insanlar kendilerini kaybetmişçesine birbirlerini sakallarından yakalayıp ısırıyor, yumruklaşıyor, tekmeleşiyor ve dövüşüyorlardı.

Ayağa kalkmayı başaran Halli, annesini sandalyesinden çekip uzaklaştırmak istedi. Fakat sersemlemiş Hord'un hemen arkasında Ragnar belirdi. Genç adamın gözleri fal taşı gibi açık, ağzı aralıktı. Öne doğru atılarak kollarından birini Halli'nin boynuna doladı.

Konsey üyelerinin bulunduğu tarafta, Thord Evi'nin yasa yapıcısı Helga parmak uçlarında yükselmiş, kimsenin duyamayacağı emirler haykırıp duruyordu. Aralarında Gest Evi'nden gelen yaşlı bayanın da bulunduğu bazı yasa yapıcılar Helga'nın yanından hızla geçerek kavganın yoğunlaştığı tarafa doğru koşmaya başladı. Yaşlı kadın değneğini dengesiz fakat tehlikeli bir biçimde savurmaktaydı.

Hord parmaklarıyla çenesini ovuşturuyordu. Sonunda doğrularak sert bir ifadeyle etrafına bakınmaya başladı. İşte tam o anda Gest Evi'nin yasa yapıcısı değneğini adamın kürek kemiklerinin arasına indirdi. Hord darbenin etkisiyle dizlerinin üzerine çökmek zorunda kaldı.

Ragnar'ın parmakları Halli'nin boynunu sıkıca kavramıştı. Halli çırpınıyor, rakibinin suratına dirseğiyle bir darbe indirmeye çalışıyordu.

Astrid pençe gibi gerdiği parmaklarıyla Ragnar'a doğru atıldı. Ragnar aniden Halli'yi serbest bırakarak geriye doğru sendeledi. Yanağı kanıyordu.

Şimdi de Ulfar Arnesson yerinden kalkmış Hakonssonların yardımına koşuyordu. Leif'in sırtına birkaç güçlü darbe indirdi; ancak Leif, Ulfar'ı dikkate bile almadı. Halli'yle ağabeyi annelerinin devrilmiş sandalyelerin üzerinden geçerek salonun daha sakin bir köşesine ulaşmasına yardımcı olmaya çalışıyorlardı.

Davayı izlemek için salonda bulunan ve dövüşecek kimse bulamayan Rurikssonlar duvar kenarında huzursuzca kıpırdandıktan sonra birbirlerini yumruklamaya giriştiler. Onların işgal ettiği yoldan geçemeyeceklerini anlayan Halli ve Leif kararsız gözlerle çevrelerine bakındılar.

Tam o sırada Ulfar Arnesson, Leif'in sırtına okkalı bir tekme yapıştırdı. Bu kez darbenin farkına varan Leif hızla dönerek bir yumruk attı. Ulfar yediği yumruğun şiddetiyle odanın diğer tarafına uçtu ve Gest Evi'ni temsil eden yaşlı kadının değneğinden sekerek salondaki en iriyarıiri yarı, en cırtlak sesli yasa yapıcının eteklerine kondu. Kadının sandalyesi ikisini birden taşıyamadığı için kırıldı.

Leif'le Astrid salonun ortasında dövüşen adamların arasından kendilerine yol açmaya çalışarak ilerlediler. Arkalarından gelen Halli dönüp geriye baktığında Hord Hakonsson'un yavaşça ayağa kalktığını gördü. Hord önce şaşkın şaşkın etrafına göz attı; fakat bakışları hızla bilinç kazandı. Halli, Hord'un kendilerini gördüğünü ve yeleğinin iç cebine uzanarak bir av bıçağı çıkardığını fark etti.

Halli, Hord'u işaret ederek çığlık çığlığa bağırdı; fakat sesi onca kargaşanın arasında yitip gitti.

Hord bıçağı elinde hazır tutarak Halli ve ailesine doğru ilerlemeye başladı.

Halli itiş kakış içersinde etrafındakilere çarpıp sendeleyerek gerilemek zorunda kalmıştı.

Hord ise gittikçe yaklaşmaktaydı.

Thord Evi'nden Helga sesinin yetersiz kaldığını fark edince tehditkar bir edayla ayağa kalktı ve sandalyesini tek eliyle kavrayarak ileriye doğru savurdu. Ağır yük taşımaya alışkın birinin rahatlığıyla ve büyük bir kavisle savurduğu sandalye Hord'un kafasına indi.

Hord bayılmak üzere olan bir öküz gibi yalpaladı ve sonunda yere yığıldı. Bıçak elinden fırlayarak salonun diğer tarafına savruldu ve etrafa ışıltılar saçarak dönmeye başladı.

Herkes transa geçmişçesine bıçağa bakıyordu. Erkekler birbirlerinin sakalını, burnunu, kulaklarını ve at kuyruğunu bıraktılar. Salona koyu bir sessizlik çöktü. Halli, Astrid, Ragnar, Gest Evi'nin yasa yapıcısı, hâlâ Sigurd Evi'nden gelen temsilcinin eteğiyle savaşmakta olan Ulfar Arnesson, kısacası herkes olduğu yerde kalarak çıt çıkarmaksızın yerde dönen bıçağı izlemeye başladı.

Bıçağın dönüşü yavaşladı, yavaşladı... ve sonunda durdu.

Sandalyesini hâlâ elinde tutan Helga diğer eliyle yüzüne dökülen saçları alnından uzaklaştırdı. Hafifçe terlemişti. "Sanırım tam bu noktada dursak iyi olur," dedi. Bu kez bağırmasına gerek kalmamıştı. "Yüce konseyimizde böylesine onursuz bir sahnenin yaşanması hepimizi utandırmalı. Sakin sözcüklerle medeni görüşmelerin yerini şiddet dolu bir patlamanın almış oluğunu görmek kanımı beynime çıkarıyor doğrusu. Hepinizi aklınız başınıza gelinceye kadar pataklamak için karşı konulması zor bir istek duyuyorum içimde. Ancak ben de en az sizler kadar suçluyum." Yana doğru fırlattığı sandalye ufak bir gürültüyle parçalandı. "Hiçbirimiz aklanmış sayılmayız. Hepimiz hâlâ lekeliyiz. Öyle görünüyor ki kaç yıl geçmiş olursa olsun, ailelerimiz arasında kaç evlilik gerçekleşirse gerçekleşsin, kahramanların başına bela olan delilik bizim de damarlarımızda dolaşıyor. Yaşlısıyla, genciyle, kadınıyla, erkeğiyle birbirimize karşı ayaklanmaya ne kadar da meraklıymışız, baksanıza! Evet, hepimiz lekeliyiz. Fakat..." Helga'nın sesi iyiden iyiye sertleşmişti. "Fakat sadece bir taraf bıçak çekmeye yeltendi. Hatta, 'yine bıçak çekmeye yeltendi' desek daha iyi olur sanırım, çünkü bugün tam da bu suçu görüşmek için burada toplanmıştık. Hord Hakonsson, bugün burada yapmaya niyetlendiğin şeye hepimiz şahit olduk. Bu yüzden Brodir Sveinsson'un ölümüyle ilgili kanıtlardan şüpheye düşmek için herhangi bir neden göremiyorum. Bu durumda ciddi bir cezaya çarptırılacağını şimdiden söyleyebilirim. Herkesin önünde bıçak çektiğin için de ayrıca cezalandırılacaksın. Kaybedeceğin arazinin büyüklüğü, umuyorum ki hepimiz için iyi bir ders olur ve bundan böyle sadece çirkin heveslerimizi kontrol altında tutmak için savaşırız. Şimdi şu dağınıklığı toplasak iyi olur."

Hord yerde uzanmış tavana bakıyor, nefes alıp verirken karaya vurmuş bir balık gibi yanaklarını şişiriyordu. Elindeki mendili yanağındaki yaraya bastıran Ragnar yüksek sesle sordu? "Peki ya Halli? Onun işlediği suç ne olacak? Ona ne ceza verilecek?"

Helga'nın Ragnar'a bakışı oldukça sert ve aşağılayıcıydı. "İddialarını destekleyecek tek bir kanıt bile yok. Ayrıca evinizin itibarı öylesine zedelendi ki söylediklerinin tek bir kelimesine bile inanmam olanaksız. Bu konuyu konseyde bir daha dile getirmeye kalkışırsan ceza alırsın."

Ragnar hiçbir şey söylemedi. Önce Helga'ya sonra da kendisine neşeyle el sallamakta olan Halli'ye baktı. Ardından ifadesiz bir yüzle babasına yardım etmek üzere eğildi. Hord, oğlunun da yardımıyla önce dizlerinin üzerine doğruldu, sonra ayağa kalktı. Kesik kesik hareket ediyordu; ayakta durmakta zorlandığı belliydi. Yere hızla çarpan burnu şişmiş ve kızarmıştı; gözleri bambaşka yönlere bakıyordu. Ancak konuşurken sesi oldukça kontrollüydü. Salondaki herkes Hord'un söylediklerini duydu.

"Konsey kararlarının genelde fazlasıyla kadınsı olduğunu, adaletin gerektirdiği şekilde değil de tatsızlıkları ne pahasına olursa olsun sonlandırma kaygısıyla verildiğini herkes bilir. Fakat Helga'nın sözleri bu rezaleti bir basamak daha öteye taşıyor. Kardeşimin katili elini kolunu sallayarak buradan çıkıp gidecek. Bense eğilip bükülerek onun evini zengin edeceğim, öyle mi? Bu kararı kesinlikle kabul etmediğimi herkes duysun. Bu kararı evime dayatmaya kalkan olursa silahlarla karşılık vereceğimizi de herkes duysun. Ayrıca bir seneye kalmadan Svein Evi'nden, özellikle de bana bakıp sırıtan şu işe yaramaz serseriden intikamımızı alacağımızı da herkes duysun. O serseri toprağın altına girmeden bu vadide barıştan söz edilmeyeceğine büyük kahraman Hakon adına yemin ederim. Şimdi bu salondan çıkıp gideceğim ve kimsenin beni durdurmaya çalışmamasını öneririm. Rurikssonlara konukseverlikleri için teşekkür ederim."

Söyledikleri tüm salonda yankılandı. Hord oğluna tutunup acı içinde yürürken herkes sessizce onu izledi. Hakonssonlar ağır adımlarla kapıya doğru ilerlerken salondakiler geri çekilerek onlara yol verdi. Hord'un sırtı kamburlaşmış, burnu şişmişti. Ragnar'ın ise yanağı yırtılmış ve kanamıştı. Salonun girişine vardıklarında kapıyı ardına kadar açtılar. Onların ardından salona parlak gün ışığı döküldü.

Rurik Evi'nin salonu hâlâ sessizdi. Sonra herkes derin derin içini çekti.

Leif'le Astrid durmuş birbirlerine bakıyorlardı. Sonra dönüp Halli'yi süzdüler.

Halli ise ellerini alkışlarcasına birbirine vurarak, "Neyse, bu iş de böylece halloldu," dedi.

19

HEM SVEIN HEM DE EVİ KISA zamanda zenginlikle ihtişama kavuştular. Svein kıymetli taşlardan yapılmış broşlar, kolyeler ve yüzükler takmaya, aşağı vadide yapılmış karmaşık motifli saatler kullanmaya başladı. Yanlarında bu tip değerli mallarla dolaşan tüccarlara evin kapısı her zaman açıktı. Fakat evin ihtişamına kapılıp gelen ipsiz sapsız dilenciler Svein'in sinirine dokunuyordu.

Sınır boylarına yerleştirilen garnizonların arasında kalan bölgede Svein'in sözü kanundu. Özel olarak yaptırdığı el oyması koltuğu konağın salonundaki platformun üzerine yerleştiren Svein hırsızları ve serserileri bu koltuğa oturarak yargılardı. Verdiği hükümler katıydı, fakat kararlarına pek fazla itiraz edilmezdi. Avluya kurulmuş bir darağacı Svein'in kanunlarını hafızalara kazımaya yardımcı oluyordu.

Rurik Evi'nin salonu Hakonssonların ardından uzun bir süre hareketliliğini korudu. Uşaklar kırılan mobilya ve eşyaları salondan dışarı taşıdılar. Kavgada yaralananlar morarmış gözlerini ve kanayan yerlerini temizlemek üzere salondan çıktılar. Konsey üyeleri ve Astrid ise kafa kafaya verip bu yeni durum üzerine konuştular. İlk kez böylesine büyük bir sorunla karşı karşıya kalıyorlardı. Kaya Savaşı'nı takip eden yıllarda kahramanların soyundan gelenler bazı eski kan davalarını sürdürmeye kalkışmışlardı. Ancak o zamandan bu yana hiçbir ev, vadi kanunlarına uymayacağını açıklamamıştı. Ne yapılması gerektiği konusunda farklı görüşler vardı. Savaş yanlısı bir iki kanun koyucu (Gest Evi'ninki dahil) Hord ve ailesinin üzerine yürümek gerektiğini savunuyordu. Diğerleri ortada kılıç falan bulunmadığını, zaten bu tip bir kararın vadide uzun zamandır süregelen barış havasını tamamen ortadan kaldıracağını söylüyorlardı. Çoğunluk Hord'un aceleci sözlerinden dolayı kısa zamanda büyük bir pişmanlık yaşayacağı ve geri adım atacağı görüşündeydi. En iyisi o zamana kadar Hakon Evi'yle tüm ticari bağları dondurmak ve Hord'u eninde sonunda yaşayacağı pişmanlığa doğru yönlendirmek olacaktı.

"Kar mevsimi yaklaşıyor," dedi konsey başkanı Helga. "Hord'un öfkesi de soğuyacak. Koca bir kış boyunca söylediklerini tartacak zamanı olacak. Baharda kendisiyle yeniden görüşmeyi deneyeceğiz. Hak ettiğin topraklara önümüzdeki sene kavuşacağından en ufak bir şüphen olmasın, Astrid."

"Umarım haklısındır," diye cevap verdi Halli'nin annesi. "Fakat Hord tehditlerini gerçekleştirmeye kalkışırsa ne olacak? Bize saldırırsa ne yapacağız?"

"Size saldırmayı aklının ucundan bile geçirmeyeceğinden eminim. Böyle bir durumda çarptırılacağı cezaları bir düşünsene! Aslında ne düşünüyorum, biliyor musun? Bence tüm bu olanların olumlu bir yanı da var. Hord'u biraz dizginlemek hiç de fena olmadı."

"Öyle bile olsa evim ve halkım için endişeliyim." Astrid'in yüzü gergindi, oldukça tedirgin bir sesle konuşuyordu. "Ve tabii oğlum için de."

Helga başını onaylarcasına salladı. "Evet, doğru. Halli. Ben de tam bu konuya gelmek üzereydim. Tartışma sırasında haddini biraz aştı, öyle değil mi? Politik davranmayı becerdiği pek söylenemez. Hord'un öfkeden köpürmesinin sebeplerinden biri de bu oldu bence. Kışın oğluna kontrollü davranmanın öneminden bahsedersin umarım."

"Hiç merak etme," dedi Astrid kısaca. "Bahsedeceğim."

"Neden beni suçluyorsunuz ki?" diye kükredi Halli. Zonklayan kulağını ovuşturuyordu. "Ben tek bir yumruk bile atmadım."

"Atmana gerek de kalmadı zaten," diye bağırdı annesi. "Sivri dilin onlarca yumruğa bedeldi. Hord'u kontrolünü tamamen kaybedinceye kadar taciz edip durdun."

Halli kollarını göğsünde kavuşturdu. "Beklediğinden fazla toprak elde ettiğin için mutlu olacağını düşünmüştüm. Sonuçta tek ilgini çeken konu bu."

"Henüz hiçbir şey elde etmiş değiliz, tabii intikam tehditlerini saymazsak. Ayrıca hatırlatırım, benim güdük, alçak, yılan ruhlu oğlum, tüm bu olanlar senin kötü davranışlarının bir sonucuydu. Ragnar gördüklerinden bahsederken doğruyu söylüyordu, öyle değil mi?"

Halli gözlerini annesininkilerden kaçırdı. "Aslında evet. Fakat asıl ilginç nokta benim Olaf'ı öldürmemiş olmam."

Astrid öfke dolu bir çığlık attı. "Sakın bana yalan söylemeye kalkışma!"

"Yalan söylemek ne zamandan beri suç oldu, anne? Yanılmıyorsam sen de konsey önünde şakır şakır yalan söyledin."

Astrid oğluna vurmak üzere elini kaldırdı, fakat Leif hızla aralarına girerek, "Anne, böyle bir davranış seni küçültür," diyerek ona engel oldu.

Halli başını hafifçe eğerek ağabeyine teşekkür etmek istedi. "Sağ ol, Leif... Ah!"

"Annemi küçültür, ama beni küçültmez."

Astrid'in yüzü bembeyaz olmuş, gözleri kocaman açılmıştı. "Bu eve verdiğin zarar yüzünden dilerim Trollerin elinde can verirsin Halli."

"Troller mi?" diye güldü Halli. "Harika! Senin şu kendi çıkarına uydurduğun vadi barışı masalı var ya? O masala inandığım kadar bile inanmıyorum ben bu Trol efsanesine. Haydi, bakalım, mezar taşlarını ortadan kaldırın, bırakın Troller beni yesin! Umurumda bile değil. Bunların hepsinden bıktım artık."

Leif ve Astrid içgüdüsel olarak kötü şansı kovacak hareketler yapmaya başladılar. Leif'in gözleri fal taşı gibi açılmıştı. "Zavallı kardeşim, delirmişsin sen!"

"Hemen atına bin!" dedi Astrid. "Ve tek bir kelime daha etme! Daha bu sevimsiz haberleri evdekilere anlatmamız gerek."

Gerçekleşmesi beklenen anlaşmanın ertelenmiş olması Svein Evi'ndekiler tarafından sessiz bir moral bozukluğuyla karşılandı. Fakat Hord'un tehditleri çok daha büyük bir gerilime neden oldu. Zulüm ve kıyımlarla ilgili hikayeler yeniden hatırlanıp ayrıntılı bir biçimde incelendi. Ayrıca Halli olaylardaki rolü yüzünden tepkilerin odak noktası oldu. İnsanlar hâlâ tehlikeli bir katil olarak gördükleri Halli'ye fazla ilişmiyorlardı. Fakat onu eskisinden de çok dışlamaya ve her yerde görmezden gelmeye başladılar.

Halli olan biteni umursamıyormuş gibi davranıyordu; ancak bu şekilde dışlanıyor olmak canını oldukça sıkıyordu. Svein Evi'ne, evdeki düşmanlık, kıskançlık ve yersiz korkularla dolu ortama geri döndüğü için her zamankinden büyük bir pişmanlık duyuyordu. Yolculuğu sırasında gördüğü evler arasında en ufağı ve çelimsizi şüphesiz Svein Evi'ydi. Eski hikayelerde anlatılanlar şimdi Halli'ye oldukça gülünç geliyordu. Ailesine tahammül etmekte zorlanıyordu; zaten onlar da Halli'ye katlanmak zorunda oldukları için keyifsizdiler. Fakat kış kendini iyiden iyiye belli etmeye başlamıştı ve yapılabilecek hiçbir şey yoktu. Tepedeki mezar taşları çoğunlukla bulutların ve sis perdesinin arkasında kalıp gözden kayboluyordu.

Moralini biraz olsun düzelten iki şey vardı. Bunlardan biri Katla'nın birdenbire Halli'ye eskisi gibi davranmaya başlamasıydı. Suçlarının büyüklüğü Katla'nın öfkesini yumuşatmıştı. Yaşlı kadın yine eskisi gibi odasında tek başına oturan Halli'ye çorba getirmeye başlamıştı.

"Teşekkürler, Katla. Senin de ötekiler gibi katil ve kanun kaçağı olduğumu düşünmemene seviniyorum doğrusu."

"Tam tersine, ben senin ciddi bir lanetin kurbanı oluğunu, kasvetli bir hayat sürüp genç yaşta öleceğini düşünüyorum. Her zaman derim; kış ortasında doğanların kaderi budur. Tüm bu olaylar da beni doğruluyor. Bu yüzden sana acıyorum ve hâlâ aramızda olduğun sürece pişirdiğim çorbadan içmene izin veriyorum. Hepsi bu! Şimdi bana Olaf'tan bahset. Onu tam olarak nasıl öldürdün?"

Halli'nin diğer avuntusu ise ilkinden de önemli sayılırdı. Aud pek yakında Svein Evi'ne gelecekti. Hakonssonların itibarı son yaşananlar yüzünden sarsılınca ve Sveinssonlar vadideki tüm kanun koyucuların sempatisini kazanınca Ulfar Arnesson fırıldak gibi dönmüş ve zaman kaybetmeden kızıyla ilgili planlarını değiştirmişti. Daha Rurik Evi'nin salonunu terk etmeden kendini toparlamış ve Aud'un kışı Svein Evi'nde geçirmesini rica etmek amacıyla Astrid'e koşmuştu. Kız birkaç gün içinde Svein Evi'ne varmış olacaktı.

İnce bir kar tabakası toprağı örtmeye başlamıştı. Vadi yolunun çağlayanlara kadar olan kısmı çok yakında kar yığınları ve buzla kapanmış olacaktı. Konsey toplantısındaki kavganın üzerinden bir hafta geçmişti ki Kuzey Kapısında üç atlı belirdi. Atlıların ikisi Arne Evi'nden gelen iriyarıiri yarı adamlardı ve kapıya varır varmaz atlarını çevirerek aşağı vadiye doğru yol almaya başladılar. Üçüncü atlı Ulfar kızı Aud'dan başkası değildi. Aud gülümseyerek Svein Konağına girdi.

Aud'un gelişini kutlamak için bir ziyafet düzenlenmişti. Ev halkının büyük bir kısmı bu ziyafete katıldı. Sadece Arnkel hasta olduğu için odasında kalmayı tercih etti. Durumu pek iyi değildi. Bu yüzden evde oldukça hassas ve gerilimli bir hava vardı.

Aud, evinin resmi kıyafetlerine bürünmüştü; saçı gösterişli bir kuyrukla toplanmıştı. Hızlı ve zarif adımlarla salonda gezinerek evin önde gelenlerini selamladı. Yan gözle kızı izleyen Halli hemen herkesin kızdan oldukça hoşlandığını fark etti. Sadece Gudny biraz mesafeli davranmış, kalabalığın gerisinde kalmayı tercih etmişti.

Sonunda Leif tarafından yakın takibe alınan Aud, Halli'ye doğru yaklaştı. Halli kızı eğilerek resmi bir şekilde selamladı. "Seni yeniden görmek güzel."

"Seni de, Halli Sveinsson. Çok uzun zaman oldu." Gözlerinin içi gülüyordu. "Görüşmeyeli nasılsın?"

"İdare eder."

Leif aralarına girdi. "Bayan Aud, bu serseriyle konuşmaktan daha iyi seçenekleriniz var. Gelin, size yüce Svein'in silahlarını göstereyim. Size onunla ilgili bir sürü hikaye anlatabilirim..."

Aud, Leif'le birlikte uzaklaşırken omzunun üstünden Halli'ye bakarak gülümsedi.

Ertesi sabah karla yüklü bulutlar öylesine alçalmıştı ki evin çatısı bulutların arasında gözden kaybolmuştu. Beklenen kar fırtınası yaşanmadı; fakat ev fırtınaya yönelik hazırlıklarla çalkalanıyordu. Son birkaç hayvan da soğuktan donmamaları için ahırlara alındı.

O gün Astrid ve Leif günün büyük bir bölümünü Aud'la birlikte geçirdiler. Halli kızla konuşmak için fazla fırsat bulamadı. Onu uzaktan gözlerken Aud'un her türlü duruma ayak uyduracak ve kendini gerektiği gibi gösterecek beceriye sahip olduğunu anladı. Halli onun lafını esirgemeyen ve her şeyi sorgulayan biri olduğunu biliyordu. Fakat Aud, Leif'in yanındayken gözlerini ilgiyle kocaman açan neşeli ve eğlenceli bir kıza dönüşüyordu. Annesinin yanında ise daha sessiz, daha sakin, büyüklerinin sözünden çıkmayan bir genç kız havasına bürünüyordu.

Sonunda tesadüfen konağın arka tarafındaki koridorda karşılaştılar.

"Nereye kayboldun?" diye sordu Aud. "Eğer Leif'in anlattığı sıkıcı hikayelerden birini daha duyacak olursam ona saç tokamla saldırabilirim. Gelip beni o zevzekten kurtarmanı bekliyorum."

"Özür dilerim." Halli'nin yüzüne aptalca bir gülümseme yayılmıştı. "Neyse, sonunda buraya gelebilmene çok sevindim. Kışı Hakon Evi'nde geçireceğine dair söylentiler çalınmıştı kulağıma."

Aud gözlerini devirerek konuştu. "Evet. İğrenç babam her şeyi kendince planlamıştı. Hatta Hord'la çoktan el sıkışmış olduğundan eminim. İnanabiliyor musun? Ragnar'la evlenmek! Öylesine sıkıcı ve korkak bir tip ki! Beni Ragnar'la evlenmeye zorlasalardı ya evden kaçardım ya da boğazımı keserdim. Belki de nehre atlayıp boğulmayı denerdim. Neyse ki Rurik Evi'ndeki malum şamata yaşandı da kurtuldum." Elini uzatıp parmağıyla Halli'nin kolunu muzipçe dürttü. "Sanırım bunun için sana teşekkür etmem gerekiyor, öyle değil mi?"

"Aslına bakarsan Ragnar..."

"Senin evi ateşe verdiğini görmüş. Evet. Ama hakkını vermek lazım, Halli. Evler arasında varolan huzursuzluğu pekiştirme konusunda büyük bir yeteneğin var. Neyse ki bu yetenek bu kez gerçekten işe yaradı; en azından benim için."

Halli içini çekerek konuştu. "Duruma sevinen tek kişi sensin. Hord benden intikam alacağına yemin etti. Evdekilerse soğukkanlı bir katil olduğumu düşünerek bana korku ve nefret karışımı bir duyguyla yaklaşıyorlar. Yakında farkına varırsın."

"Ah, Leif beni tam üç kez sana karşı dikkatli olmam konusunda uyardı." Kıkırdayarak ekledi. "Sanırım sadece seni kıskanıyor. Ayrıca Hord konusunda endişelenmene gerek yok. Söyledikleri palavradan başka bir şey değil."

"Bilemiyorum. Hord harekete geçmekten çekinmeyen bir adam." Eyjolf'la bir hizmetçinin telaşlı adımlarla yaklaştığını fark eden Halli, Aud'u kenara çekti. Eyjolf'un yanlarından geçerken dikkatle onlara doğru baktığını gördü. "Ama hiçbiri umurumda değil." dedi alçak sesle. "Hord seneye istediğini yapabilir, çünkü o zaman ben çoktan çekip gitmiş olacağım."

Aud'un gözleri parıldadı. "Demek sınırı geçme fikrine artık sıcak bakıyorsun. Peki, Trollerden korkmuyor musun?"

"Hayatımın geri kalanını burada geçireceğime bir Trol tarafından yutulurum daha iyi. Svein Evi'nden, evdeki herkesten, hatta vadinin tamamından bıktım artık. Peki ya sen?"

"Babam beni seneye evlendirmeye kesin olarak kararlı. Damadın kim olacağı umurunda bile değil. Ragnar işi yatsa da mesele yok; başka bir süzme salak bulunur nasıl olsa. Planım tabii ki hâlâ geçerli. Hava koşulları kötü olmasaydı bugün bile yola çıkabilirdim."

"Bu mümkün değil. Hava değişiyor. Buzların çözülmesini beklemek zorundayız." Sırıtarak ekledi. "Ama üzülme. Evimizle ve kahramanımızla ilgili her ayrıntıyı öğrenmek için bol bol zamanın olacak. Leif'in yardımıyla bu konuda uzman bile olabilirsin."

"Sanırım uzun bir kış olacak," diye homurdandı Aud.

O gece fırtına patladı. Rüzgar evi titretiyor, kepenkleri takırdatıyor, evin en kapalı yerindeki mumları bile söndürüyordu. Koridorlarda gecenin uğultusu yankılanmaktaydı. Sabah olduğunda ortalığı beyaz ve hastalıklı bir ışık kapladı. Avluda diz boyu kar birikmişti. Duvarların aşağısında kalan arazi de bembeyazdı.

O günden sonra kış tüm gücünü hissettirmeye başladı. Kar fırtınaları yüzünden insanlar tıpkı hayvanlar gibi evlerine kapanmak zorunda kaldılar. Ocaklarda kömür ateşi yanıyor, duman çatı kirişlerine kadar yükseliyordu. Erkekler her gün binalar arasındaki geçişleri temizlemek için dışarı çıkıyorlardı. İçeri döndüklerinde sakallarında buz kristallerinin oynaştığı görülebiliyordu.

Aud evdeki gündelik yaşantıya ayak uydurmayı kısa zamanda başardı. Kumaş dokuyor, mutfak işlerinde yardımcı oluyor, hayvanlara yiyecek götürüyor, tavukları besliyordu. Öğleden sonraları Gudny'le birlikte oturup Astrid'in verdiği tarih dersini dinliyordu. Fakat elbette boş zamanı da vardı ve bu saatleri Halli'yle birlikte geçirmeyi tercih ettiği çok geçmeden hemen herkesin dikkatini çeker oldu. Sık sık fısıldaşırken, kahkahalarla gülerken ya da heyecanlı bir şekilde konuşurken görülüyorlardı.

Kış ortasında fırtınalar korkunç boyutlara ulaştı. Artık kimse dışarı çıkmıyordu. Duman, bayat arpasuyu ve ter kokuları evin dört bir yanını sarmıştı. İnsanların sinirleri gitgide daha da çok yıpranıyordu. Yemek masası yüksek düzeyde gerginliğe sahne oluyor, en ufak bir soruna büyük bir öfkeyle tepki veriliyordu. Kış mevsimi genellikle bu şekilde seyrederdi; ancak bu sene durum her zamankinden daha kötüydü. Hakonssonların savurduğu tehdit hâlâ insanların kafasını meşgul ediyordu. Ayrıca Arnkel'in hastalığının oldukça ciddi olduğu da artık açıkça ortadaydı. Arnkel bütün kış bir kez bile yatağından çıkamamıştı.

Tepelerde keşfe çıkma hayallerine dalan Halli mümkün olduğunca dikkat çekmemeye çalışıyor, Aud'la zaman geçirerek avunuyordu.

Bir sabah annesiyle birlikte mutfakta oturmuş böğürtlenleri çömleklere yerleştiriyorlardı. Astrid'in saçları sıkıca toplanmış, kenevirden dokunmuş sert bir şalın altına gizlenmişti. Tuniğinin kolları yukarı doğru kıvrılmıştı. Kolları böğürtlenler yüzünden kıpkırmızıydı. Bir gece önce kocasının yatağı başında nöbet tuttuğu için yüzü oldukça renksizdi. Halli'ye sıcak böğürtlenleri kilden yapılma çömleklere nasıl yerleştireceğini gösteriyor, arada bir durup mutfağın diğer ucunda öğle yemeği hazırlamakta olan hizmetçilere emirler yağdırıyordu.

Az önce Aud dokuma odasındaki kadınlar için bir testi sulandırılmış arpasuyu almak için mutfağa uğramıştı. O çıktıktan hemen sonra Astrid, "Ne kadar neşeli bir kız şu Aud," dedi.

Halli başını sallayarak "Evet, anne," diye yanıtladı.

"Yeterince akıllı. Ayrıca kendine has bir güzelliği de var. Elindeki çömlek doldu. Şimdi çömleğin ağzını tülbentle sıkıca ört. Ben ipi çevresinden geçirip bağlarım. Bakıyorum oldukça iyi anlaşıyorsunuz."

"Aud'la mı? Evet."

"Biraz daha gergin tutmalısın. İşte böyle. Peki, onunla evlenmek istiyor musun? Of hayır, şu yaptığını gördün mü? Tülbendi yırttın! Sahip olduğun gücün farkında değilsin, Halli. Ayrıca karşımda kızarıp durma! Ben senin annenim ve böyle sorular sormaya hakkım var. Şimdi, ben tülbendi tutacağım, ipi sen bağla! İşte oldu. Bıçakla tam şuradan kesebilirsin. Eğer bu fikir seni utandırıyorsa mesele yok; çünkü henüz on beş yaşındasın ve tam bir erkek sayılmazsın. Ama ağabeyin senden tam dört yaş büyük, Halli. Bu yüzden ona bir eş bulmam gerekiyor. Ona Aud'la konuşmasını söyledim. Bakalım kız hoşuna gidecek mi? Şuradaki çömleği uzatır mısın? Tabii Arne Evi'nin pek matah bir aday olmadığı ortada. Fakat Aud o evin tek çocuğu. Ve bu da oldukça önemli bir ayrıntı. Bu evlilik sayesinde iki evi birbirine bağlayabiliriz. E hadi, böğürtlenleri koysana!"

Halli söyleneni yaptı. Annesi durup Arnkel'in odasına çorba götürmek üzere olan bir hizmetçiyle konuştu. Yeniden çömleklere döndüğünde Halli, "Belki de Aud henüz evlenmeyi düşünmüyordur," dedi.

"Bu bahar on altı yaşına basacak. Ben o yaştayken babanla tanışmıştım. Elbette ki evlenmeyi düşünüyordur. Zavallı kızı biraz yalnız bırakmanı istiyorum, Halli. Bırak da Leif şansını denesin. Fazla dışadönük bir çocuk değil ve ihtiyacı olan son şey kızı etkilemeye çalışırken somurtarak ortalıkta dolaşan bir kardeş."

"Anne, Leif'in benim müdahaleme ihtiyacı yok. Kendi ayağına dolanıp düşmeden iki cümle etmeyi başarırsa yüzümü kara çıkartmış olacak."

Astrid elindeki kepçeyi Halli'nin kafasına indirdi. "Tam da bu yorumların yüzünden ortalıkta dolaşmamalısın zaten. Hem Aud'un seninle zaman geçirmekten sıkıldığından adım gibi eminim. Yumuşak huylu, zarif ve hassas bir kıza benziyor. Sense vahşi bir katilsin. Onun gibi bir kızın senin gibi biriyle ne işi olabilir ki?"

Halli annesiyle yaptığı konuşmadan hemen sonra Aud'u görmek istedi. Ancak Eyjolf, evin en ücra köşelerindeki sıkıcı ve uzun işleri Halli'nin üzerine yıkmıştı. Yemek vakitlerinde üstü başı kir pas içinde salona giriyor, Aud'un neşe içinde Astrid ve Leif'le sohbet ettiğini ve kahkahalarla güldüğünü görüyordu.

Suratı asılan Halli çaresizce Aud'dan uzak bir köşeye ilişiyordu. Çoğunlukla Gudny de kardeşinin yanında oluyordu. O da Aud'un bu derece göze girmiş olmasından rahatsızdı.

Sonunda bir gün Gudny, "Bu çabalar kesinlikle sonuç vermeyecek," dedi.

"Ama onlarla birlikte olmaktan keyif alıyormuş gibi görünüyor," diye homurdandı Halli.

"Öyle görünüyor, Halli, işte bütün mesele de bu! Herkese kur yapmaya bayılan yalancı sürtüğün teki bu kız. Herkese başka biriymiş gibi görünüp insanları parmağında oynatıyor. Leif'e baksana! Nasıl bön bön bakıp zevzekçe sırıttığını, tuniğinin kolunun çorbaya girdiğini bile fark etmediğini görmüyor musun? Eğer Aud, gidip kendini uçurumun kenarından atmasını söylese hemen, şu an koşa koşa gideceğinden eminim. Peki, senden ne istiyormuş bakalım?"

Halli şaşkınlık içinde kardeşine bakakaldı. "Ne?"

"Seni de kontrolü altına almış, sakın itiraz etmeye kalkma! Haftalardır sizi izliyorum. Senin durumun Leif'inkinden bile daha beter. Kız ne zaman yanından geçse boynunu baykuş gibi çevirerek arkasından bakıyorsun. Bence ondan uzak dursan iyi edersin. Başını belaya sokacağa benziyor çünkü. Gerçi bu konuda Aud'un desteğine ihtiyacın yok ya..."

Halli'nin bu konuda söyleyecek pek bir şeyi yoktu. O yüzden kalkıp işinin başına döndü.

20

ÇEVRENDE GÖRDÜKLERİNİN HEPSİ Svein'e ait. Sadece bu
konak, bu ev, duvarlar ve tarlalar değil, bu gördüğün man-
zara da onun malı. Söylediklerimi doğrulamayan tek bir
nehir, tek bir orman, tek bir kayalık bile bulamazsın bu
topraklarda. İsimlerine bakman bile yeter; Svein'in Derin-
dere domuzunu yakalamak için boğazı bir sıçrayışta geçti-
ği noktanın adı olan Svein Geçidi; kemerini çalmaya kal-
kan hırsızın üstüne fırlattığı Skafti Kayası; Svein'in tek bir
günde kazıp içinden üç Trol çıkardığı ve bu Trolleri gün ışı-
ğında kavurduğu Trol Bayırı'ndaki büyük çukur. Ayrıca ça-
yırlara ve mezarlığa daha rahat ulaşmamızı sağlayan tüm o
yollar da ona ait tabii.

"Bunlar benim topraklarım ve sizler de benim halkım-
sınız," derdi Svein. "Bana ve kanunlarıma itaat ettiğiniz sü-
rece ben de sizi her türlü kötülükten koruyacağım."

Kış mevsimi evdeki herkes için oldukça zorlu ve uzundu. Ka-
rın yüksekliği Trol duvarına yetişmişti. Küçük çaplı bir sulubenek
salgını çocuklardan birkaçını yatağa bağladı. Tuzlanmış et ve balık
stokları günden güne eridi. Kuyu buz tutmuştu. Hatta eve kovalar-
la taşınan su bile ocak başına bırakılmazsa donuyordu.

Fakat sonunda hava yavaş yavaş durulmaya, geceler kısalmaya
başladı. Bazı günler Rurik topraklarının bulunduğu yamacı gör-
mek bile mümkün oluyordu. Normal koşullar altında bu gibi ge-
lişmeler gelecek baharla ilgili umut ve beklentileri tetiklerdi. Ancak
bu kez Svein Evi sakinlerinin üzerine karanlık gölgeler çökmüş gi-
biydi. Svein'in soyundan gelen on yedinci hakim Arnkel Sveinsson

ölüm döşeğindeydi. İçindeki hastalık sinsice tüm vücudunu kaplamıştı. Kışla birlikte bedenindeki son yaşam kırıntıları da çekip gidiyordu. Etleri sarkmıştı; derisinin altında kemikleri sayılıyor, bu haliyle görünüşü engebeli bir araziyi andırıyordu. Yüzü dik bir yamaç, yanakları ise birer sarp kayalıktı. Damarlarındaki kan nehrin suyu gibi soğumuştu.

Aile fertleri sırayla Arnkel'in başında nöbet tutuyorlardı. Arnkel ise ciddi öksürük nöbetleri geçiriyor, nefes almakta zorlanıyor ve çoğunlukla uyuyordu. Arada bir uyandığında söylediklerini anlamak neredeyse imkansızdı. Yiyip içmesi bile kontrolsüzdü; çocuk gibi her şeyi önüne döküyordu.

Halli babasının yanında nöbet tutmakta oldukça zorlanıyordu. Çoğu zaman gergin ve keyifsiz bir sessizlik içinde bekliyor, Arnkel'in nöbet sona ermeden uyanmasından korkuyordu. Düşüncelerini elinden geldiğince yatağında uzanan hasta babasından uzak tutmaya çalışıyor, tepedeki düzlüğü, ilk yerleşimcilerin kullandığı patikayı aradığını hayal ediyordu. Saatlerce pencereden bakıp yağan karı seyrediyor, için için yağış dursun diye dua ediyordu. Çünkü ancak o zaman vadiden ayrılabilecekti.

Çok yakında buzlar çözülecekti. İşte o zaman eviyle arasındaki tüm bağlar bir anda kopacaktı. Aud'la ikisi ellerine geçen ilk fırsatta çekip gideceklerdi.

Halli, kız kardeşinin eleştiren bakışlarına rağmen Aud'la bol bol görüşmeye devam etti. Belki Astrid ikisini görüştürmemek için bir şeyler düşünebilirdi, fakat kocasının durumu yüzünden bu tip şeylere ayıracak zamanı yoktu. Bu yüzden Leif'in şikâyetlerini duymazdan gelmeye başladı.

"Başı ağrıdığı için benimle yemek yiyemeyeceğini söyledi!" diye kükrüyordu Leif. "Ve az sonra ne gördüm, biliyor musun? Aud kıkırdayarak, heyecanlı bir ifadeyle ve belli ki gayet sağlıklı bir halde Halli'nin odasına giriyordu. Bu kızın nesi var?"

Fakat çok geçmeden Leif'in de Aud üzerine kafa yoracak zamanı kalmadı. Arnkel ölüyordu; Astrid'in ise kafası oldukça karışıktı. Bu yüzden evin yönetimini Leif devraldı. Daha ilk günden sorunlar baş göstermeye başladı. Leif kâh çekimser kalarak, kâh buyruklar yağdırarak otoritesini kabul ettirmeye çalışıyordu. Fakat toplantılarda bastırılmış duygular sevimsiz tartışmalara dönüştüğünde, hatta bazı durumlarda sarhoş kavgasına kadar vardığında, Leif kontrolü elinde tutmakta zorlanıyordu.

Kendisine sıkça yöneltilen sorulardan biri Hakonssonların ne derece tehlikeli olduğuydu. Leif bu soruya her seferinde aynı şekilde cevap veriyordu. "Korkacak bir şey yok! Hord saldırgan tavırlarında ısrarcı olsa bile konsey onu daha yukarı vadiye ulaşmadan etkisiz hale getirecektir. Buzlar çözülmeye başladığında çağlayanları geçmek zaten imkansız olacak. Yollar açıldığında da konsey harekete geçecek, zaten o zamana kadar Hord da mantıklı düşünmeye başlayacak. Sonuçta hiçbir şeyin yaşanmayacağından emin olabilirsiniz. Kafalarınızı böyle şeylerle yormayın!"

Leif'in bu sözleri herkesi rahatlatmaktan uzaktı. Duyduklarıyla tatmin olmayanlar huzursuzluklarını dile getirdiklerinde Leif'in kendine duyduğu güven de sarsılıyordu. Böyle zamanlarda Leif huzuru arpasuyu fıçılarında arıyor, bu da durumu iyice içinden çıkılmaz hale getiriyordu.

Tüm bunlar yaşanırken Halli, vadinin dışına yapacağı yolculuk için hazırlanmakla meşguldü. Aud'la birlikte yün pelerinler ve ekstra kalın battaniyeler ayarlayıp Halli'nin yatağının altına sakladılar. Bunun dışında Halli yanına silah olarak da kullanılabilecek bir sürü eski eşya almayı düşünüyordu.

"Bunlarla ne yapacaksın?" diye güldü Aud. "Hızımızı kesmekten başka bir işe yaramaz bunlar."

"Biliyorum. Fakat eğer yanılıyorsak ve eğer Troller..."

"Saçmalama lütfen. Eğer gerçekten varsalar bile –ki yoklar– yer altında olacaklar. Oraya gündüz ulaşmayı planlıyoruz, hatırladın mı? Hava kararmadan çok önce vadiden çıkıp gitmiş olacağız."

"Her şeye hazırlıklı olmaktan bir zarar gelmez."

"Pekala, ama o eşyaları ben taşımam."

Akşamın geç saatlerinde ev sessizliğe büründüğünde Aud'la Halli, Katla'yı sorguya çekiyor, sınırın ötesindeki topraklarla ilgili bilgi edinmeye çalışıyorlardı. Yaşlı kadın Aud'a bayılıyordu. Buna bir de kucağında tuttuğu sütlü sıcak üzümsuyu eklenince Katla'nın çenesi iyice açılıyordu. Ocağa yakın oturan kadının buruşuk suratı parlıyor, ışıltılı gözleri Aud'la Halli arasında gidip geliyordu.

"Tabii Halli'yi şimdikinden bile ufak olduğu zamanlardan beri tanıyorum ben. O zamanlar ateşin başında çırılçıplak oyun oynayan tombul bir bebekti. Onun halının üzerinde duran o küçük poposunu görmeliydin! Gamzeli ve pespembeydi! Poposunu kurularken..."

"Aud'un tüm bu ayrıntıları duymak isteyeceğini sanmıyorum, Katla," dedi Halli telaşla. "Şu eski hikayelerinden birini anlatsan olmaz mı? Svein'le ya da Trollerle ilgili olan bir şeyler yok mu?"

"Evet, Katla," dedi Aud. Katla'yı kırk yıldır tanıyormuşçasına kadının dizinin dibine kıvrılmıştı. Karşılarındaki koltukta oturmakta olan Halli bu görüntüden biraz rahatsız oldu. "Evin kuruluşuyla ilgili olanı bir kez daha anlatır mısın? O hikayeye bayılıyorum!"

Dışarıdaki fırtına kapı ve pencereleri salladı. Ocaktaki ateş yanmaya devam ediyordu. Yaşlı kadın abartılı bir şekilde sırıttı. "Senin o güzel yüzüne 'hayır' demek mümkün mü? Dediklerine göre Svein daha küçücük bir bebekken (ki Halli kadar tombul bir bebek de değilmiş) annesiyle babası onu da yanlarına alıp dağları geçmiş ve vadiye gelmişler. Yanlarında başkaları da varmış. O zamanlar vadinin dört bir yanı ormanlarla kaplıymış. Bu ilk yerleşimciler ormanın ortasında açıklık bir alan bulup..."

"Hey, Svein'le yılanın meşhur hikayesi bu" diye dalga geçercesine konuştu Halli.

Katla ocağın üzerinden somurtarak, "Madem o kadar iyi biliyorsun, neden sen anlatmıyorsun?" diye sordu.

"Ama Halli hikaye anlatmayı hiç beceremiyor," dedi Aud. "Öyle sıkıcı anlatıyor ki, söylediklerinin tek kelimesine bile inanmak mümkün olmuyor. Hikayeye Halli devam edecek olursa birkaç dakika içinde uyuyakalırız. Lütfen sen anlat, Katla!"

Fakat Katla gücenmişti bir kere. Yüzü öfkeden buruş buruş olmuştu. Bardağından koca bir yudum aldı ve dudağının üstünde oluşan süt izini sert bir el hareketiyle sildi. "Hayır, hayır. Halli'nin canını sıkmayalım şimdi. Onun sıkılmasını istemeyiz, öyle değil mi?"

Halli umursamazcasına omuz silkti. "Beni niye bu kadar ciddiye alıyorsun ki? Aynı hikayeleri tekrar tekrar anlatmana hiçbir şeyin engel olamayacağını sanıyordum."

"Bu çocuğun katil olduğuna inanmak çok zor, öyle değil mi?" dedi Katla Aud'a dönerek. "O kadar tutarsız ve mantık dışı konuşuyor ki!"

Halli'ye hızlı bir bakış atan Aud "Bu kadar sinirlenmene gerek yok, Katla," dedi. "Eğer istemiyorsan anlatmak zorunda değilsin. Sorun değil. Sadece bir tek şeyi merak ediyorum. Geçen gece bu hikayeyi anlatırken Svein Evi'nin vadide kurulan ilk ev olduğunu söylemiştin."

Katla kısaca başını sallayarak elindeki içecekten bir yudum daha aldı. "Evet, aynen öyle."

"Peki, Svein'in ailesi burada kalmaya karar verdikten sonra diğerleri vadinin geri kalanına mı dağıldılar?"

"Hikayeye göre öyle. Bunun böyle olduğunu Halli de bilir, sonuçta aynı hikayeyi defalarca dinledi."

Aud oturduğu yerde cilveli cilveli kıpırdandı. "Hadi ama, Halli'yi boş ver sen! Sonuçta kaba adamın teki! Şu eski hikayelere gerçekten bayılıyorum. O halde ilk yerleşimcilerin dağlardan geçerken kullandıkları yol buralarda bir yerde olmalı, öyle değil mi?"

Yaşlı kadın söylenenleri onaylarcasına başını salladı. "Öyle olmalı. Konuya ilişkin ayrıntılar uzun yıllar önce unutulmuş. Yüce Svein'in kendisinden önceki dönemler hakkında konuşulmasını yasakladığı bile söyleniyor. O sadece kendisinden bahseden hikayelerin anlatılmasını istermiş. Bu arzusundan dolayı onu kınamak mümkün mü? Neticede oldukça sıra dışı bir adammış. Her neyse, Svein'in öyküsü bu vadide başlamış. Sonuçta onun soyundan geldiğimize göre bizim hikayemiz de yine bu vadide başlamış oluyor."

"Öyle bile olsa merak ediyor insan. Acaba o eski yol hâlâ duruyor mu?" dedi Aud gülümseyerek. "Yükseklerde, bu vadinin dışındaki dünyaya açılan bir yol var mı gerçekten? Varsa nereye çıkıyor, vadinin ötesindeki dünya nasıl bir yer acaba?"

Fakat Katla'nın ifadesi yavaş yavaş kararmaya başlamıştı. "Ne tuhaf bir merak bu, tatlım! Bana neden böylesine saçma sapan sorular sorduğunu söyler misin?"

Aud'un yüzündeki gülüş hafifçe titredi. "Şey... Halli geçenlerde bu konuyla ilgili bir şeyler söylüyordu da... Fakat Halli'nin aptalca konuşmalarını bir kenara bıraksak bile, yukarılarda bir yerde asla göremeyeceğimiz bir yol olduğunu düşünmek oldukça eğlenceli geliyor bana. Biraz daha üzümsuyu alır mıydın, Katla?"

"Doldur bakalım! Bak kızım, o yolu asla göremeyecek olduğun için şükretmelisin. Çünkü aksi halde peşindeki koca Trolden kurtulmak için can havliyle koşuyor olurdun. Senin gibi masum bir kızı ele geçirseler ne yaparlardı kimbilir..." Yaşlı kadın bir şey düşünürcesine susup bekledi. "Yo hayır, bunu düşünmek bile istemiyorum. Svein'in orada kılıcıyla nöbet tuttuğunu ve bizi Trollerden koruduğunu bilmek güzel. Troller onun o eşsiz kılıcından korkuyorlar. O kılıçla gümüş kemeri sayesinde tek bir savaşta bile yenilmediğini biliyor muydun? Hem bazıları gibi sinsice yaklaşıp kurbanını boğacak ya da arkasından haince bıçaklayacak adam değildi Svein." Bunları söylerken odanın diğer tarafındaki Halli'ye el salladı. Halli ise kaşlarını çatmış Katla'yı izliyordu. "Hayır, hayır. Svein, tepesini attıranların kafalarını gayet mertçe ve aleni bir biçimde gövdesinden ayırıverirdi. Belki biraz fazla acımasız bir tarzı vardı; fakat o söz konusu olduğunda herkes neyle karşı karşıya olduğunu gayet iyi bilirdi. Ah ah, nerede o eski günler..."

"Efsaneye göre kılıcı vadideki yerleşim başlamadan önce dövülmüştü," diye söze karıştı Halli. "Hayal edilemeyecek kadar sert ve keskindi. Kesemeyeceği ve delemeyeceği hiçbir şey yoktu."

Katla onaylarcasına başını salladı. "Evet, şimdilerde bu tip kılıçlarımızın olmaması çok yazık. Oysa Hord Hakonsson üstümüze yürüdüğünde oldukça işimize yarayabilirlerdi. Acaba bu durum hangimizin suçu? Elbette senin değil, tatlım," diyerek Aud'un açık renk saçlarını okşadı. "Benim de değil."

Halli aniden damarına basılmışçasına öne doğru eğildi. "Trollerle ilgili istediğin kadar hikaye anlatabilirsin, Katla," dedi. "Fakat sadece geceleri yeryüzüne çıkıyorlar, öyle değil mi? Peki nasıl oluyor da kimse Svein'in ve diğer kahramanların yaptığı gibi gün ışığında mezarların ötesine geçmeye cesaret edemiyor?"

Katla baykuş çığlığına benzer bir sesle güldü. "Sanırım Troller herkes için yeterince caydırıcı bir unsur da ondan. Hatta kahramanlar bile Trollerin pençesine düşmemek için fazlasıyla dikkatli davranırlardı. Ama tabii bu seni korkutmaya yetmiyorsa şunu dinlesen iyi olur; eğer sınırı geçmeye kalkışırsan hem evin hem de kendin büyük bir felakete maruz kalırsınız."

"Nasıl bir felaketmiş bu?" diye ısrarla sordu Halli. "Mesela budala, keçi gibi inatçı bir kız mezarların ötesine geçerse ne olur?"

Katla'nın yüzündeki ifade karanlık bir zevke büründü. "Anında kısır kalır. Yaşamına benim gibi boş bir kabuk, çorak bir arazi olarak devam eder."

"Pekala," dedi Halli Aud'a bakarak. "Hangi aklı başında kız böyle bir tehlikeye atılır ki?"

Aud miskin miskin gülümsedi. "Peki, ya bu yaramaz kız değil de erkekse ne olur, sevgili Katla?"

"Erkekse mi? Onun sonu çok daha kötü olur. Fakat ayrıntıları şu ortamda anlatmak istediğimden pek emin değilim."

"Hadi ama, Halli'nin bununla başa çıkabileceğinden şüphem yok."

"Hayır, tatlım. Mümkün değil."

"E hadi ama..."

"Pekala, madem bu kadar ısrar ediyorsun," diye sürdürdü konuşmasını Katla. "Söz konusu olan bir erkekse lanet şu şekilde işler; önce adamın mahrem yerleri aniden küçülmeye başlar. Ardından ölmekte olan bir tahta biti gibi kıvrılır. Sonunda birdenbire pat diye düşüverir." Yaşlı kadın bardağından büyük bir yudum alarak ağzını şapırdattı. "Aklı başında olan hangi erkek böyle bir şeye cesaret edebilir ki?"

"Evet, bence de." Aud ateşe biraz daha yaklaşıp elindeki testiyi Halli'ye uzattı. "Bir bardak daha ister misin, Halli? Ağzın kurumuşa benziyor."

Kış mevsimi yavaş yavaş sona erdi. Kar yağışı kesildi; hava biraz daha yumuşadı. Trol duvarlarının ötesindeki arazide kar tümsekleri rüzgarın oluşturup şekillendirdiği soğuk ve yontulmuş tepeler halinde yükseliyordu. Bir sabah bulutların arasında beliren soluk güneş ışığının altında kar tümseklerinin eskisi kadar yüksek olmadığını fark etti Halli. Ertesi sabah tepelerin üstleri eriyip açılmaya başladı. Verandada durduğunda suyun sesini duyabiliyordu. Su damlalarının sesi dört bir yanı kapladı; buzlar çözülmeye başlamıştı.

"Harika," dedi Aud. "Artık yola çıkalım mı?"

"Tepelere kadar her yerin çimle kaplandığını görmeden olmaz."

Aradan bir hafta geçti. Evin erkekleri yüzeyi taş gibi sert tarlalarda çalışmaya gittiler. Evin arkasındaki yamacı kaplayan kar her geçen gün biraz daha azalıyor, sadece kuytularla, çukurlarla ve duvar dibindeki gölgelerle sınırlı kalıyordu. Yamaçlar erimekte olan kar yüzünden kirli beyaz şeritlerle kaplıydı. Aralarındaki yeşil şeritlerse mezarlara doğru uzanıyordu.

"Pekala," dedi Halli. "Şimdi tam zamanı!"

Sabahın erken saatleriydi, solgun güneş bulut kümelerinin içinden ve arasından geçerek güneydoğudan yükseliyordu. Tepelerden esen rüzgar hâlâ kış soğuğu taşıyordu; fakat mevsimin en sıcak günüydü. Tepeye tırmanırken ikisinin de alınlarından ter akıyordu.

Yamacın yarısını geride bırakmışlardı.

Nefes nefese kalmış olan Halli dönüp geriye doğru baktı. Svein Konağı tepenin eteğinde sağ tarafta kalmıştı. Konağın gerisindeki yol karla kaplı tarlalar arasında kıvrılan uzun bir kordona benziyordu. Birkaç adam tarla yüzeyini delmeye çalışıyorlardı. İndirdikleri darbeler görülüyor, fakat sesleri duyulmuyordu. Çok ama çok uzakta gibiydiler.

Bakışları konağın eğimli çatısına takıldı. Babası çok yakında bu evden son kez çıkacak ve mezarına götürülecekti. Halli bir an için kalbinde bir acı hissetti; fakat derin bir nefes alarak kendini toparladı. Sırt çantasını düzelterek yürümeye devam etti. Kalça ve bacaklarındaki kaslar titriyordu. Onca zaman sonra yeniden harekete geçip yaşadığını hissetmek güzeldi. Aceleyle gökyüzüne bir göz attı.

"Sence hava bozacak mı?" diye sordu Halli.

"Hayır. Ne o, korkuyor musun? Yoksa geri dönmeye mi karar verdin?" Aud, Halli'nin biraz yukarısında tepenin yamacına yaslanmış aşağıya doğru bakıyordu. Saçlarını başlığının içine sokmuştu ve Halli'den ödünç aldığı tunik ve taytla oldukça erkeksi bir hali vardı. Halli'ye göre çok daha kolay tırmanıyor gibiydi. Birçok defa hava atarcasına bir kayaya oturup Halli'nin kendisine yetişmesini beklemişti.

"Hiç de değil." Halli üç uzun adım daha atarak Aud'un bulunduğu yere vardı. "Biraz fazla dik bir tırmanış, hepsi bu."

"Bu yoldan gitmemizi sen istedin. Oysa yol karşı tarafta. Neden o taraftan tırmanmadık ki?" Yamacın kavislendiği doğu tarafını işaret ediyordu. "Hem orası bu kadar dik de değil."

"Ama evden bakan biri o tarafı gayet net görebilir," dedi Halli. "Oysa biz az sonra evin görüş alanından çıkmış olacağız. Gerçi kimsenin camdan bakacağı yok; ama biz yine de önlemimizi alalım."

"Çantayı biraz da ben taşıyayım mı?"

Halli dudaklarını sinirli bir havayla büzerek, "Hayır, gerek yok," dedi.

"Niye? Kız olduğum için mi? Pekala, bence sorun yok. Zaten o çantayı taşımayı çoktan hak ettin sen. Bu kadar ağır olması tamamen senin suçun."

Halli çantanın duruşunu yeniden düzeltti. "O eşyalara ihtiyacımız olabilir."

"Hayır, hiçbirine ihtiyacımız olmayacak. Şu an hava aydınlık. Hadi gel! Şu bahsettiğin yıkık duvar nerede?"

"Fazla uzakta sayılmaz. Şu düzlüğe ulaştığımızda göreceksin."

Bir önceki yaz, tepedeki otlakta bulunduğu sırada ortalık sarılı mavili çiçeklerle kaplıydı ve çimenlerin arasında arılar vızıldıyordu. O zamanlar sınıra yakın olmak —en azından gündüzleri— Halli'yi fazla rahatsız etmemişti. Şimdiyse yamacı tırmanıp önlerinde uzanan yaylaya vardıklarında manzara biraz daha kasvetli görünüyordu. Her ikisi de güneşin altında sertleşmiş olan kar tabakası yüzünden nefes nefese kalmışlardı. Halli'nin geçen yaz konakladığı kulübe tepenin eteğine çökmüş bir dilenciye benziyordu. Şiddetli rüzgar kulübenin taş duvarlarını dövüyordu. Kulübenin hemen arkasında bulunan düzensiz bir çizgi dikkatlerini çekti. Karla kaplı yüzeyi delerek yükselen birkaç kaya parçasının arasında uzanan bir kısmı çökmüş duvardı bu. Onun da ilerisinde ve biraz daha yüksekte ise gri-beyaz gökyüzünün altındaki ufuk çizgisini kıran mezarlar göze çarpıyordu.

Birdenbire sınıra fazlasıyla yakın olduklarını fark ettiler.

Arazideki eğim neredeyse sıfırlanmıştı, fakat ikisi de daha yavaş yürümeye başladılar. Birbirlerine bakmadan ilerliyorlardı.

Mezar taşları griydi ve yosunlu yüzeyleri karla kaplıydı. Bazıları tek başlarına yükselirken, bazılarıysa bir sırrı paylaşıyormuşçasına grup halinde duruyordu.

Halli ve Aud tek kelime etmeden bekliyorlardı. Yüzlerine çarpan rüzgarın uğultusu dışında ortalık sessizdi.

Mezar taşları tepenin sağ tarafında yer alıyordu. Trollerin yaşadığı bozkırlar henüz görünmemişti. Bozkırları görmek için mezar taşlarının arasından geçmek gerekiyordu.

Zor sayılmazdı. Yirmi, belki de otuz adım atmak yeterliydi. Tek yapmaları gereken yürümekti.

Fakat hareket etmediler.

"Hiçbir şey bizi yolumuzdan çeviremez, değil mi?" dedi Halli.

"Doğru."

"O zaman hadi."

"Haklısın."

"Uzun süredir bu anı bekliyorduk, öyle değil mi? Neden daha fazla zaman kaybedelim ki?"

"Bence de."

"Bence de..." Halli yanaklarını şişirerek derin bir nefes aldı. "Atıştıracak bir şeyler ister misin? Kulübede oturup küçük bir mola verebilir, buradan sonrasını nasıl..."

"Sanırım buradan itibaren yürümek yerine koşsak daha iyi olacak," diye Halli'nin sözünü kesti Aud. "Ne olacaksa bir an önce olsun. Demek istediğimi anlıyor musun, Halli?"

Geçen yaz dişi koyunun başına geleni ve Katla'nın parça parça dökülen oğlanla ilgili anlattıklarını düşünmekte olan Halli birden kendini toparlayarak cevap verdi. "Ne? Ha, evet. Koşalım. Tamam, bunu yapabiliriz. Şunu da elimize almalıyız tabii." Çantasını sırtından indirerek içinden ahşap saplı, kalın ve kıvrık uçlu bir kanca çıkardı. Kancanın ucu kırık metal kısmı paslanmıştı, fakat hâlâ oldukça keskindi. Kancayı sağ eline alan Halli, "Ne olur ne olmaz. Sen de bir tane ister misin?" diye sordu.

"Hayır! Binlerce kez söylediğim gibi hiçbir şey olmayacak. Trol diye bir şey yok, Halli. Her şey efsanelerle yalanlardan ibaret. Hepsi bu."

"Umarım haklısındır."

İğneleyici bir tonla, "Eğer yalnız gitmemi istiyorsan dönüp eve doğru koşmaya başlayabilirsin," dedi Aud. "Ben her koşulda yola devam edeceğim."

"Geri döneceğimi de nereden çıkardın? Hadi, şu işi bitirelim artık." Öfkeyle çantasını sırtına alıp kızın elini yakaladı. Aud'un eli Halli'ninkinden daha soğuktu ve hafifçe titriyordu. En azından Halli'ye öyle geldi. "Hazır mıyız?"

"Evet."

Ardından yüzlerini göğe çevirip doğrudan mezar taşlarına doğru koşmaya başladılar.

21

SVEIN'İN HÜKÜM SÜRDÜĞÜ DÖNEMDE bölgeye korku salan kanun kaçakları, hırsızlar, haydutlar ve eşkıyalar ya aşağı vadiye doğru sürüldü ya da avluda kurulan darağacında sallandırıldı. Fakat Trollerin yarattığı tehlike aynı şekilde devam ediyordu. Svein sayesinde dövüş sanatlarında ilerleme kaydeden adamların çoğu Trollerle çarpışmaya yanaşmıyorlardı. Trollerin pençeleri etle kemiği kesecek, en güçlü zırhı delecek kadar keskin, dişleri iğne gibi sivri, ciltleri ise sadece en keskin kılıçların darbelerini hissedecek kadar kalındı. Geceleri topraktan uzaklaşmadıkça ince kollarına akıl almaz bir kuvvet gelirdi. Ancak kayaya ya da ağaca çıkmak zorunda kaldıklarında güçleri zayıflar, işte o zaman kurbanları kaçmak için bir fırsat yakalamış olurdu. Güneş tepedeyken Troller ya deliklerinde ya da Trol kralının bozkırdaki sarayında saklanırlardı. Geceleri ise saklandıkları yerden çıkarak yeniden insan kanının peşine düşerlerdi.

Havalanan kar yüzlerine çarpıyor, uzun çimenler bacaklarına sürünüyordu. Gittikçe daha hızlı koşarak yokuş yukarı tırmanıyorlardı. Sekiz adım, dokuz... Eski duvarın üzerinden atladılar. Halli'nin sırt çantasının içindekiler takırdayıp şangırdadı. On sekiz, on dokuz... Yokuşun son bölümüne gelmişlerdi. Halli'nin gözlerinin önünde koyundan arta kalanlar, taşların arasında dağılmış halde yatan et parçaları uçuşuyordu. Fakat geri dönmek için çok geçti. Artık istese de duramazdı. Yirmi üç adım, yirmi dört... İlk mezar taşları hemen önlerinde belirdi. Eski, ince uzun, eğri büğrü kayalardı bunlar. Aralarındaki mesafe aşağıdan göründüğünden çok daha fazlaydı. Sanki canlılarmış gibi aniden görüş alanına girip Halli'yi şaşırtıyorlardı.

Otuz bir adım, otuz iki...

Aud kolunu sıkıca kavradı. Tırnaklarının etine battığını hissediyordu.

İlk mezar taşının yanından taşı aralarına alarak koştular. Birbirine kenetlenmiş elleri taşın üzerinden geçti. Engebeli arazide üç adım daha attılar. Halli'nin ağzı sessiz bir çığlık atarcasına açıldı. Parmaklarıyla canını iyice yakmaya başlayan Aud'un elini sertçe yakaladı.

Koşmaya devam ettiler. Az sonra ikinci mezar taşını da geride bırakmışlardı. Tepenin üzerindeki düzlüğü geçip yokuş aşağı ilerleyerek yasak bozkırlara vardıklarında hâlâ koşuyorlardı.

"Halli..." Aud Halli'nin kolunu çekiştiriyordu. "Halli, artık durabiliriz."

Gözleri çılgınca açılmış olan Halli, Aud'a baktı. Evet, başarmışlardı. Vücudunu sakinleştirmeye çalışarak yavaşladı ve sonunda Aud'la aynı anda durdu. Son bir adım daha atıp beklediler... Ortalık tamamen sessizdi. Bir süre daha el ele tutuşmaya devam ettiler.

Koca düzlükte tek bir ses bile duyulmuyordu. Heyecan içinde nefes alıp verirlerken göğüsleri hızla kalkıp iniyordu. Aud öne doğru eğilmiş, ellerini uyluklarına dayamıştı. Halli hâlâ havada duran kancayı yavaş yavaş aşağı indirdi.

Erimekte olan kar çimenlerle birlikte kocaman bir deniz oluşturmuş gibiydi. Yeşil-beyaz bir evren dört bir yanda göz alabildiğine uzanıyordu. Orada burada koyu renkli garip otlara rastlanıyor, sarp ve sivri kayalar tek başına yükselen binalara benziyordu. Bozkır hafifçe engebeli bir yüzey yapısına sahipti ve oldukça ıssızdı. Az ilerde toprak önce yokuş aşağı indikten sonra yeniden yükselerek koni şeklinde bir tepe oluşturuyordu. Tepenin arkasında büyük bir uçurum vardı. Uçurumun gerisinde de her zamanki gibi çok uzak görünen gri dağlar uzanıyordu.

Halli durup geriye doğru baktı. Mezar taşları her zamankinden daha alçak görünüyordu şimdi; bir anda hiç zorlanmadan geride bıraktıkları vadiye muhafızlık eden iki sıra koyu gri omuzdan ibaret gibiydiler.

Aud sırtını dikleştirerek havlarcasına güldü. "İşte başardık!" diye bağırdı. İçinin rahatladığı aldığı derin nefesten anlaşılıyordu. "Ah Halli, ne biçim korktuk ama!"

Birden ayaklarının dibindeki çimenler hareketlendi. Koyu renkli bir şey ayağa kalkarken Aud çığlık çığlığa bağırdı.

Koyu renkli küçük bir kuş gökyüzüne yükselip tiz bir ötüşle ilerdeki tepeye doğru kanat çırpmaya başladı.

Halli içgüdüsel olarak geriye çekilip kancasını havaya kaldırmıştı. Şimdiyse gülüyordu. "Bıldırcın," dedi. "Sadece küçük bir bıldırcın. Endişelenmene gerek yok. Eğer burnunu gagalamaya kalkışsaydı, seni ondan kurtarırdım."

Okkalı bir küfür savuran Aud, "Ben de geriye doğru sıçrayanın sen olduğunu sanmıştım," dedi.

"Özür dilerim." Halli hâlâ gülüyordu. Sinirlerinin bozulmuş olduğunun farkındaydı. Az önce yaşadıkları ani heyecan yüzünden başı dönüyordu. Aptal aptal sırıttığını biliyordu. "Bu kadar kolay olabileceğini hiç düşünmemiştim," dedi. "Sanıyordum ki..."

"Sanıyordun ki, toprağın altından koca bir Trol çıkıp seni yakalayacak. İşte böyle!" Omuzlarını yükseltip parmaklarını pençe gibi kıvırdı ve sağa sola sallanarak yüzündeki korkunç ifadeyle Halli'nin üstüne atladı. Halli gülerek bir adım geri çekildi. "Tüm bu anlatılanlar koca bir saçmalık, Halli. Yolu aramaya nereden başlayalım? Bence şuradaki tepeye tırmansak iyi olur. Hem fazla uzak sayılmaz hem de tepeye tırmandığımızda bozkırları yukardan görebiliriz."

Fakat Halli'nin dikkatini başka bir şey çekmişti. "Tamam, ama birazdan," dedi. "Önce gelip şuna bir baksana!"

Botlarındaki karı savura savura bozkır sınırı boyunca yürüdü. Az ilerdeki mezar taşlarının arasında bir höyük yükseliyordu. Taşların çoğu büyük ve yüksekti; fakat hepsi de höyüğün gölgesinde kaybolmuşlardı. Biraz şekilsiz, hafif kambur ve tepeye doğru incelen bir höyüktü; fakat tepenin en yüksek yerinde bulunduğundan vadinin her yerinden görünüyordu. Güneşin vurduğu yerlerde, karın altından yeşil çimenler belirmeye başlamıştı.

Aud höyüğün yanında duran ve birden ciddi bir havaya bürünmüş olan Halli'nin yanına vardı.

"Yoksa bu?"

"Evet, Svein'in mezarı. Elbette. Ama şurayı gördün mü? Mezarda bir çöküntü oluşmuş."

Biraz ileride höyüğün güney yamacının ortalarında toprak kaymış, altta bulunan taşlar görünür hale gelmişlerdi. Bu taşların da bir kısmı kaymış, eski yerlerinden uzaklaşmıştı. Zemindeki kar tabakası parçalanıp aşağı dökülmüş taşlarla kaplıydı. Çöküntünün yaşandığı kısımdaki taşlarsa oldukça tehlikeli bir biçimde dengede duruyor gibiydi.

Halli'nin gözleri fal taşı gibi açılmıştı. "Şunun büyüklüğüne baksana! Neredeyse bir konak kadar var!"

"Neden fısıldıyorsun ki?" dedi Aud. Karda ayaklarını sürüyerek ilerleyip bulduğu ufak bir taş parçasını tekmeledi. Taş mezarın çöken kısmına doğru uçarak kayalardan birine çarptı ve orada asılı kaldı.

"Yapma!" dedi Halli. Birdenbire eski hikayeleri, kahramanla ilgili efsaneleri, onun mezarında kılıcı elinde beklediğini ve bozkırlara doğru baktığını hatırlamıştı.

"Gel hadi!" Aud, Halli'nin kolunu çekiştiriyordu. "Patikayı aramak için buradayız, unuttun mu?"

Alçalmakta olan göğün altında sessizlik içinde yürümeye başladılar. Adımları ağır ve tekdüzeydi. Tepe tahmin ettiklerinden çok daha uzaktaydı. Arazi ise karın örttüğü çukurlarla ve deliklerle kaplıydı. Halli birkaç defa beline kadar toprağa gömüldü ve ancak Aud'un yardımıyla çukurdan kurtulabildi. En ufak bir canlıya rastlamadılar; sıra dışı hiçbir şey olmadı. Gördükleri tek şey toprağı delerek yükselen ve kimi zaman Svein Konağı'nın çatısıyla aynı boya yaklaşan siyah kayalardı.

"Burada Trol falan yok!" dedi Aud bir süre sonra. "Tabii eğer çok ufak değillerse." Hâlâ gülüyordu.

Zaman ilerledi; tepeye gittikçe yaklaşıyorlardı. "Svein'le ilgili hikayelerden biri geldi aklıma," dedi Halli. "Günün birinde tıpkı bunun gibi bir tepeye gitmiş ve karşısına bir kapı çıkmış. O kapıdan geçen Svein kendisini Trol kralının sarayında bulmuş."

"Hikayeyi biliyorum. Arne de bizim evin yakınlarında benzer bir macera yaşamış. Tüm bunlar sadece bir masal, Halli."

"Katla'nın anlattıklarına seve seve inanıyordun ama," diye diklendi Halli. "İlk yerleşimcilerle birlikte vadiye gelen Svein'in buralarda ev kuran ilk kişi olduğunu bayıla bayıla dinledin."

"Çünkü bu hikayeyi daha önce hiç duymamıştım. Duyduklarım beni biraz düşündürdü."

Halli umursamazca omuz silkti. "Her neyse, şu tepede ne varmış bir bakalım."

Tepe beklediklerinden çok daha yüksekti. Zirveye ulaştıklarında ikisi de ter içinde ve nefes nefese kalmışlardı. Ortalık büyük kayalarla kaplı ve hâlâ kalın bir kar tabakasıyla örtülüydü. Güneş almayan kuytularda buz kristalleri ışıldıyordu.

"Dikkatli ol!" dedi Halli zirveye vardıklarında. "Burası oldukça kaygan. Oh... şu manzaraya baksana!"

Önlerinde uzanan manzara gittikçe yabanileşiyordu; çorak fundalıklar, çalıların arasında kıvrılan donmuş kanallar, yamaçlarla birlikte geri çekilip yerini kurak topraklara bırakan yemyeşil çayırlar, buzla kaplı incecik ve bembeyaz çağlayanlar, dağların tepelerinden koparak yuvarlanan ve açtıkları çukurların dibinde yatan dev kaya parçaları. Soğuk, çorak ve sevimsiz bir araziydi bozkır; fakat büyüklüğü ve vahşiliği Halli'nin nefesini kesmiş gibiydi.

Fakat Aud'un suratı asılmıştı. "Bu patika işi de böylece sona erer," dedi sonunda.

"Ne yani, gelip de bizi selamlayacağını falan mı düşünmüştün? Her tarafı aramalıyız..." Sesi birden donuklaştı. "Şuradaki şey de ne, Aud?"

Aud kaşlarını çattı. "Ne olduğunu bilmiyorum, ama patikayla ilgisi olmadığından adım gibi eminim."

"Homurdanmayı bırak da şuna bir göz at! Gördün mü? Güneşin aydınlattığı şu çıkıntıdan bahsediyorum. Sence oradaki karaltı kayaların arasında gizlenmiş bir mağara olabilir mi? Yoksa sadece gölge mi?"

Aud gözlerini kısarak, "Gerçekten de gölge olabilir..." dedi yavaşça. "İşin aslını öğrenmenin bir tek yolu var."

Tepenin güneye bakan yamaçları kuzeye bakan taraf kadar karlı ve buzlu değildi. Fakat tepenin eteğindeki kayalığa yaklaştıkça zemin iyiden iyiye balçığa dönüştü. Buna rağmen hem Halli hem de Aud düşe kalka ilerlemeye devam ettiler. Taytları ıslanmıştı. Ağırlaşan kumaş her adımda bacaklarını yalıyordu. Ama buna kafa yoramayacak kadar heyecanlıydılar. Sessizce durup karşılarına çıkan şeye bakakalmışlardı.

Orada kayaların arasında bir yarık vardı. Yarığın alt kısmı oldukça genişti; fakat yukarıya doğru daralıyordu. Kayanın içine oyulmuş bir gözyaşına benziyordu. Yarıktan gelen hava soğuk ve nemliydi; havada karanlığın ve ezeli sessizliğin kokusu vardı. Halli'nin ensesindeki tüyler aklına gelen olasılık yüzünden dimdik olmuştu. Alçak sesle, "Aud..." diye fısıldadı.

Kızın sesi canlı ve ikna ediciydi. "Sadece bir mağara. Trol kralının ön kapısı değil."

"Sen öyle olmadığını söylüyorsun, ama..."

"Dur da söylediklerimin doğru olduğunu kanıtlayayım. İçeriye hızlıca bir göz atıp geliyorum."

"Hayır, Aud. Bence..."

"Yanımızda ışık olsaydı daha iyi olurdu tabii; fakat bu şekilde de bir şeyler görebileceğimden eminim..." Kayaların üzerinden sekerek yarığın girişine doğru ilerlemeye başladı.

Halli "Bunun iyi bir fikir olduğunu sanmıyorum. Hiç olmazsa şu kancayı yanına al."

"Senin o kahrolası kancanı almak falan istemiyorum." Yassı ve ıslak bir kayanın üzerinde durarak sözlerini sürdürdü: "Pekala; içeriye sadece birkaç adım atacağım. Eğer bir Trol'le karşılaşırsam dönüp koşmaya başlarım. Anlaştık mı?" Gülerek ileriye doğru birkaç adım attı. "Oldukça uzun bir mağaraya benziyor," dedi Aud. Sesi gitgide uzaklaşıyordu. "Keşke yanımızda bir fener olsaydı!" Halli kızın ince uzun silüetinin soğuk kayalar arasında solarak küçüldüğünü gördü. Bir anlığına silik ve zar zor seçilen bir şekle dönüşen silüet az sonra tamamen gözden kayboldu. Halli, Aud'un ayakları altında ezilen gevşek taşların sesini duyabiliyordu.

Halli bekledi. Yarığın tepesi yumuşak kayaçlardan oluşuyordu ve rüzgardan şişmiş yelkenlere benziyordu. Bu görüntü Halli'ye özel odalara açılan perdeleri anımsattı. Babası da son günlerini evin o bölümünde geçiriyordu. Arnkel'in örtünün altında ağır ağır inip kalkan göğsü uçuştu Halli'nin gözlerinin önünde. Kendini yine tuzağa düşmüş gibi hissediyordu; tıpkı uzun yıllarca hissettiği gibi... Birden Aud'un ayak seslerini duyamadığını fark etti.

"Aud?" diye seslendi. "Aud?" Sessizliğin ortasında nabzı kulaklarında atıyordu. "Aud?" diye bağırdı bir kez daha; bu defa sesi biraz daha yüksek çıkmıştı. "Oh, yüce Svein..." Avuç içleri terliyordu. Halli kayaların kaygan yüzeyinde dengesini korumakta zorlanarak mağaraya doğru ilerlemeye başladı.

İşte tam o anda Aud'un uzaklardan gelen cılız sesi duyuldu. "Halli..."

"Neredesin?"

"Buraya gel..."

Sesinde korku vardı. Halli yeniden lanet okuyarak çantasını kaptı, kancayı bulup çıkarmaya çalıştı, kayarak mağaranın ağzına indi ve hiç düşünmeden karanlığa daldı. Bir süre hiçbir şey görmeden körlemesine öne doğru yalpaladı. Bir yandan da çantasını kurcalamaya devam ediyordu.

"Ah!" Bir şeye çarpmıştı. Aud'un çığlık attığını duydu ve kızın pelerininin eline sürtündüğünü hissetti. "Seni sersem!" diye homurdandı. "Derdin ne senin? Eğer kancayı elime almış olsaydım..."

"Bak, Halli! Bak!"

Halli ilkin bir şey göremedi. Gözleri hâlâ karanlıkla savaşıyordu. Fakat yavaş yavaş bulanık şekiller belirmeye başladı: Aud'un hayalet gibi dalgalanan yüzü, kızın arkasında yükselen ve girişteki zayıf ışığı yansıtan eğik bir kaya. Ayaklarının dibinde ise soluk beyaz bir ışıkla parıldayan tuhaf bir şeyler vardı. Bazıları ince uzun, bazılarıysa daha kısa ve eğriydi. Karanlık ve kirli zeminine cam kırıkları gibi dağılmış daha ufak parçalar da vardı.

"Aud..." diye fısıldadı Halli. "Korkarım bunlar..."

"Arne aşkına, ne olduklarını gayet iyi biliyorum!" Sesi yay gibi gergindi.

"Tamam, o halde buradan hemen çıkmamız gerektiğini de biliyorsun..." Kızın kolunu yakalayarak sertçe çekti ve ışığa doğru koşmaya başladı. Aud kurtulmak için debeleniyordu, fakat tepkisi neredeyse gönülsüzceydi. Az sonra gözlerini kırpıştırarak mağaradan dışarı çıktılar. Nefes nefese kalmışlardı. Tepelerinde gri gökyüzü uzanıyor, karşılarında ise kavisli sıradağlar yükseliyordu.

Aud'un başlığı omuzlarına düşmüştü; saçı gevşekçe yüzünün bir yanında sallanıyordu. Öfkeyle Halli'nin eline saldırarak bağırdı. "Bıraksana!"

"Memnuniyetle."

"Ne diye paniğe kapılıyorsun ki? İlle de düşündüğün şey olması gerekmez."

"Öyle mi? Peki bu duruma sen nasıl bir açıklama getireceksin acaba? Yine kurtlarla kartallardan bahsetmeye kalkışırsan kıçına tekmeyi yersin, bilmiş ol!"

Aud ayağını inatla yere vurdu. "O zaman tekmele hadi. Çünkü gerçekten de kurtlar ya da ayılar..."

"Orada gördüklerimiz hayvan kemikleri değildi, Aud! Uyluk ve kaburga kemikleri gördüğümden eminim. Hem ayrıca..."

"Öyle bile olsa gördüklerinin faili pekala kurtlar olabilir. Ya da... Ya da... Sınırı geçen haydutlar ve kanun kaçakları da olabilir. Evet! Uzun zaman önce... Oradaki kemiklerin hiçbiri yeni değildi, Halli! Soğuktan korunmak için mağaraya sığınmış, fakat donarak ölmüş bir grup serserinin kemikleri olmalı onlar."

"Anlıyorum. Yani sence kesinlikle Trol kralının sarayını falan bulmuş olamayız, değil mi?" diye haykırdı Halli. "Hani şu senin inanmadığın hikayelerde geçen sarayı? Her tarafı insan kemikleriyle dolu olan sarayı?"

"Hayır, aslına bakarsan bu mümkün değil." Ellerini kalçalarına dayamış Halli'ye bakıyordu. Halli'nin sinirleri öfke ve heyecandan gerilmişti. Kıza oldukça uzak duruyordu. Çantasının askısını kavrayan eli bembeyaz olmuştu. Aud başını bir kez daha salladı. "Halli, o mağaradaki her neyse uzun bir zaman önce ölmüş. Belki yüzlerce yıl önce. O kemikler neredeyse tarihi eser sayılır. Paniğe kapılmamız için hiçbir neden yok."

Halli dudaklarını ıslatıp yanağını kaşıyarak konuştu. "Belki?"

"Haklı olduğumu biliyorsun. Svein ya da Arne birkaç eski kemik yüzünden korku içinde kaçışırlar mıydı?"

Halli soluğunu yavaşça bıraktı. "Bu konuyu görüşmemiz gerek. Fakat önce şu mağaradan uzaklaşalım."

Küçük tepeye tırmanırken aralarındaki tartışma sürüyordu. Belki savundukları şeyin kesinlikle doğru olduğuna ikna olmuş sayılmazlardı; ancak ikisinin de pes etmeye niyeti yok gibiydi. Kendi adına Halli, içgüdüleriyle Aud'dan daha ödlek görünme kaygısı arasında gidip geliyordu. Bu gerilim yüzünden de oldukça sivri bir dille konuşuyordu. Aud da aynı şekilde öfkeliydi ve kırıcı davranmaktan çekinmiyordu. Zirveye ulaştıklarında ikisinin de keyfi kaçmıştı. Fakat yine de birlikte bir kayaya oturup öğle yemeklerini yediler. Güneşin tam tepedeydi.

Bir süre ikisi de konuşmadı. Sonra Halli, "Geç kalmadan geri dönmeliyiz," dedi.

Aud tütsülenmiş etten bir parça koparıyordu. Ağzına gelen bir parça kıkırdağı çimenlere doğru tükürdü. "Hayır. Akşama henüz saatler var."

"İyi de onca zaman ne yapacağız ki? Nereye bakacağız?" Etraflarını saran sonsuz boşluğu gösterdi. "Patikayı bugün bulmamız imkansız. Başka bir sefer gelip yeniden ararız."

"Sen sadece birkaç eski kemikten korkuyorsun."

"Kes sesini!"

Aud elindeki eti bir kenara fırlattı. "Şu etten bir parça daha yersem kusacağım. Bütün kış bundan başka bir şey yemedim." Silahlarla dolu çantayı kurcalamaya başladı. "Herhalde yanına peynir gibi bir şeyler almışsındır... Bu da ne?"

Kaşlarını çatarak çantadan garip görünüşlü siyah bir cisim çıkardı. Cismin bir ucu kanca gibi kıvrık ve sipsivriydi. Hantal görünüşlü ve şekilsiz olan diğeri ise biraz daha yuvarlakçaydı. Işık içerde kalan tırtıklı kısma ve bıçağın korkunç kıvrımına vuruyordu.

"Sana bahsettiğim şu sahte Trol pençesi o," dedi Halli. "Tüccarın beni öldürmeye çalışırken kullandığı silah. Bir yerini kesmemeye dikkat et."

"Neden ki? Sonuçta sahte, öyle değil mi? Neden bunu yanında... Ah! Arne aşkına, amma da keskinmiş!"

Elini hızla geri çekerek oturdu ve şaşkınlık içinde parmağının kenarını emmeye başladı. Bir süre sonra parmağını ağzından çıkarıp havaya doğru kaldırdı. Yaradan oluk oluk kan akıyor, elinin tersinden aşağı süzülüyor, parmaklarının arasındaki çukurlarda birikip büyük damlalar halinde yere dökülüyordu.

"Seni sersem." Halli sahte pençeyi yuvarlak kısmından kavrayarak çantaya koydu. Sonra kızın elini tutup hızla kendine doğru çekti ve kanamayı durdurmak için tuniğinin alt kısmıyla sıkıca sardı. "Nasıl böyle dikkatsiz olabildin? O tüccar beni neden bu pençeyle öldürmeye çalıştı dersin? Keskin de ondan. Zaten ben de o yüzden pençeyi yanıma aldım."

Aud'un yüzü bembeyaz olmuştu. Omuzları titriyordu. "Kendimi kötü hissediyorum," dedi titrek bir sesle. "Tuniğini de mahvettim. Şu kan izlerine baksana!"

"Merak etme, her şey yoluna girecek. Peki, neden pençeyi tutmaya..."

"Bana terslenip durma. Bu konuyu kapatalım artık."

"Aptalca davranan sensin. Yaşananlar da senin suçun. Esas sen sus!"

Sessizlik içinde oturdular. Aud kaskatı kesilmiş gibiydi. Halli ise hâlâ Aud'un parmağındaki yaraya bastırarak uçsuz bucaksız bozkırlara doğru bakıyordu. Gözleri manzarayı tepeden tırnağa tarıyor gibiydi. Başlangıçta ilgisini çeken hiçbir şey yoktu. Fakat sonra uzaktaki yamaçlardan birinin ortalarında bulunan bir şey merakını uyandırdı. Kayaların arasında, çimenlerden oluşan ve kar yüzünden zorlukla seçilen dar bir şerit vardı. Bu şerit çaprazlamasına yüksekteki bir dağ geçidine doğru uzanıyor gibi görünüyordu. Halli gözlerini kısıp kaşlarını çatarak bir kez daha baktı. Yeşilimsi şerit çok uzaktaydı; Halli gördüğü şeyden bir türlü emin olamıyordu. Fakat bu şeridin bozkırlardan ayrılıp dağların içinden geçen bir yol olduğunu düşünmek mümkündü.

Bu düşüncesinden Aud'a da bahsetti. Bu arada Aud elini çekmiş, kanayan parmağını inceliyordu.

Aud, "Hadi gidip bakalım o halde," dedi aksi aksi. "Sonuçta bunun için buradayız."

"Evet ama bunu şimdi yapamayacağımız ortada," dedi Halli. "Geç oldu, sen yaralısın ve tüm o gördüklerimizden sonra..."

"Senin neyin var, Halli?" Aud buz gibi bir suratla oturduğu yerden kalkmıştı. "Bir daha böyle bir şans ne zaman elimize geçer ki? Babam her an adamlarını yollayıp beni aldırabilir, bu konu da böylece kapanmış olur."

"Hayır, yanılıyorsun. Çok yakında sağanak yağmurlar başlayacak. Sizin evden birinin buralara gelmesi birkaç haftayı bulur."

"Ben bu riske girmek istemiyorum." Belki yarasının ağrısından, belki de mağarada keşfettiklerinin şokundan dolayı sesinde, Halli'nin daha önce hiç duymadığı bir kırılganlık vardı. Aud, Halli'ye bakmadan konuşmaya devam etti. "Sen ister burada kal, ister geri dön." diye kestirip attı. "Umurumda bile değil. Ben gidip o yola bir bakacağım."

"Of, bu kadar keçi kafalı olmak zorunda mısın?" dedi Halli. Şimdi o da ayağa kalkmıştı. "Oraya tek başına gitmene asla izin vermem."

"Bak bakalım, nasıl gidiyorum." Böyle söyleyerek yamaçtan aşağı doğru yürümeye başladı. Eli pelerinine sarılı, yüzündeki ifade sert, dudakları sımsıkı kapalıydı.

Halli öfkeyle homurdandı. Kızın peşine düşüp başlığını yakaladı. Niyeti Aud'un çekip gitmesine engel olmaktı. Aud tiz bir çığlık attı, öne doğru bir hamle yaparak kendini kurtardı; Halli'nin elini sertçe itti ve arayı açmak için koşmaya başladı. Fakat ayağı küçük bir buz tabakasına denk gelerek kaydı. Öne doğru sendeleyen kızın ayağı iki kaya arasındaki deliğe sıkıştı. Aud dengesini kaybederek sert bir şekilde çimenlerin arasına yuvarlandı. Düşerken bacağının kötü bir şekilde dönmesine engel olamamıştı.

Aud'un attığı çığlık Halli'nin yüreğini yerinden oynattı. Hızla kızın yanına koştu. Öfkesi yerini endişeye bırakmıştı. "Ne oldu? İyi misin?"

"Hayır, sayende hiç de iyi değilim. Bileğim biraz ağrıyor." Ayağını hareket ettirmeyi denedi. "Çok kötü değil. Birazdan geçer... Ayağa kalkmama yardım eder misin?"

"Özür dilerim," dedi Halli, Aud'a destek olmaya çalışırken.

Aud güçlükle nefes alıyor gibiydi. "Ben de. Sadece..." Şimdi ayakta duruyor, ağırlığının tamamını diğer bacağına vermeye özen gösteriyordu. "Sadece eve dönme fikrine tahammülüm yok. Babamla yaşamanın nasıl bir şey olduğunu bilemezsin. Beni deli ediyor."

"Pes etmemiz gerektiğini söylemiyordum ki," dedi Halli. "Sadece bugünlük ara verelim istemiştim. Kayaların arasındaki o açıklık gerçekten de bir yol olabilir. Kısa zamanda geri dönüp oraya ulaşmanın bir yolunu bulacağız, sana söz veriyorum. Ama şimdi..."

Sözü Aud'un attığı çığlıkla kesildi. Kız yamaca doğru yürümeye çalışmış, fakat bileği vücudunun ağırlığını taşımayı reddetmişti. Halli, Aud'u kolundan yakalayarak düşmesine engel oldu.

Halli'nin gözleri endişeyle açılmıştı. "Yürüyemiyorsun, öyle değil mi?"

Ürkek ürkek başını sallayan Aud, "Merak etme, biraz ağrıyor, o kadar. Birazdan geçer," dedi.

Halli'nin bakışlarını Aud'dan ayırmadan sordu. "Emin misin?"

"Evet, tabii."

"Yani geri dönüp sınıra kadar yürüyebilecek durumda mısın?" dedi Halli. "Hem de hava kararmadan?"

Aud tiz bir kahkaha attıktan sonra, "Elbette!" dedi. "Aksi halde oldukça büyük bir sorunla karşı karşıya olurduk, değil mi?"

22

Bazen, Ay Işığının güçlü olduğu gecelerde, Svein yöneti-
ci koltuğunda oturup insanlara neyi nasıl yapmaları gerek-
tiğini anlatmaktan sıkılırdı. İşte o zaman kemeriyle kılıcı-
nı kuşanır, yamaca gidip biraz Trol avlardı. Svein o bölgeye
yerleştiğinden beri evin yakınında fazla Trol bulunmuyor-
du. Trollerin büyük bir bölümü bozkırdaydı. Bu canavar-
lar topraktan çıkan ya da çalıların arasında süzülen gri göl-
gelere benzerlerdi. Svein ava çıktığında onlar da teker teker
saklandıkları yerden çıkıp ayın soğuk ışığı altında Svein'le
çarpışırlardı. Svein ise evini süslemek için öldürdüğü Trol-
lerin kafalarıyla derilerini yanına alırdı.

Svein'in kendisi bile bu tür maceralardan çoğu zaman
yaralı dönerdi. Bu yüzden insanlara, her ne sebeple olursa
olsun bozkırlara tırmanmalarını yasaklamıştı. "Bu bölge-
deki Troller çok güçlü," derdi. "Ve size yardım edecek kim-
se de olmayacak etrafınızda. İyisi mi, sizin için kurduğum
bu evden fazla uzaklaşmamaya bakın."

Yavaş yavaş akşam oluyordu. Doğuda yerle gök birleşti; ışık batıya
doğru çekilmeye başladı. Karla kaplı bozkır giderek karanlığa bü-
rünüyor, mor gölgeler dört bir yanı kaplıyor, tüm çukur alanlar sis-
le dolmaya başlıyordu. Orada burada topraktan uzanan siyah tır-
naklar gibi sivri kayalar yükseliyordu.

Üstlerinden bir yaban kazı sürüsü geçti. Gecenin ilk parlak yıl-
dızları belirmeye başlamıştı.

Mezarlıktan hâlâ oldukça uzak sayılırlardı.

Halli sesinin neşeli çıkmasına çalışarak, "Trollere inanmamamız
iyi bir şey, değil mi?" dedi.

"Hem de çok." Birkaç adım daha attılar. Halli'nin kolu Aud'un belini sıkıca sarmış kızın yürümesine yardımcı oluyordu. Aud ise kolunu güçsüzce Halli'nin omzuna atmıştı. Ufak sıçrayışlarla sendeleyerek ilerleyebiliyordu ancak. Sakatlanan ayağı çimenlere değmeyecek şekilde havada duruyordu. Bu şekilde yamaçtan aşağı inmeyi başarmış, hatta bozkırın yarıdan fazlasını da geride bırakmışlardı. Fakat oldukça yavaş yol alıyorlardı.

Halli arada bir havadan sudan konuşmaya çalışıyordu. Fakat bunun kendisini neredeyse yürüyüş kadar yorduğunu kısa zamanda fark etti. Düşünceleri yer altında hareket eden Trollerle doluyken en sevdikleri yemekten ya da son dedikodulardan bahsetmek hiç de kolay olmuyordu. Çevreyi hızla gözden geçirdi; fakat ortalık daha o bakarken bile kararıyor gibiydi. Sınır henüz görünmüyordu.

Yüksek kayalardan birinin daha gölgesini geride bırakarak sonsuz boşlukta ilerlemeye başlamışlardı ki Aud başını kaldırarak yarı karanlık topraklara doğru baktı. "Halli," dedi. "Bu ses de neydi?"

Halli duraksayarak cevap verdi. "Ben bir şey duymadım."

"Duymadın mı? Belki de bana öyle geldi. Sandım ki... her neyse, bu rüzgarda herhangi bir şey duymak zaten imkansız."

"Aynen öyle. Hadi durup tartışmak yerine yola devam edelim, olur mu?"

"İyi fikir."

Gittikçe yoğunlaşan karanlığın içinde inatla yürümeyi sürdürdüler. Son ışık kırıntıları batıdaki dağların tepesinde ölgün ve soluk bir hale yaratmış gibiydi. En yakındaki kayaları bile zor algılar hale geldiler. Hâlâ mezarların başladığı yere varamamışlardı.

Kar tökezleyen ayaklarının altında hışırdıyordu. Hava gittikçe soğumaktaydı. Aud neredeyse bütün ağırlığını Halli'ye vermiş gibiydi. Ayağı kazara yere değse acıdan nefesi kesiliyordu.

Birden Halli'nin aklına bir şey geldi. "Elin sıkıca sarılı, değil mi?" diye sordu. "Demek istediğim, arkamızda kandan bir iz bırakmıyorsun, değil mi?"

"Tabii ki hayır. Saçmalama!"

"Sadece emin olmak istedim." Halli birkaç adım boyunca sessizliğini korudu. Ardından ıslıkla neşeli, sinir bozucu, tekrara dayalı bir melodi çalmaya başladı. Oldukça uzun bir süre ıslık çalmayı sürdürdü. Sonunda Aud öfkeyle bağırdı.

"Susar mısın artık? Bu ağıtı bir kez daha duyacak olursam, yemin ederim ki tokadı basacağım."

"Keyfimizi yerine getirir diye düşünmüştüm."

"Ne kadar korktuğunu açıkça göstererek mi keyfimizi yerine getireceksin? Gerçekten harika bir fikir!"

"Ben mi korkuyormuşum? Yüzüme baksana sen! İyi bak! Korkmuş birinin yüzüne benziyor mu?"

"Bilemiyorum, Halli. Açık konuşmak gerekirse, gerçekten emin olamıyorum. Neden, biliyor musun? Çünkü her yer karanlık ve ben de burnumun ucunu bile göremiyorum. Ortalık zifiri karanlık, Halli. Ve biz sayende hâlâ sınırı geçebilmiş değiliz."

"Sayemde mi? Düşüp bileğini sakatlayan sensin!"

"Beni ittin sayılır."

"Harika!" diye bağırdı Halli. "Öncelikle, senin sınırı ya da Trolleri bu derece ciddiye aldığını ilk kez duyuyorum. Ayrıca sen o şekilde huysuzluk edip benden ayrılmaya kalkışmasaydın şu an bu belanın içinde olmayacaktık ve sen de paniğe kapılmayacaktın."

Aud öfkeyle haykırdı. "Ben mi paniğe kapılmışım? Yanılıyorsun, gayet rahatım ben."

"Affedersin, fark edememişim. Sesin biraz tiz çıkıyordu da."

Birden ıslığa benzer kısacık bir ses duyuldu. Halli "Neydi bu?" diye sordu.

"Suratına indirmeye çalıştığım tokadın sesi. Ne yazık ki hedefi ıskaladım."

"Hayır, onu demiyorum. Kastettiğim ses daha uzaktan geliyordu."

Karanlığın ortasında durmuş, rüzgarın çorak bozkırdaki hareketini dinliyorlardı. Aud alçak sesle konuştu, "Bilemiyorum... Sanmıyorum... Bence bir şey yok... Bir şeylere sürtünmüş olmayasın?"

"Ne? Hayır. Bu da ne biçim bir soru böyle? Bir yerlere sürtünmüş olabilir miymişim? Sesi duyan benim zaten, Aud. Nereden geliyor sence?"

Gözlerini karanlığa dikerek kulak kabarttılar. Artık emindiler; rüzgarın taşıyıp getirdiği, ancak rüzgardan kaynaklanmayan hafif bir ses vardı havada. Rüzgarın uğultusu yüzünden sadece belli belirsiz duyulan, fakat varlığı tartışılamayacak kadar açık olan bir sürtünme sesiydi bu. Durup durup yeniden başlıyor, alçalıp yükseliyor, fakat iyice alçaldığı noktada bile aralıksız sürüyordu. Sesin tam olarak hangi yönden geldiğini söylemek imkansızdı.

Halli birinin kolunu sıkıca kavradığını hissetti. "Umarım bu senin elindir, Aud."

"Elbette ki benim elim. Bu ne sesi, Halli?"

"Şey..." Sesinin neşeli çıkmasına çabalıyordu. "Kurt sesi olduğunu pek sanmıyorum."

"Kurt sesi olmadığını biliyorum, Halli. Peki, ne sesi?"

"Belki... Şey... Taşların arasından esen rüzgarın sesi olabilir."

"Sahi mi? Peki tam olarak neyi kastettiğini açıklayabilir misin?"

"Şey... Hadi yürümeye devam edelim. Yolda anlatırım." Birbirlerine sıkıca sarılarak karlı topraklarda ilerlemeye devam ettiler. Arada bir durup umutla kulak kabartıyorlardı, fakat ses bir türlü kesilmiyordu. Mantıklı bir açıklama bulmak için kendini zorlayan Halli sonunda pes ederek cevap verdi. "Kayalara ve taşlara çarpan rüzgar ufak kabarcıklar oluşturur. Bu kabarcıklar doğal oluklardan kayarak çevreye dağılırlar. İşte bizim duyduğumuz ses de bu kabarcıkların sesi. Umuyorum doğru yöndeyizdir."

"Tabii ki doğru yöndeyiz. Gidiş yolunda hiçbir tarafa dönmemiştik, öyle değil mi? Sınır dosdoğru karşımızda olmalı." Nefes nefese kalmıştı. Öncekine göre biraz daha hızlı ilerliyorlardı. "Pekala, oluklardan kayan kabarcıkların sesi demek. Yani toprağın kazılmasını anımsatan, pençelerin yeri delip dışarı çıkmasına benzeyen bir ses olduğunu düşünmüyorsun?"

"Aslına bakarsan, böyle bir şey de olabilir tabii."

"İşte bu harika!"

"Ama unutma, Aud. O gördüğümüz kemikler çok eskiden kalmaydı. Yani Trollerin..."

"Hayır. Haklısın, Halli. Trollere inanmıyorum. Ayrıca sen de inanmıyorsun. Ah, şu bileğim! Keşke üstüne basabilseydim. Azıcık bile olsa..." Uzanıp Halli'nin elini sıktı. "Rahatlatıcı konuşman için teşekkürler."

"İhtiyacınız olan her... Svein aşkına! Bu da ne?" Halli yana doğru sekerek Aud'a çarptı. Tökezleyen kız az kalsın yere kapaklanıyordu.

Aud boğazına kadar yükselen çığlığı bastırarak sordu. "Ne?"

"Orada! İşaret ettiğim yerde."

"İyi de orası neresi? Etraf karanlık. Bu durumda neyi nasıl görebildin ki?"

"Bir şey hissettim. Büyük. Hem de çok büyük. Sol tarafımızda."

Birbirlerine sokularak, dikkatle çevreyi gözden geçirmeye başladılar. Batan güneşin ardında bıraktığı silik bir aydınlık asılıydı gökte. Bu hafif ışık sayesinde karanlığa göz ucuyla baktıklarında karşılarında yükselen büyük ve kapkara şekli sezebiliyorlardı. Aud rahatlayarak derin bir nefes aldı. "Sadece büyük kayalardan biri bu, sersem. Muhtemelen de mezarlıktan önceki son kaya. Arne aşkına, Halli; korkudan neredeyse ölecektim."

Aud'un hemen yanı başından yükselen utangaç bir kahkaha duyuldu. "Üzgünüm. Yanlış alarm."

"Şimdi ayrılabilir miyiz?"

Erkeklere özgü yalancı öksürüklerle üstündekileri aceleyle düzelten Halli, Aud'dan uzaklaştı. Kısa bir süre ikisi de sustular.

"Hadi gel," dedi Aud. "Mezarlığa neredeyse varmış olmalıyız."

"Fark ettin mi?" diye sordu Halli. "Şu garip ses de kesildi."

"Neyse ki kesil..."

Karanlığın içinden hışırtıya benzer bir ses yükseldi. Yer değiştiren taşların yol açtığı bu ses Halli'yle Aud'un oldukça yakınından gelmişti. Sonra ortalık yeniden sessizliğe büründü.

Halli'yle Aud mezarlıktaki taşlar kadar hareketsizdiler. Karanlığa doğru bakarken vücutlarındaki tüm kaslar ve sinirler gerilmişti.

Başka herhangi bir şey duyulmadı; ancak sessizlik rahatlatıcı olmaktan çok uzaktı.

Halli tüm cesaretini toplayarak fısıldadı. "Bence bu ses neydi, biliyor musun? Rüzgar büyükçe bir taşı yerinden oynattı ve mezarlardan birinin tepesinden aşağı yuvarladı. Bizse sinsi ve kötü niyetli adımlar duyduğumuzu sandık."

"Söylediklerine kendin de inanmıyorsun, değil mi?"

"Hayır. Ne kadar hızlı sekebilirsin?"

"Göreceğiz."

Birlikte ileri doğru atıldılar. Aud sıçraya sıçraya yol alıyor, Halli de elinden geldiğince ona destek veriyordu. Çantası sırtını ağrıtmaya başlamıştı. Aud ise korkudan kesik kesik soluyordu. İki farklı yerde düşmekten kıl payı kurtuldular. Bir seferinde de Aud üstü karla kapanmış bir çukura yuvarlandı. Karanlık taşkın bir sel gibi üzerlerine çullanıyordu. Fakat mezarların olduğu yere hâlâ varamamışlardı.

Birdenbire çok yakınlarında büyükçe bir şeyin sıçrayarak kayalardan birinin üzerine çıktığını duydular.

Korkudan oldukları yerde donakaldılar. Halli elini Aud'un kulağına yaklaşarak fısıldadı. "Çantayı açıp silahlarımızı çıkaracağım."

"Evet, iyi fikir."

Halli bir yandan Aud'a destek vermeyi sürdürerek çantayı sırtından indirdi, karların arasına koydu ve düğümü açmaya çalıştı. Ancak parmakları soğuktan uyuşmuştu, elleri korkudan titriyordu ve karanlık yüzünden önünü görmekte zorlanıyordu. Çantanın ağzını kapatan ipleri çözmek sandığı kadar kolay bir iş olmayacaktı. Zaten düğüm de iyice sıkışmıştı.

Çok yakında bir yerden tuhaf bir gıcırtı yükseldi. Ardından yüksek ve ince bir çatırtı duyuldu. Ses, üzerilerine aniden büyük bir ağırlık çöken küçük taş parçalarından geliyordu sanki.

"Hadi Halli, çabuk ol!" diye tısladı Aud.

"Şu kahrolası düğümü açamıyorum."

Ezilen karların sesi artık süreklilik kazanmıştı ve gitgide yaklaşıyordu.

"Nasıl yani? Düğümü sen atmadın mı? Hadi aç artık!"

"Beni sıkboğaz etmeyi bırak! İşte oluyor... Kahretsin, yine kaydı."

"Halli..."

Bu kez arkalarındaki sertleşmiş kar tabakasının çatırdadığını duydular. Hareket eden her neyse biraz daha hızlanmış, daha büyük bir hırsla yaklaşıyormuş gibiydi.

"Lanet olsun, şimdi de elime çivi battı!"

Aud iyice Halli'ye sokuldu. "Lütfen çantayı açabildiğini söyle!"

"Evet, sonunda başardım. Hangisini istiyorsun? Kancalı sopayı mı, yoksa meyve bıçağını mı?"

"Umurumda değil! Keskin olan herhangi bir şey versen yeter. Ama çabuk ol!" Kumaş hışırtılarını metalin çınlaması takip etti.

"İşte, al!" Halli elindeki silahı Aud'a doğru uzattı. Keskin tarafını kendine çevirmişti. Aud'un ellerinin panik içinde havayı dövdüğünü, sonunda tahta sapı bulduğunu ve sıkıca kavradığını hissetti. Kız silahı hızla Halli'nin elinden çekerken acı içinde bağırdı.

"Ah, elim!"

"O zaman silahı sol elinle tut!" Halli ucu kancalı sopayı eline alarak ayağa kalktı. Silahın eliyle tartıp kısaca sağa sola savurdu. Sağ tarafında bir şeyin karla kaplı zeminde hızla hareket ettiğini duydu. Ses oldukça yakından geliyordu. "Sırtını benimkine yasla!" dedi Halli. "Dengede kalmanı sağlayacağım. Ve kesinlikle sessiz ol ki yaklaşan herkesin ve her şeyin farkına varabilelim."

"Peki, o zaman ne yapacağız?"

"Elimizdekilerle olabildiğince güçlü bir darbe indireceğiz."

Aud ince uzun sırtını Halli'ninkine sıkıca yasladı. Halli ayaklarını kar tabakasının mümkün olduğunca derinine soktu. Botlarını çimenlere sürterek yere sağlam basabileceği uygun bir pozisyon aradı. Gözlerini kapadı, kulak kabarttı ve dikkatini yoğunlaştırmaya çalıştı. Hışırtılı ayak sesleri ve tuhaf bir gıcırtı duyuluyordu. Sesler önce sol tarafındaydı, ardından tam karşısına geçti. Bir şey hızla çevrelerinde dönüyor, her seferinde bir parça daha yakına geliyordu. Karanlık bu şeyin hareketlerini yavaşlatmıyor gibiydi. Halli yaklaşmakta olan şeyin onları açıkça görebildiğini biliyordu.

Birdenbire ayak seslerinin hışırtısı geri çekilerek yok oldu. Ortalık yeniden sessizleşmişti.

Halli tüm cesaretini toplayarak fısıldadı. "İyi misin, Aud?"

"Evet. Ya sen?"

"Fena deği..." Sözü ani bir gürültüyle kesildi. Çimlerin çatırtısına hızla havaya savrulan karların uğultusu eklendi. Aud tiz bir çığlık attı. Sırtı telaşla hareket ediyordu. Aradaki onca kıyafete rağmen Halli, kızın kürek kemiğinin hızla dönüp durduğunu hissetti. Kolunu uzatmış bıçağı savuruyor olmalıydı. Ardından şiddetli bir sarsıntı yaşandı. Belli ki Aud'un bıçağı bir şeye denk gelmişti. Çarpmanın etkisi öyle şiddetliydi ki Halli'nin bacakları titredi. Her iki yanda karların havada uçuştuğunu gördüler. Korkunç bir uğultuyla birlikte karanlığa doğru çekilen ayak sesleri duyuldu.

Sessizlik. Aud'un başı Halli'nin omzuna düştü.

Halli korkuyla uzanarak kızın saçlarına dokundu. "Aud..."

İnce bir ses cevap verdi. "Onu vurdum, fakat bıçağı kaybettim."

"Sana zarar verdi mi? Aud, beni dinle! Yaralı mısın?"

"Hayır, hayır. Ama beni yakaladığı zaman birden üşüdüğümü hissettim. Saldırdım; fakat bıçağı düşürdüm."

"Önemli değil. Belki de onu korkutup kaçırmışsındır." Halli bir o yana, bir bu yana bakıyordu. Gözleri çılgınca etrafı tarıyordu. Anlamsız ışık benekleriyle gölgeler dikkatini dağıtıyordu. Bir saniye; Kaya Savaşı sırasında ay bulutun arkasına girdiğinde Svein ne yapmıştı? Gözlerini kapamıştı. Halli de kendisini aynı şeyi yapmaya zorladı. Şimdi daha iyiydi. Işıklar yok olmuştu. Aud'un düzensiz nefes alışlarından başka hiçbir şey duymuyordu. Kızın sırtının titrediğini hissetti.

"Mezarlığa doğru ilerlememiz lazım, Aud," dedi yumuşak bir sesle. Bir yandan da eliyle usulca Aud'un başlığını okşuyordu. "Ne dersin? Yapabilecek misin?"

"Elbette! Bana patronluk taslamaya kalkma!" Kızın ani öfkesi sözlerini kanıtlar gibiydi. "Şu bıçak da nereye kayboldu ki?"

"Unut gitsin. Benimkini al." Yarı yarıya dönmüş, havayı yoklayarak kızın elini bulmaya çalışıyordu. "Çabuk ol."

"Peki ya sen?"

"Ben pençeyi kullanırım." Çantaya doğru eğilerek elini dikkatle içeri soktu. Parmakları tüccar Bjorn'un Trol pençesini yuvarlak ve kalın kısmından sıkıca kavradı. Halli yeniden doğruldu. Pençe kancaya göre daha keskin olmalıydı; ancak kullanımı da daha zordu. Her şeye rağmen yaklaşan şey onu görünce gerçek sanıp ürkebilirdi. "Hazır mısın?" diye sordu Halli.

Birbirlerine sıkıca sarılarak adım adım ilerlemeye başladılar. Aud eskisi gibi Halli'ye yaslanmıştı. Birkaç metrede bir durup etrafa kulak kabartıyorlardı. Rüzgarın uğultusu, kendi nefes alıp verişleri ve başlarındaki zonklama dışında tek bir ses bile yoktu. Halli birden içinde kabaran umudu hissetti. "Sanırım sınıra varmak üzereyiz. Aud?"

Kız hafifçe hareket etti. "Hmm?"

"Neredeyse mezarlığa vardık. Şu küçük ışığı görüyor musun?" Sarı bir ışık noktası karanlığın ortasında titreyerek dans ediyor gibiydi. "Sanırım bu Rurik Evi'ne ait çiftliklerden biri. Bu çiftliği görebildiğimize göre yamacın eteğine yaklaşmış olmalıyız. Birkaç adım daha, Aud. İşte o zaman güvende olacağız." Bekledi, fakat Aud cevap vermedi. "Aud?"

"Ne var?"

"Sana zarar vermedi, değil mi? Vermiş olsaydı bana söylerdin, değil mi?"

"İyiyim ben." Fakat sesi yeniden silikleşmişti. Halli karanlığa doğru suratını asarak adımlarını hızlandırdı.

Bir an sonra uğradıkları saldırıya tamamen hazırlıksız yakalanmışlardı. Saldırı öncesinde en ufak bir ses bile duymamışlardı. Fakat Halli aniden esen soğuk bir rüzgar hissetmiş, yüzüne çarpan kötü kokuyu duymuş ve mantıklı bir karardan çok içgüdüsünün yardımıyla sola sıçrayarak Aud'u diğer yana itmişti. Tek dizinin üzerine düşerek karlı zeminde kaydı. Bu sırada oldukça kuvvetli bir şeyin yanından hızla geçtiğini sezdi. Burun deliklerine çarpan berbat koku yüzünden bir an için nefesi kesilir gibi oldu; yakınında bir yerde Aud'un boğuluyormuşçasına sesler çıkardığını duydu.

Ayağa kalktı, döndü ve elindeki pençeyi havada çılgınca savurmaya başladı. Düşmanın tam olarak nerede olduğunu bilmediğinden tamamen körlemesine savaşıyordu. Sonra Aud'un çığlığını duydu. Kızın sesi bu kez oldukça yüksek çıkmıştı. Ardından metalden yapılma bir şeyin kırılmasına benzeyen garip ve kulak tırmalayıcı bir sesi duyuldu. Halli'nin ağzı açık kalmıştı. Şaşkınlık içinde sesin geldiği tarafa bakarken, birden geri geri gelmekte olan bir şeyle çarpıştı. Çarpıştığı şeyin kokusu toprağı ve çürümeyi çağrıştırıyordu; o kadar iğrençti ki Halli dişetlerinin sızladığını ve dişlerinin çenesinde gevşekçe sallandığını hissetti. Bu şey aynı zamanda buz gibiydi. Halli'nin cildi bir anda donmuş gibi oldu; parmakları uyuşmuştu. Elindeki pençeyi neredeyse düşürüyordu, fakat son bir çabayla pençeyi kaldırarak hedefini görmeksizin sallamaya başladı. Silah tamamen şans eseri görünmez varlığa çarptı.

Dişlerin birbirine sürtünmesini anımsatan tuhaf bir ses duyuldu.

Ağır bir şey yüzünün yan tarafına çarptı. Halli çığlık atarak gerledi; fakat ayakta kalmayı başardı.

Sivri bir şeyler Halli'nin boğazına yapışıp etini delmeye başladı. Başı dönüyor, dizlerinin bağı çözülüyordu. Uzakta bir yerde Aud'un ağladığını duydu. Kızın sesi vücuduna yayılmakta olan soğuğu unutmasına neden oldu. Halli ani bir hareketle Trol pençesini öne doğru savurdu. Vuruşu güçlü, keskin ve yırtıcıydı. Birden boğazında bir rahatlama hissetti. Ardından acı ve keder dolu bir çığlık yankılandı. Bilinmeyen bir güç Halli'nin göğsüne çarptı ve onu geriye doğru savurdu. Dengesini kaybeden Halli karların içine tepetaklak yuvarlandı.

Gözlerinin önünde ışıklar uçuşuyordu. Ağzına burnuna dolan karları püskürterek ayağa kalkmaya çalıştı. Pençe hâlâ elindeydi.

Çevresine kulak kabarttı.

Rüzgarın, uzaklarda yuvarlanan taşların ve karanlığın ortasında ağlayan Aud'un sesinden başka bir şey duyulmuyordu.

Halli hıçkırıkların geldiği tarafa doğru yürüdü. Büyük bir dikkatle ilerliyor, her adımını ölçerek atıyordu. Bu yüzden Aud'a çarptığını fark edince şaşırdı. Hissettiği kadarıyla kız yerde oturuyordu.

"Bir kez daha saldırdım," dedi Aud. "Fakat çarpışmanın şiddetiyle bıçağım kırıldı."

"Sanırım onu ben de yaraladım. Şimdilik kaçtı, ama yakında diğerlerini de yanına alıp geri gelecektir. Hadi, ayağa kalk, Aud! Devam etmeliyiz."

Kızın ayağa kalkmasına yardım etti ve birlikte konuşmadan yürümeye başladılar. Çok geçmeden öne uzanmış elleri mezarlardan birinin taşlarına dokundu. Onca zamandır sınırın bir adım gerisinde olduklarının farkına varmamışlardı. Ardından Aud'un sakatlanan bacağına rağmen koşmaya başladılar. Zirveyi hızla geçtiler; mezarlardan ikisine çarpıp yere yuvarlanmalarına ramak kaldı. Fakat sonunda mezarları geride bıraktılar ve nefes nefese, tehlikeyi geride bırakmış olmanın verdiği rahatlıkla karla kaplı fundalıkların arasına yuvarlandılar. Çok uzakta Svein Evi'nin sarı ışıkları gecenin karanlığını deliyordu.

Svein Trol kralının sarayına son bir kez daha gitmek istiyordu; fakat karısı bu konuda oldukça tereddütlüydü.

"Oraya yeniden gideceğini hesaba kattıklarından eminim," dedi. "Ve inan bana, seni bu kez ellerinden kaçırmayacaklardır. Peki, o zaman ne olacak? Ben söyleyeyim; etin Trollerin tenceresinde fokurdayacak."

Svein karısına şöyle yanıt verdi, "Meraklanma. Beni yakalayamayacaklar. Onlar için fazlasıyla hızlıyım. Sen güneş batarken çorbamı hazır et. Yemeğe yetişeceğim." Böyle diyerek yamaca tırmanmaya başladı.

Trol kralının sarayına girdi, tavanda asılı kemiklerin, ocaktaki ateşin ve Trollerin kıvrılıp uyudukları deliklerin yanından geçti. Yanmakta olan bir meşaleyi duvardan alarak toprağın derinliklerine inen merdivene yöneldi. Merdivenin başına geldiğinde dönüp girişe doğru baktı. Güneş yavaş yavaş solmaya başlamıştı. Peki, yeterince zamanı var mıydı? Elbette!

Basamakları ağır ağır inmeye başladı. Sonunda çeşitli yerlerinde ateşler yanan ve ortasında koca bir hazine yığını bulunan büyük ve yuvarlak bir odaya vardı. Hazinenin hemen yanında altından bir taht duruyordu ve Trol kralı tüm azameti ve korkunçluğuyla bu tahtta oturuyordu. O da diğerleri gibi derin bir uykuya dalmıştı ve horluyordu.

"Bu sandığımdan da kolay olacak," diye düşündü Svein. Yanındaki çantayı altınla doldurdu ve kılıcını havaya kaldırarak tahta doğru yürüdü. Fakat tam o sırada kış güneşi yamacın gerisinde kayboldu ve Trol kralı büyük kırmızı gözlerini açtı.

Trol kralı Svein'in elindeki kılıçla kendisine doğru yaklaşmakta olduğunu görünce, öfkeyle kükredi ve diğer Trolleri uyandırdı. Oda koşarak gelen Trollerle dolmaya başladı.

Hepsi de Svein'i parçalara ayırmaya kararlı görünüyorlardı. Fakat Svein tahtın gerisinde duran kayanın yanında bir tünel bulunduğunu fark etti ve bu tünelden aşağı doğru koşmaya başladı. Koştu, koştu. Ancak kocaman ağzını sonuna kadar açmış olan Trol kralı da kollarını öne doğru uzatarak hemen gerisinde koşmaya devam ediyordu. Trol kralını Svein'in adını haykırarak koşturan diğerleri izliyordu.

Svein meşaleyle yolunu aydınlatarak koştu, koştu. Tünel adım başı iki kola ayrılıyor, Svein de bunlardan birinde karar kılmak zorunda kalıyordu. Yol bazen yokuş yukarı tırmanıyor, bazense aşağı doğru eğimleniyordu. Sonunda Svein yön duygusunu tamamen kaybetti. "Durumum hiç de iyi görünmüyor," dedi. "Durup mertçe savaşarak ölmekten başka çıkar yolum yok." Fakat tam o sırada yukardan bir yerden gelen tanıdık, leziz ve iştah açıcı kokunun farkına vardı. "Bu karımın benim için pişirdiği çorba!" diye bağırdı sevinçle. "Bu kokuyu nerede olsa tanırım." Böyle diyerek dar geçit boyunca koşmaya devam etti. Trol kralı da hemen peşinden geliyordu.

Dolambaçlı tüneller boyunca çorbanın nefis kokusunu takip eden Svein nihayet tünelin ucunda akşamın silik pırıltısını gördü. Kılıcıyla tünelin ucundaki toprağı kazarak dışarı fırladı. Evinin hemen yukarısında yer alan aşağı çayırlığa ulaşmıştı! Fakat Svein'in kutlamalarla harcayacak zamanı yoktu. Deliğin yanında durup beklemeye başladı. Az sonra Trol kralının başı delikten dışarı uzandı ve Svein kılıcını büyük bir hızla indirdi. Trol kralının kopan başı çimenlerin arasına yuvarlandı. Svein dişleri takırdamaya devam eden kelleyi alarak eve yollandı. Trol kralının başını gürültüyle masaya bırakarak karısına "Bu senin için!" dedi. "Şurada da biraz altın olacak. Hâlâ nefes alıp veriyor oluşumu sana borçluyum."

İşte bu, Svein'in Trol kralının sarayına yaptığı son ziyaretti.

IV

23

İLERLEYEN YILLARDA SVEIN, evinden fazla uzaklaşmaz oldu. Zaten artık Trol kralı da ölmüştü. Aslına bakılırsa Rurik ve Ketil Evlerine yaptığı baskınlar hâlâ sürüyordu; fakat yaşanan şiddetli çarpışmalara rağmen seferlerin sonuçları pek de tatmin edici sayılmazdı. Belki bu yüzden belki de ilerleyen yaşından dolayı Svein son zamanlarda iyiden iyiye acımasız bir kişiliğe bürünmüştü. Verdiği kararlar artık kimseyi şaşırtmıyordu. Kanun koltuğuna otururken bile kılıcını elinden bırakmıyor, yargılananların çoğu avluda kurulu darağacını göremeden can veriyordu.

Kimileri Svein'in evdeki yaşantıdan bıktığını ve peşine düşecek yeni bir macera aradığını söylüyorlardı. Sonunda bir yaz günü Svein diğer kahramanlara ulaklar göndererek ateşkes yapmayı ve Trol meselesini görüşmek üzere bir araya gelmeyi önerdi.

Svein malikanesinin pencereleri uzun ve karanlık birer gölge gibiydi. Rüzgar çerçeveleri titretiyordu. Duvardaki meşaleler sönmeye yüz tutmuştu. Ocaktan yükselen ışık ise bir sürü kolu olan kırmızı bir yaratık gibi zemindeki taşların üzerinde titreşiyordu.

Aud'la Halli ocağın dibine çökerek birbirlerine sokuldular. İkisinin de ağzını bıçak açmıyordu.

Halli bardağındaki kuvvetli şarabı hızla yudumluyordu. Her yudumda Aud'a doğru kaçamak bir bakış atıyor, kızın solgun yüzü ve matlaşmış saçları karşısında şaşkınlığı iyice büyüyordu. Aud'un pelerininin ön tarafı yırtılmış, neredeyse lime lime olmuştu. Ellerinden biri henüz sarılmıştı; temiz bir bezle yeniden bandajlanmış olan ayak bileğindeki şişlikse açıkça belli oluyordu. Elindeki bardağı hayattaki son sığınağıymış gibi sıkıca kavramıştı. Gözleri ifadesiz ve boş bakıyordu.

Halli şarabını yudumlamaya devam etti. Yaşadıkları macerayı Aud'a kıyasla oldukça ucuz atlatmış sayılırdı. Aslına bakılırsa pelerininin yaka kısmı yırtılmıştı. Ensesi en ufak bir temasta bile ağrıyordu. Trol pençelerinin etini deldiği noktalar hâlâ belirgin biçimde sızlıyordu. Fakat bunun ve tepedeyken kemiklerine işlemiş olan soğuğun dışında gözle görülür bir sorunu yoktu.

Uzun ve zorlu bir inişin sonunda eve yaklaştıklarında ellerinde meşalelerle onları aramaya çıkmış olan bir sürü insanla karşılaşmışlardı. Çoğunluk onları görünce derin bir nefes almıştı. Ardından gelen ilk tepkiyse Aud'un yaraları için duyulan endişe olmuştu. Katla, kızı hızla eve doğru sürüklemiş; Halli ise Leif, Eyjolf ve diğerlerine tepedeki çayırlarda gezerken ayağı kayan Aud'un bir kayanın tepesinden aşağı nasıl yuvarlandığını ve kendisinin ağır adımlarla eve kadar yürümesi için kıza nasıl yardım ettiğini anlatmıştı. Svein Evi'nin sakinleri beklenildiği üzere önce konuklarının sağlığını tehlikeye soktuğu için Halli'ye kızmış, ardından yataklarına çekilmişlerdi. Uydurduğu hikayeyi herkesin sorgulamadan kabullenmesi Halli'yi şaşırtmıştı. Bütün ev, yalanlarını sorgusuz sualsiz yutuvermişti.

Halli şarabından bir yudum daha alarak gözlerini ateşe dikti. Efsaneler ve yalanlar...

Elbette asıl mesele, efsanelerin gerçek olduğunu sonunda anlamış olmalarıydı.

Troller tepede yaşıyorlardı. Sınırın hemen ilerisindeydiler. Mezarların oluşturduğu sınır Trolleri insanlardan uzak tutuyordu. Her şey efsanelerde anlatıldığı gibiydi. Yaşananları başka türlü açıklamak mümkün değildi. Tabii bu durumda Svein ve diğer kahramanlar da uzun yıllar önce Trolleri Kaya Savaşı'nda gerçekten yenmiş oluyorlardı. Yani kahramanlar gerçekten de yaşamışlardı ve

Trollerle savaşarak ölmüşlerdi. Yani vadi onların mezarları sayesinde güvendeydi. Yani Troller orada, yukarıda hapsolmuş bir halde bekliyorlardı.

Yani vadiden çıkış yoktu.

Halli, alevlerin yükselip alçalışını, birden şahlanarak parlayıp ardından en ufak bir iz bile bırakmadan yok olup gidişini izliyordu. Bu muydu yani? Bu ilk ve tek kaçış denemesinden sonra; nesillerdir kimselerin cesaret edemediği şeye kalkıştıktan, ufukta beliren o uzak dağ geçidini gördükten sonra, Aud'la ikisi arkalarına yaslanarak umutlarının sönüp gidişini izleyip hayatın içinden sessizce geçecek ve mezarlıktaki karanlık gölgelere karışmayı mı bekleyeceklerdi?

Herkesin yaptığı tam da bu değil miydi?

Kapalı kapıların ardından yükselen bitkin ve pürüzlü bir ses duyuldu. Babası öksürüyordu.

Hem babasının sesini duymamak hem de birden içinde kabaran öfkeyi dizginleyebilmek için kuru bir sesle, "Pelerinini delen pençeler sana zarar vermedi, değil mi?" diye sordu.

Aud başını kaldırarak Halli'ye baktı. Epeydir suskun oturuyordu. Boğazını temizleyerek, "Hayır, sadece ezilmeler var, fakat hiçbir yerim kesilmedi," dedi.

"İyi."

Uzun süren bir sessizlik yaşandı. "Ensen kötü görünüyor," dedi Aud sonunda.

"Öyle mi? Farkında değilim."

"Beş farklı kırmızı leke var."

Halli ürperdi; fakat, "Dokunuşu oldukça soğuktu," demekle yetindi.

"Biliyorum. Göğsüme doğru atıldığında nefes almakta zorlandım." Önce şiş ayak bileğine, ardından ateşe bakarak, "Özür dilerim, Halli," dedi.

"Sorun değil." Halli şarabından bir yudum daha aldı. "Bu arada, ne için özür dilediğini sorabilir miyim? Merak ettim de."

"Tepeye çıkma konusunda ısrarcı davrandığım için. Şeylerle... Efsanelerle ilgili söylediğim her şey için. Anlatılanları tümüyle reddettiğim için üzgünüm, Halli. Böyle olabileceğini hiç düşünmemiştim."

"Ben de."

"Üzümsuyu kaldı mı?"

"Buradaki bitti. Mutfaktan yenisini getireyim." Fakat yerinden kımıldamadı.

Kısa bir sessizliğin ardından, "Sence Trol peşimizden buraya kadar gelir mi?" diye sordu. "Demek istediğim, sınırın ötesine geçtiğimiz için..."

"Peşimize düşmüş olsaydı bizi çoktan ele geçirmiş olurdu. Ne kadar yavaş ilerlediğimizi hatırlasana! Sınır hâlâ işe yarıyor."

Aud oturduğu koltuğa iyice gömülerek."Onu görmedin, değil mi?" diye sordu.

"Hayır. Sadece kokusunu ve sesini duydum, yani varlığını hissettim..." Sinirli sinirli gözlerini ovuşturdu.

"Ne budalaymışız! Efsanelerde anlatılan her şey gerçekmiş..."

Halli, Aud'un sesinin oldukça zayıf ve titrek çıktığını fark etti. Oturduğu yerde hafifçe kıpırdanarak, "Aslına bakarsan her şeyin gerçek olduğu söylenemez," dedi. "Katla'nın anlattığı şu lanetle ilgili hikaye gibi."

"Hangi lanet?"

"Dediği gibi olmadı..." Gülümseyerek ekledi, "Anlarsın ya!"

Aud hâlâ boş gözlerle Halli'ye bakıyordu. "Nasıl yani?"

"Sınırı geçmeye kalkışan erkekleri etkileyen şu lanetten bahsediyorum..." Derin bir nefes alıp vererek ekledi. "Neyse, boş ver."

"Şimdi anladım... Her şey hâlâ yerli yerinde demek. İşte bu iyi haber!"

Kısa bir süre konuşmadan oturdular.

"Fakat Trol'ün teki bizi neredeyse öldürüyordu, Halli!" diye bağırdı Aud. "İşte bu pek de iyi bir haber sayılmaz!"

"Sonuçta durumun üstesinden geldik, öyle değil mi? Hâlâ hayattayız."

"Evet de bunun kime ne faydası var? Buraya sıkışıp kaldık! Bu vadiye, evlerimize sıkışıp kaldık! Tıpkı efsanelerde anlatıldığı gibi kapana kısıldık."

Aud'un söyledikleriyle kendi düşünceleriyle birebir örtüşüyor olması Halli'nin içindeki öfkenin kabarmasına neden oldu. Kızgınlığını dizginleyemeyeceğini anlayan Halli, "Tüm bunları kabullenecek değilim," diye homurdandı. "Geri dönüp tepeye tırmanacağım."

"Ne? Ne dedin sen? Aklını tamamen..."

"İki kişiydik, Aud. İki kişiydik ve birkaç paslı çiftlik aletiyle uyduruk sahte bir pençeden başka hiçbir şey yoktu yanımızda." Elindeki üzümsuyu dolu bardağı gösterişli bir hareketle sallayarak öne doğru eğildi. "Biz o Trolü zifiri karanlığın ortasında durdurmayı başardık. Peki ya ay ışığında yürüyor olsaydık? Ya elimizde meşale taşıyor olsaydık? Ya yanımıza birkaç adam daha almış olsaydık? O zaman o Trol'ü rahatlıkla öldürebilirdik!"

Aud alaycı bir gülüşle homurdanma arasında gidip gelen tuhaf bir ses çıkardı. "Tek bir Trol, Halli! Asıl önemli nokta bu. Tek bir Trol! O tepede yüzlerce Trol yaşıyor. Gördüğümüz kemikleri unuttun mu? Hayatını o mağarada dört bir yana dağılmış halde yatarak sonlandırmayı mı düşünüyorsun? O zaman hiç durma, hemen tepeye koş!"

Halli kızın sözlerinin üstünde durmadan "Yanımızda adam gibi bir silah bile yoktu!" diye sürdürdü konuşmasını. "Şu şeye bir baksana..." Yeleğini yana doğru sıyırarak kemerine sıkıştırdığı orak biçimindeki Trol pençesini gösterdi. "Evet, belki keskin olabilir. Fakat pek de matah bir şey sayılmaz. Tüccar Bjorn'un ta kendisi tarafında yarım saatte yontulmuş bile olabilir. Fakat bu bile Trol'ü yaralayıp bizden uzak tutmaya yetti. Eğer yanımızda eski zamanlarda kullanılanlara benzeyen adam gibi bir kılıç olmuş olsaydı... O zaman ne olurdu sence?"

"Ama elimizde kılıç falan yok, Halli."

"Biliyorum."

"Vadide bulunan kılıçların hepsi de kahramanların mezarında gömülü."

"Biliyorum."

Birbirlerine bakarak beklediler. Dışarıdaki rüzgar pencereleri dövüyordu. Aud, "Eğer tahmin ettiğim şeyi düşünüyorsan unut gitsin. Dile getirmeye bile kalkma sakın. Aklından geçen şey tam bir delilik."

"Neden ki? Bence gayet mümkün."

"Hayır, Halli. Mümkün değil. Hikayeler her şeyi açıkça ortaya koyuyor. Trollerin sınırı geçmesini engelleyen tek şey kahramanların mezarında bulunan kılıçlar."

"Aynen öyle! O kılıçlardan birini alırsak..."

"Mezarlığa gömülen herkesin yanına bir kılıç bırakılmasının nedeni de bu zaten. Sınırı güçlendirmek."

"Bozkırı geçip dağlara ulaşabiliriz..."

"Fakat sınırın güçlü olmasını kahramanlara borçluyuz, Halli. Kahramanlara, onların kılıçlarına ve hafızalara kazınan başarılarına. Kimse mezarların nasıl olup da işe yaradığını açıklayamıyor; fakat ikimizin de bildiği gibi mezarlar kesinlikle işe yarıyor. Arne hâlâ kendi topraklarını koruyor. Svein de öyle. Her şeyin eskisi gibi olmasını onlara borçluyuz."

"Svein'in mezarında bir delik açılmıştı, Aud."

"Eğer Svein'in kılıcını almaya kalkışırsan; eğer sınırı bu şekilde ihlal edersen Trollerin vadiye girmelerini kim engelleyecek; söyler misin, Halli?"

Halli'nin gülüşü kendi kulağına bile vahşi ve duygusuz gelmişti. "Kimin umurunda ki? Biz çoktan buralardan uzaklaşmış olacağız."

Aud oturduğu yerden kalktı. Alevlerin parıltısı üzerine dökülüyordu; fakat kıyafetindeki yırtıklar karanlık birer delikten farksızdı. Sendeleyerek Halli'ye doğru yürüdü ve onun tam önünde durarak konuşmaya başladı. "Bana bak," dedi. "Bana bak!" Bunun üzerine Halli başını kaldırıp kıza doğru baktı. Ağzı sıkıca kapalı, yüzü asıktı. "Tüm bunların ailenin ve burada yaşayan diğer insanların da başına gelmesini mi istiyorsun?" diye sordu. "Onların da tıpkı bizler gibi acı çekmesini istiyor musun gerçekten? Çünkü kılıcı aldığında ve Troller aşağı indiğinde yaşanacak olan tam da bu. Eğer bu seni mutlu edecekse, mesele yok. O zaman sen fikrini söylersin, ben de hemen şimdi bu evden ayrılırım. Bir daha da yüzünü görmek istemem. Buralardan kaçıp gitmeyi ben de en az senin kadar istiyorum, Halli Sveinsson. Fakat ailemden ne kadar nefret etsem de onlara böyle bir şey yapamam."

Sesini yükseltmemişti; ama öfkesi gözlerinden okunuyordu. Sonunda arkasını dönüp yürümeye başladı. Halli'nin yüzü kireç gibi olmuştu.

Halli kızın yerine oturmasını bekleyerek, "Üzgünüm," dedi. "Aptalca konuştum. Sadece çok kızgınım, hepsi bu."

"Biliyorum. Ben de kızgınım."

"Onlardan nefret falan etmiyorum."

"Etmediğini biliyorum."

Bir süre ikisi de susup bekledi.

Halli karanlık pencerelere doğru bakarak, "Babam ölmek üzere," dedi.

"Halli..."

"Onun yanına hiç gitmedin! Onu o halde görmenin ne demek olduğunu asla bilemezsin! Onunla konuşamıyorum, Aud! Ona bakamıyorum bile..." Sesi çatallı ve kontrolsüz çıkıyordu. Durup derin bir nefes aldı ve yüreğindeki sıkışmanın geçip gitmesini bekledi. Ardından, "Yine de haklısın," dedi. "Söylediklerinin hiçbirini istiyor değilim. Svein'in kılıcı her zamanki yerinde kalacak. Fakat ben bu vadiden çıkıp gitmenin bir yolunu bulacağım. Trollere rağmen yapabileceğimiz bir şeyler vardır mutlaka. Biraz düşünmemiz gerekecek, hepsi bu. Zamana ihtiyacımız var."

Birden evin kapısının telaşla çalındığını duydular.

Aud çığlık attı. Halli elindeki bardağı yere düşürdü. Bardak alevlerin ışıltısını yansıtarak taş zeminde yuvarlandı.

"Troller!" diye fısıldadı Aud. "Bizi ele geçirmek için geldiler!"

Halli başını ağır ağır salladı. "Troller kapıyı çalmazlardı herhalde, değil mi?" Yine de sesinde bir güvensizlik vardı. Yerinden kalkmamıştı.

Kapı bir kez daha yumruklandı.

Uzaklardan annesinin sesi yankılandı. "Kim o? Neler oluyor?"

"Kapıya kim bakacak?" diye sordu Aud. "Eyjolf?"

"Sağır."

"Leif?"

"Sarhoş."

Kapı yeniden çalındı.

Halli, "Ben bakarım," diyerek yavaşça ayağa kalktı.

Masadan uzaklaşarak salonun diğer ucundaki koridora doğru ilerledi. Verandaya açılan kapı da o taraftaydı. Yürürken elini yeleğinin altına sokarak Trol pençesini sıkıca kavradı. Diğer elini kapının sürgüsüne yerleştirdi.

Kapı yeniden yumruklandı.

Halli sürgüyü çekerek kapıyı ardına kadar açtı.

Birdenbire karanlık ve büyük bir şekil öne doğru atıldı. Halli şaşkınlıkla geriye doğru sıçradı. Ortalığı nal sesleriyle at kokusu kapladı. Halli yüzünde ıslak bir nefes hissetti. Ardından hayvan yanından geçerek alçak koridor kirişlerinin altında ilerledi ve ateşin aydınlattığı salona ulaştı.

Ocağın yanında oturmakta olan Aud dehşet içinde ayağa fırladı. Halli Trol pençesini elinde tutuyordu. Atla binicisinin peşinden koşarak dizginlere doğru uzandı.

"Dur!" diye bağırdı. "Olduğun yerde kal! Burada ne aradığını söyle! Dost musun yoksa düşman mı?"

Binicinin başlığı yüzünü örtüyordu. Pelerininin açıkta bıraktığı tek şey elleriydi. Yaşlı, damarları belirgin, lekeli ellerdi bunlar. Pençeyi andıran tırnakları uzun ve kıvrıktı. Atının yan tarafında büyük, koyu renkli, ağır ve şişkin bir heybe asılıydı. Atın aniden durmasıyla ileri geri sallanan çanta ve yüzeyinde beliren yuvarlak şişkinlikler Halli'nin tüylerini diken diken etti. Halli ateşin ışığında parıldayan Trol pençesini havada şöyle bir savurdu.

"Bir kez daha soruyorum! Dost musun, yoksa..."

Binici ani bir hareketle pelerinini geriye doğru savurdu. Kemerine sıkıştırılmış olan uzun bıçak alevlerin ışığında solgunca parıldadı. Bıçak Halli'ye tanıdık gelmişti.

Ağzı şaşkınlıktan açık kalan Halli gerileyerek mırıldandı. "Snorri...?"

Yaşlı eller pelerinin başlığını geriye doğru kaydırınca yol kenarında yaşayan ihtiyarın zayıf ve buruşuk yüzü, çalı gibi kaşları ve dikkatle çevreyi süzen gözleri ortaya çıktı. İhtiyar vahşi bakışlarını Halli'ye diktikten sonra amansız gözlerle çevreyi taramaya başladı. Fal taşı gibi açılmış gözleriyle, Aud ateşin hemen yanı başında dikilmekteydi. Gudny perdelerin arasında durmuş, salonda olan biteni gözlüyordu. Kapının önünde bir iki hizmetçi bekleşmekteydi. Yaşlı adam evde korkunç ve acımasız insanların yaşadığına dair kanıt aranırmış gibi gözlerini kısarak etrafı süzmeye devam etti. Sonunda belirgin bir şey göremeyince dönüp bir kez daha Halli'ye baktı.

Kemerine sıkıştırdığı Arnkel'in bıçağını işaret ederek konuşmaya başladı. "Söz verdiğim gibi borcumu ödemeye geldim," dedi. "Aylar önce yaptığın iyiliğin karşılığını vermek için buradayım."

Halli gözlerini kırpıştırarak başını salladı. "Şey, teşekkür ederim. Attan inmek istemez miydin?"

"İki farklı şey!" diye haykırdı Snorri. Sesi salon boyunca yankılanarak Halli'nin olduğu yerde sıçramasına neden oldu. "Sana verecek iki şeyim var! Birincisi bu." Yan tarafa doğru eğilerek büyük siyah heybeyi eyere bağlayan ipi çözdü. Heybe okkalı bir gürültüyle yere indi. Yer yer kırmızı lekelerle dolu olan heybenin içinde büyük, ağır ve yuvarlak cisimlerin yuvarlandığı görüldü.

Halli belirgin bir şekilde yutkunarak sordu. "Şey, heybenin içinde ne var?"

"Pancar. Elimde ihtiyacım olandan çok daha fazla pancar var. Bunu bana yaptığın iyiliğin karşılığı olarak kabul et."

"Çok teşekkürler."

"Bekle!" diye haykırdı Snorri. "Sana getirdiğim ikinci şey ise bir haber! Hem de çok kötü bir haber! Hord Hakonsson ve adamları buzla kaplı boğazı tırmanarak geçtiler. Şimdi yukarı vadideler! Yarın gece siz uyurken kapılarınıza dayanacaklar! Evinizi yakıp topraklarınıza el koymayı planlıyorlar." Burnunu kaşıdı ve attan inmek üzere kemikli bacağını havaya kaldırdı. "Sahi, bir de..." diyerek bekledi, "...hepinizi öldürmeyi."

24

SVEIN KAHRAMANLARLA YAPACAĞI toplantıya gitmeden önce karısını huzuruna çağırdı."Vadimizi Trollerden sonsuza dek temizlemeyi planlıyorum," dedi. "Ve bu, benim ölümüm demek olabilir. Eğer geri dönmeyecek olursam şu söylediklerimi yapmanı istiyorum. Varisim olacak bir oğlum yok; fakat adamlarımın hepsi de iyi birer savaşçı. Seferlerde kim daha başarılı olursa onu evin yeni hakimi olarak seç. Çizdiğim sınırlara ve koyduğum kanunlara saygı göster. Evimden biri öldürülecek olursa, düşmanın da ölmesi gerektiğini unutma. Diğer evlerden biri bizi tehdit edecek olursa, o evin yakılıp yıkılması gerektiğini bil. Çeşmelerimizin temiz, kanımızın saf kalmasına özen göster. Bu vadideki en harika insanların bu evde yaşayanlar olduğunu hep hatırla. Bana gelince, mezarımı evin hemen arkasındaki yamacın tepesine yap ki hepinizi gözetip kollayabileyim. Benim hakimiyetimi tanıyıp kanunlarıma bağlı kalarak yaşayan herkes de ölünce tepeye gömülerek bana katılsın."

Svein Evi'nin sakinleri ikişer üçer salonu doldurmaya başladıklarında henüz gün ağarmamıştı. Çıkardıkları gürültü ufak koridor boyunca yayılarak Arnkel'le Astrid'in odasına ulaşıyor, uzaklarda çağlayan şelalenin sesini anımsatan bir yankı yaratıyordu.

Halli yatağın önünde durmuş annesinin konuşmasını bekliyordu. Astrid'in sandalyesi mum ışığının aydınlattığı çemberin hemen kıyısında durmaktaydı. Annesi dimdik ve hareketsiz oturmuş, ellerini kucağında birleştirmişti. Açık renkli upuzun saçlarında parlayan ışık yüzünü gölgede bırakıyordu.

Hemen yanında Halli'nin babası sessizce yatağın ortasında uzanmış uyuyordu.

"Tüm bu olanlar senin suçun," dedi Astrid sonunda.

"Biliyorum."

"Leif'i uyandırdın mı?"

"Evet. Yani en azından denedim. Ama alkolden beyni uyuşmuştu. Eyjolf yüzünü yıkamasına yardımcı olmak için onunla birlikte yalağa doğru gitti."

Annesi dişlerinin arasından keskin bir ses çıkardı. Halli bekledi. Beklerken gözleri yavaşça yatakta uzanan babasına doğru kaydı. Masadaki mum Arnkel'in yıpranmış yüzünü yumuşak bir ışıkla okşuyordu. Arnkel son aylardaki en huzurlu uykusuna dalmış gibiydi. Beyaz saçları başının gerisinde yastığa dağılmıştı. Halli uyumakta olan babasını izledi. Arnkel'in hastalığı sırasında bakımsızca uzamış olan sakalı nedense içine dokundu. Babası bütün kışı bu halde geçirmiş olmalıydı. Halli ise durumun ilk kez farkına varıyordu.

"Halli?" Annesi ona bir şeyler söylemiş olmalıydı. "Beni duymadın mı?"

"Hayır."

"Yoksa bütün gece uyudun mu diye sordum."

"Çok az, anne. Belki birkaç saat. Mecbur kaldım."

"İyi. Buraya gel." Astrid yatağın yanındaki sandalyede değil de kanun koltuğunda oturuyormuş gibi dimdik ve sessizdi. Ağır adımlarla ilerleyen Halli yargılanmak üzere olan bir suçluymuş gibi huzursuzdu. Annesinin önüne geldiğinde durdu ve gözlerini yere dikerek bekledi.

"Anne..."

"Yüzüme bak." Hüzünlü ve solgun ifadesi değişmemişti; fakat elini uzatarak oğlunun yanağına dokundu. "Aramızda geçen her şey unutuldu gitti," dedi. "Sen benim oğlumsun. Meziyetleri olan genç bir adam olduğunu biliyorum. Halli Sveinsson, şimdi bu meziyetleri kullanmanın tam zamanı. Onları evinin iyiliği için kullanmalısın. Salona gidip Leif'e elinden geldiğince yardım etmeni istiyorum. Eminim baban da böyle olmasını isterdi."

Astrid, Halli'nin yanağını okşadıktan sonra elini çekti. "Lütfen sen de benimle birlikte salona gel," dedi Halli boğuk bir sesle. "Seni görmek isteyeceklerini biliyorsun."

Astrid başını diğer tarafa çevirdi. Yüzü saçının gerisinde gözden kayboldu. "Hayır. Arnkel'i yalnız bırakamam. Şimdi olmaz. Çok az zamanımız kaldı. Artık git, Halli."

Halli odanın dışına çıktığında, koridorun karanlığında durup bekledi. Kalabalığın çıkardığı gürültü perdeleri aşarak kulağına çarpıyordu. Bitkinlik hissi tüm vücuduna yayıldı. Alev alev yanan gözlerini yumarak sırtını duvara yasladı. Bozkırların ortasındaki tepeden gördüğü güneyde uzanan dağların hayali belirdi düşüncelerinde; tertemiz, çırılçıplak, korkunç, davetkar; keşfedilmeyi bekleyen bir dünya.

Aniden gözlerini açtı. Hayır. Tüm bunlar sadece bir hayaldi.

O akşam, o Trolle karşılaşması Halli'nin tüm yaşamını değiştirmişti. Bu durum her şeyden önce Svein'le ilgili hikayeleri pekiştirmiş oluyordu. Kahramanın son haftalarda sönmeye yüz tutmuş olan yıldızı yeniden parlamaya başlamıştı. Evet, belki eskisi kadar fazla ışık saçmıyordu; ama yeterince parlak sayılırdı.

Peki, Svein ne yapmıştı? Tıpkı Halli gibi bozkırlarda dolaşmış, Trollerle dövüşmüştü. Fakat sonunda dağların gerisindeki topraklara sırtını çevirmiş ve eviyle vadisini korumaya çalışırken can vermişti. Halli'nin niyeti Svein gibi yaşayıp ölmek değildi; fakat hikayelerde anlatılmak istenen şey gayet açıktı. Svein, evi ve ailesi için ne yapması gerektiğini bilen bir adamdı.

Halli perdelere doğru bakarak derin bir nefes aldı.

Ardından perdeleri kenara doğru iterek salona girdi.

Kürsüden verandaya, ocaktan duvara kadar her yer insan kaynıyordu. Evin neredeyse bütün sakinleri salonun loş ışığında toplanmışlardı. Herkes içinden gelen sese kulak vererek yanına silah olarak kullanabileceği bir şey almıştı. Erkekler kazmalarla, tırpanlarla, bıçaklarla ve dövenlerle gelmişlerdi. Kadınların yanındaysa çapa, tırmık ya da sivri uçlu kancalar vardı. Yaşça büyük çocuklar irili ufaklı küreklerle yaba gibi aletler kuşanmışlardı. Daha küçük olanlarsa marangozhanenin artıklarından yontulmuş sopalar tutuyorlardı ellerinde. Sturla'yla Ketil'in elinde meşeden yapılma uzun birer değnek vardı. Ahırdan sorumlu Kugi ise oldukça tehditkar görünen bir gübre çatalıyla gelmişti. Kapının yanına sinmiş ürkek ürkek salonu seyreden keçi çobanı Gudrun bile eski bir pulluktan kopardığı paslı metal bir parça taşıyordu yanında.

Kalabalığın sesi canlı bir varlık gibi yükselip alçalıyordu. Herkesin gözü kanun koltuklarını taşıyan platforma dikilmişti. Kurucunun ailesinin salona girmesini bekliyorlardı.

Halli, Snorri'yle Gudny'nin platformun yanında durduklarını gördü. Aud onlarla birlikte değildi; şu anda Katla'nın odasında eline ve ayak bileğine pansuman yapılıyor olmalıydı.

Üçüncü kahvaltısını etmekte olan Snorri ekmek somunundan kopardığı büyükçe parçayı çiğnerken Halli'yi başıyla selamladı. Salondakileri işaret ederek, "Savaş düşkünü Sveinssonlar'da hâlâ en ufak bir değişiklik yok!" dedi. "Şu silahlara baksana! Yağmur görmüş ısırgan otları gibiler."

"Korkuyorlar, hepsi bu!" dedi Gudny öfkeyle. "Barış yanlısı insanlarız biz."

"Sen git de bunları kulübemin yakınındaki mezarlarda yatan ölü adamlara anlat! Şu küçücük çocukların ellerindeki minik bıçaklara baksana! Bağcıklarımı bağlamak için eğilmeye kalksam oracıkta boğazımı kesiverirler."

Kalabalık Halli'nin salona girdiğini fark etmişti. Sesler aniden kesildi. Bir iki kişi hafifçe öksürdü; onun dışında kimseden çıt çıkmıyordu.

Gudny perdelere doğru bakarak gergin bir ifadeyle sordu. "Leif nerede?"

Halli omuz silkti. "Hâlâ kafasını suya sokmakla meşguldür herhalde."

"Aman ne harika! Halli, ayağa kalk ve bir şeyler söyle."

"Ben mi? Buradaki herkes benden nefret ediyor! Ağzımı açar açmaz isyan ederler."

"Fakat daha fazla bekleye..."

Perdeler aniden sertçe yana doğru savruldu. Koridorun karanlığında beliren Leif hızla öne doğru atıldı. Yüzü pespembe, gözleri ise kıpkırmızıydı. Hâlâ ıslak olan saçları ince tutamlar halinde alnına yapışmıştı. Pencerelerden sızan ışık yüzünden gözlerini kırpıştırarak, salonda birikmiş kalabalığa baktı. Ardından alçak sesle küfrederek, tek kelime etmeksizin Halli'yle Gudny'nin yanından geçti. Platformun basamaklarını bir sıçrayışta aştı ve kanun koltuklarına yönelerek Arnkel'in yerine oturdu.

Leif saçını elinin tersiyle geriye doğru itti ve çenesini meydan okurcasına öne doğru uzattı. Sonra boğazını temizleyerek ve göğsünü şişirerek konuşmak üzere ağzını açtı.

Kalabalığın içinden yükselen bir ses, "Sen henüz hakim değilsin! Kalk oradan!" diye bağırdı.

"Arnkel hâlâ yaşıyor!" dedi bir diğeri. "Üzerimize uğursuzluk getireceksin!"

"Arnkel nerede? Bırak da o konuşsun! Astrid nerede?"

"Hemen kalk o koltuktan!"

Başlangıçta Leif inatla kanun koltuğunda oturmayı sürdürdü. Fakat tepkiler şiddetlenince ve konuşması her seferinde uğultuyla bölününce ayağa kalkarak platformun ön tarafına doğru ilerledi ve kalabalığı öfkeli bakışlarla süzmeye başladı. Kargaşa yavaş yavaş sona erdi ve salona sessizlik hakim oldu.

Leif başını kibirle sallayarak konuştu. "Teşekkürler! Babam ağır hasta olduğundan bugün burada evin hakimi konumunda bulunduğumu hepinize hatırlatmak isterim. Özellikle de böyle zor zamanlardan geçerken liderinize saygı göstermeniz gerektiğini düşünüyorum. Konuya gelirsek, neden burada toplandığınızı biliyorum. Gece boyunca tuhaf söylentiler kulaktan kulağa yayıldı ve şimdi bu söylentileri dikkatlice incelemenin zamanı geldi. Fakat bunların hiçbirisine gerek duyacağımızı sanmıyorum." Eliyle karşısına dizilmiş olan bin bir çeşit silahı işaret etti. "Pekala, tüm bunlara neden olan adam nerede? Sanıyorum söz konusu kişiyi hiçbiriniz tanımıyorsunuz. Ah, demek bu kişi sensin! Buraya gel."

Halli'nin dürtüklemesiyle olduğu yerde huzursuzca kıpırdanan Snorri ağır ve tedirgin adımlarla platforma yaklaştı. Yürürken elindeki ekmek parçasını kemirmeye devam ediyordu. Pelerinini çıkarmıştı ve gün ışığında giysileri paçavrayı andırıyordu. Üstünden dökülmemelerini yapış yapış kire ve ayların alışkanlığına borçlu gibiydiler. Çekingen ve ürkek bir tavırla Leif'in yanına varan Snorri'nin ifadesi sıkılgan ve güvensizdi. Kollarını önünde birleştirmiş olan Leif ise gümüş-siyah tuniğinin içinde oldukça göz alıcıydı.

"Adın ne?" diye sordu Leif.

Ağzındaki ekmek parçasını çiğneyip yutan adam, "Snorri," diye cevap verdi.

"Hangi evdensin?"

"Hiçbirinden."

Leif'in dudakları küçümsemeyle büküldü. "Dilenci misin peki?"

Snorri'nin kaşları öfkeyle çatıldı. "Hiç de bile! Kendime ait pancar tarlalarım, küçük bir kulübem ve biraz toprağım var. Kimseye rahatsızlık vermeden ve sadece kendime dost olarak yaşayıp gidiyorum."

"Anlıyorum," dedi Leif. "Üzüldüm doğrusu. Şimdi..."

"Niyeymiş? Ben yoksulluğumdan gayet memnunum. Arpasuyu

kokan ukala bir züppe olmaktan iyidir! Hem anlatılanlar doğruysa ağzını çalkalamak için her gün..."

Platformun yanında duran Halli telaşla atıldı. "Yeterince hoşbeş edildi. Şimdi dikkatimizi daha ciddi konulara yöneltmemizde fayda var. Fazla zamanımız yok!"

Halli'nin ortaya çıkışıyla kalabalıktan tıslamalar yükseldi. Orada burada silahların havada savrulduğu görüldü. Leif gürültüyü bastırmak için elini havaya kaldırarak konuştu. "Tamam, Halli, bu kadar yeter! Senin müdahalene ihtiyacımız yok. Pekala, ihtiyar, bize bildiklerini anlat. Fakat seni uyarıyorum; tek bir sözün bile yalan olursa seni buradan Sivri Tepe'ye kadar kırbaçla kovalarım. Şimdi konuş bakalım."

Snorri sessizce bekledi. Fakat konuşmaya başladığında sesi oldukça berrak ve sakindi. "Vaziyeti nasıl da incelikle ortaya koydun! Tam da gerçek bir lidere yakışacak sözler! İçimden bir ses şimdi çekip gitmemi ve sizi yataklarınızda kıtır kıtır doğrayacak düşmanların eline bırakmamı söylüyor. Ama Halli Sveinsson'a bir iyilik borçluyum. Zamanında bana büyük bir nezaket göstermiş, ayrıca oldukça büyük bir yardımda bulunmuştu. Bu yüzden, şu yanımda dikilen ahmak budalayı dikkate almıyor ve sözlerimi bir kez daha tekrarlıyorum; Hakonssonlar yoldalar ve bu gece buraya varmış olacaklar. Hepsi bu. Hepinize iyi günler ve iyi şanslar."

Gitmek için arkasını döndü; fakat Leif adamın yakasına sıkı sıkı yapılmıştı. "Biraz daha ayrıntılı bilgi rica edeceğiz," diye homurdandı Leif. "Sen bütün bunları nereden biliyorsun? Bu nasıl mümkün olabilir? Vadi boğazı kar yüzünden kapalı. Henüz kimse aşağı vadiden buraya geçemez."

"Öyle ya da böyle, yirmi kişinin yukarı vadiye tırmandığını gözlerimle gördüm."

"İmkansız!"

"Pekala, demek ki senin bu konudaki bilgin benimkini kat kat aşıyor," dedi Snorri. "Hord seni avludaki darağacında sallandırırken de bu şekilde inatçı ve kendinden emin olmayı unutma sakın."

Leif'in yüzü öfkeden kapkara oldu. Hâlâ yakasından tuttuğu ihtiyarı sertçe silkeledi. "Seni aşağılık herif! Açık konuş, yoksa yemin ediyorum ki avluda sallanan sen olacaksın!"

Halli hızla platforma doğru ilerledi. "Adamı rahat bırak! O bizim misafirimiz!"

"Doğru, ayrıca biraz daha silkelersen üzerimdeki paçavralar un ufak olup yere dökülecek," diye ekledi Snorri. "Kemikleri sayılan çıplak bedenimi gözler önüne sermek ister misin? Sonuçta etrafta kadınlar ve çocuklar da var."

Okkalı bir küfür savuran Leif, adamın yakasını bırakarak geri çekildi. "Hadi, konuş bakalım!"

Halli ise, "Lütfen, Snorri. Bana söylediklerini buradaki herkesin duyması gerçekten çok önemli," dedi.

Boğazını kaşıyan Snorri gücenmiş bir sesle, "Bir kap daha sıcak yemek alabilir miyim?" diye sordu.

"Bir ya da iki kap, nasıl istersen!"

"Yemeği şu tatlı dilli yaşlı kadın mı getirecek? Hani şu yaralarımı saran?"

"Hangi tatlı dilli...? Katla'dan mı bahsediyorsun yoksa? Svein aşkına! Evet! Eminim o getirecektir. Şimdi lütfen..."

"Pekala." Snorri kendisini dikkatle izlemekte olan kalabalığa bakarak konuştu. "Bunu sırf Halli istedi diye yapıyorum. İki gün önce, yol kenarındaki mezarları örten sis tabakasının kalktığı öğle sularında elimdeki fare leşlerini kulübemin hemen yanına gömmek için dışarı çıkmıştım. Oralarda toprak hâlâ karla kaplı. Toprağı kazarken karanlık biçimlerin sisi yarıp yaklaşmakta olduğunu gördüm. Miğferli, bellerinde kılıç taşıyan tuhaf gölgelerdi bunlar. Önce gördüklerimin mezarlarından kalkan ve pancarlarımın peşine düşen hayaletler olduğunu sandım. Elbette hemen, genç Halli'nin bana hediye ettiği bıçağa sarıldım ve hayatım pahasına dövüşmek için beklemeye başladım. Ancak sisin içinden çıkıp gelenlerin kanlı canlı insanlar olduğunu görünce şaşırdım kaldım. Adamlar oldukça bitkin düşmüşlerdi. Her tarafları kırağıyla kaplıydı. Bıyık ve sakalları kaskatı kesilmiş, saçları donmuştu. Her birinin başında bir miğfer vardı. Hem de şu arkamda duran gibi eski püskü şeyler değildi bunlar." Kemikli parmağıyla Svein'in kanun koltuklarının gerisinde asılı duran miğferini işaret etti. Kalabalıktakiler tek bir vücut gibi Svein'in hazinelerine doğru bakarak nefeslerini tuttular.

"Bu adamların miğferleri yeni dövülmüştü," diye devam etti Snorri. "Tuniklerinin üzerine zırh giymişlerdi. Zırhlarındaki buzla kaplı halkaların incecik ve sapasağlam olduğunu görebiliyordum. Her birinin kemerinde bir kılıç asılıydı. Omuzlarında ise fazla ağır olmayan çantalar vardı. Yeleklerinin altına giydikleri kırmızı tunikler göze çarpıyordu. Hakon Evi'nin kırmızısıydı bu!"

Yaşlı adamın sözlerinden mi, yoksa konuşmasındaki duygu yoğunluğundan mıdır bilinmez, kalabalık donakalmış gibiydi. Kimseden çıt çıkmıyordu.

Snorri paçavralarını cılız göğsüne dolayarak elini bıçağına yerleştirdi ve sözlerine devam etti. "Her ne kadar güçlü kuvvetli bir adam olsam da yirmi savaşçıyla başa çıkmam imkansızdı. Kulübeme el koydular ve beni yakalayarak oraya doğru sürüklediler. Liderleri olduğunu sonradan öğrendiğim Hord Hakonsson önceleri benim Svein Evi'nden olduğumu sandı. İşimi oracıkta bitirmeye niyetliydi. Ancak, evinizin aşağılık insanlarından nasıl da ölesiye nefret ettiğimi anlatınca, beni serbest bırakmaya razı oldu. Ateşin başında toplanan adamlar için yemek pişirmek zorunda kaldım. Sessiz kalıp konuşmalarına kulak kabarttım. Anladığıma göre vadi boğazını atsız geçmişler. Çağlayanın üzerinde yükselen ve sonsuza uzanıyor gibi görünen kalın mavi buz tabakalarına tırmanarak ilerlemişler. Tırmanış tam dört günlerini almış ve neredeyse canlarına mal oluyormuş. Hatta bir keresinde Hord'un kendisi karanlık boşluğa yuvarlanmak üzereymiş ki oğlu son anda kolundan yakalayıp çekivermiş babasını. Hiç kayıp vermemişler. Sadece üç kişi yaralanmış. Konuşmalarına bakılırsa tırmanışları, eski kahramanlık efsanelerini anımsatan oldukça büyük bir zafer sayılabilir. Yani morallerinin yüksek olduğu kesin."

Gözleri yuvalarından fırlayacakmış gibi bakan Leif kendini daha fazla tutamayarak, "Delirmiş bunlar!" diye haykırdı. "Çılgınlık bu! Niye böyle bir şeye kalkışsınlar ki?"

"Bizi ve diğer evleri uykuda yakalayabilmek için," dedi Halli. Gözleri karanlık pırıltılar saçıyordu. "Kimse onların bu kadar çabuk harekete geçeceğini düşünmüyordu. Buzlar çözülüp bahar geldiğinde ve konsey harekete geçmeye niyetlendiğinde iş işten geçmiş olacak. Evimizin yok olup gitmiş, arazilerimiz ise Hord'la Ragnar'ın eline kalmış olacak. O ikisinin diğer evlerin ne düşündüğünü eskisinden bile az umursayacağından hiç şüphem yok. Aslına bakılırsa Hakonssonların böylesine gözü pek bir maceraya atılacaklarını düşünmemiştim. Neyse, hikayenin gerisini de anlat, Snorri."

Leif öfkeyle haykırdı. "Bekle! Burada yönetici olan hangimiz acaba?"

Halli omuz silkerek konuştu. "Dalgınlığıma ver. Lütfen..."

"Hikayenin sonunu anlat, ihtiyar," dedi Leif.

"O gece adamların tümü kulübemde konakladılar. İçlerinden biri sürekli olarak nöbetteydi. Ertesi sabah on kişi at tedarik etmek için Rurik Evi'ne yollandı. Geri döndüklerinde..."

"Dur bir dakika," dedi Halli. "Yani atları çaldılar mı demek istiyorsun?"

Snorri dilini şaklatarak konuştu. "Söylediklerinden Rurik Evi'ndekilerin atları çoktan hazırlamış oldukları sonucuna vardım ben."

Snorri'nin bu sözleri üzerine salondakilerin çoğu öfke ve telaşla bağrışmaya ve ellerindeki silahların kabzalarını yere vurmaya başladı. Leif'in yüzü kül rengine dönmüştü. "O halde Hord, komşularımızla iş birliği içinde, öyle mi? İnanamıyorum!"

"Nedenmiş o? Rurikssonlar nesillerden beri sizlerin ukala ve savaşçı insanlar olduğunuza inanırlar," dedi Snorri. "Fakat havaya savurup durduğunuz şu tarım araçlarına bakılırsa bunun büyük bir yanılgı olduğu ortada tabii. Neyse, adamlar yirmi adet atla geri döndüler. Hord saldırıyı dün gece gerçekleştirmeye niyetliydi; ancak adamları bitkin ve güçsüzdü. Sonuçta bugünü beklemeye karar verdiler. Rurikssonların verdiği arpasuyundan içip kazanacakları zaferi kutladılar. İşte ben de bunu fırsat bilerek hepsinin uyumasını bekledim ve atlardan birini çalarak buraya geldim."

"O halde bizi uyarmaya geldiğini anlayacaklardır," dedi Halli.

"Hayır. Boğaz yönünde kaçıyormuş gibi görünmek için doğuya doğru at sürdüm. Yolda toynak izleri bırakmaya da özellikle dikkat ettim. Dört mil sonra ise buraya gelmek için geri döndüm. Umuyorum, borcumu ödediğim konusunda hemfikirizdir, Halli Sveinsson."

"Hem de fazlasıyla. Teşekkürler, Snorri. Hayatlarımızı sana borçluyuz."

Gülümseyerek tokalaştılar. Kalabalıktan ağlamaklı bir haykırış yükseldi. "Pek dokunaklı, fakat şimdi harekete geçip bir şeyler yapmamız gerekmez mi? Sonuçta bu gece ölümle randevumuz var."

"Haklısınız." Leif boğazını temizledi. "Halli, platformdan in. Sen de ihtiyar. Svein Evi sakinleri, şimdi beni iyi dinleyin. Hakonssonlar buraya ancak gecenin ilerleyen saatlerinde varabilirler. Bu da bize biraz zaman kazandırıyor. Onlar buraya varıncaya dek biz çoktan çekip gitmiş olacağız. Giderken taşıyabileceğimiz her şeyi yanımıza alacağız. Geride kalanları ise ya kullanılmaz hale getirecek ya da yakacağız. Mümkün olduğunca çok hayvanla yola çıkmalıyız. Diğerlerini ise evden ayrılırken öldürmeliyiz ki Hord'un eline geçmesinler. Öğle saatlerinde buradan ayrılacağız. Batıya doğru ilerleyecek ve önce Derindere'ye, sonra da Gest Evi'nin topraklarına ulaşacağız. Gerekirse birkaç atlıyı öncü birlik olarak göndererek Kar Gestsson'a haber verebiliriz. Sonuçta ortalık duruluncaya dek bizi evinde misafir etmesi gerekecek. Biraz sıkışacağımız kesin; hatta bazılarınızın ahırlarda yatması gerekecek. Fakat başka çaremiz yok. Sonuçta bir iki aylığına bütün bunlara katlanacağız. Sel mevsiminin ardından konseye haber yollayabiliriz. Konsey, Hord'un saldırgan tavırlarını hoş karşılamayacak; Hord da yeniden barışın sağlanması için yalvar yakar olacak. Böylelikle hem kaybettiğimiz toprakları geri almış olacak hem de Hord'un ödeyeceği tazminat sayesinde sınırlarımızı genişleteceğiz. Eninde sonunda adalet yerini bulacak! İşte bu kadar!" Leif ellerini çırparak ekledi, "Hadi şimdi herkes iş başına!"

Durdu ve salondakilere baktı.

Sözlerinin koca bir boşluğa düştüğünü ve yitip gittiğini hisseden Leif konuşmasının bir iki yerinde bocalar gibi olmuştu. Oysa salondakilerden hiçbiri düşmanca sesler çıkarmış ya da saygısız davranışlarda bulunmuş değildi. Asıl sinir bozucu olan kimseden çıt çıkmıyor oluşuydu. Konuşması bittiğinde salonu kaplayan sessizlik sona ereceğine örümceğin eğirdiği ip gibi uzadı, uzadı, uzadı... Esnekliği hayret vericiydi; fakat çok yakında kopacağı da seziliyordu.

Leif olan bitenin farkındaydı. Bir süre salondaki gerilime karşı koymaya çalıştı. Fakat sonunda öfkesine yenik düştü. "Sizi ahmaklar, orada öylece dikilip durmasanıza!" diye bağırdı. "Duymadınız mı? Düşmanlarımız buraya geliyor! Ya kaçacak ya da öleceğiz. Sizin neyiniz var böyle?"

İriyarı cüssesi ve karmakarışık sakalıyla salonun ortasında duran demirci Grim yavaşça elini kaldırdı. Parmaklarının arasında bir çekiç tutuyordu. "Neden kaçıyoruz?"

Leif saçlarını avuç içleriyle geriye doğru sıvazladı. "Yaşlı dilencinin söylediklerini duymadın mı, Grim? Hord'la adamlarının elinde yeni dövülmüş kılıçlar varmış. Bizdeyse tek bir kılıç bile yok."

"Benim çekicim var."

Ahırlara bakan Kugi heyecanla, "Ben de şu tırmığı buldum!" diye bağırdı.

Buna benzer sayısız saptamayı sesiyle bastırmaya çalışan Leif, salondakileri yeniden sakinleştirmeyi denedi. "Evet, evet. Haklısınız, fakat eski hikayeleri unuttunuz mu? Svein'in havada savurduğu da buna benzer bir tırmık mıydı acaba? Hayır. O sadece kılıç kullanırdı. Peki neden? Çünkü kılıç en iyi silahtır ve düşmanı anında ikiye bölebilir. Şimdi beni iyi dinleyin; bu saldırıyı püskürtebilmemiz imkansız. Bu yüzden de geri çekilmekten başka şansımız yok."

Leif'in bu sözleri üzerine izleyenlerin birçoğundan onaylayan mırıltılar yükseldi. Ancak diğerleri dehşet içinde haykırıyorlardı. "Bize kendi evimizi bırakıp kaçmamızı mı söylüyorsun?"

"Yani evimizi savunmasız mı bırakalım?"

"Bu ne biçim bir liderlik böyle?"

"Bunun tek bir adı var, o da korkaklık, Leif Sveinsson!"

Salondaki tartışma iyice alevlendi. Platformun üzerinde dikilmeye devam eden Leif sessizliğini koruyordu. Birden dalga dalga kabaran gürültünün arasından yükselen ritmik bir ses duyuldu. İnsanlar birer birer sustular. Yaşlı uşak Eyjolf, bir deri bir kemik haliyle kalabalığın ortasında durmuş elindeki çapanın sapını düzenli aralıklarla yere vurup duruyordu. Sonunda salona sessizlik hakim olduğunda yeri dövmeyi bırakarak, "Leif'in niyetinin kötü olmadığı çok açık," dedi. "Hem sözlerinde de gerçeklik payı var. Sonuçta burada durup katledilmeyi beklemenin bir anlamı yok."

Leif sinirli bir havayla kollarını yukarı kaldırarak, "Nihayet aklı başında biri çıktı! Teşekkürler Eyjolf!" dedi.

"Ancak..." diye sürdürdü konuşmasını Eyjolf. "Katledilmenin kaçınılmaz olduğu fikrine katılmıyorum ve çoğunuz gibi ben de evi bırakıp gitmenin iyi bir karar olmayacağı görüşündeyim. Evden ayrılmak son çare olmalı ve buna kalkışmadan önce diğer seçenekleri gözden geçirmeliyiz. Belki de evimizi savunmanın bir yolunu bulabiliriz. Benim önerim..." Bu noktada konuşmasına ara vererek itiraz etmeye kalkışan Leif ve diğer birkaç kişinin kalabalık tarafından susturulmasını bekledi. Ardından sözlerine devam etti.

"Benim önerim aramızda şiddet ve kaba kuvvet konusunda tecrübe sahibi olan tek kişinin, yani Halli Sveinsson'un görüşlerine kulak vermemizdir."

Eyjolf'un sözleri üzerine salon sessizliğe büründü. Platformun basamaklarında amaçsızca dikilmekte olan Halli tedirginlikle etrafına bakındı. Ne yapması gerektiğini bilmez durumdaydı.

Leif öfkeli ve gücenmiş bir sesle konuştu. "Halli mi? Bu belayı başımıza saran Halli'nin ta kendisi değil mi zaten?"

"Edepsiz bir genç olduğu doğru," dedi Eyjolf. "Fakat onun dışında gerçekten adam öldürmüş biri var mı aramızda?"

"Ya da koca bir evi ateşe vermiş olan?" diye bağırdı kalabalığın içinden biri.

"Evet, Halli onların evine gizlice girmeyi başarmıştı," diye haykırdı kadının teki. "Olaf'a ulaşmak için onlarca adam öldürmüş olmalı. Bize bu durumda ne yapmamız gerektiğini söyleyebilir."

"En azından söyleyeceklerini bir dinleyelim."

"Bırakın da konuşsun!"

"Halli!"

"Halli! Platforma çık!"

Şimdi salon, sapları yere vurulan silahların gürültüsüyle inliyordu. Ağzı şaşkınlıktan bir karış açık kalmış olan Leif sersemlemiş gibiydi. Halli hâlâ tereddüt içindeydi. Yan tarafa doğru baktığında Gudny'le Snorri'nin kendisini izlediklerini gördü. Ayrıca salona az önce girdikleri belli olan Katla'yla Aud perdelerin hemen yanında duruyorlardı. Ancak Halli, Aud'un yüzündeki ifadeyi göremedi. Halli ağır adımlarla platforma çıktı. Salondaki gürültü önce iyice yükseldi; ardından yavaş yavaş silindi. Elliden fazla insan gergin ve asık suratlarla Halli'ye bakıyor, ağzından dökülecek sözcükleri bekliyordu.

Halli platformun ortasında durarak Svein Evi'nin insanlarıyla göz göze gelmekten kaçınmaksızın kalabalığa doğru baktı ve uzunca bir süre bu şekilde bekledi. Sonunda konuşmasına başladı. "İçinizden bazıları Leif'in korkağın teki olduğunu söyledi," dedi. "Fakat durum sandığınız gibi değil. Rurik Evi'ndeki kavga sırasında Hord anneme saldırdığında Leif onu bir yumrukta yere serdi. Çatışma sona erene dek de cesurca mücadele etmeyi sürdürdü. Kısacası, Leif buradaki herkes kadar cesurdur."

Bir süre konuşmadan bekledi. Salonda çıt çıkmıyordu. "Bana gelince..." diye sürdürdü sözlerini Halli. "Birçoğunuz başımıza gelenlerden beni sorumlu tutuyor. Aslına bakılırsa tamamen haksız da sayılmazlar. Gerçekten de amcam Brodir'in intikamını almak üzere Hakon Evi'ne gittim. Benim neden olduğum olaylar sonucunda Olaf öldü ve evi yanarak küle döndü. Hord da bize açtığı savaşı bu nedenlere dayandırıyor. Fakat size bir şey söylemeliyim; Hakon Evi'nde Olaf'ın odasına girmeden önce bir köşeye gizlenmiş beklerken Hord'la Ragnar'ın bu tip bir saldırıdan bahsettiklerini duydum. Hord konseyi aşağılarcasına konuşuyor, konsey kararlarının saçmalığından ve sınırlarını genişletme yönündeki arzusundan söz ediyordu. Ayrıca demircilerinin üzerinde çalıştığı önemli projeye de değindi. Kastettiği şeyin Snorri'nin görmüş olduğu kılıçlar ve zırhlar olduğunu şimdi anlıyorum. Diğer bir deyişle, dostlarım, Hord bu saldırıyı uzun süredir planlıyordu. Belki Svein Evi ele geçirmeyi düşündüğü ilk ev değildi ve belki bu seçiminin sorumlusu gerçekten de benim. Fakat bu noktada bize düşen Hakonssonları durdurmak. Tıpkı evimizin kurucusu yüce Svein'in, Hakon'u birçok defa alt etmeyi başardığı gibi. Ben bunun zorlu bir sınavdan çok, şeref duyulacak bir durum olduğunu düşünüyorum. Zaman korkma zamanı değil, kıvanç zamanıdır. Ben düşmanlarımızla yüzleşebileceğimizi, aklımızı ve cesaretimizi kullanırsak onları yenebileceğimizi düşünüyorum."

Sustu; sözleri kalabalığın üzerinde asılı kalmış gibiydi. Konuşmasını izleyen sessizlik Leif'in sözlerini takiben yaşanan sessizlikten oldukça farklıydı. Düşünceli, havada süzülüp duran sözleri sindirmeye çalışan bir sessizlikti bu. Halli ağzından çıkan her sözcüğün incelendiğini, tartıldığını ve değerlendirildiğini hissetti. Grim'in de aralarında bulunduğu birkaç kişinin başlarını onaylarcasına salladıklarını gördü; çok sayıda kişiden söylenenlere katıldıklarını belirten bir mırıltı yükseldi.

Leif aksi bir tavırla, "Hepsi iyi güzel de gurur tek başına kellelerinizi kurtarmaya yetmeyecek," diye söylendi.

"Korkmamalıyız," dedi Halli. Bakışlarını Aud'a çevirdi. "Sizi temin ederim ki birkaç fani adamla karşılaşmaktan çok daha kötü şeyler var hayatta. Hem farklı stratejilerden yararlanmamız da mümkün. Örneğin, havanın durumu nedir? Bugün hiç dışarı çıkmadım."

Deri tabakçısı Unn kahverengi lekelerle kaplı elini havaya kaldırdı. "Puslu. Üzerimizde koca bir sis bulutu asılı."

"Harika! Eğer sis devam ederse durum bizim çıkarımıza olur. Araziyi düşmanlarımızdan çok daha iyi tanıyoruz."

"Bu gece dolunay olacak," diye seslendi kadının biri.

"Bu da bize avantaj sağlayabilir," diye cevap verdi Halli.

"Durun bir saniye!" Leif öfkesini dile getirmek için tek elini sallamakla yetinmişti. Sesi oldukça gergin, fakat bir o kadar da sakindi. "Henüz karar vermiş değiliz," dedi yumuşak bir tavırla. "Evden ayrılmayı mı yoksa kalıp dövüşmeyi mi seçeceğiz? Bana sorarsanız,

Halli'nin bu tatlı sözleriyle tek bir kılıç bile dövemeyiz. Son kez altını çiziyorum; kaçmak zorundayız."

"Bence kalıp savaşmalıyız," dedi Halli.

"Bana kalırsa..." dedi salonun köşesinden yükselen bir ses, "Halli'yi kendinize lider seçmelisiniz." Bir anda tüm bakışlar sesin geldiği tarafa çevrildi. Evin yasa yapıcısı Astrid'in ince uzun silüeti perdelerin gölgesine gizlenmişti. Yüzü ay ışığı gibi solgundu. Saçlarıysa söğüt dalları gibi omuzlarına dökülmüştü. Üzerindeki elbise kar beyazıydı. Haftalardır ortalıkta gözükmemişti. "Hakiminiz ölüm döşeğinde," dedi. "Bugün, bu gece ya da belki yarın son nefesini verecek. Her durumda hayata burada, bu evde veda edecek. Kendi evinden kaçarken yollarda ölmesini istemiyorum. İsteyen gidebilir, fakat Arnkel'le ben burada kalıyoruz. Oğullarımın her ikisi de makul seçenekler sundular. Kimin önerisini kabul edeceğiniz size kalmış. Sadece şunu sormak istiyorum size; Svein bizim yerimizde olsaydı ne yapardı? Şimdi izninizle kocamın yanına gideceğim. Gudny, tatlım, taze suya ihtiyacımız var. Yardımcı olur musun lütfen?"

Perdeler şöyle bir silkelendi; Astrid gitmişti.

Leif derin bir nefes alarak Halli'ye döndü. "Pekala, kardeşim," dedi. "Sence ne yapmalıyız?"

25

KAHRAMANLAR VADİNİN ORTALARINDA bulunan bir çayırda buluştular. Başlangıçta herkes diken üstündeydi; omuzlar gergin, eller kılıç kabzasında bekliyorlardı.

Fakat sonra Svein şöyle dedi, "Dostlarım, geçmişte aramızda anlaşmazlıklar yaşandığı malum. Ancak bugün hepinize ateşkes öneriyorum. Troller iyice kontrolden çıktılar. Omuz omuza vererek Trolleri bu vadiden atmaya ne dersiniz?"

Uzun süren sessizliğin ardından Egil bir adım öne çıktı ve "İyi güzel de bu işten bizim çıkarımız ne olacak?" diye sordu.

Svein "Vadiyi korumaya and içersek bu topraklar her zamankinden daha fazla bizim olacaktır. Kulağa fena gelmiyor, öyle değil mi?" dedi.

Diğerleri bu sözlerden oldukça hoşlanmışa benziyorlardı.

Ardından Orm, "Karargahı nereye kuracağız?" diye sordu.

Öğle vakti yaklaştığı halde sis, evin çevresinden fazla uzaklaşmış sayılmazdı. Evin yakınındaki düzlükler bile silik karaltılarla kaplıydı ve beyaz bir bulutun içinde yitip gidiyordu. Oraya buraya dağılmış ağaçlar sessizliğe sarınmış belli belirsiz gri siluetlere benziyorlardı. Yolda en ufak bir hareket bile yoktu. Uzaklarda bir kuş sürüsü ufak bir daire çizerek gözden kayboldu.

Bu büyük sessizliği bozan tek şey Svein Evi'ydi. Evin içinde bitmek bilmeyen, hız kesmeyen, kararlılığı ve zenginliğiyle göz kamaştıran bir hareketlilik vardı. Geçen seneki büyük toplantının hazırlıkları sırasında bile böylesine hararetli bir çalışma yaşanmamıştı.

Şimdi kurumuş olan eski hendeğin yakınlarında bir grup insan eğilmiş yeri eşeliyor, duvardan kopup düşen ve sazlarla çimenlerin arasında yatan taşları topluyorlardı. Kadınlarla çocuklar daha küçük parçaları kucaklıyor, erkeklerse büyükçe kayaları yol boyunca evin girişine doğru taşıyorlardı. Kayaların en irileri ya atlar tarafından çekiliyor ya da üç dört kişi tarafından sürükleniyordu. Kapının ilerisindeki ekipler uygun taşları yıkık duvarın çeşitli kısımlarına yerleştiriyorlardı. Duvar tepeden tırnağa yeniden şekilleniyor gibiydi.

Evin içinde, yani ana avlunun çevresine sıralanmış atölyelerde ise bambaşka bir faaliyet söz konusuydu. Yakacak olarak ayrılmış kütüklerden oluşan büyük bir yığın avlunun ortasına yığılmıştı. Erkekler arka arkaya bu yığına koşuyor, seçtikleri kütükleri atölyelere doğru yuvarlıyorlardı. Atölyelerden kerestelerle testerelerin ritmik gürültüsü yükseliyordu.

Grim'in atölyesinden sızan kırmızı ışık oldukça güçlüydü. Oğullarına emirler yağdıran demircinin bağırışlarıysa çekicinin sesini bastırıyordu.

Duvarın tamamen yıkılmış olduğu Güney Kapısı'na yakın olan diğer tarafta ise bir grup genç kazma küreklerle gevşek toprağı kazıyorlardı.

Bu sırada kulübelere girip çıkan kadınlar ellerindeki sepetleri, kutuları, testileri ve güğümleri büyük salona taşıyorlardı. Hayvanlar duvarın gerisindeki ahırlardan avluya getiriliyor, kapıdan geçip serbest kalan domuzlarla tavuklar telaşlı kalabalığın ortasında koşturup duruyordu.

İşte Halli Sveinsson tüm bu karmaşanın merkezinde duruyordu. Avlunun ortasında dikilmiş olan biteni izliyor, kulak kabartıyor, önünden geçmekte olan herkese emirler yağdırıyordu.

Ter içinde kalmış olan fırıncı Bolli kıpkırmızı bir suratla Halli'ye doğru koştu, "Ekmekler neredeyse hazır. Nereye koyalım?"

"Mutfaktan Gudny sorumlu. Ekmekleri nereye koyman gerektiğini ondan öğrenebilirsin."

Tabakhanenin kapısından uzanan Unn, "Dört fıçıyı hazırladım. Kime vereyim?" diye sordu.

"Evin dört bir yanına birer tane koyulacak. Sturla'ya söyle, fıçıları taşısın."

Grim elindeki yeni dövülmüş süngüyle atölyesinden fırlayarak, "Daha fazla kovaya ihtiyacım var. Bu şeylerden toplam kaç tane yapmamız gerekiyor?"

"Kütük sayısı kadar. Sonuçta duvar oldukça uzun."

Grim duraksayarak kaslı koluyla kaşlarında biriken teri sildi. "Sence işe yarayacak mı?"

"Svein'in işine yaramıştı, değil mi? Kol neye uğradığını şaşırmıştı."

"Pekala. On altı tanesi bitti. Fakat atölyede yer kalmadı. Birinin gelip onları alması gerek."

"Leif'e söylerim, gelir alır. Duvardan sorumlu olan kişi o."

Grim atölyesine geri dönmek üzere ayrıldı. Birkaç dakikalığına yalnız kalan Halli ise mevcut durumu hızla gözden geçirmeye çalıştı. Görebildiği kadarıyla her şey yolunda gidiyordu. Ortalıkta aylak aylak gezinen tek bir kişi bile yoktu. Herkes hedeflenen sonuca ulaşmak için var gücüyle çalışmaktaydı. Fakat herkesin bundan dolayı mutlu olduğu söylenemezdi. Bazıları alınan karardan belirgin biçimde şüphe duyduklarını saklamaya gerek bile görmüyorlardı. Bunun yanı sıra düpedüz düşmanca tavır takınanlar da vardı. Leif, bu ikinci gruba dahildi. Ancak görüşlerini kem küm ederek dile getirdiği ilk andan itibaren kimse sözlerine karşı gelmeye kalkışmamıştı. Önerileri buyruğa dönüşmüş, tereddüdün yerini özgüven almıştı. Böylece Halli, gittikçe artan bir coşkuyla fikirlerini etrafındakilere aktarmış, insanlar onun kafasında şekillenen planla birlikte enerjisinin de bir kısmını özümsemişlerdi.

"Halli." Şaşkınlık içinde başını kaldırıp baktı. Duyduğu ses onu son gelişmelerin tuhaflığından çekip çıkarmıştı. Birdenbire küçülüp normale döndüğünü hissetti.

"Aud!" Halli'nin içinde büyük bir suçluluk duygusu kabarmaya başladı. O sabah erken saatlerde Katla, Aud'u kolundan çekip götürmüş, Halli de ev halkını onları bekleyen tehlikeye karşı uyarmaya gitmişti. Saatlerdir tek kelime bile konuşmamışlardı. Salondaki tartışmalar sırasında Aud sesini çıkarmadan bir köşede durup beklemişti. Halli ise kızın neler hissettiğini düşünecek zaman bile bulamamıştı. "Üzgünüm," dedi. "Gelip nasıl olduğuna..."

Aud hafifçe bandajlanmış elini umursamazcasına salladı. "Sorun değil. Başın kalabalıktı. Şimdi daha iyiyim. Yani daha iyi sayılırım." Halli'ye bakarak gülümsedi. Gözleri pırıl pırıldı. Bir önceki gecenin dehşeti ve öfkesi silinip gitmişti.

Ayak bileğindeki sargı yenilenmişti. "Şişlik azalmış gibi," dedi Halli.

"Katla bu sabah bir macun hazırlayıp bileğime sürdü. Siyah, kötü kokulu, yapış yapış bir şey. İçinde ne olduğunu düşünmek bile istemiyorum."

Halli yüzünü buruşturdu. "Neden bahsettiğini gayet iyi biliyorum. Macunu havanda ezerken kıkır kıkır gülüyor muydu?"

"Evet. Ama sonuçta işe yaradı. Ağrım var; fakat hiç olmazsa yürüyebiliyorum. Duvarın oradaydım. Kayaların taşınmasına yardım ettim. Girişe yakın kısımlar oldukça iyi görünüyor."

"Harika... bir saniye." Halli elini kaldırarak oradan geçmekte olan bir kıza işaret etti. "Ingrid, Kuzey Kapısı'na gidip Leif'in menteşeleri tamir edip etmediğine bir bakar mısın? Demin hatırlatmayı unuttum da. Teşekkürler." Yeniden Aud'a döndü. "Kusura bakma. Sana bakınca aklıma geldi de..."

"Dediğim gibi, sorun değil." Gözlerini Halli'ye dikti. "Tüm bu olan bitenin ortasında bu konuyu düşünmenin zor olduğunu biliyorum, fakat... Dün geceyle ilgili neler hissediyorsun? Yaşadıklarımız aklımdan çıkmıyor bir türlü. Gözlerimi ne zaman kapasam kendimi karanlıkta, o şeyle birlikte buluyorum."

Halli uzanıp Aud'un elini sıkıca tuttu. "Ben de. Ne zaman gözümü yumsam karanlıkta beni beklediğini görüyorum. Ama Aud, baksana, hâlâ hayattayız ve eskisinden de güçlüyüz."

"Öyle mi dersin? Neden peki?"

"Gördüğümüz onca şeyden sonra Hord Hakonsson seni hâlâ korkutabiliyor mu?"

Aud cevap vermek yerine içini çekti. Bir süre sustuktan sonra, "Bu sabah büyük salonda söylediklerini duydum," dedi Halli'ye. "Oldukça iyiydin." Koşuşturmakta olan insanlara işaret etti. "İnsanlar sözlerine inandılar; talimatların doğrultusunda hareket ediyorlar."

Halli hızla yanlarından geçmekte olan endişeli adamlara doğru bakarak omuz silkti. Adamlar dışarıdan getirdikleri varilleri verandaya doğru yuvarlıyorlardı. Başlarını kaldırıp Halli'ye baktılar; Halli de onlara el salladı. "Belki de. Babam olsaydı aynen bu şekilde hareket ederdi ve insanlar ona tam da bu nedenle hayranlık duyuyor olurlardı. Evdekiler beni eskisinden daha çok seviyor falan değiller. Sadece ne yapmaları gerektiğini söyleyecek birine ihtiyaçları var."

"Bir şeyi merak ediyorum," dedi Aud.

"Neymiş?"

"Fikrin işe yarayacak mı?"

Halli bir süre düşündükten sonra, "Yarayabilir," dedi. "Bir anlamda işe yarayabilir. Hord'u gerçekten de şaşırtacağımızı ve gafil avlayacağımızı düşünüyorum. Hatta ona yeterince zarar verip geri yollamamız da mümkün. Fakat... Hord davasından kolayca vazgeçecek türde bir adam değil. Başarısızlıklar onu iyice çileden çıkarıyor, Aud. Tıpkı beni çileden çıkardığı gibi. Ayrıca elinde kılıçlarla geliyor." Halli duraksadı. "Hazır kılıçlardan bahsetmişken farklı bir konuya da değinmemiz gerekiyor. Seninle bunu konuşabilmek için fırsat kolluyordum. Hâlâ tek parça halindeyken buradan ayrılmalısın."

Aud Halli'ye bakakaldı. "Ne?"

"Atını al ve batıya doğru sür. Çok geçmeden Gest Evi'ne ulaşırsın. Duvarı takip edersen sis bastırdığında bile yolunu kaybetmezsin. Eve varınca seni kabul etmelerini sağlamalısın. Güvende olduğunu bilirsem..."

"Bitti mi?" dedi Aud.

"Aslına bakarsan hayır. Daha cümlemin sonuna gel..."

"O halde kes sesini." Küçük bir çocuğun elindeki ince dalla güttüğü domuz sürüsüne yol vermek için Halli'ye biraz daha sokuldu. "Öylece kaçıp gideceğimi mi sandın?" dedi. "Tıpkı Leif'in niyetlendiği gibi?"

"Kaçıp gitmekten bahsetmiyorum. Ama sen burada sadece misafirsin. Bu senin savaşın de..."

"Benim savaşım," dedi Aud. "Elbette benim savaşım. Sizin olduğu kadar benim de savaşım."

Halli kollarını kavuşturdu. "Peki, bu sonuca nasıl vardığını öğrenebilir miyim?"

Aud da kendi kollarını kavuşturarak cevap verdi. "Hord hepimiz için büyük bir tehlike. Eğer buradaki savaşı kazanacak olursa artık vadinin hiçbir yeri güvende olmayacak. Yanılıyor muyum?"

Hali yüzünü buruşturarak konuştu, "Teknik olarak yanılmıyorsun sanırım."

"Bu durumda onu bozguna uğratmak sizin olduğu kadar benim de görevim sayılır. Bu yüzden kalıyorum." Aud zafer kazanmışçasına sırıtıyordu.

Halli kendi kendine gülerek konuştu. "Pekala. Bitti mi? Eğer demirden kasları olan ve elindeki kazığı büyük bir zarafetle savuran iriyarıiri yarı ve sakallı bir adam olsaydın bu söylediklerinin bir anlamı olabilirdi. Fakat şu halinle, herhangi bir mücadele söz konusu olduğunda faydandan çok zararın dokunur bize. Ayrıca birkaç saniyeye kalmaz hayatını kaybedersin. Gudny ve diğer kadınlarla evin içinde kalmayı kabul edersen mesele yok. Bebeklerin altının değiştirilmesine falan yardım edebilirsin sanıyorum. Aksi halde az önceki önerime uyup atına atlayabilir ve çekip gidebilirsin. Svein aşkına! Beni herkesin önünde tekmelemesene! İnsanların moralini yüksek tutmaya çalıştığımızı unutma. Hem sakat ayağını kullanmasan iyi edersin!"

Aud'un yüzü kireç gibi olmuş, öfkeli sesi fısıltıya dönüşmüştü. "Benimle bu şekilde konuşmaya nasıl cüret edersin? Kahramanlardan birinin soyundan geldiğimi unuttun herhalde! Daha da önemlisi, ben hiç olmazsa bodur bacaklarımı her kımıldatışımda kemerimdeki kılıca takılıp düşmeden yürümeyi becerebilirim."

Halli'nin gözleri yuvalarından fırlayacak gibi olmuştu. "Dur bir dakika..."

"Peki, sen bu halinle savaşta dövüşebileceğini mi sanıyorsun?" diye tısladı Aud. "Ortalama boylarda birinin savurduğu kılıç zararsızca başının üzerinden geçebilir, evet. Hatta belki seni kalbinden vurmayı hedefleyen düşman yanlışlıkla kendi ayak parmaklarını kesip yere yuvarlanabilir. Ama tüm bunlar olmadığı takdirde, geleceğin pek öyle parlak görünmüyor."

Halli öfkeden köpürüyordu. "Öyle mi? Demek öyle? Yamaçta canını kurtaran kimdi peki?"

"Beni kurtaranın sen olduğunu gayet iyi biliyorum," diye tısladı Aud. "Fakat yanılmıyorsam o Trolle karşılaştığımızda birlikteydik. Peki, sence ben korkudan titreyerek bir köşeye mi sindim? Kaçtım mı? Seni orada öylece yüzüstü bıraktım mı? Konuşsana! Bunların herhangi birini yaptım mı?"

Halli dudağını ısırdı. "Hayır, yapmadın. Fakat..."

"Peki, bugün burada üzerime düşeni yapamayacağımı ve yüzünü kara çıkartacağımı mı düşünüyorsun?"

"Hayır! Fakat..."

"O zaman ne demeye çalışıyorsun?"

"Demek istediğim..."

"Evet?"

"Sana bir şey olmasını istemediğimi söylemeye çalışıyorum."

"Çünkü?"

"Çünkü..." Halli ellerini çılgınca ileri geri sallamaya başladı. "Çünkü o zaman baban iyice çıldırır ve ailem ortaya çıkacak ikinci bir diplomatik krizi kaldıramaz."

"Yani sebep bu, öyle mi?" dedi Aud.

"Evet, bu."

"Anlıyorum. Çok düşüncelisin. Babam sana müteşekkir kalırdı, eminim." Sesi soğuk ve mesafeliydi.

"Bunu duyduğuma sevindim." Halli başını diğer tarafa çevirdi. Tam o sırada Ketil, sazlardan yapılacak örgüyle ilgili bir şey sormak için Halli'ye yaklaştı. Ardından Leif, asık suratıyla duvarların nasıl savunulacağını danışmaya, Grim de kükreyerek daha fazla kova gerektiğini söylemeye geldi. Halli onlarla ve diğer birkaç kişiyle görüşüp yeniden Aud'a döndüğünde kızın yerinde yeller esiyordu.

Akşama doğru sis yeniden yoğunlaştı ve yün tutamları gibi tarlalara yayılıp ağaçların arasından geçerek batmakta olan güneşi perdeledi. Evin aşağısında kalan çayırlarla hendeğin ötesindeki yol çoktan gözden kaybolmuştu.

Halli duvarın üzerinde dikilmiş boşluğa bakıyordu.

Derin bir nefes alarak havadaki sessizliği ve yaklaşan tehlikenin kokusunu içine çekti. Hord iyice yakında olmalıydı. Halli'nin çok yakınlarda, Hord'un, buzla kaplı boğazdan geçirmeyi başardığı birkaç adamla birlikte, ıssız düzlükte yere çömelmiş halde havanın kararmasını beklediğinden şüphesi yoktu.

Halli gözlerini kıstı. Neredeydiler? Hord'un yerinde kendisi olsaydı nerede beklemeyi seçerdi? Hayvanları bağlamak için yaşlı ormanın kıyısına kadar giderdi mutlaka. Sonra da ana yoldan uzak kalmak için çıplak araziyi boydan boya geçerdi. Peki ya sonra? Belki de kuzeydoğu yönünde ilerler, meyve bahçelerinin yukarısında kalan ve çevresi çalılarla çevrili kuytulukta beklerdi...

Duvarın tepesinde hızla koşup gözlerini girdaba benzeyen karanlığa dikti.

Evet, uzakta oldukça güç seçilen soluk gri bir ağaç kümesi vardı...

Halli hafifçe gülümsedi. İşte oradaydılar. Tam orada.

Elbette casuslar eve yaklaşmış, duvardaki zayıf noktaları arıyor olmalıydılar. İşte bu harikaydı. Duvardaki gedikler sise rağmen açık seçik görülebiliyor olmalıydı. Biraz da şansın yardımıyla Halli'nin öngördüğü sonuçlara varacaklar, bu sonuçları diğerleriyle de paylaşacaklardı.

Halli başını kaldırıp gökyüzüne baktı. Havanın kararmasına oldukça az bir zaman kalmıştı. Son hazırlıkları yapmak için eve döndü.

Büyük salondaki son toplantı oldukça zorlu geçeceğe benziyordu. Işığın azalmasıyla tansiyon yükselmiş, sinirler iyice gerilmişti. Havada yoğun bir korku ve taze pancar çorbasının kokusu asılıydı. Herkes masaların çevresinde toplanmış, Gudny, Katla ve diğer kadınların dağıttığı yemeği yiyordu. Snorri Katla'ya yardım ediyor, her fırsatta muzipçe el sallıyor ya da çapkın bir gülüşle kadının kızarıp kıkırdamasına neden oluyordu. Aud da oradaydı. Ağırbaşlı bir edayla çorba servisine yardım ediyordu. Halli gözlerini kısarak baktı. Aud'un bu sessiz ve edilgen hali kişiliğine hiç uymuyordu. Halli onunla konuşmayı düşündü; fakat buna ayıracak zamanı yoktu. Tüm gücünü toplayarak Aud'u aklından çıkarmaya çalıştı.

Kürsüye çıkan Halli'nin ilk işi, Leif'in açtığı arpasuyu fıçısının kaldırılmasını emretmek oldu. "Kutlamalar için yarın yeterince zamanımız olacak," dedi hep bir ağızdan yükselen şikâyetler üzerine. "Şu anda Hord'un da içki içmediğinden emin olabilirsiniz."

Çorbalar içildikten ve tüm sesler kesildikten sonra Halli ellerini silah tutuyormuşçasına havaya kaldırdı. Babasının bu şekilde davrandığına defalarca şahit olmuştu. "Svein Evi'nin sakinleri!" dedi. "Şimdi hepimiz yerlerimize geçmeliyiz. Hava az sonra kararacak. Hord'un gecenin ilerleyen saatlerine kadar harekete geçeceğini düşünmüyorum; ama yine de hazırlıklı olmalıyız. Anneler, çocuklar, zayıflar ve hastalar, Gudny'nin kontrolünde evin içinde kalacaklar. Kapılar savaşçıların ardından sürgülenecek. Biz dışarıdayken tüm arpasuyunu içmemeye çalışın lütfen. Geri döndüğümüzde bizim de birkaç damlaya ihtiyacımız olacak!" Sessizliğin ortasında kısaca güldü ve ziyafet sofrasına doğru ilerleyen biri gibi ellerini çırptı. "Henüz doğmamış oğullarımızla kızlarımız bu geceye dair coşkulu hikayeler anlatacaklar. Oysa Hakon Evi'nin dulları bu geceyi lanetle anacaklar. Haydi, dostlarım, gidelim artık."

Bu sözlerin ardından Halli öylesine gösterişli bir sıçrayışla kürsüden atladı ki yere indiğinde dişleri şiddetle birbirine çarptı. Sırtını doğrultarak hızla salondan çıktı. Arkasında bıraktığı kalabalık ikiye ayrıldı. Svein Evi'nin muhafızları, yani gücü yeten erişkinler, gençler ve yaşça büyük çocuklardan oluşan ekip Halli'nin ardından gitmek üzere hareketlendi. Kadınlardan ve çocuklardan oluşan dağınık grup ise onların gidişini izliyordu. Kapının hemen yanından incecik ve yüksek perdeden bir bebek ağlaması yükseldi.

Sis iyice yoğunlaşmıştı. Hava soğuktu. Ocağın ışıltısıyla kulübelerin pencerelerinden görünen fenerlerin ışığı gökyüzünde silinmekte olan gün ışığından daha güçlü gibiydi. Havada rutubet, topraktan yükselen küf kokusu ve beklenti dolu bir sessizlik vardı.

Svein Evi'nin muhafızları avluya çıktılar ve evin kapısı arkalarından kapandı. Kapının diğer tarafındaki sürgünün çekildiğini duydular.

"Hepiniz görev yerlerinize!" dedi Halli. "Sen de, Leif. Ben her şeyin yolunda olduğundan emin olmak için sırayla her birinizin yanına uğrayacağım."

Avludaki gölgeler evin dört bir yanına doğru dağıldı. Hiç kimseden çıt çıkmıyordu; taş zemindeki ayak sesleri belli belirsizdi. Halli bir an durup bekledi. Gözleri evin köşesindeki kepenklerin ardından sızan solgun ışığa takılmıştı. Annesiyle babasının odası...

Her şey bittikten sonra o odaya gidecek, babasına kazandığı zaferi müjdeleyecekti. Tabii her şey yolunda giderse...

Halli hafifçe gülümsedi. Nedenler farklı olsa da gecenin sonunda hem babasının hem de kendisinin hâlâ hayatta olması ihtimali oldukça düşüktü

Avlu tamamen boşalmış, ev sessizliğe gömülmüştü. Halli verandada hazır bekleyen fenerlerden birini aldı. Muhafızlar kullanmak istemedikleri silahları verandaya bırakmışlardı. Halli içlerinden uzun ve ince bir kasap bıçağı seçerek kemerine, kıvrık ve siyah pençenin yanına soktu. Ardından teftişe başladı. Kuzey Kapısı'na giderek sürgülerle menteşeleri kontrol etti. Sağlam görünüyorlardı.

Gün boyu süren çalışmalar sonucunda duvar, kapının her iki tarafında bir miktar yükselmişti. Halli yerleştirilen sahte nöbetçilerden ilk ikisini hemen buldu. Herhangi bir ağaç kütüğüyle aralarındaki fark oldukça azdı; sadece baş, boyun ve omuz çizgilerini taşıyacak şekilde kabaca yontulmuşlardı. Grim her birinin kafasına birer 'miğfer' oturtmuştu; adamlardan birincisi başında bir süt kovası, diğeri ise bir tencere taşıyordu. Fakat hem kova, hem de tencere ana hatlarıyla miğfere benzeyecek şekilde güzelce şekillendirilmişlerdi. Sahte nöbetçiler duvarın tepesine yerleştirilmiş, dışarıdan bakıldığında sadece başlarıyla miğferleri görülecek şekilde taşların arasına gizlenmişlerdi. Duvar dibine bırakılan fenerler sayesinde karanlıkta bile dikkat çekecekleri kesindi.

Halli kendinden memnun bir havayla başını salladı. Sahte nöbetçi numarası Svein'in eski hilelerinden biriydi. Svein bu numarayla Kol Kin-Killer'i kandırmayı başarmıştı. Kuvvetli sis ve zayıf ışık sayesinde bu duvar muhafızlar tarafından savunuluyormuş gibi görünecekti. Halli fenerini mümkün olduğunca aşağıda tutarak ve duvarı takip ederek sol taraftaki en yakın kulübenin arkasına geçti. Çok geçmeden duvar alçalarak neredeyse görünmez oldu. Bu noktada hafifçe aydınlatılmış üç kütük nöbetçi daha görev başındaydı. İlk ikisi birbirlerine oldukça yakın duruyorlardı. Üçüncüsüyse biraz gerideki taş yığınının arkasından uzanmış bakıyordu. Her üçünün de gövdesinin yan tarafına kahverengi bir tahta çivilenmişti. Oldukça uzun ve sivri uçlu olan bu tahtalar mızrağı anımsatıyorlardı. Halli bu üç figüre dikkatle baktı; miğferlerden hafif eğik ve yampiri duranının açısını düzeltti ve yoluna devam etti.

Duvar birkaç metre kadar yükselerek devam ettikten sonra Unn'un tabakhanesinin hemen arkasında yeniden alçaldı. Burası bir zamanlar Leif'in gübre yığınına yuvarlandığı yerdi. Etraf kırık çanak çömlek parçaları, eski püskü aletler ve hurdaya çıkmış pulluklar gibi işe yaramaz döküntülerle doluydu. Savunmadaki zayıf noktalardan biri de burasıydı. Fakat çevrede sahte nöbetçilerden eser yoktu. Ortalık sessiz ve ıssızdı; doğudaki dağların üzerinden yükselen dolunay sisin gerisinde ışıldıyordu.

Halli biraz daha temkinli yürümeye başladı ve başını iki yana çevirerek hafifçe seslendi. "Kugi? Sturla?"

Birden silahlı altı kişi hurda yığınlarının arkasından fırlayarak Halli'nin üzerine çullandı. Halli boğuk bir sesle ve telaşla fısıldadı, "Durun sersemler, benim!"

Kugi'nin tırmığı Halli'nin yüzüne birkaç santim kala durdu. Sturla elindeki tırpanı indirdi. Bir dizi sopa ve değnek tereddütle geri çekildi. Fısıldanan özürler havada uçuşuyordu. Halli herkesi kenara doğru iterek ayağa kalktı. "Hazırlıklı olduğunuz için sizi tebrik etmem gerekiyor sanırım," dedi öfkeyle. "Yine de şunu unutmasan iyi olur Kugi; saldırı büyük olasılıkla evin dışından gelecek, içinden değil."

"Evet. Haklısın."

"Burası saldırı olasılığı taşıyan üç noktadan biri," dedi Halli. "Gördüğüm kadarıyla bu noktayı gayet iyi savunacaksınız. Yine de yardıma ihtiyacınız olursa ıslık çalın. Koşa koşa geliriz."

Muhafızlar görev yerlerine geri çekildiler. Halli ise vücudundaki sayısız eziği ovuşturarak duvarı denetlemeyi sürdürdü. Evin güneydeki yamaca bakan tarafında, duvarın çökmüş olduğu bir hat daha bulunuyordu. Bu kısma da sahte nöbetçiler yerleştirilmişti. Güney Kapısı'nın yakınındaki duvar Halli'nin dizini sadece bir parça geçiyordu. Bu bölüm de görünürde oldukça savunmasızdı. Fakat Eyjolf ve birkaç yaşlı ev sakini duvarın hemen önündeki ahırda sessizce çömelmiş beklemekteydiler.

Bu kez Halli yeniden saldırıya uğramamak için tedbirliydi; fakat muhafızların horul horul uyuduklarını görünce şaşırdı. Eyjolf'u saçsız başından dürterek, "Uyanın!" dedi. "Uykuya dalmanın sırası mı? Hepimizin hayatı size bağlı!"

Yaşlı adam irkilerek uyandı. "Tamamen stratejik bir mola vermiştik."

"Artık bu tip molalara son verseniz iyi olur. Taşlar hazır mı?"

"Hem de koca bir yığın. En yamuk ve sivri olanlarını topladık."

"Mükemmel." Halli ahırın tahta duvarlarındaki çatlaklardan dışarıya, sisin içinde yitip giden düzlüğe baktı. "Bu noktadan saldıracakları kesin. Bize ihtiyaç duyarsanız ıslık çalın."

Ardından duvar boyunca yürümeye devam ederek birkaç sahte nöbetçinin daha yanından geçti. Evin batı kanadına ulaştığında gecenin karanlığı iyice çökmüştü. Havada asılı duran sis, ay ışığında renksiz ve parlak görünüyordu. Halli aşağı taraftaki meyve ağaçlarını aradaki kısa mesafeye rağmen seçemiyordu. Duvarın bu kısmı çimle kaplı bir moloz yığınından farksızdı. Eve girmeye niyetli olan herhangi biri kolaylıkla duvara tırmanabilir ve Aud'la ikisinin ilk karşılaştıkları gün yaptıkları gibi yere sıçradıktan sonra kulübelerin arasında kıvrılarak uzanan dar yoldan merkez avluya ulaşabilirdi.

Halli bu yoldan gitmeyi göze alamadı. Yolun uysal ve davetkar sessizliğine bir bakış attıktan sonra geri dönerek duvarı arkasına aldı ve yola avlu tarafından yaklaşmak için yürümeye başladı. Ağır adımlarla ilerliyor, elindeki feneri dikkat çekecek şekilde sallıyordu.

"Leif?"

Karanlıktan bir ses yükseldi. "Evet?"

"Benim, Halli."

"Biliyorum. Aksi halde çoktan ölmüş olurdun."

"İşte bu harika. Hepiniz hazır mısınız?"

"Hazırız."

"Eğer gerekirse ıslık..."

"Gerekmeyecek. Şimdi çekilebilirsin."

Halli öfkeyle dudaklarını büzdü, fakat Leif'e yanıt vermek yerine suratını asarak gecenin karanlığına doğru çekilmeyi tercih etti. Leif'in Halli'nin otoritesine boyun eğmesi bile yeterince büyük bir mucize sayılırdı.

Avluya geri döndüğünde adımlarını yavaşlattı ve sonunda durdu. Evet. İşte hepsi bu kadardı.

Yapılacak tek bir şey kalmıştı.

Neredeyse unutuyordu. Ahırlara doğru koştu; içeri girdi ve atların huzursuzca kıpırdanmasını umursamayarak en yakındaki tenha köşeye yöneldi. Çömelerek yerdeki samanları karıştırmaya başladı.

"Uğurlu kemerini mi takacaksın?"

Halli birdenbire ayağa fırladı. Kahramanın kemeri fenerin ışığında parıldıyordu. Kapıda duran kişinin yüzünü göremiyordu; fakat ses tanıdıktı ve Halli'yi pek de şaşırtmamıştı.

"Çorbayla uğraşmanın seni uzun süre oyalamayacağını tahmin etmiştim," dedi, gümüş kemerin üzerindeki samanları silkeleyerek. "Nasıl dışarı çıktın peki?"

"Odamdaki pencereden. Ne o, beni geri göndermeyi mi planlıyorsun?"

"Hayır." Yeleğini hızla yukarı doğru sıyırdı ve kemeri omzundan geçirerek çaprazlamasına göğsüne astı. Kemerin tanıdık ağırlığı hoşuna gitmişti. Yeleğini düzelterek feneri eline aldı. Kapıya yaklaştıkça dışarıdaki sisin çevrelediği siluet biçim kazandı.

"Önceki davranışımdan dolayı özür dilerim," dedi. "Kendince doğru olan neyse onu yapmalısın."

"Burada daha fazla işe yararım."

"Sen bilirsin." Halli şimdi Aud'a iyice yaklaşmış, kızın arkasındaki puslu havaya bakıyordu. Grim'in atölyesinden kırmızı bir ışık sızmaktaydı. "Senden tek bir ricam olacak," dedi sessizce. "Benden uzak dur. Hord, evi ele geçirmek ve hepimizi küçük düşürmek istiyor. Ama asıl hedefi benim."

"Bundan nasıl emin olabilirsin ki?"

"Eminim. Brodir öldüğünde nasıl hissettiysem şimdi Hord da aynı şekilde hissediyor. Tamamen eski geleneklere göre hareket edecek. Meselenin temelinde intikam duygusu var. Beni ele geçirdiğinde tatmin olacaktır. Beni dinle, Aud... hayır, bir saniye sus ve beni dinle! Birkaç saat önce planımın işe yarayıp yaramayacağını sormuştun. Bu sorunun cevabını hâlâ bilmiyorum. Fakat eğer yaramazsa, yani savunmamız çökerse Hord'un adamlarının eve girmesine izin vermeyeceğim. Onun yerine gidip Hord'a teslim olmayı yeğlerim."

"Ne? Evden öylece çıkıp gidecek misin?" Sesinde şaşkınlık ve endişe vardı. "Seni öldürür."

"Beni öldürmeyi deneyecektir, evet."

"Haklısın, 'öldürmeyi deneyecek' derken kastettiğin 'parçalara ayıracak' ise tam üstüne bastın. Aklını başına topla."

Halli kıza bakmadan, "Orada öylece durup beni parçalara ayırmasını bekleyecek değilim herhalde, öyle değil mi?" dedi. Fakat sesi oldukça huzursuz çıkmıştı.

"Halli." Kız Halli'nin kolunu sıkıca kavradı. "Onunla baş edemezsin. Bunu daha önce de konuştuk. Diyelim ki orada Hord'la ikinizden başka kimse yok. Bu durumda bile onun kılıcına karşılık senin..." Kemerindeki uzun bıçağı işaret etti. "Senin şu domuz kaşağısından başka hiçbir şeyin olmayacak. Sersem gibi ortada kalacaksın."

Halli dişlerini gıcırdatarak Aud'a biraz daha yaklaştı. "Onunla tek başıma savaşmak niyetinde değilim. O şeyler benim yerime savaşmaya bu kadar hevesliyken neden kendimi yorayım ki? Neden bahsettiğimi biliyorsun." Yavaşça geri çekildi. "Dinle, ocağın oraya gidip Grim'le diğerlerinin hazır olup olmadığına bakmam lazım."

Sustular. Aud Halli'nin kolunu hâlâ bırakmamıştı.

"Aud..."

"Demek istediğin..." Kızın sesi birden öfkeyle çınlamaya başlamıştı. "Hord'u o kahrolası yamaca çıkarmayı nasıl başaracaksın acaba?"

"Benden intikam almak istiyor, öyle değil mi? Ben de onu yamaca doğru çekerim. Sis böyle devam ederse iş işten geçinceye dek nerede bulunduğunu anlamaz bile. Her neyse, şimdi bu konudan bahsetmek istemiyorum. Gitmem gerek..."

"Halli." Aud'un eli hâlâ Halli'nin kolundaydı. "Hayatımda duyduğum en berbat tuzak planı bu. O yamaca çıktığında sen ne yapacaksın peki?"

"Oradaki büyük kayaları hatırlıyorsundur. Onlardan birine tırmanırsam ayağımı yerden kesebilirim. Trollerin topraktan uzaklaşınca güç kaybettiklerini..."

"Evet, ama o kadar da güç kaybetmiyorlar. Kahramanları öldürdüklerini unuttun mu?"

"Kusursuz bir plan olduğunu iddia etmiyorum."

"Edemezsin zaten. Planının onlarca farklı nedenden başarısızlığa uğrayabilir."

"O nedenlerin hiç oluşmamasını dileyelim o zaman, olmaz mı" diye söylendi Halli hırıltıyı andıran bir sesle. "Şimdi beni rahat bırak. Ocağın oraya gideceğim. Sen ister gel ister gelme. Kendin bilirsin."

Sessizlik içinde avlunun diğer tarafına doğru yürüdüler. Halli önden gidiyor, Aud ise birkaç adım geriden geliyordu. Grim'in demirci ocağındaki ışık kan kırmızıydı. Grim, Unn ve ev halkından kadınlı erkekli yirmi kişilik bir grup seçtikleri silahlarla birlikte ocağın başında bekliyorlardı. Kimisi oturmuş, kimisi ayakta durmayı tercih etmişti. Şeytani bir toplantı yapan kalabalık bir gürühu andırıyorlardı. Grim'in devasa çekici kucağında sessizce uzanmıştı. Unn'un elindeyse hayvan derisiyle yağı ayırmakta kullanılan dar ve kavisli bir bıçak vardı.

Halli atölyeye adım attığında ortalık birdenbire hareketlendi. İnsanlar hafifçe kıpırdandılar; omuzlar tetikteymişçesine dikleşti.

Halli onaylarcasına başını sallayarak, "Her şey hazır," dedi. "Şimdi tek yapmamız gereken..."

Daha sözünü bitirmeye fırsat bulamadan uzaklardan yükselen kısa ve keskin bir ıslık duyuldu. Ardından biraz daha alt perdeden ikinci bir ıslık daha yükseldi. Aynı zamanda bağırışlar, çığlıklar ve diğer anlam verilemeyen gürültüler de havayı doldurdu.

"Hord beklediğimden erken harekete geçti," dedi Halli.

Ocağın çevresindekiler ellerini silahlarına götürdüler. Yirmi kişi aynı anda ayağa fırladılar. Kan kırmızı duvarlara düşen gölgeleri simsiyahtı.

Halli çoktan dışarı çıkmıştı. Islıklar üç farklı yönden geliyordu. Halli koştu, Aud koştu; muhafızlar koştular. Bir an sonra herkes avlunun dört bir yanına dağılmıştı.

26

TOPRAKTAN YÜKSELEN KAZMA sesleri göz açıp kapayıncaya kadar fısıltıdan mırıltıya, mırıltıdan kükremeye dönüştü. Onlarca delikten dışarı fırlayan ve bu sırada kahramanları toprak yağmuruna tutan Troller pençelerini adamlara doğru uzatmışlardı. Svein ve diğerleri geri çekilerek kayanın tepesine doğru biraz daha tırmandılar. Trollerin topraktan uzaklaştıkça zayıf düştüklerini biliyorlardı. Az sonra taşa vuran pençelerin sesi yükselmeye başladı.

Ardından kahramanlar kılıçlarını büyük bir kuvvetle körlemesine salladılar ve bedenlerinden ayrılan bir sürü kafanın kayadan aşağı yuvarlandığını duyup keyiflendiler. Fakat ölen Trollerin yerini hemen yenileri alıyor, topraktaki çamurlu deliklerden çıkan yaratıklar dişlerini takırdatarak ve ipince kollarını ileri doğru uzatarak hızla ilerliyorlardı.

En büyük gürültü Leif'in pusuya yattığı yerden, yani doğu yönünden geliyordu. Halli oraya doğru koştu, Grim de yanındaki dört kişiyle birlikte onun peşi sıra seyirtti. Arkaya doğru hızlı bir bakış atan Halli, Aud'un onlarla birlikte olmadığını gördü. Başka bir yöne koşmuş olmalıydı.

Havada asılı sisin kaygan parmakları arasından geçerek avlunun diğer tarafına ulaştılar ve anayol boyunca doğuya doğru koştular. Halli'nin elindeki fener çılgınca sallanmaktaydı, fakat fenerin zayıf ışığı sisten başka hiçbir şeyi aydınlatmaya yetmiyordu. Halli feneri bir kenara fırlatarak koşmaya devam etti.

Biraz ilerde yaşanan arbedenin gürültüleri kulaklarına doluyordu. Arka arkaya inen darbeler tok bir ses çıkarıyor, insanlar acı içinde çığlıklar atıyorlardı.

Halli kemerindeki uzun bıçağa uzandı.

Nihayet sonunda sis aralandı; Halli ve diğerleri savaş alanına varmışlardı.

Daracık yolun sonunda çatılardan birinin kenarından sarkan bir ağ asılıydı. Köşelerine bağlanmış ağırlıklar sayesinde oldukça gergin duruyor ve böylece avlunun girişini kapatıyordu. Grim'in oğlu Ketil elindeki topuzlu değnekle ağın hemen önünde durmuş, ağın gerisindekilerin şaşkınlık ve çaresizlik dolu hareketlerini gözlüyordu. Halli yaklaşırken birdenbire kim olduğu belirsiz sakallı bir adam, kırmızı dudaklarını aralayarak ağa yaklaştı ve birbirine düğümlenmiş ipleri koparmaya çalıştı. Fakat Ketil'in elindeki değneği suratına yiyince büyük bir feryatla yere yuvarlandı.

Halli birkaç adım geri çekilerek yolun kenarındaki evlerin çatılarına doğru baktı. Leif'in adamları, her iki yanda saklandıkları yerlerden çıkmışlardı. Yoldakilerin üzerine taş fırlatıyorlar, ellerindeki yaba ve kazmaları denk getirebildiklerine saplıyorlar, dövenlerini* canhıraş bir şekilde savuruyorlardı. Unn'un varillerindeki sıvılar zehirli bir tufan gibi aşağıdakilerin üzerine boşalıyordu. Karanlığın içinden acı dolu iniltiler yükseliyordu.

"Buradakiler kaç kişi, Ketil?" diye sordu Halli.

"Sadece altı yedi kişi. Yolun diğer ucuna da bir ağ attık ki kimse kaçamasın." Ketil'in yüzü neşeli ve capcanlıydı. Gözlerinden gaddarca bir keyif okunuyordu. "Karşılama törenimizden çok da hoşlandıklarını sanmam."

Ketil yeniden ağa doğru yaklaştı ve gözlerini kısarak karanlığa doğru baktı. İşte tam o sırada ağı delerek geçen bir kılıç Ketil'in göğsüne, kolunun hemen altına saplandı. Ketil boğulurcasına bir çığlık atarak yalpaladı; tuniği kana bulanmıştı. Halli lanet okuya-

---

* Döven: Harmanda ekinlerin sap ve tanelerini ayırmak için kullanılan, önüne koşulan hayvanlarla çekilen, altında keskin çakmaktaşları çakılı bulunan kızak biçiminde araç. (Ç.N.)

rak öne doğru tökezleyen Ketil'i yakaladı ve gencin yüzünü boynuna yaslayarak geriye doğru sendeledi. Sol eline bulaşan sıvı oldukça sıcaktı.

Öfke ve ızdırap yüklü bir inleme duyuldu. Demirci Grim, Halli'yi kenara iterek Ketil'i kollarına aldı. Oğlunu yavaşça yere doğru indirdi; önce dizlerine koydu, ardından yol kenarındaki duvara yaslanacak şekilde yere bıraktı. Ketil'in ağzından kan geliyordu.

Az önce Halli'nin peşi sıra koşanlar şimdi çığlık çığlığa ağın önünde toplanmış, ellerindeki mızrak ve çapaları öfkeyle ağın gerisindekilere saplamaya çalışıyorlardı. Halli onlara doğru ilerleyerek iki kişiyi geri çekti. "Durun! Ağı parçalayacaksınız! Gisli, Bolli, ikiniz tam şurada nöbet tutun. Kimse ağın bu tarafına geçmesin. Diğerleriniz benimle gelin."

Yeniden sisin içinden geçerek avluya geri döndüler. Güney ve batı yönlerinden çatışma sesleri geliyordu. Halli'nin yüzü gergin ve asıktı. Avucuna bulaşan kan buz gibiydi.

Yanındakilerden iki kişiye evin güney kanadına doğru ilerlemelerini işaret etti. Daha önce Eyjolf'un gizlendiği, fakat şimdi boş olan ahırın önünden geçtiler, yıkık duvarın üzerine sıçrayarak durdular ve düzlüğe doğru baktılar.

Biraz ilerde bir grup muhafız toprağa kazılmış karanlık ve kare biçiminde iki farklı çukurun çevresinde sessizce beklemekteydiler. Bu halleriyle avladıkları hayvana doğru eğilmiş vahşi kuşları andırıyorlardı. İki kişinin elinde meşale vardı. Bunlardan biri Eyjolf'tu. Meşalelerin titrek ışığı sisin beyaz hatlarıyla adamların acımasız yüzlerini aydınlatıyordu. Birkaçının elinde kaya parçaları vardı, ancak herhangi bir işe yarayacağa benzemiyorlardı. Çukurların birinden kükremeye benzer bir ses yükseliyordu. Muhafızların durduğu yerde delikleri gizlemek için kullanılmış kafesten geriye kalan kırık ot ve dal parçaları göze çarpıyordu.

Halli, "Her şey yolunda mı Eyjolf?" diye seslendi.

Meşale hareket etti, yaşlı adam Halli'ye doğru yaklaştı. Yüzü puslu havada dalgalanan kırmızı ve vahşi bir maskeye benziyordu. "Tam üç tane fıstık var burada. Diğer üçü tuzağa düşmekten son anda kurtuldular ve biz gelinceye kadar kaçıp gittiler."

"Yakaladıklarınız ölü mü?"

"Kıpırdanıp duruyorlar. Biz de tam onları nasıl öldüreceğimizi konuşuyorduk."

Halli bir an Ketil'in başının cansız ağırlığını düşündü. Ardından Brodir'i, Olaf'ı, tüccar Bjorn'un hantal cüssesini hatırladı. Sonra alçak sesle konuştu. "Onların duyabileceği mesafedeyken istediğiniz gibi konuşmakta özgürsünüz. Hayatlarının tehlikede olduğuna inanıp korkmalarını sağlayın; fakat hiçbirini öldürmeyin. Sadece oradan çıkıp gitmelerine engel olun."

"Svein olsa hepsini diri diri toprağa gömerdi," dedi Eyjolf aksi bir tavırla.

"Olabilir, ama ben Svein değilim. Ne diyorsam onu yapın." Ardından yanındaki iki kişiye dönerek, "Doğuda yedi, buradaysa altı kişi vardı. Demek ki geri kalan yedi kişi batıdan saldırdı ve şu anda Kugi ve Sturla'nın ekibiyle dövüşüyor. Zor durumda olmalılar."

İçlerinden biri, "İlk çığlıklar yükseldiğinde, Unn birkaç kişiyle birlikte o tarafa doğru koşmuştu," dedi.

"Öyle bile olsa yardıma ihtiyaçları olmalı. Benimle gelin!"

Bir kez daha avlunun diğer tarafına koştular. Leif'in kontrolünde olan doğu kanadındaki çarpışma sesleri neredeyse kesilmişti; ancak batıdan gelen sesler giderek artıyordu. Unn'un tabakhanesinin yanından geçerek dar sokak boyunca çöplüğe doğru koştular. Yol karanlıktı; dolunay tam karşılarında yükselen ve duvarın diğer tarafında bulunan çöp yığınını aydınlatıyordu. O yığının önünde insanlar ikişerli üçerli gruplar halinde kılıca karşı tırpan ya da çapa sallayarak dövüşüyorlardı.

Halli'yle birlikte koşan iki muhafız, uzun bacaklarının verdiği üstünlükle Halli'yi geride bırakıp kendilerini çatışmanın ortasına attılar.

Halli de bıçağını havaya kaldırarak adımlarına hız verdi; fakat ayağı bir anda yerde sırtüstü uzanmış bir bedene takıldı. Dengesini kaybederek taş zemine doğru yuvarlanırken başını korumak için ellerini ileri doğru uzattı. Ardından çabucak doğrulup yerdeki cansız bedeni incelemeye başladı. Ay ışığı çöplüğün üzerinden süzülerek yerde yatan miğfere vurdu. Adamın saçları açık renkliydi. Sağlıklı ve geniş yüzündeki sakal kısa kesilmişti. Yerde öylece uzanmış yatan adam, Halli'nin geçen yıl ahbaplık ettiği Hakon Evi'nden Einar'dı. Einar'ın gözleri sabitlenmişçesine gökyüzüne bakıyordu. Açık ağzında ise donup kalmış bir gülümseyiş vardı.

Halli sendeleyerek geriledi. Çılgınca etrafına bakındı. Ortalıkta birbirini alt etmeye çalışan bedenlerle saldırgan hareketlerden oluşan bir karmaşa vardı. Adamlar nefes alabilmek için çırpınıyor, dört bir yanda metalin tahtayı parçalarken çıkardığı ses çınlıyordu. Taş zemin kan lekeleriyle kaplıydı.

Hakon Evi'nin adamları kendilerini açıkça belli ediyorlardı; en ufak bir harekette bile tiz bir sesle çınlayan ince metal zincirlerden örülmüş uzun zırhlar kuşanmışlardı. Uzun burun korumalı ve yanağa doğru siperli yuvarlak miğferlerinin altında yüzleri neredeyse tamamen gizlenmişti. Gözleri şekilsiz ve ışıksız dehlizleri andırıyordu. Hızla hareket ediyorlar, kılıçlarını vahşice savururken insandan çok eski efsanelerdeki canavarlara benziyorlardı.

Svein Evi'nin muhafızları bu tip miğferlere sahip değillerdi. Başları açık ve korumasızdı. Fakat pusun ve ay ışığının ortasındaki çığlık çığlığa koşuşturmada kimin kim olduğunu anlamak giderek güçleşiyordu.

Halli'nin bakışları ayağının dibinde parıldamakta olan bir şeye, Einar'ın sessizce uzanmış elindeki kılıca takıldı.

Halli bıçağını kemerine sokarak eğildi ve kılıcı eline aldı. İlk fark ettiği şey bu yeni silahın hantallığına ve ağırlığına yabancı oluşuydu.

Aniden biraz ilerisindeki bir hareketlilik dikkatini çekti. Küçük bir silüetin Trol duvarına çarpmasıyla kırık bir tırmık gürültüyle yere yuvarlandı.

"Kugi..." Halli öne doğru atıldı; fakat elindeki kılıcın ağırlığı yüzünden hareketleri hantal ve dengesizdi. Birdenbire siyah saçları havada uçuşan yabani görünüşlü biri gecenin karalığını yırtarak çıkageldi. Güçlü kolları, hayvan derisi yüzmekte kullanılan bir bıçakla havada şekiller çiziyordu. Bu adam Kugi'nin yardımına koşan deri tabakçısı Unn'dan başkası değildi. Unn yoluna çıkan silahlı ve miğferli bir Hakonsson'u kaldırıp duvarın üstünden dışarı fırlattı.

Halli sağ tarafta Hakonssonlardan bir diğerinin kılıcını gevşek bir şekilde kaldırdığını ve yere çömelmiş korku içindeki genç bir çocuğa doğru hamle yapmakta olduğunu gördü. Söz konusu delikanlı elindeki, tırpanın sapı hüzünlü bir şekilde ikiye ayrılmış olan Unn'un oğlu Brusi idi.

Halli tüm gücünü topladı ve öne doğru atılırken kılıcı havada savurdu.

Aniden karşı tarafta beliren biri karanlığın içinden sekerek elindeki metal değneği Hakonsson'un kılıç tutan koluna doğru savurdu. Acıyla inleyen Hakonsson elindeki kılıcı gürültüyle yere düşürdü; kolunu tutarak geriye doğru sendeledi ve Halli'nin yaklaştığını görünce dönüp duvarın üzerinden dışarıya atladı. Bedeni tok bir sesle gübre yığınının ortasına indi.

Onun gidişi diğerlerinin de geri çekilmesine yol açmıştı sanki. Miğferli savaşçılardan ikisi daha birdenbire arkalarını döndüler ve duvardan atlayarak sisin içinde gözden kayboldular. Göçük duvarın önündeki hareketlilik yavaş yavaş azaldı; bitkin düşmüş adamlarla kadınlar ellerindeki silahları indirdiler.

Halli tüm bu gelişmeleri göz ucuyla takip etti. Çünkü orada öylece durmuş tek kelime etmeden metal değneği tutan kişiye bakıyordu.

"Merhaba Halli!" dedi Aud nefes nefese.

Halli cevap vermedi. Svein Evi'nin muhafızlarından hayatta kalanlar dar avluya doğru ilerleyerek etrafında toplanmaya başlamışlardı ve Halli onlara hitaben bir konuşma yapması gerektiğinin farkındaydı. Brusi'ye ayağa kalkması için yardım etmeye çalışan Unn dışında herkes perişan haldeydi. Çoğunun kol ve bacaklarında yaralar vardı; adamların bir bölümü silahlarını kaybetmişlerdi. Bazısının silahı ise parçalanmış bir halde elinde duruyordu. Taş zemin cansız yatan bedenlerle örtülüydü.

Unn'un bıçağı koyu renk lekelerle kaplı ve ıslaktı. Köpeği andıran yüzünde zafer ifadesi vardı. "Tereyağından kıl çekmek gibiydi, Halli! Svein görseydi bizimle gurur duyardı! Bu gece zaferimizi uzun uzun kutlamalıyız!"

"Umarım haklısındır," dedi Halli. "Sturla, Brusi, yaralı değilsiniz sanıyorum. Bir konuda yardımınıza ihtiyacım var. Duvar boyunca yürüyüp kütükten yapılma nöbetçileri kaldırır mısınız? Hepsini toplayıp gözden uzak bir köşeye gizleyebilirsiniz. Hakonssonlar geri dönüp bakmaya kalkışırlarsa nöbetçilerin sahte olduğunu hemen anlarlar. O yüzden bu işin çabucak halledilmesi gerek."

Gençler karanlığa doğru koşup gözden kayboldular. Halli çevresinde bekleyen kadın ve erkeklere dönerek, "Hepiniz çok iyi savaştınız," dedi. "Kaç kişiydiler? Biz kaç kişi kaybettik?"

"Yedi kişi duvarı aşarak içeri girdi," dedi Unn. "Dördü firar etti. Bize gelince; durum gördüğün gibi işte."

Halli fenerlerden birini alarak yerde yatan adamları incelemeye başladı. Hakonssonların üçü de ölmüştü. Halli içlerinden birini tanıyordu. Fakat Hord'la Ragnar'dan eser yoktu.

Ayrıca Svein Evi'nden beş kişi de yerdeydi. İki adam ve bir kadın ölmüşlerdi. Diğer iki kişi yaralıydı. Ahırlardan sorumlu olan Kugi'nin kolu ve göğsü ciddi şekilde parçalanmıştı.

Halli, Kugi'nin yanında diz çöktü. Gencin yüzü gri-yeşil bir renk almıştı; gözleri vahşi ve ateşliydi. Halli, "Harikaydın, Kugi," dedi. "Bu evin kahramanlarından biri de sensin. Şimdi seni eve götüreceğiz."

Kugi'nin sesi zayıf fakat kendinden emindi. "Peki, savaşı kazandık mı, Halli?"

"Hakonssonları her üç noktada da yenilgiye uğratmayı başardık. Adamlarının en azından yarısı ölü ya da diri ele geçirildi. Şimdi gidip Leif'le konuşmam gerek." Kugi'nin omzunu sıkarak ayağa kalktı. Çevresine bakındığında çarpışmadan sağ çıkanların yerde yatanların yanı başında diz çökmüş olduklarını gördü. Aralarında ağlayanlar vardı. Bu görüntü yüreğini sızlattı; fakat yüzü ifadesiz ve dingindi. "Aud!" dedi yüksek sesle. "Yaralıların taşınmasına ön ayak olur musun? Hâlâ dövüşebilecek güçte olanlar kalıp bu bölgede nöbet tutsunlar. Gudny'le konuşup size hemen yiyecek ve arpasuyu gönderilmesini sağlayacağım. İlk saldırıyı püskürtmüş olabiliriz; ama henüz rahatlamak için erken."

Halli'yle Aud yaralıların peşi sıra eve doğru yürümeye başladılar. Bir yandan da Halli'nin elindeki kılıcı inceliyorlardı. Svein Evi'nin muhafızları ölen Hakonssonlara ait üç kılıç daha ele geçirmişlerdi.

Kılıcın kabzası oldukça kaba sabaydı. Hantal metalin sevimsiz hatları, kabza çevresine sarılmış kumaşla yumuşatılmaya çalışılmıştı. Halli'nin kol boyundan biraz daha uzun olan bıçak kısmı pürüzlü bir yüzeye sahipti ve yer yer büyük oyuklar taşıyordu.

"Bıçağı oldukça kör; ama ucunun sivriliği yetiyor tabii. Yine de kahramanlara yaraşacak türde bir silah olduğu söylenemez," dedi Aud.

"Hord'un demircileri henüz eski ustaların tekniklerine hakim değiller. Beğendiysen senin olsun. Sonuçta daha önce belirtmiş olduğun gibi benim işime yaramayacak. Bana göre fazlasıyla uzun," diye homurdandı Halli. Sesi oldukça dalgın ve bitkindi. Çarpışmayla ilgili anılar zihnine üşüşmeye başlamıştı; yaralıların inlemeleri, ölülerin yüzleri. Aud'un yeniden konuşmaya başladığını, büyük bir umutla savaştan ve o ana kadarki başarılarından söz ettiğini duydu; fakat Halli'nin aklı başka yerdeydi. Sisin ortasında bir yerlerde Hord adamlarından geri kalanları bir araya getirip kayıplarının listesini çıkarıyor olmalıydı. Peki, şimdi ne yapacaktı? Kaçacak mıydı? Halli pek sanmıyordu. Hord için kaçmak şerefine leke sürmekle aynı anlama gelirdi çünkü. Peki, o halde? Vereceği karar elindeki adam sayısına bağlı olacaktı şüphesiz.

"Esir düşenler var," dedi Aud aniden. "Baksana!"

Verandanın biraz ilerisinde büyükçe bir grup fener ışığında toplanmaya başlamıştı. Halli'nin ağabeyi Leif, kalabalığın ortasında durmuş abartılı el hareketleri yaparak yüksek sesle konuşuyordu. Elinde bir kılıç vardı. Doğu kanadındaki çarpışmaya katılmış beş altı kişi, batı kanadından gelen yaralılar ve Eyjolf'un grubundan bir iki kişi Leif'in çevresinde toplanmıştı. Herkes elleri kabaca arkalarında bağlanmış olan iki Hakonsson'a bakıyordu. Adamlar yaralı, silahsız, miğfersiz ve oldukça moralsizdi.

Svein Evi'nin muhafızlarından biri –tuniğinin omuz kısmı kan içinde kalmış olan ekmekçi Bolli– esirlerden birinin kaval kemiğine şiddetli bir tekme savurunca adam acı içinde sendeledi. Leif ve kalabalığın büyük bir bölümü gülmeye başladı. Oradakilerden biri ikinci esire arkadan saldırdı; havada uçan yumruğu yere damlayan kan izledi. Kalabalık avının etrafında heyecanla dönen vahşi bir hayvana benziyordu.

Halli gruba yaklaşarak, "Kes şunu, Bolli!" diye çıkıştı. "Sen de, Runolf!"

Nefretle çarpılmış kül gibi beyaz suratlar bir anda Halli'ye doğru çevrildi. "Ketil'le Grim'i öldürdüler," dedi biri.

"Öyle bile olsa esirleri rahat bırakın." Halli her iki elinin birden kılıcın kabzasını kavramış olduğunu fark etti. Bakışlarını birdenbire sessizleşmiş kalabalığa yöneltti. "Onlara bir daha dokunacak olursanız karşınızda beni bulursunuz. Leif, şimdi anlat bakalım. Neler oluyor burada?"

Ağabeyinin başı öne doğru eğilmişti. Kaşlarının hemen altından fırlayan bakışlarla Halli'yi süzüyordu. Göğsü şiddetle inip kalkmaktaydı. "Yakaladıklarımızı ağların arasında tuzağa düşürmüştük," dedi sonunda. "Yedi kişiydiler. Hord ve Ragnar da aralarındaydı. Öfke içinde mücadele etmeye devam ediyorlardı; fakat durumları umutsuzdu. Birçoğumuz yaralıydık, fakat o halde bile içlerinden birini öldürmeyi başardım. Thorli de bir diğerini kafasından vurdu. O sırada ağın hemen önünde durmakta olan Ketil saldırıya uğradı ve bunu gören Grim yaşadığı acıyla kontrolünü kaybetti. Çatıdan yola atlayarak oğlunun katillerine elindeki çekiçle saldırdı. Birini hakladı; fakat sonra Hord çıkageldi. Vahşi bir canavar gibi dövüşüyordu. Sonuçta Grim öldü. Cesur bir adamdı."

Meydandakilerden bu sözleri onayladıklarını belirten sesler yükseldi. Leif başını salladı. "Ve işte tüm bu olanlardan sonra, bu köpeklere neden merhamet göstermemiz gerektiğini anlayabilmiş değilim."

Sesini yükseltmemişti; fakat Halli'ye meydan okuduğu açıktı. Kalabalıksa Leif'in tarafını tutuyordu. Adamlardan birkaçı Halli'ye bağırdı; fakat Halli onları dikkate almadı. "Anlatacaklarının bittiğini sanmıyorum, Leif," dedi. "Hord ve Ragnar neredeler?"

Leif omuzlarını silkti. "Dış taraftaki ağı delerek kaçtılar. Bu ikisi onların peşinden gidemeyecek kadar kötü durumdaydılar. Savaş sona erdi. Biz kazandık ve bu esirlere ne istersek yapmakta özgürüz. Ben öldürülmelerinden yanayım."

"Hayır." dedi Halli. "Onları ambara kapatacağız. Bolli, adamlara en yakın duran kişi sen olduğuna göre bu iş sana düşüyor."

Halli'nin sözlerini takip eden sessizlikte, kalabalık kararsızlık içinde bekledi. Besledikleri düşmanlık açıkça belli oluyordu; fakat kimseden çıt çıkmadı. Ortak düşüncelerini dile getirmesi için Leif'e bakmayı tercih ettiler. Leif gözlerini önce yere dikti, ardından gruptakilerin yüzlerine hızlı bir bakış attı. Beklentiyle dolu sessizlik ona güç vermiş gibiydi. "Bu iki adam bizim düşmanımız, Halli," dedi sertçe. "Hord ve adamları vadi kanunlarına karşı geldiler ve bizim kanımızdan gelen adamları öldürdüler. Kendilerinin de ölümü hak ettiğini hepimiz gayet iyi biliyoruz."

Kalabalıktan bu görüşe katıldıklarını belirten sesler yükseldi. Halli dişlerini göstererek kükredi. Bir eli hâlâ kılıcın kabzasındaydı. Diğeri ise kemerinde gizli duran bıçağı kavramıştı. "Leif!" dedi. "Sana bunu söylememe gerek bile olmamalı aslında. Bu adamları iki sebepten hayatta tutmak zorundayız. Çaresiz durumda birini öldürmek onursuz bir davranış olduğundan ve gece henüz devam ettiğinden. Hâlâ evin sınırları dışında dolaşan dokuz adam var. Hord mutlaka geri gelecektir ve eğer ateşkes yapmak istiyorsak elimizdeki esirlerden faydalanabiliriz. Bu gerçeği inkar edenin aklından şüphe ederim. Şimdi, bir kez daha söylüyorum Bolli..." Konuşurken şişman adama bakmak yerine gözlerini Leif'e dikmeyi sürdürdü. "Git ve mahkumları ambara kapat."

Herkes bir kez daha dönüp Leif'e baktı. Leif bir an için hareketsiz kaldı; fakat ardından hafifçe başını salladı. Kalabalık birden hareketlendi. Ama kimseden ses çıkmadı ve esirler sessizce ambara götürüldü.

"Pekala," dedi Halli. "Şimdi, evin çevresine dağılarak gözcülük yapmamız gerekiyor. Hord geri dönüp..."

"Artık bize emirler yağdırmaya son versen iyi edersin kardeşim," dedi Leif boğuk bir sesle. "Evet, planın gayet güzel işe yaradı. Bunu hiçbirimiz inkar etmiyoruz. Ayrıca söylediğin gibi esirleri hayatta tutmak da akıllıca bir karar olabilir. Fakat içinde bulunduğumuz durum artık tamamen değişti. Saldırıyı püskürtmeyi başardık ve Hakonssonların dokuz kişiyle yeniden hücuma geçmeleri oldukça düşük bir olasılık. Bu yüzden senin şu şiddet odaklı yeteneğine de ihtiyacımız kalmamış oluyor. Belki de artık yaşadığımız tüm bu trajedinin tek sorumlusunun sen olduğunu hatırlamanın zamanı gelmiştir, ne dersin?" Dönüp çevresindekilere baktı. Kalabalıktan yükselen sesler çoğunluğun bu fikirde olduğunu gösteriyordu.

Aud öfkeyle bağırdı. "Suçlamanız gereken kişi Hord Hakonsson, Halli değil! Aptallık etme, Leif..."

Halli elini usulca Aud'a uzattı. "Şimdi bu konuyu tartışmanın sırası değil," dedi. "Hord'a karşı tetikte..."

Fakat kalabalıktan yükselen sesler gittikçe yoğunlaşıyordu. "Görüyor musun?" diye haykırdı Leif. "Tüm bu insanlar haklı olduğumu biliyorlar. Sen baş belasının tekisin, Halli. Hayatın boyunca öyleydin. Senin yüzünden içimizden kaç kişi canından oldu? Kaç kişi yaralandı? Bu evin şerefine leke sürdün kardeşim ve eğer bugün annem üzüntüden aklını kaçırmış olmasaydı sana tüm bunları bizzat kendisi söylerdi."

Halli kesik kesik soludu. "Öyle mi, ağabey?"

"Evet, öyle. Şimdi susup işlerin kontrolünü bana bırakırsan iyi edersin."

"Halli..." Aud, Halli'nin koluna dokundu.

"Sorun değil." Halli omuz silkerek Aud'un dokunuşundan kurtuldu. Fakat bunu yaparken yeleği aralandı ve gümüş bir cismin ışıltısı Leif'in dikkatini çekti.

Leif'in gözleri yuvalarından fırlayacak gibi olmuştu. "Neydi o? Üzerinde taşıdığın o şey de nedir?"

Leif'in neden bahsettiğini anlamak için herkes Halli'ye döndü ve yeleğinin altında taşıdığı gümüş kemeri fark etti. Şaşkınlık ve dehşet dolu sesler ortalığı kapladı. Leif'le Halli arasında geçen tartışma süresince gruptakiler nereye yönelteceklerini bilemedikleri bir öfkeyle çalkalanıp durmuşlardı. Şimdi ise hedefleri belliydi.

Leif büyük bir hayretle, "Svein'in gümüş kemeri!" diyebildi.

"Kemeri almış!" dedi bir diğeri nefesi kesilircesine. "Hem de kendi malıymış gibi göğsüne takmış!"

Avlunun diğer ucundaki sis bulutunun içinde beliren bir silüet kalabalığa doğru koşmaya başladı.

"Evin uğurunu çalmış!" dedi bir kadın.

"Başımızın beladan kurtulmamasına şaşmamalı!"

Halli sakin bir sesle, "Evet, üzerimde taşıdığım Svein'in girdiği her savaşı kazanmasını sağlayan uğurlu kemeri. Bu kemeri takma hakkıma itirazı olan var mı? Konuşsana Leif! Peki ya sen, Runolf?" Bekledi.

Sisin içindeki silik şekil koşmaya devam ediyordu. Sesi bitkin ve nefes nefeseydi. "Halli!"

Kalabalıktan çıt çıkmıyordu. Halli gülümseyerek omuz silkti. "Pekala, bu durumda..."

"Halli!"

Aud, Halli'yi uyararak, "Şu gelene baksana!" dedi.

Sisi delip geçen silüet duvar boyunca yerleştirilmiş tahta mankenleri kaldırmakla görevlendirilen Sturla'ya aitti. Sturla, Batı Kapısı'nın olduğu taraftan geliyordu. Yüzünden dehşet okunuyordu. "Halli! Halli! Hord burada! Yanında okçularını getirmiş! Adamların oklarının ucunda ateş var! Seni istiyorlar, aksi halde evi yakacaklarmış! Bizleri de evle birlikte cayır cayır yakacaklarını söylüyorlar."

Herkes susuyordu. Birdenbire tüm gözler sis bulutuna doğru çevrilmişti. Duvarın gerisinde beliren turuncu-sarı nokta açık seçik görülebiliyordu. Bu nokta aniden büyük bir kavisle gökyüzüne doğru yükseldi, kendisinden bir parça daha küçük olan yıldızların arasından kaydı ve bir anlığına avına kilitlenen yırtıcı bir kuş gibi havada asılı kaldıktan sonra avludaki kalabalığa doğru alçalmaya başladı. Işık noktası gittikçe büyüyor, alazlanıyor ve ardında sarı bir iz bırakarak yaklaşıyordu. Konuşacak ya da harekete geçecek zaman yoktu.

Tiz bir ıslık sesinin ardından, yanan cisim Aud'la Halli'nin birkaç metre ilerisindeki taş zemine çarparak patladı. Turuncu alevler onlara doğru hareketlendi, kıyafetlerini dalgalandırıp saçlarını geriye doğru savurdu. Fakat Aud'la Halli yerlerinden kıpırdamadılar. Muhafızlardan oluşan grup çığlıklar içinde dağıldı. Leif kendini yere attı; o ve diğerleri düzensiz bir şekilde yuvarlanarak meydandan uzaklaşmaya başladılar.

Gökyüzünde başka ışık noktaları da belirmişti. Alevli oklar tiz sesler çıkararak karanlık göğü delip üzerlerine yağıyordu. Okların biri evin çatısına düştü; diğeriyse Grim'in atölyesine isabet etti. Ardından birkaç tok çarpma sesi duyuldu; çimle kaplı düzlük ateş almıştı. Oklardan bir diğeri bayrak direğinin yanındaki taşlara çarparak paramparça oldu. Evin içinden çığlıklar yükseliyordu; avlu birdenbire panik içinde koşuşturan insanlarla dolmuştu.

Halli dönüp Aud'a baktı. Bakışları birleşti. "Artık zamanı geldi," dedi Halli.

"Hayır. Halli..."

"Al bunu." Kılıcı Aud'un ellerine yerleştirerek kızın parmaklarını kabzanın etrafında sıkıca kapattı. "Bu kılıç gideceğim yerde ancak hızımı kesmeye yarar. Leif..." Ayağa kalkmaya uğraşan kardeşine dönmüştü. "Artık kontrol tamamen sende. Ateşi söndürmek için bir şeyler yapsan iyi olur."

Leif'in yüzü bembeyazdı; gözleri hayretle kırpışıyordu. "Sen..."

"Gidip evi kurtaracağım." Aud'a dönerek son bir kez gülümsedi. "Hoşça kal." Ardından koşmaya başladı. Aud'dan, orada bulunan herkesten hızla uzaklaşıyordu. Değirmende çalışan insanların, yaralı ve acı içindekilerin, kendisinden nefret eden etmeyen birçok kişinin yanından geçerek kulübelerin arasındaki yoldan aşağı doğru koştu. Yol üzerinde silahlar, miğferler ve cansız bedenler yatıyordu. Halli parçalanmış ağların ve kan göllerinin içinden, kayaların ve etrafa saçılmış molozun arasından geçti ve sonunda Trol duvarına vardı.

Aceleyle duvara tırmandı, kısa bir an duraksadıktan sonra aşağıya sıçradı ve gözden kayboldu. Sis bulutu kucağına atlayan kısa boylu, geniş omuzlu, çarpık bacaklı gölgeyi göz açıp kapayıncaya kadar yutuverdi.

27

KAYA SAVAŞI'NIN ARDINDAN eve getirilen Svein'in cansız bedeni için kendi topraklarının sınırında bir mezar hazırlandı. Svein sahip olduğu taş koltukların en iyisine yerleştirildi. Yüzü bozkırlara dönüktü ve eli hâlâ kanlar içindeki kılıcının kabzasındaydı. Çevresi hayattayken sevdiği şeylerle doluydu; ağzına kadar arpasuyuyla dolu bardağı, et ve ekmekle bezeli gümüş tabağı, mezarının yanı başında boğazlanarak ayaklarının dibine bırakılan en sevdiği atı ve av köpekleri. Bazıları karısının da mezarda kalmasından ve Svein'e nöbeti sırasında hizmet etmesinden yanaydı, fakat kadın bu fikre var gücüyle karşı çıktı ve mezara girmekten iki oy farkla kurtuldu. Svein'in koltuğunun etrafı Trollerle ve komşularla yapılan savaşlardan elde edilen çok sayıda gümüş ve altınla kaplandı. Fakat kahramanın gümüş kemeri Svein Evi'nin sakinlerine uğur getirmesi için belinden çıkarılarak eve götürüldü. Ardından mezar kapatıldı ve kahraman halkını Trollerden korumak üzere tepedeki nöbetine başladı.

Sonuçta her şey sandığından çok daha kolay olmuştu. Halli bu duruma sevindi. Yaşanan karmaşa yüzünden harekete geçme zamanının geldiğini anlayamamaktan ve gerektiği gibi davranamamaktan korkmuştu hep. Ya da daha kötüsü, harekete geçmesi gerektiğini anlayıp ödleklik edeceğinden ve geri çekileceğinden korkmuştu. Fakat Sturla koşa koşa meydana girdiğinde ve alevli oklar tepelerine yağmaya başladığında kafasında dolanıp duran tüm şüphe ve gerginlik bir anda yok olup gitmişti. Halli ne yapması gerektiğinden adı gibi emindi.

Bu denli kararlı olmasına kendi bile şaşıyordu doğrusu; fakat evden ayrılıp uzun ve ıslak çimenlerin arasına sıçradığında işlerin bu noktaya varacağını çoktan sezmiş olduğunu fark etti. Svein Evi'nin savunması zekice tasarlanmış ve başarıyla yürütülmüştü belki –sonuçta saldırganların yarısı esir alınmış ya da öldürülmüştü– fakat düşmanın teçhizat ve deneyim üstünlüğüyle Hord Hakonsson'un Halli'ye karşı hissettiği nefret galip gelmişti. Hakonssonlar daha en başından beri sadece Sveinssonları gafil avlamanın savaşı kazanmaya yetmeyeceğini hesaba katmışlardı.

Fakat Halli'nin bu işi kendi başına noktalamasını gerektiren çok daha önemli bir neden vardı. Bu neden Halli'nin geçmişine, çocukluğunun ilk yıllarına kadar uzanıyordu. Katla, Halli'nin karakterine ve hayattan beklentilerine yönelik uyarılarda bulunup durmuştu hep. Sonuçta Halli kış ortasında doğmuş olan ve bu yüzden başı beladan kurtulmayan bir çocuktu. Hayatına giren herkesi felakete sürüklemek kaderinde yazılıydı. Ayrıca Brodir'in de dediği gibi Svein'in soyundan gelen bir erkek olduğundan genç yaşta ölmesi de olasılık dahilindeydi. Bu tip öngörülerin yüzlercesini duymuş, fakat hiçbir şekilde korkmamıştı.

Bir zamanlar alınyazısına karşı gelmeye kalkışmış, hayatın adaletsizliğine lanetler yağdırmıştı. Fakat artık durum farklıydı. Çok fazla şey yaşamış, her seferinde davranışlarının sonucuna katlanmak zorunda kalmıştı. Brodir'in intikamını alarak büyük bir kan davasına yol açmıştı. Vadiden kaçmanın yolunu arayarak, kahramanın çizdiği sınırların ötesine geçerek, hatta belki de kahramanın kemerini takarak kimbilir ne sıkıntılar açmıştı Svein Evi'nin başına. Her ne denediyse başarısızlıkla ya da kötü sonuçlanmıştı. Doğumundan beri başının üstünde dolaşan felaket bulutu artık iyice alçalmıştı. Yine de Halli tüm yaşadıklarının tek sorumlusunun kendisi olduğunu düşünüyordu ve bu kabulleniş şimdi kendini özgür hissetmesine yardımcı oluyordu.

İşte şimdi tuzağa düşmüştü; bir yanda Hord'un beslediği kin diğer yanda Svein Evi'nin bariz düşmanlığı ve anlayışsızlığı, tepede ise onu ele geçirmek için bekleyen Troller. Benliğini çevreleyen kötülük o denli kusursuzdu ki Halli kendisini hiç olmadığı kadar güçlü hissetti. Kaybedecek hiçbir şeyi kalmamıştı.

Evini düşmandan korumak için terk etmek işin ilk ve en zor kısmıydı. Duvardan çimenliğe atladığı andan itibarense adımları hafiflemiş gibiydi.

Hord, Halli'nin evden çıkmasını istiyordu, öyle mi? Pekala, Halli kendisinden istenileni yapacak ve bu sayede evin daha fazla zarar görmesini engellemiş olacaktı. Fakat daha önce Aud'a bahsettiği planı en azından denemeden teslim olmaya niyeti yoktu. Aud haklıydı; planın başarı şansı oldukça düşüktü. Halli'nin bu işten sağ çıkması ise neredeyse imkansız gibiydi. Fakat Halli yine de denemeye kararlıydı. Hord'u mezarlığın ötesine geçmeye zorlamak delilikten başka bir şey değildi; fakat sonucun başarısız olacağını bile bile yola koyulmak kahramanca bir hareketti ve işin çekiciliğini artırıyordu. Halli, Svein'in son savaşını, kayanın tepesinde dizilmiş kahramanların Trolleri beklediği hikayeyi anımsadı. İşte şu an, bu hikayeyi her dinleyişinde hissettiklerini birebir yaşıyor gibiydi. Yüreğinde hissettiği ölümcül kayıtsızlıktan coşkuyla yaklaşan ölümün ayak seslerine kadar her şey tıpatıp aynıydı. Mademki birilerinin felaketine neden olması kaçınılmazdı; o zaman Hord Hakonsson'dan iyisini bulması mümkün değildi.

Beyaz sis çevresini sardı. Halli otları ve çimenleri hızla yararak Trol duvarı boyunca ilerledi. Ay yukarda bir yerlerde parlıyor olmalıydı; ancak ay ışığı yoğun sis tabakasına karışıp yok oluyordu. Halli çevresini görmekte oldukça zorlanıyordu. Çocukluğundan beri avcunun içi gibi bildiği topraklarda içgüdülerine dayanarak ilerliyordu. Kuzey Kapısı'na epeyce yaklaşmış olmalıydı. Okun yaydan fırlarken çıkardığı sesi, duvarın diğer tarafından yükselen çığlık ve bağırışları duyabiliyordu. Mümkün olduğunca eğilerek ve ses çıkarmamaya çalışarak adımlarını yavaşlattı. Yüzünü yola doğru çevirdi ve sağa sola bakındı.

Sarı-turuncu renkli silik bir leke, bilinmeyen uzaklıktaki titrek ve bulanık ışık dikkatini çekti. Biraz daha yaklaştıkça ışığın kaynağından, tıslayarak ve çatırdayarak yanan meydan ateşinden yükselen sesi de duydu.

Ateşin çevresi eğilip doğrulan karanlık gölgelerle doluydu. Uçları alevli oklar yaylardan fırlayıp havaya yükseliyordu.

Duvarın hemen dibindeki hendekte çömelmiş, sis perdesinin ve sazların gerisinde sessizce beklemekte olan Halli öfkeyle dudaklarını ısırdı. Çabucak ateşin çevresindeki adamları saydı; beş, belki de altı kişiydiler. Peki diğerleri neredeydi? En azından dokuz kişi muhafızların elinden kurtulmayı başarmış olmalıydı. Hepsinden önemlisi, Hord ve Ragnar...

Halli'nin biraz ilerisinde, meydan ateşiyle arasındaki havayı dolduran sis bulutu hafifçe aralandı.

Adam öylesine sinsice yaklaşmıştı ki Halli onun varlığını, Kuzey Kapısı'na giden yolun başına ne denli yaklaşmış olduğunu son ana kadar fark edememişti. Yolun başında çayır yüzeyinden hafifçe yükselen bir tümsek bulunmaktaydı. Birden gölgelerin arasında sisin puslu beyaz iplikleriyle sarmalanmış hatları bulanık iri ve siyah bir şekil hareket etti. İyice yere doğru sokulan Halli bu şeklin kime ait olduğunu hemen anlamıştı. Adamın geniş omuzlarıyla iriyarıiri yarı cüssesi, dağınık ve zayıf ay ışığında bile kendini belli ediyordu. Kemerinde kullanılmaya hazır bekleyen uzun bir kılıç asılıydı. Kollarıyla gövdesindeki zırh ışıkta parıldıyordu. Hord başında miğferi ve tüm azametiyle Halli'nin karşısında dikilmekteydi. Bacakları hafifçe aralıktı; elleriyse aman bilmez bir havayla kalçalarında duruyordu. Orada öylece durmuş sarsılmaz bir özgüvenle duvara doğru bakıyordu. Eski zamanlardaki kahramanlardan biri yeniden vücut bulmuş gibiydi.

Çamurlu hendekte çömelmiş bekleyen Halli'nin kalçaları çiğ yüzünden ıslanmıştı. Halli huzursuzca yeleğinin altında bekleyen kendi küçük silahlarına, kasap bıçağıyla Trol pençesine doğru uzandı. Üstünde ne bir zırh, ne bir miğfer ne de okla yay vardı. Korkusunu bastırmak için derin bir nefes aldı. Olması gerek buydu zaten; hızını kesecek bir şey taşıması zararına olurdu.

Elbette Svein'in kemeri hariç. Göğsünde asılı duran soğuk metali okşadı. Kemer o ana kadar oldukça işe yaramıştı doğrusu. Şimdi ona son bir kez daha ihtiyacı vardı.

Tümsekteki silüet hafifçe kımıldandı; Halli, Hord'un havlamaya benzer bir sesle adamlarına bir şey söylediğini duydu. Emri takiben ateş başındakiler ateşli ok fırlatmaya son verdiler.

Ardından Hord öyle yüksek bir sesle kükredi ki Halli boş bulunup saklandığı yerde geriye doğru sıçradı. "Svein Evi'nin insanları!" diye bağırdı Hord. "Beni duymadınız mı? Kapıyı açıp Halli Sveinsson'u dışarı yollayın, biz de ateşi keselim. Onu gönderin, biz de çekip gidelim ve bir daha sizi rahatsız etmeyelim. Aksi halde hepinizi evinizle birlikte cayır cayır yakacağız!"

Konuşması bitince sustu. Duman kokusu havada dönüp duruyordu; tepelerindeki sis tamamen siyaha boyanmış gibiydi. Duvarın gerisinden herhangi bir yanıt gelmedi.

Hord sinirli sinirli homurdandı ve adamlarına ateşe devam etmelerini işaret etti.

Halli sazların arasından doğruldu. Elleri soğukkanlı bir şekilde kemerin kenarında kıvrılmıştı. "Selam, Hord!"

Sesi boşlukta yankılanarak kayboldu. Ortalığı saran sessizlik az öncekinden farklıydı. Gece birden Halli'nin farkına varmış gibiydi. Halli tümsekteki silüetin gerginleştiğini gördü. Ateşin çevresindeki okçular yanan okları yaylarında oldukları yerde donakaldılar.

Halli kıkırdadı. "Niye bu kadar korktunuz ki? İşte geldim!"

Gece yeniden sessizliğe büründü. Halli, Hord'un dönüp çevresine bakındığını gördü. Sesin nereden geldiğini anlayamamış gibiydi. Hord'un sesi aynı anda hem coşkulu hem tereddütlüydü. "Halli Sveinsson? Sen misin?"

Halli kendine güvenen birinin havasıyla yanıt verdi, "Evet, benim."

"Neredesin?"

"Burada, oldukça yakınında. Hendeğin içinde."

Hord döndü ve Halli'ye doğru baktı. Karanlık silüeti sisin içinde dalgalanıyordu. Halli vahşice gülümsedi; kahramanlara yakışır bir edayla dikilmiş, ayaklarını iki yana açmış, kollarını göğsünde katlamıştı. Küstahlığın heykeliydi adeta.

Hord'un miğferi kuşkuyla sallandı. "Sazlıktan başka bir şey göremiyorum."

"Of, Svein aşkına!" Halli'nin gizlendiği yerdeki sazlık hem yoğundu, hem de aslına bakılırsa boyunu biraz geçiyordu. Halli yana doğru sıçradı. "Şimdi görebiliyor musun?"

Hord'un devasa kafası onaylarcasına sallandı. "Deliğe saklanmış sıçana benzer bir şey görüyorum." Miğferin altından yükselen gülüş, boşlukta yankılandı. "Demek seni gerçekten de kapı dışarı ettiler, öyle mi?"

"Pek sayılmaz." dedi Halli. "Kendi isteğimle geldim."

"Nedenini sorabilir miyim?"

"Yeterince açık değil mi? Talebini net bir şekilde ortaya koydun; ortaya çıktığım takdirde Svein Evi'ne yaptığın bu kötü niyetli saldırıya son vereceksin. Yanılıyor muyum?"

Hâlâ tümsekte dikilmekte olan Hord ağır ağır başını salladı. "Elbette. Şeref sözü verdim. Dediğim gibi olacak."

"Güzel. O halde adamlarına gerekli talimatları ver lütfen."

Hord ateşin çevresinde bekleyen gölgelere doğru dönerek, "Okları ve meydan ateşini söndürün! Geri çekiliyoruz," dedi. Ardından bakışlarını Halli'ye çevirerek, "Doğrusunu söylemek gerekirse, Halli Sveinsson, beni şaşırttın," diye sürdürdü konuşmasını. "Kendi arzunla gelmeni hiç beklemiyordum. Seni tombul küçük bir paket gibi apar topar ve çaresizlik içinde kapının önüne koyarlar ya da her şeyi göze alıp içerde tutmaya devam ederler diye düşünmüştüm. Eğer içerde kalmayı sürdürmüş olsaydın evine çok daha fazla zarar verecektik; fakat sonuçta ok stoğumuz tükeneceğinden hayatta kalmayı başaracaktın. Bu davranışına anlam veremiyorum açıkçası..."

Hord'un kendisiyle konuşurken, bir yandan da ateşe daha yakın duran eliyle bazı küçük hareketler yaptığı, parmaklarını kıvırıp oynatarak adamlarına birtakım işaretler verdiği Halli'nin dikkatinden kaçmadı.

Halli gözlerini çevresini saran sisten ayırmaksızın sakince, "Benim yerimde olsan sen de aynı şeyi yapardın," dedi. "Evimin insanları acı içindeyken, içerde kalmayı sürdürmem onursuzca bir davranış olurdu. Senin derdin benimle, onlarla değil. İlk saldırını püskürtmek için benim yanımda savaştılar; fakat amaçları yalnızca evi korumaktı. Aramızdaki anlaşmazlığın geri kalan kısmını burada erkek erkeğe görüşmeliyiz."

"Aynı fikirdeyim," dedi Hord. "Yaklaş. Sorunu kısa sürede çözebiliriz."

Halli, "Şimdilik hendekte kalmaya devam edeceğim, ama teklif için teşekkürler," diyerek gözlerini kıstı ve sisi taramayı sürdürdü. Hava durmaksızın hareket eden, garip ve hayali biçimler alan beyaz şeritlerle dolu gibiydi. Belirsizlik dolu beyazlık gözlerini acıtıyordu artık. Fakat gözleri birden ölmekte olan meydan ateşinden sinsice uzaklaşan ve onu arkadan kuşatmayı hedefleyen gölgelere takıldı.

Hord içtenlikle konuşmaya devam etti. "Önceki saldırıda kullandığın taktikler için seni tebrik etmeliyim. O numaraları akıl edenin aptal ağabeyin değil, sen olduğundan eminim. Uyguladığın strateji evi gafil avlamak üzerine kurulu ilk planımı mahvetti ve on bir adamıma mal oldu. Geri kalanlardan üç tanesi ise yaralı ve ilerdeki ağacın altında yatıyor."

"Esirlerin hepsi hâlâ hayatta," dedi Halli. "Eğer istersen pazarlığa oturabiliriz. Bu düşmanlıktan vazgeç, ben de elimdeki savaşçıları sana teslim edeceğime şerefim üzerine söz vereyim." Sisin içinde ilerlemekte olan adamların da söylediklerini duyabilmeleri için sesini yüksek tutmaya gayret etti.

Hord'un yanıtı tereddütten uzak ve oldukça netti. "Adamlarım bana sorgusuz sualsiz bağlıdırlar, tıpkı Hakon'un adamlarının Hakon'a bağlı olduğu gibi. Kaderleri her ne olursa olsun, şikâyet etmeden kabullenmeyi bilirler. Onları kurtarmak için intikamımdan vazgeçmek hepimizin şerefine leke sürmek demektir."

Halli çakılların takırtısını ve çimenlere sürtünen kumaşın hışırtısını duydu. Tüyleri diken diken oldu; fakat yerinden kıpırdamadı. Henüz harekete geçmek için erkendi; kovalamaca başladığında adamların mümkün olduğunca yakınında olmasını istiyordu.

"Bu durumda barış yanlısı bir tavır takınmaya da gerek yok, değil mi?" dedi. "İşler iyice çığırından çıkmadan bu düşmanlığa bir son vermeyi teklif etmemin de bir anlamı yok o halde? Şimdiden bir sürü adam öldü. Peki, ne uğruna? Onların ölümlerinin kime ne faydası oldu? Eski düşmanlıkları bir kenara bırakalım. Neden evlerimiz arasında barış ve uyum yaratmak için çalışmayalım ki? Böyle bir davranış adam öldürmekten çok daha onurlu olmaz mı?"

Tümsekteki devasa silüet ürkütücü bir azametle Halli'ye doğru birkaç adım attı. Zırhlı eli kılıcının kabzasını kavramıştı. Miğferin altındaki karanlık delikten bir homurtu yükseldi. "Ah, Halli! Amma da cüretkârsın! Kardeşimi öldüren, evimi ateşe veren sen kalkmış barıştan bahsediyorsun! Kafanı koparıp bir direğe oturtacak, sonra da Svein Evi'nin kapısına dikeceğim!"

"Pekala. O halde üzgün olduğumu söylememin de bir anlamı yok sanırım."

"Hayır, hiçbir anlamı yok."

"Haklı olduğum halde seni bu düşmanlığın anlamsızlığına ikna etme şansım yok, öyle mi?" Adamların botlarının yanı başındaki hendek duvarından kaydığını duydu. Metal aksamdan yükselen ses oldukça yakından geliyordu. Tüm kasları gerilen Halli harekete hazır bir şekilde durup bekledi.

Hord'un hırıltısı güçlükle anlaşılıyordu. "Halli, haklıdan ya da haksızdan bahsetmenin zamanı çoktan geçti."

"Pekala," dedi Halli. "O halde senin, suratı pancara, kıçı armuda benzeyen hödüğün teki olduğunu, alçaklıktan fırsat buldukça gidip bir şeyler tıkındığını, kadınlarını dağın tepesinde yaşayan sığırlardan ayıran tek şeyin bulundukları rakımla kalça genişlikleri olduğunu söylememde hiçbir sakınca yok." Daha konuşurken arkasını dönmeye başlamıştı. "Sahi, ayrıca çenesinde biçilmeyi bekleyen şekilsiz sakalıyla kendi adamlarını öldüren, kardeşi onursuzca can vermiş olan ve geberip gidişiyle buyruğunda yaşayanları sevindirecek katilin teki..."

Birden Halli'nin sağ tarafındaki sis bulutunun içinden miğferli ve zırhlı bir savaşçı fırladı. Görüntüsü Halli'yi afallatacak kadar netti. Ragnar'ın soluk yüzü bir an için aydınlandı; dişleri kötücül bir gülüşle parlıyordu. Kılıcı Halli'nin başını hedefleyerek savruldu, fakat Halli eğilerek darbeden son anda kurtulmayı başardı. Kılıç ıslık çalarak başının üzerinden geçerken düşmanı bir anlığına dengesini kaybetti. Halli bunu fırsat bilerek ayağının yan tarafıyla Ragnar'a haince bir tekme indirdi ve onu sazların içine yuvarladı.

Hâlâ tümseğin üzerinde durmakta olan Hord'un öfkeli kükreyişi geceyi titretti. Devasa, karanlık ve uğursuz cüssesiyle hendeğe atladı; ileri doğru uzanmış elinde ucu havaya kalkık şekilde bekleyen kılıcı duruyordu.

Halli çoktan dönmüş uzun sazların arasına saklanmaya çalışıyordu. Sol tarafında başka bir gölgenin hareketlendiğini gördü. Adamın elinde yayından fırlamaya hazır bir ok duruyordu. Okun ucu Halli'nin hareketlerini takip ediyordu.

Halli aniden eğildi. Ok başının gerisindeki duvara çarpıp parçalandı.

Halli sisi delip hendeğin tanıdık zemini boyunca geldiği yöne doğru koşmaya başladı. Peşindekiler oldukça yakınında oldukları halde hendekte ilerlemekte, beklenmedik dönüş ve kıvrımlara uyum sağlamakta zorlanıyorlardı. Çatırtılar, ayak sesleri ve aralanan otların hışırtısı dört bir yandan yükseliyor gibiydi. Oklardan birinin daha vızıldayarak yanından geçtiğini fark etti. Uzaklardan Hord'un öfke dolu inlemeleri duyuluyordu.

Meyve bahçesinin yakınlarına varınca hendekten çıktı. Evden ayrılırken duvarı geçtiği nokta biraz ilerisindeydi. Duvarlar arasından sarkan parçalanmış ağa baktı; yıkık duvar taşlarının arasında bir adamın yere serilmiş, tuhaf bir açıyla kıvrılıp katılaşmış bedeni duruyordu. Peşindekilerin soluğunu ensesinde hisseden Halli, birden sola saparak tezekten yapılma duvarın üzerinden geçti ve meyve bahçesine daldı. Ağaçların gövdeleri sisle örtülüydü; gümüş renkli ay ışığı dalların arasından sızıyordu. Halli bahçeyi mümkün olduğunca hızlı geçti. Bahçenin diğer ucunda duvarın boş araziye açıldığı yere vardı. Bu noktadan itibaren zemin yamaca kadar upuzun bir yol boyunca sürekli eğimli olacaktı. Halli durup arkasına baktı.

Sessizlik. Meyve bahçesi bomboştu. Göğsü şiddetle inip kalkan Halli okkalı bir küfür savurdu. Bu salaklar ne yaptıklarını sanıyorlardı ki? Adam gibi takip etmeyi bile beceremeyecek miydiler?

Ağaçlardan oluşan uzun sıraların gerisinde, sisin çevrelediği karanlık silüetler belirdi. Altı yedi kişiydiler. Ay ışığı miğferleriyle çıplak kılıçlarını aydınlatıyordu.

Halli'nin kalbi karanlık bir sevinç duygusuyla çarpmaya başladı. Harika! Demek iz sürmeye devam ediyorlardı!

Şimdi onları yamaca yönlendirmenin zamanı gelmişti.

Halli uçsuz bucaksız düzlük boyunca koştu. Evden, meyve bahçesinden, şekli az çok belirgin olan her şeyden gitgide uzaklaşmaktaydı. Arazi nadasa bırakılmıştı; çimle kaplı, çamurlu ve ıslaktı. Ağıldan çıkarılan koyunlar otlamaları için buraya getiriliyorlardı. Geceye özgü puslu hava yerin hemen üzerinde süzülüyor, oyuk ve çukurları dolduruyor, diğer kısımlarda ise silikleşerek neredeyse kayboluyordu. Halli elinden geldiğince hızlı koşuyordu. Yol üzerindeki bazı kısımlarda sis inceliyor, Halli gökyüzündeki gümüş yuvarlağı ve onun göz kamaştıran parlak ışığını görebiliyordu. Hemen ardındansa yeniden yoğun bir sis bulutuna dalıyor ve ayağının bastığı yeri bile görmekte zorlanıyordu. Zemin oldukça engebeliydi; Halli tümsekler ve ot kümeleri yüzünden çoğu defa tökezleyerek koşmayı sürdürdü.

Yeri döven ayak sesleriyle metal aksamdan yükselen ritmik gürültü hemen arkasındaydı. Halli'yi görmüş olmalıydılar ya da görmek üzereydiler. Onların görüş açısında kalması çok önemliydi. Yollarını kaybetmeleri kimsenin işine yaramazdı.

Halli'nin planı iki, hatta eğer hayatta kalmayı istiyorsa üç önemli noktaya dayanıyordu.

Mutlaka halletmesi gereken konulardan ilki peşindeki adamları yamaca doğru sürmekti. Bir taraftan kendisine oldukça yakın olmalarını sağlaması, diğer taraftan da ellerine geçmemeye dikkat etmesi gerekiyordu. Adamların hepsi de Halli'den daha güçlü ve daha hızlıydılar; fakat zırhlarıyla kılıçlarının ağırlığı onları biraz yavaşlatıyordu. Bacakları şimdiden ağrıyan Halli'nin tek umudu zirveye kadar ulaşabilmekti.

İkinci önemli konu ise planın ancak sisli havada işleyebilecek oluşuydu. Eğer sis yamaca varmadan incelecek ya da dağılacak olursa tüm plan suya düşebilirdi. Böyle bir durumda mezarlık, ay ışığında olanca çıplaklığıyla gözler önüne serilir, Halli'nin adamları sinsice mezarlığın ilerisine sürükleme hayali da hüsranla sonuçlanırdı. Ama eğer sis aynı yoğunlukla devam ederse... Eğer Halli adamları mezar taşlarının seyreldiği ve birbirinden oldukça uzaklaştığı bölgedeki kulübenin ötesine çekmeyi başarırsa...

Bu düşünce buz gibi bir dehşetin tüm vücuduna yayılmasına neden oldu. Halli gülümseyerek koşmayı sürdürdü. Oraya kadar tırmanmalarını sağlayabilirse Hord'la adamlarının kötü bir sürprizle karşılaşacakları neredeyse kesindi. Halli'nin ise yumuşak ve karanlık topraktan mümkün olduğunca yüksek bir korunak bulması gerekecekti; aksi halde düşmanlarının kaderini paylaşmaktan başka şansı kalmayacaktı.

Tüm gücüyle koşmaya devam ederken yolun keskin bir eğim kazandığını fark etti. Biraz ilerde, sis bulutunun içinde yüzen taş duvar sınırı belirliyordu. Duvarın arkasında ise tepedeki otlaklara giden yol uzanıyordu. Oraya ulaşınca, ilerlemek tarladakinden daha kolay olacaktı. Halli yoğun bir sis yumağının içinden geçerek açıklığa çıktı; birden ay ışığı üzerine döküldü. Sağ tarafında görmeyi sabırsızlıkla beklediği duvar yükseliyordu. Yönünü hafifçe değiştirerek bacaklarındaki son güçle duvara doğru koşmaya başladı.

Hemen gerisinde bir bağırış, yüksek perdeden bir buyruk duyuldu.

Halli içgüdüsel bir hareketle zikzak çizerek yana doğru kaçtı. Üç adım daha ilerledi.

Birden sert bir cismin kürek kemiğine indiğini hissetti. Başı dönen Halli dengesini kaybederek büyük bir şiddetle yere yuvarlandı. Bedeninde tuhaf, geçmek bilmeyen bir ağrı hissediyordu. Yeniden ayağa kalkmaya uğraşırken elini omzuna doğru uzattı ve vücuduna isabet eden şeyin bir ok olduğunu anladı. Öfkeyle homurdanarak oku kavradı ve acı içinde inleyerek omzundan çıkardı. Parmaklarının arası sıcacık kanla ıslanmıştı.

Yirmi metre kadar ilerisinde sisin içinden bir savaşçı fırladı. Ay ışığında gümüşten yapılmışçasına parlıyordu. Kılıcı dar beyaz bir lekeyi andırıyordu. Halli'yi görünce bağırarak adımlarını hızlandırdı.

Halli takılıp tökezleyerek duvara doğru koşmayı sürdürdü. Tek eliyle kemerindeki bıçağı çekmeye uğraşıyordu. Omzundaki ağrı alevlendi. Duvara ulaşamayacağını, peşindeki düşmanın onu az sonra ele geçireceğini anlamıştı. Aniden umutsuzluğa kapıldı. Dağın sırtına ulaşmasının mümkün olmadığını artık biliyordu.

Kurtuluşa giden yolu kapatan tarla duvarı, alçak ve karanlık bir silüet olarak tam karşısında uzanıyordu. Peşindeki adamın nefes alıp şverişi aniden şiddetlendi; o da yaklaşmakta olan sonun farkına varmıştı.

Halli biraz daha uzun boylu ya da biraz daha az yorgun olmuş olsaydı belki de duvarın üzerinden atlamayı başarıp biraz zaman kazanabilirdi. Fakat bunu denemeye bile kalkışmadı. Sırtını taşlara vererek kemerindeki kasap bıçağını çekti ve düşmanıyla yüzleşmek üzere hızla arkasına döndü.

Savaşçı, kılıcını yana doğru uzatıp var gücüyle koşarak Halli'nin üzerine atıldı.

Halli gözdağı verircesine bıçağını öne doğru kaldırdı.

Rakibinin soluk yüzüyle köşeli çenesi oldukça tanıdıktı.

Ragnar Hakonsson zafer dolu bir çığlık atarak kılıcını Halli'nin başına doğru savurdu.

Fakat beklenen darbe gerçekleşmedi. Metal yüzeylerin birbirine çarpmasından çıkan bir ses duyuldu. Çarpışma öylesine şiddetliydi ki havayı beyaz kıvılcımlar doldurdu. Halli yana doğru eğilmiş ölümcül kılıç darbesinin inmesini beklerken göz ucuyla başka bir kılıcın Ragnar'ınkine çarpıp kilitlendiğini gördü.

Ele geçirdiği fırsatı değerlendiren Halli, hızla öne doğru atılarak bıçağını Ragnar'ın koluna sapladı.

Ragnar'ın dudaklarından acı dolu bir inleme yükseldi. Ragnar geriye doğru sendelerken kılıcını düşürdü. Miğferinin karanlığında gözleri şaşkınlıkla açılmıştı. "Baba!"

Sisin içinden bağrışlar duyuldu.

"Kılıcı al," dedi bir ses kısaca.

Halli sesin geldiği tarafa doğru döndü. Kılıcı tutan kişiyi arayan bakışları duvarın üzerine çömelmiş bekleyen, saçları rüzgarda dalgalanan Aud'la karşılaştı.

"Hadi, çabuk ol," dedi Aud. "Daha önümüzde tırmanılmayı bekleyen bir tepe var."

28

KAHRAMANLARIN ÖLÜMÜYLE ve Trollerin vadiden kovul-
masıyla ortalık sakinleşti. İnsanlar eski düzene göre yaşa-
maktan yorulmuşlardı; herkes daha sakin ve barış içinde
bir hayat arzuluyordu. Kahramanlar tepedeki mezarlarına
gömülür gömülmez, dul eşleri durumu görüşmek üzere bir
araya geldiler. Bu, Yasa Yapıcılar Konseyi'nin ilk toplantı-
sıydı. Bugün hâlâ geçerliliğini koruyan kanunlar işte o top-
lantıda ortaya çıktı. Kan davası gütmek kesinlikle yasaklan-
dı; ticareti teşvik eden düzenlemeler getirildi ve senede bir
düzenlenen büyük toplantılar başladı.

On iki genç dul vadideki barışı daha da güçlendirmek
adına diğer evlerden on iki adamla evlendi. Bu adamlar ev-
lerin yeni hakimleri oldu. Svein'le diğer kahramanlar bu du-
ruma ne derlerdi, bilinmez. Fakat yeni sistem amacına ulaş-
tı. İki nesil sonra kan davaları ve düşmanlıklar tamamen
ortadan kalkmış, vadide kılıç kullanımı yasaklanmıştı.

Halli göz açıp kapayıncaya kadar yerdeki kılıcı aldı; duvarın üzeri-
ne tırmandı ve aşağıdaki çamurlu patikaya sert bir iniş yaptı. Çev-
relerindeki sis iyice yoğunlaşmıştı. Duvarın gerisindeki tarlada
Ragnar'ın tiz bir sesle küfrettiğini duydular. Aynı zamanda daha
kalın ve sinirli erkek sesleri de yükselmeye başladı. Aud'la Halli pa-
tikanın düzenli eğimini takip ederek tepeye tırmanmaya başladılar.
İlerleyişleri pek hızlı sayılmazdı; Halli az önce yaşadığı kovalamaca
yüzünden bitkin düşmüş ve nefes nefese kalmıştı. Aud ise ona ayak
uydurmaya çalışırken hafifçe sekiyordu.

"Burada ne arıyorsun?" diye sordu Halli güçlükle soluyarak.

"Hiç çeneni yorma."

"Hemen... hemen geri dönmelisin."

"Kes sesini."

"Böyle bir şeye kalkışman hiç doğru değil. Sana evde kalmanı söylemiştim."

"Sen burada tek başınayken kendi canımı kurtarmak için Leif'le ve diğer sersem yabanilerle evde kalmak mı? Almayayım, teşekkürler." Sesi oldukça incinmiş gibiydi. "Bu şekilde hayatta kalacağıma ölürüm daha iyi."

"Fakat Troller..."

"Bu riski göze almaya değer."

"Bacağın..."

"İdare eder."

Halli öfkeyle dudağını ısırdı. Hayatta kalıp kalmamaya fazla aldırdığı yoktu; fakat aynı pervasız yaklaşımı Aud için göstermesi imkansızdı. Yol boyunca defalarca durup Aud'u kararından vazgeçirmeye kalkıştı; fakat duvar dibindeki taşların yuvarlanışı, zırhların gürültüsü ve patikadan yükselen ayak sesleri giderek güçleniyor gibiydi. Tek söyleyebildiği "Lütfen, Aud! Ben bu işi halletmek zorundayım, ama senin hiçbir mecburiyetin yok" oldu. Bekledi. Aud hiçbir şey söylemedi. "Anlamıyor musun?" dedi Halli. Bu kez sesi hafifçe titrer gibiydi. "Bunu tek başıma yapmam gerek. Bu benim kaderim."

Karanlıkta alaycı bir kahkaha yankılandı.

"Troller geldiğinde senin yanımda olmanı istemiyorum."

"Pek de cesursun."

"Senin benimle birlikte ölmeni istemiyorum."

Kızın parmakları Halli'nin kolunu haşince sıktı. Sesi öfkeli bir tıslamayı andırıyordu. "O halde her ikimizin de hayatta kalmasını sağlamaya baksan iyi edersin, öyle değil mi?"

Bulanık pusun içinde ilerleyerek tırmanmayı sürdürdüler. Sisi aydınlatan ışık birdenbire kesilmiş, ay bulutların arkasına girerek kaybolmuştu. Patikanın kenarına geçtiler ve elleriyle duvarı yoklayarak ilerlemeye devam ettiler. Havadaki soğuk nem tenlerine yapışıyordu sanki.

"Beni bulmayı nasıl becerdin?" diye sordu Halli soluk soluğa.

"Patikaya doğru ilerleyeceğini biliyordum; sonuçta gitmek istediğin yere en hızlı bu yoldan ulaşabileceğin ortada. Senin de oralarda olacağını düşünerek gizlice Güney Kapısı'ndan çıktım. Başlangıçta sana göre oldukça kuzeydeydim, fakat sonra nefes nefese sesinle bayat şakaların geldi kulağıma. Ben de buraya doğru koştum ve belli ki tam da zamanında yetiştim. Hey... şunu duydun mu?"

Biraz aşağılarından yükselen kurt ulumasına benzer bir ses gecenin karanlığında yankılanıyordu, "Halli! Ellerinde oğlumun kanı var! Sonsuza kadar peşinde olacağım!"

"Sonsuza kadar sürmeyeceği kesin," diye kendi kendine fısıldadı Halli. "Ama bir süre daha peşimden gelmene bir itirazım yok doğrusu."

"Ragnar'la evlenmeye zorlandığımı düşünüyorum da," diye homurdandı Aud. "Kılıcı kullanışı bir kadınınkinden farksızdı. Sence onu öldürmüş olabilir misin?"

"Sadece biraz canını acıttım, hepsi bu."

Kanayan sol kolu güçsüz ve uyuşuk olan Ragnar Hakonsson yanındaki üç savaşçıyla birlikte babasının peşinden patikada ilerliyordu. Ay gözden kaybolmuştu; havayı saran karanlık keskin ve mutlaktı. Liderlerinin öfkesiyle yönlerini bulan kör adamlar gibi yola devam ettiler. Karanlıktan korkan Ragnar elindeki uzun bıçağı ileri doğru uzatmıştı. Diğerleri yeri kılıçlarıyla yoklayarak yürüyorlardı. Arada bir Hord'un kükreyen sesiyle verdiği komutlara uyarak oldukları yerde kalıp çevreye kulak kabartıyor, her seferinde biraz ileride yola devam eden düşmanlarının ayak seslerini duyuyorlardı.

Ragnar'ın yanındaki adamlar bir yandan yürürken bir yandan da söylenip duruyorlardı. Bir tanesi, "Nereye gittiklerinin farkında değiller mi? Biraz daha ilerlerlerse mezarlığa varacaklar," dedi.

"O halde birazdan onları yakalamış olacağız, öyle değil mi?" dedi Ragnar öfkeyle.

Yaralı kolundan yere ufak kan damlaları düşüyor, toprakta Ragnar'ın peşi sıra uzanan bir iz bırakıyordu.

Durmaksızın ileriye ve yukarıya doğru yol alıyorlardı. Halli'ye tırmanışın sonu yokmuş gibi geliyordu; sanki tırmanırken doğmuştu, tırmanırken ölecekti. Varlığı garip ve anlamsız duyumsamalara indirgenmiş gibiydi; gözlerini dolduran karanlık, taşların botlarının altındaki tekdüze tıkırtısı, patikanın gerisinden yükselen ayak sesleri... Yanı başındaki Aud'un nefes alıp verişini duyuyor, omzundaki sızlamayı hissediyordu. Taşıdığı kılıç sağlam kolunu yoruyor, kolundaki zorlanma yüzünden midesi bulanıyordu.

Yüreğindeki korku her adımda biraz daha büyüyor gibiydi. Başlangıçta tırmanışın zorlu koşulları yüzünden kendini pek belli etmeyen bu duygu yavaş yavaş şekil alıp güçleniyor, kurşun gibi ağır uzuvlarını yalayarak gırtlağının gerisine yapışıp kalıyordu. Ensesindeki yara alev almışçasına kaşınıyordu; boş bakan gözleri karanlığa dikilmişti. Mezarlık orada bir yerdeydi. Mezarlığın ilerisindeki topraktaysa dehşetin ta kendisi bekliyordu. Tüm duyuları tetikte bekleyen Halli sessiz karanlığa kulak kabarttı. Svein de o büyük gecede kayanın tepesinde beklerken, saldırıya uğrayacağını bildiği halde hiçbir şey duyamadığında böyle hissetmiş olmalıydı.

Biraz gerilerinde Hord'un bağıra çağıra tehditler yağdırdığını duydu. Fakat karşılaşmak üzere oldukları tehlikenin yanında Hord'un söyledikleri kuru gürültüden ibaret kalıyordu.

Halli ilerideki boşluğa kulak abarttı.

Aud'la ikisi tırmanmaya devam ettiler.

Hord Hakonsson'un nefes nefese kalmış gibi bir hali yoktu. Tırmanış onu yormaktan çok kızdırmışa benziyordu. Adamlarından biri yanı başında ilerliyordu. Diğerleri ve sersem oğlu geriden geliyorlardı. Adamlarının bu denli zayıf olması Hord'un canını sıkan diğer bir konuydu. Görünmeyen duvar boyunca mümkün olduğunca hızlı bir şekilde ilerlemeye çalışıyor, sık sık durup karanlıkta yükselen sesleri duymaya çalışıyordu.

Ne zaman durup kulak kabartsa Halli'nin patikanın biraz ilerisinden gelen ayak seslerini duyuyor, kılıç taşıyan kolundaki zırhı ovalayarak demircinin çekiciyle vurduğu yeri rahatlatmaya çalışıyordu. Yara ağrıyordu; fakat nasıl olsa geçerdi. Tıpkı ağlar arasında çarpışırken almış olduğu diğer yaralar gibi. Hord vücudundaki yara bereleri ciddiye almıyordu. Yüce Hakon da sık sık yaralanmış; fakat buna rağmen savaşmaya devam etmişti. Bedeninde her renkten çürük ve yara olduğu halde düşmanlarını günlerce kovaladığı biliniyordu. Hord, içinde bulunduğu kovalamacanın o kadar uzun sürmeyeceğini düşünüyordu; fakat sonuç ne olursa olsun her zamanki gibi Hakon'un izinden gidecekti.

Halli yaralı ve bitkindi. Ne işbirlikçisi ne de kendisi sonsuza kadar koşabilecek durumdaydılar. Eninde sonunda sınıra ulaşıp geri dönmek zorunda kalacaklardı. Ve işte o zaman Hord –dudakları heyecanla aralandı– bu meseleye bir son verecekti.

Ay büyük bir bulut kümesinin ardından çıkarak kısa bir anlığına ortalığı aydınlatmış, ardından bir kez daha gözden kaybolmuştu. Gri-beyaz pus birkaç saniye için renklenmiş, sonra yeniden solarak karanlığa gömülmüştü.

Halli yumuşak bir sesle, "Sanıyorum kulübeyi gördüm. Sağ tarafta," dedi.

"Ne yani? Bu kadar çabuk mu?"

"Patikanın sonuna geldiğimizi hissetmiyor musun? Artık çimenlik alandayız. Tepedeki otlaklara vardık."

"O halde mezarlık tam karşımızda olmalı."

Halli, Aud'un elini tuttu. "Bizim istediğimiz de bu değil miydi? Gel hadi."

Ragnar ve diğerleri düşe kalka ilerlerken neredeyse Hord'la çarpışıyorlardı. Hord Hakonsson kıpırdamadan durmuş karanlığa bakıyordu. Ragnar, "Ne yapıyorsun? Yüreğimi ağzıma getirdin," dedi aksi aksi.

"Sessiz ol. Bir şeyler duymaya çalışıyorum."

"Çimenlerin olduğu kısma varmış olmalılar," dedi savaşçılardan biri.

Ragnar, "O ikisini asla bulamayacağız," diyerek derin bir nefes aldı.

"Sessiz ol."

Yükseklerden esen rüzgar, pusun içinde dikilen altı adamı yalayarak yoluna devam etti.

Birdenbire uzaklardan yükselen bir inleme, umutsuzca atılan acı dolu bir çığlık duyuldu.

Altı adam dikkatle dinlediler.

Rüzgar ağıta benzer bir yakarışı kulaklarına taşıdı: "Ah! Ah! Bacağım..."

"Bu Halli'nin sesi," dedi Ragnar.

Hord'un sesi şen şakrak çıkıyordu. "Belki de yaralanmıştır. Hadi!"

Artık bozkırda ilerlediklerini anlamak için gözlerine ihtiyaçları yoktu. Zemin keskin bir eğim kazanmış, sınıra yaklaşırken yeniden düzleşmişti. Her ikisi de mezar taşlarından birine toslamadıklarına seviniyorlardı.

"Ya Hord farkına varırsa?" diye fısıldadı Aud. "Ya ay yeniden belirecek olursa?"

"Yine de puslu hava yüzünden görüş mesafesi epeyce düşük olacaktır. Durup düşünmeye kalkışmadıkça peşimizden gelmeye devam edeceklerinden eminim. Yeniden bağırmalı mıyım sence?"

"Henüz değil. Önce biraz daha ilerleyip yüksek bir kaya bulalım."

"Haklısın." Halli biraz duraksayarak konuştu, "Aud."

"Efendim?"

"Tetikte ol."

"Dikkatli ol baba," dedi Ragnar. "Taşlardan oluşan bir tümsek var burada; eski bir duvar falan olmalı."

"Zemin yukarı doğru eğim kazandı." dedi savaşçılardan biri.

"Hord, zirveye oldukça yaklaşmış olmalıyız," diye hatırlattı bir diğeri.

"Ne olmuş yaklaştıysak?" Hord'un sesi gene uzaktan geliyordu. Çıkardığı seslerden yola devam ettiği anlaşılıyordu.

"Ama mezarlar..."

"Önce sınırı geçmeyeceğimizden..."

"İşte! Sesini duyabiliyorum!" Hord'un çılgın fısıltısı konuşmaları bıçak gibi kesti. Adamların hepsi sustu. Düşmanın acıklı inlemesi tıpkı az önceki gibi karanlığı delip kulaklarına ulaşıyordu.

Hord yüksek sesle güldü. "Aptal çocuk kendi kendini sakatlamayı başardı. İşte bu harika; artık fazla uzakta sayılmayız. Hadi, son bir kez davranın dostlarım, az sonra onu yakalamış olacağız."

Hepsi de az çok şüphe ve tereddüt içinde olan altı adam, karanlık sisin içinde yeniden yola koyuldular. Mezar taşlarından birinin az ilerisinden sırayla geçtiklerinin farkında bile değillerdi.

"Hemen arkamızdalar ve arayı gitgide kapatıyorlar." dedi Halli.

"Şu kahrolası kaya da nerede kaldı?" diye söylendi Aud.

"Buralarda bir yerde olmalı..."

"Şu ay bulutların arkasından çıkıverseydi... O zaman sise rağmen kayayı bulabilirdik."

"Yakınlarda bir yerde, ama..." Birden sustu.

"Halli..." diye fısıldadı Aud.

"Biliyorum."

"Sanırım, sanırım bir şey duydum..."

"Şu an hiçbir şey düşünmemeye çalış." Sesi tiz ve gergin çıkıyordu. "Şu an birtakım şeyler üzerine kafa yormak her şeyi berbat edebilir. Durmamalıyız. Koşmaya devam et!"

"Hepiniz olduğunuz yerde kalın!" diye tısladı Hord. "Dinleyin!"

Ragnar ve diğerleri durup kulak kabarttılar. Adamlardan biri, "Sürtünmeye benzer sesler duyuyorum," dedi.

"Tırmalama da olabilir."

"Sanki biri bir kayaya tırmanıyormuş gibi."

"Ya da toprağı kazıyormuş gibi."

"Evet, ama ne tarafta?" diye homurdandı Hord. "Bütün mesele bu. Sesin geldiği yönü saptayamıyorum. Sizce soldan mı geliyor?"

"Evet..."

"Hayır, Bence sağdan. İşte, bakın!"

Taşın taşa sürtünmesinden çıkan bir ses duyuldu.

"Aynı sesin sol taraftan da geldiğine yemin edebilirim," diye mırıldandı adamlardan biri. "Peki nasıl..."

"Sonuçta iki kişiler, öyle değil mi?" diye söylendi Ragnar. "Demek ki birbirlerinden ayrıldılar."

Daha Ragnar konuşurken karanlık canlanmaya başladı. Gümüş kenarlı siyah bulutlar birden kenara çekilerek ayın soğuk ışığını çırılçıplak bıraktılar. Altı gri gölgenin titreşen pusun ortasında dikildiği görüldü. Sonra adamlar teker teker kılıçlarına uzandılar.

"Ragnar!" dedi Hord. "Bork ve Olvir'i de yanına alarak şu tarafa doğru ilerle. Diğerleriniz, benimle gelin! Ortalık henüz aydınlıkken acele etmeye bakın. Karşınıza kim çıkarsa öldürüp kellesini bana getirin."

Halli ve Aud el ele yürümeyi sürdürdüler. Bembeyaz sis etraflarında dalgalanıyor, toprağın yer değiştirişini anımsatan tekinsiz sesleri kulaklarına taşıyordu.

Aud geriye dönüp baktığında bir an için yerde sürünen bir şeklin kendilerini takip ettiğini görür gibi oldu. Fakat sonra sis yoğunlaştı ve garip şekil gözden kayboldu.

Hord, alev alev yanan gözlerle sisin içinde hızla ileri doğru atıldı. Tırmalama sesi gitgide güçleniyordu. Sanki ses birden fazla yönden geliyor gibiydi.

Halli, Aud'un elini sıktı. Hemen karşılarında yükselen devasa ve karanlık şekil ay ışığını yutuyordu. Konuşmaksızın adımlarını hızlandırdılar ve bir an önce kayaya ulaşmak için koşmaya başladılar.

Ragnar ve ekibinin peşine düştükleri taş tıkırtısına benzer ses, onlar yaklaşırken kesildi. Ragnar adamlarına sessiz olmalarını işaret etti; fakat kolunu hareket ettirince yarasından taze kan sızıp toprağa damlamaya başladı.

Köşeli siyah kayanın yüzeyi zeminden oldukça ayrıksı duruyor sanki sisin içinde bilinmezliğe doğru yükselip gözden kayboluyordu. Kayanın yan yüzeyi ise oldukça dik bir eğime sahipti. Başlarını kaldırıp yukarı baktıklarında güç bela tutunabilecekleri bir çıkıntıya rastladılar.

Halli, Aud'a tırmanmaya başlamasını işaret etti.

Hord durdu; adamları da yürümeyi kestiler.

"Birini gördüm," diye fısıldadı. "Şu tarafa doğru gitti."

"Halli mi?"

"Hayır." Gördüğü siluet Halli'ninki olamayacak kadar uzun ve zayıftı. "Arkadaşı."

Ölümlerden ilkinin sırası gelmişti. Hord kılıcını kavrayarak dişlerini gösterdi. Ay ışığı, zırhının ince zincirleriyle miğferinden yansıyordu.

Hord sis bulutunun içine doğru atıldı. Adamları peşindeydiler.

İçlerinden hiçbiri dört bir yandan yaklaşan karanlık, sabırsız, aceleci şekillerin kendilerini izlediğini fark etmedi.

Aud kılıcını kemerine soktu; koşarak sıçradı ve yüksekteki kaya çıkıntısını iki eliyle birden kavradı. Ayakları boşlukta sallanıp duruyordu.

Ragnar hafifçe gülümsedi. Hedefini bulmuştu.

Sisin içinde güçlükle belli olan ince uzun bir gölge meraklı bakışlardan saklanmaya çalışırcasına yere çökmüştü.

Ragnar'ın adamları taze kazılmış toprak kümeleri arasından dikkatle ilerleyerek gölgenin bulunduğu tarafa yöneldiler. Ragnar ise yakınlarda bir yerden yükselen acımsı ve buruk koku karşısında yüzünü buruşturarak olduğu yerde kaldı.

Sonunda iki büklüm yere çömelmiş, karanlık şeklin çevresini kuşatmışlardı. Bıçağını havaya kaldıran Ragnar parmağını şıklatarak bağırdı.

Adamların üçü birden ortalarındaki şeklin üstüne atıldılar.

Çığlıklar başladığında Aud, ayağını kayadaki çatlaklardan birine yerleştirip kendini yukarı çekmeye çalışıyordu. Yaşadığı şaşkınlık yüzünden eli tutunduğu yerden kaydı ve Aud bir an için düşeceğini sandı.

Halli hızla dönerek sisin derinliklerine doğru baktı. Hiçbir şey göremiyor; fakat çok şey duyuyordu; bağırışlar, çığlıklar (başlangıçta yüksek olan bu sesler bir süre sonra kesilmişti), farklı şiddette darbeler (bazıları metalik, bazılarıysa ağır ve tok), metal zırhların parçalanmasından çıkan kulak tırmalayıcı gıcırtı, dişlerin takırdaması, toprakta bir şeyin sürüklendiğini düşündüren tuhaf sesler, yırtılan kumaşların hışırtısı, Halli'ye bir önceki geceden tanıdık gelen çeşitli çatırtılar, ayak sürüme sesleri...

Halli sırtını soğuk ve nemli kayaya yasladı.

"Halli..." Duyduğu ses onu içinde boğulmakta olduğu dehşetten çekip çıkarmıştı. Başını kaldırıp yukarı doğru baktığında Aud'un gözden kaybolduğunu fark etti.

"Çabuk ol!" dedi kız. "Tırmanmaya başla!"

Halli ağır ağır kayadan uzaklaştı. Büyük bir güçlükle karanlık sise ve karmaşık ses yumağına arkasını döndü. Tıpkı Aud'un yapmış olduğu gibi kılıcını kemerine soktu, hız kazanmak için birkaç adım geriledi ve koşarak sıçradı. Fakat kaya çıkıntısına ulaşamadı.

Halli kuruyan dudaklarını yalayarak ıslattı. Omuzları titriyordu. Gittikçe büyüyen panik duygusunu bastırmaya çalışarak kayanın yüzeyinde başka çatlak ya da çıkıntılar olup olmadığına baktı. Fakat yüzey dümdüzdü. Halli içinden lanet okudu.

Tepeden bir fısıltı yükseldi. "Halli... Sorun nedir?"

Omzunun üzerinden geriye, havada kıvrılıp duran sise baktı ve "Çıkıntıya ulaşamıyorum," diye fısıldadı.

"Ne?"

Gırtlağından çıkan hırıltı fısıltıdan sadece bir nebze daha yüksekti. "Çıkıntıya ulaşamıyorum."

"Oh, Arne aşkına!"

"Sen tepeye ulaştın mı? Diğer tarafa geçsem mi? Tırmanışa en uygun taraf neresi?"

Sessizlik. Halli ağır adımlarla kayanın çevresinde dolaşmaya başladı. Sesler kesilmişti; artık çığlık atan kimse kalmamıştı.

Aud, "Diğer taraflar da oldukça zorlu görünüyor. Ama zirve sis bulutunun dışında kalıyor ve oldukça düz bir yüzeye sahip. Oraya varınca kendimizi savunabiliriz. Halli, yukarıya çıkmanın bir yolunu bulmalısın. Troller..."

"Bilmediğimi mi sanıyorsun? Kayanın çevresini dolaşıp tırmanmaya uygun başka bir hat var mı diye bakacağım."

Kayaya mümkün olduğunca yakın kalmaya çalışarak yürümeye başladı. Fakat dört adım sonra Aud'un biraz daha yükselen sesiyle olduğu yerde kaldı. "Kayanın diğer tarafına geçme."

"Nedenmiş?"

"Sisin içinde hareket ettiklerini görebiliyorum, Halli... Diğer taraftan yaklaşıyorlar."

"Svein aşkına, kaç tane?"

"Emin değilim... Çok bulanık. Ay ışığı fazlasıyla parlak ve yaratıklar oldukça ağır hareket ediyorlar. Sanki iki büklüm olmuş gibiler."

Halli birkaç adım geri çekildi; elinden geldiğince hızlı koşarak sıçradı ve bir kez daha çıkıntıya erişmeye çalıştı. Ancak hedefi yine ıskaladı ve bu kez kayaya çarparak koca bir külçe gibi yere yığıldı. Omzu acıyla kavruluyordu; yaradan akan kan yere damladı.

"Halli?"

"Yine ne var?"

"Tam arkandan geliyorlar. Arne aşkına! Zıplamayı denesene! Sonuçta bacakların ne kadar kısa olabilir ki?"

Halli kızın sorusuna cevap vermedi; hoplayıp zıplamakla ve kendini kayanın siyah yüzeyine fırlatmakla fazlasıyla meşguldü. Parmaklarıyla umutsuzluk içinde kayayı tırmalıyordu. Dört bir yandan yaklaşan sürtünme seslerinin farkına vardı.

"Hadisene Halli..."

Halli zıplamayı kesti. Bir karara varmıştı. Arkasına dönerek Ragnar'dan aldığı kılıcı çekti. Silahı elinde tarttı; uzunluğunu ölçtü, evdeki çarpışmanın izleri olan çentik ve oyuklara göz attı. Parmaklarını bezle sarılı ağır metal kabzada gezdirdi. Kabza oldukça geniş ve sağlam görünüşlüydü.

Halli kılıcı hazırda bekletiyordu. Aud'un kayanın tepesinden bağırdığını duydu; fakat artık söylediklerini algılamıyordu. Kulaklarındaki şiddetli zonklama tuhaf bir şekilde sakinleşmesini sağlamıştı.

Sis bulutu dalgalandı ve seyreldi; Halli sisin içinde karanlık şekillerin hareket ettiğini, kendisine doğru yaklaşmakta olduğunu gördü. Hareket eden lekeler oldukça biçimsiz ve belli belirsizdi; insan boyuna yakın, fakat akıl almaz derecede inceydiler. Ayın zayıf ışığı bacaklarını neredeyse tamamen yutuyordu. Ona doğru uza-

414

nan kollar, rüzgarda kırılmış sazları anımsatıyordu.

Halli derin ve ölçülü bir nefes alarak kılıcını kaldırdı. Şekillerin ilerleyişi birden hızlandı.

Halli dönerek kılıcı yere doğru çevirdi ve ayaklarının dibindeki yumuşak toprağa saplayarak mümkün olduğunca derine itti. Bıçak kısmının yarısı gözden kaybolmuştu. Arkasından gelen aceleci seslere boş vererek geriye doğru adım aldı ve zıpladı.

Botuyla kılıcın kabzasına basarak güç alan Halli biraz daha yükseğe fırladı.

Yukarıya doğru uzanmış elleri kaya çıkıntısını buldu, dirseğini çıkıntıya yasladı. Bacaklarını sallayarak ve dirseğine yüklenerek vücut ağırlığını kayadaki çıkıntıya aktarmaya çalıştı.

Aniden bir şeyin botunun tabanına çarptığını hissetti.

Halli ayaklarını hızla yukarı çekti. Aşağıda tam anlamıyla bir karmaşa yaşanıyordu; çıtırtılar, sürtünme sesleri, dişlerin gıcırdaması, kayanın dik yüzeyine çarpan ya da yüzeyi tırmalayan birtakım şeylerin sesleri.

Halli duraksamadı; düşünmedi; ağrı içindeki omzunu bile önemsemedi. Elleriyle tutunarak, asılarak, sallanarak kayanın zirvesine doğru mümkün olduğunca hızlı tırmanmaya devam etti. Korkusu ona güç veriyor gibiydi. Havadaki pus gittikçe inceliyordu. Halli kısa bir süre sonra Aud'un biraz ilerde beklediğini gördü; kızın başı ay ışığında siyah bir gölgeden ibaretti.

Kayanın zirvesi, geniş ve eğimi durmadan değişen engebeli bir yüzeye sahipti; ancak büyük bir bölümünde ayağa kalkıp yürümek mümkündü. Üç adam boyu uzunluğunda ve neredeyse iki adam boyu genişliğindeydi. Yüzeyin bir bölümü oldukça kırılgandı; yürürken ayakaltında kalıp ezilen ufak taş kırıntılarının sesi duyuluyordu. Ama diğer kısımlar gayet sağlamdı. Zirve yüzeyi, dört bir yanda aniden sona erip yerini kayanın oldukça sarp duvarlarına bırakıyordu. Halli ve Aud çevreyi hızla kolaçan ettiler ve kayanın iki zayıf nokta dışında oldukça korunaklı bir yer olduğuna karar verdiler; kendi izledikleri rotanın varış noktasıyla, eğimin fazla dik olmadığı kısımlardan birindeki dar çıkıntı saldırıya açık noktalardı.

Devasa kaya sisin içinde yüzen bir adadan farksızdı. Kuzeyde Rurik Evi'nin bulunduğu sırtın tepesi görünüyordu; ancak sırtların arasındaki vadi gümüş bir sis denizinde kaybolmuştu sanki. Bu deniz Svein Evi'nden yükselen iki farklı duman dışında tamamen hareketsiz ve durgundu. Doğuda büyük bir dişi anımsatan Sivri Tepe tüm açıklığıyla gözler önüne serilmişti. Güneye doğru baktıklarındaysa, Aud'un tökezleyip düştüğü küçük tepeyi seçebiliyorlardı. Yakınlarda birkaç büyük kaya daha bulunuyordu. Uzaklarda ise ay ışığıyla aydınlanan dağlar pırıl pırıldı. Halli ve Aud gecenin ortasında yapayalnızdılar.

Yoğun sis ayaklarının birkaç metre aşağısında başlıyordu. Sisin yüzeyi durgundu, fakat yüzeyin hemen altında hareket eden, kayayı itmeye çalışan siyah şekilleri görmek mümkündü. Manzara kayanın diğer taraflarında da aynıydı. Hışırtı ve çatırtılar boğuk bir ses yumağı oluşturuyor; fakat buna rağmen açıkça duyuluyordu.

Aud'la Halli zirvenin kıyısında yan yana oturmuşlardı. Aud'un elinde kılıcı, Halli'deyse kasap bıçağı vardı.

Halli, "Düşünüyordum da..." dedi. "Diyelim ki gün doğana kadar onları uzak tutmayı başaramadık. Eğer buraya kadar çıkarlarsa ve onlardan kaçmanın bir yolunu bulamazsak... Sanırım..." Aud'a bakarak sözlerini sürdürdü, "Sanırım o zaman kılıcı kullanmamız yerinde olur."

"Evet."

"Savaşmak için değil. Demek istediğim..."

"Ne demek istediğini biliyorum," dedi Aud. "Ve cevabım evet."

"En azından ay var," dedi Halli uzun bir sessizlikten sonra.

"Tıpkı o gece Arne'yle Svein kendi kayalarında savaşırlarken olduğu gibi."

"Evet. Savaşırken biraz ışık hiç fena olmaz doğrusu."

"Trolleri görebildin mi?" diye sordu Aud aniden. "Orada, aşağıda. Onları görebildin mi? Neye benziyorlardı?"

Halli bıçağını ay ışığında parlayacak şekilde çevirdi ve boğazını temizleyerek yanıt verdi. "Pek sayılmaz. Sadece silüetlerini görebildim. Zayıftılar, gerçekten çok zayıftılar."

Yüzüne dökülen saçları geriye doğru çekerek, "Tıpkı hikayelerde anlatıldığı gibi," dedi Aud.

"Belki." Halli bıçağı çevirmeye devam etti. "Hikayelerde Trollerin kıyafetle dolaştığından da bahsediliyor muydu?"

"Kıyafetle mi?"

"Düzgün kıyafetlerle değil; sadece paçavra ve çaputlarla... Bilemiyorum, sadece kısa bir anlığına gördüm."

Kayanın zemininden taşa vuran pençeleri düşündüren tiz bir ses yükseldi.

"Sanırım tırmanmaya başladılar," dedi Aud.

"İşte buna sevindim," dedi Halli. "Sıkılmaya başlamıştım."

"Arne'nin cümlesi," dedi Aud.

"Hayır, Svein'in cümlesi."

Aud birden ayağa fırladı. Elleri titriyor, dişleri takırdıyordu. Fakat sesi oldukça sakindi. "Bizim tırmandığımız taraftan geliyorlar," dedi. "Peki başka nereden...?" Kayada büyükçe bir çıkıntının olduğu kısma ilerledi ve eğilerek kulak kabarttı. "Evet, bu taraftan da tırmanıyorlar. Ben burayla ilgilenirim. Kılıcı almak ister misin, Halli?"

"Hayır, sende kalsın."

"Nasıl kullanmam gerektiğini bilmiyorum..."

"Ben de. Hareket eden her şeyi şişlemeyi dene."

Ardından her ikisi de kendi paylarına düşen bölgeyi savunmak üzere harekete geçtiler. Ay tepede asılı hiddetli beyaz bir tabağa benziyordu; siyah gökyüzü gümüşi damarlarla kaplıydı. Halli yarı çömelmiş halde bekliyordu; bıçağı hazırda, gözü zirvenin bitimindeydi.

Svein'le diğer kahramanlar o gece kayanın tepesinde beklerken aynen böyle hissetmiş olmalıydılar. Troller görünmeden önceki o son birkaç dakikada bunun hiç de kötü bir ölüm olmadığını düşündüklerinden emindi Halli.

Sesler yükseliyordu; sis denizi kaynayıp çalkalanıyor gibiydi.

Halli her an saldırmaya hazır bir şekilde bekliyordu.

Arka tarafta Aud'un çığlık attığını duydu.

Hızla geriye dönüp baktığında kızın, kılıcını kayanın kenarında beliren karanlık bir kafaya doğru savurduğunu gördü. Kılıç yaratığın boğazını hızla kesti. Omuzlardan ayrılan kafa aşağı uçtu; Halli kafanın yere düşünce çıkardığı sesi duydu. Geride kayanın yüzeyine kenetlenmiş pençe biçiminde iki el kalmıştı. Öfkeden gözü dönmüşçesine inleyen Aud arka arkaya iki tekme savurarak pençeleri karanlığın derinliklerine yolladı. Bunu takiben oldukça büyük bir çarpma sesi duyuldu. Sisin içinden yükselen heyecanlı diş takırtıları ve pençe sesleri iyice arttı.

Halli derin bir nefes aldı. Her şey öylesine çabuk gelişmişti ki Trolün yüzünü iyice görmeye fırsat kalmamıştı. Evet, yaratık öne doğru eğilmişti ve ay ışığı yüzünü pek aydınlatmıyordu, ama yine de Halli'nin gördüğü kadarıyla...

Hayır. Hayır! Olamazdı.

Küçük bir ses. Halli'nin arkasından sinsi bir sürtünme sesi yükseldi.

Halli hızla kendi bölgesine doğru döndü ve birinin yanı başında dikilmekte olduğunu fark etti. Bu kişi sırıtarak yere çömelmiş bekliyordu; bakımsız, gür ve karmakarışık sakallarının arasından dişleri görünüyordu. Yüzü incelmiş, değişmişti; kafatasını incecik bir deri tabakası örtüyor gibiydi. Gözlerin olması gereken yerde derin ve siyah çukurlar vardı. Üzerindeki beyaz gömlek gevşekçe sarkıyordu. Göğsünde bıçağın açmış olduğu ince delik genişlemiş ve kararmıştı. Halli'ye adamın içi dışına çıkmış gibi geldi.

Brodir Amca pençeyi andıran nasırlı elini Halli'ye doğru uzattı. "Halli, yaklaşsana! Dur da sana bir sarılayım evlat!"

29

"BANA GELİNCE, MEZARIMI evin hemen arkasındaki yamacın tepesine yap ki hepinizi gözetip kollayabileyim. Benim hakimiyetimi tanıyıp kanunlarıma bağlı kalarak yaşayan herkes de ölünce tepeye gömülerek bana katılsın."

Halli çığlık atarak geri çekildi. Bacağını kaldırarak karşısındaki yaratığın karın boşluğuna şiddetli bir tekme savurdu. Yaratık geriye doğru sendeledi; gömülürken üzerine giydirilen beyaz gömlek ay ışığında bir çift kanat gibi dalgalandı; ardından kayanın tepesinden aşağı uçarak gözden kayboldu. Yaprakların hışırdamasını andıran sesin ardından bir şeyin gürültüyle yere çarptığı duyuldu. Sonra tüm sesler kesildi.

Halli de geriye doğru sendelerken tökezleyip yere düşmüştü. Gözleri yuvalarından uğramış gibiydi, ağzı ise bir karış açıktı. Nefes nefese kalmış bir köpek gibi soluduğunu fark etti. Acıyla doğrularak oturdu. Ardından kayanın kıyısına doğru emekledi ve başını uzatarak aşağı doğru baktı.

Kayanın dik duvarı sisin içine dalarak gözden kayboluyordu. Tırmanırken tutunduğu çıkıntı sis yüzeyinin hemen altındaydı. Çıkıntının aşağısındaysa itişip kakışan ev sahiplerinin karmaşık ve telaşlı hareketleri gözleniyordu. Tıkırtıların, pençe ve sürtünme seslerinin ortasında bir durup bir başlayan, bir alçalıp bir yükselen yutkunmaya ve tıslamaya benzer tuhaf sesler çalındı Halli'nin kulağına. Bu seslerin konuşmaya benzer bir tarafı yoktu; bir zamanlar dile getirilmiş sözlerin uzak bir yankısı, bambaşka bir zamandan gelen fısıltılar olabilirdi daha çok.

Birden, bir şeyin elleri ve dizleriyle kaya duvarına yapışarak, ilerlediğini gördü Halli. Bu şey örümcek gibi ani sıçrayışlarla yol alıyordu. Kafası sis bulutunun dışına çıkmıştı bile. Halli'nin gözleri, kıvırcık gri saçlara, uzun ve ince boyuna takıldı... Halli, gölgelerin içine sinmiş olan yaratığın kendisine doğru baktığını hissedebiliyordu.

"Zavallı ihtiyar amcanı pek de hoş karşıladığın söylenemez doğrusu," dedi bir ses.

Halli'nin tüyleri diken diken olmuştu. Dudakları kupkuruydu; güçlükle soluyarak dudaklarını geriye doğru çekti ve dişlerini gösterdi.

"Hadi ama, gülümse biraz. Neden böyle davranıyorsun ki?" dedi ses. "Şimdi yanına ulaşmak için bu kayaya bir kez daha tırmanmam gerekiyor. Bu da benimki gibi kaskatı kesilmiş bir vücut için oldukça ürkütücü bir durum. Neden onun yerine sen benim yanıma gelmiyorsun?"

Halli'nin boğazı korkudan düğüm düğüm olmuştu; nefesi ıslık çalıyor gibiydi. "Sen o değilsin," diye fısıldadı.

"Elbette ki oyum. Ve sen de oldukça küstah bir çocuksun ve artık tüm yanlışlarının cezasını çekeceksin. Seni asla mezarlığın ötesine geçmemen konusunda açık ve net bir dille uyardığımı hatırlamıyor musun? Ama sonuçta itaatsizliği bu noktaya kadar vardırdın ve işte şimdi buradasın. Yine de sorun değil. Yeniden birlikte olmanın ne kadar güzel olduğunu görünce, seni affetmeye karar verdim. Eğer beni oraya kadar tırmanmak zorunda bırakırsan bu iş asırlar sürer, Halli."

Boğuk bir sesle, "Söylediklerinin hiçbirine inanmıyorum!" dedi Halli. "Trol büyüsünden, beni çıldırtmak amacıyla hazırlanmış bir hayalden başka bir şey değil bu."

"Trollerden ne anlarım ben evlat? Sesimi dinlesene! Ben senin amcan değil miyim?"

"Hayır! Sesin oldukça farklı çıkıyor."

"Rüzgara karşı konuşmaya çalışıyorum da ondan. Ayrıca damağımla dilim yarı yarıya çürüdü bile, bu yüzden de sessiz harfleri telaffuz etmekte epeyce zorlanıyorum."

Halli hırıltıya benzer bir sesle konuştu: "Bu da ne biçim bir bahane böyle? Amcam olduğunu iddia eden herhangi biri bunları söyleyebilir."

"Halli, Halli, kim olduğumu biliyorsun."

"Brodir Amca –tabii eğer gerçekten oysan– hatırlamaya çalış; seni altı ay önce gömdük!" dedi Halli. "Gereken her şey yapıldı, kurbanlar kesildi. Dolu dolu ve hareketli bir hayat yaşadın ve hepimizin sevgisini kazandın. Üzerindeki şu incecik gömlekle ve acınası çıplak ayaklarınla buz gibi tepelerde gezineceğine artık hak ettiğin huzura kavuşmalı ve dinlenmelisin." Sustu. Aşağıdaki şekil tırmanmaya hazırlanıyordu. Karanlığın ortasında kemikli bir dizin belirdiğini, kıkırdakları belirgin bir dirseğin kıvrıldığını gördü. Sonra bir şey yerinden oynadı ve kayada asılı şekil aşağı doğru kaydı. Yol boyunca kayayı çizen tırnakları tiz bir ses çıkardı.

Az önceki ses öfkeyle inledi. "Beni ne hale soktuğunu görüyor musun, Halli? Aşağı her kayışımda etlerimden birazını daha yitiriyorum!" Bir süre için tırmanmaktan vazgeçmiş gibi göründü; Halli şeklin kendisine doğru bakmakta olduğundan emindi. "Küçücük evimde, bu iğrenç, alçak gökyüzünden uzakta mışıl mışıl uyuyordum. Fakat şimdi bir kez daha dışarı çıkmak zorunda kaldım. Senin yüzünden, Halli. Senin yüzünden." Ses vahşi, gırtlağın gerilerinden gelen bir hırıltıyla konuşmayı sürdürdü, "Oldukça gücendiğimi söylememe gerek yok sanırım."

"Ama amca, ev saldırıya uğradı. Başka şansım yoktu. Troller işin icabına baksın diye düşmanlarımızı buraya kadar getirdim ve–"

Takırdayan dişlerin çıkardığı ses rahatsız ediciydi. "Neden inatla bunu söyleyip duruyorsun ki? Trolden falan anlamam ben."

"Biz sanmıştık ki..."

Biz. Aud! Kayanın diğer tarafını savunmakla meşgul olan kızı tamamen unutmuştu! Halli geriye doğru hızlı bir bakış attı ve derin bir nefes aldı. Elinde kılıcıyla Aud hâlâ kayanın kenarına çömelmiş duruyor, kılıcını Halli'nin göremediği bir hedefe çılgınca saplayıp duruyordu.

Halli kendi bölgesine dönüp yeniden aşağı baktığında beyaz gömlekli şeklin birdenbire ve sessizce kayanın yarısından fazlasını geride bıraktığını fark ederek telaşlandı. Rüzgarda dalgalanan gri saçları, bakımsız sakalın gerisindeki mağaraya benzeyen ağzı ve dişleri, kendisine doğru çevrilmiş derin göz çukurlarını görebiliyordu.

Halli ürpererek titredi. "Seni sahtekar." Bıçağını ileri doğru uzatarak ay ışığında parlamasını sağlayacak şekilde çevirdi. Tırmanan şekil bir anda olduğu yerde donakaldı. "İster hayalet ol, istersen yanılsama." dedi Halli. "Eğer biraz daha yaklaşırsan seni tam ortandan ikiye ayırır, sonra da büyük bir hevesle bir sonraki hareketini izlerim; yukarı, aşağı, ne yöne olursa artık. Buna ne dersin bakalım?"

Kaya duvarındaki şekilden alçak ve kederli bir inleme yükseldi. "Sevgili yeğenim, neden bu kadar acımasızsın? Herhangi birinin elinde değil de benim gibi seni seven birinin elinde can vermeyi isteyeceğinden en ufak bir şüphem yoktu doğrusu. O saçma sapan şeyi bir kenara bıraksan iyi edersin."

"Eğer bir adım daha yaklaşmaya kalkarsan kafanı bedeninden ayırıp şuradaki böğürtlen çalısına doğru uçururum."

"Ama seni daha küçücük bir bebekken kucağımda hoplatırdım..."

"Herhangi bir uzvunu bu civarda görürsem kesip atarım."

"Sana arpasuyu verdim, senin arkadaşın oldum..."

"Peki, o halde neden beni öldürmeye çalışıyorsun?"

Kaya duvarındaki şekil, "Bu benim irademe bağlı değil," diye fısıldadı. "Beni ya da aşağıda seni kucaklamak için bekleyen atalarını suçlama. Bu bizim seçimimiz değil. Burada olmayı biz istemedik. Bizim tek istediğimiz şey uyumak." Yıpranmış sesi üzüntü ve pişmanlıkla ağırlaşmış gibiydi. "Yeniden uykuya dalmamıza yardımcı olabilirsin, Halli Sveinsson. Bize yardım edebilirsin. Kızı da alarak aşağıya in ve sizi cezalandırmamıza izin ver. Bunu yapmaya mecburuz. Ancak o zaman, yeniden uyumamıza izin verilecektir. Seni kendi mezarıma götürürüm."

Halli'nin soluğu tıkanır gibi oldu; vücudu öylesine şiddetli sarsılıyordu ki bıçağı neredeyse yere düşüyordu. "Çok naziksin, fakat... Hayır."

"Gecikirsen bizzat kendisi gelecek," dedi ses aksileşerek. "İşin bu noktaya varmasını hiçbirimiz istemeyiz."

Halli'nin yüreğini içgüdüsel bir panik duygusu kapladı. Kayanın tepesinde ayağa fırlayarak sağa sola göz attı; vadiyi ve ilerdeki dağları gözden geçirdi. "Kimden bahsettiğini anlamadım," diye hırladı. "Kimmiş o gelecek olan?"

"Sana seslenmeye başladı bile," dedi ses. "Duymuyor musun?"

"Hiçbir şey duymuyorum."

Kayaya asılı şekil titreyerek iç geçirdi. "Benimle yeterince açık konuştuğu kesin."

Ay bir anlığına, küçük bir bulutun arkasına girerek gözden kayboldu. Halli hiçbir şey göremiyordu. Aşağıdan bir tıkırtı yükseldi. Ay ortalığı yeniden aydınlattığında, Halli kaya duvarında asılı duran silüete dikkatle baktı.

"Yaklaştın, değil mi?"

"Hayır."

"Yaklaştın. Kollarının duruşu değişmiş."

Yorulmuştum. Sadece duruşumu değiştirdim."

"Seni biraz daha değiştirmenin zamanı geldi de geçiyor bile."

Halli bıçağını kaldırarak eğildi.

Birden arka taraftan bir çığlık yükseldi. "Halli, daha fazla..."
Kendi savunduğu bölgeden geri çekilen Aud, Halli'nin bileğini sıkıca kavradı. Kayanın kenarında beliren kollarla sırıtan kafalar aceleci bir hevesle zirveye ulaşmaya çalışıyorlardı. Ay ışığı gri-beyaz saçları, yuvarlak biçimli kafataslarını, ölülerin gömülürken giydikleri gömlekleri, paçavraları ve kemiği andıran yıpranmış şekilleri aydınlatıyordu. Pençeye benzeyen uzun tırnaklar kayalara kenetleniyor, dişler birbirine vurarak takırdıyor, fısıltılar içi boş gırtlaklarda yankılanıyordu.

Halli beyaz bir lekenin sıçradığını, kaygan hareketlerle yer değiştirdiğini gördü. Brodir kayanın zirvesine ulaştı; Halli'nin havayı çılgınca yırtan bıçak darbelerinden ustalıkla kaçtı ve bıçağın ulaşamayacağı bir noktada yere çömelerek bekledi. Başını iki yana doğru sallarken yüzündeki ifade oldukça üzgündü. "Şimdi, sevgili yeğenim. Yapmak üzere olduğum şeyden zevk almayacağım kesin, ama buna mecburum."

Aud, Halli'nin elini tuttu. Birlikte üç tarafı kuşatılmış zirvede gerilemeye başladılar. Mezarlığın sakinleri düşe kalka ilerleyerek hızla yaklaşıyorlardı.

Aud kılıcını savurdu. Halli kendilerine doğru uzanan kemikten bir kolu savuşturmak için bıçağını var gücüyle sapladı.

"Cesurca hareket ediyorsunuz," dedi Brodir. "Ancak bedenleriniz zayıf ve korkuyla dolu. Sen, Halli'nin yanındaki, kılıcının nasıl da rüzgarda kımıldanan karahindiba* gibi titrediğini görüyor musun? Peki ya sen, Halli? Dişlerinin kemikten yapılma zarlar gibi takırdadığının farkında mısın?"

"En azından bedenlerimiz hâlâ bizimle birlikte," dedi Halli. "Aynı şeyi senin için söylemekse biraz güç."

"Ucuz bir saldırı," dedi Brodir. "Alçakça. Halli, Halli, tüm bun-

---

* Karahindiba: Uzun ve dişli yapraklı, çiçekleri sarı ve kömeç biçiminde bir bitki. (Ç.N.)

ların senin suçun olduğunu göremiyor musun? Onun kanunlarına neden karşı geldin ki? Neden sınırın ötesine geçtin? Hem de tam iki defa! Her şeyden önemlisi, neden onun kıymetli hazinesini çalmaya kalkıştın?"

Halli'nin sesi oldukça boğuk çıkıyordu. "Kimden bahsettiğini anlayabilmiş değilim."

"Oh, elbette ki anladın."

Kısa adımlarla geri geri yürüyerek kayanın kenarına yaklaşıyorlardı. Ay bulutlardan birinin içine girip çıkınca kayanın tepesi bir anlığına kararıp aydınlandı. Korkunç kalabalık dört bir yandan üzerlerine doğru geliyordu; yaratıklar kaskatı kesilmiş kollarını öne doğru uzatmışlardı. Sadece kemikten oluşan dizleriyse ilerleyişleri sırasında kayaya sürtünüyordu. Paçavralarla dişlerden ibaretmiş gibi görünen bir şey, kalabalığın içinden hızla öne doğru atıldı. Aud kılıcını savurarak yaratığı havada ikiye böldü. Yaratığın üst yarısı Aud'un arkasına doğru uçtu; uçurumun kıyısından sisin içine düşerek gözden kayboldu. Alt yarısı ise kemiklerini takırdatarak Halli'ye saldırdı. Halli okkalı bir küfür savurarak bacak kemiklerinden birini yakaladı ve yaratığı uzak bir köşeye doğru fırlattı.

Brodir gördüklerini onaylamadığını belirten bir sesle, "Zavallı Onund Amca!" dedi. "Atalarına gereken saygıyı gösterdiğin pek söylenemez, Halli!"

Halli çevresine tekmeler ve bıçak darbeleri savurarak kendisini yakalamaya çalışan ellerden kurtuldu ve "Biraz da siz bize saygı gösterseniz nasıl olur?" diye sordu.

"Bizim seçme şansımız yok. Hepimiz ona bağlıyız. İradesine boyun eğmek zorundayız."

Aud kendini kaybetmişçesine sağa sola saldırıyor, kırılan kemiklerin, yırtılan paçavraların sesi ortalığı çınlatıyordu. Halli'nin bıçağı paçavraya dönmüş gömleklerden oluşan bir yumağa takılmıştı; bıçağı geri çekmeye çalışırken elinin geriye doğru büküldügünü hissetti. Öfkeyle çevresine tekmeler ve yumruklar yağdırmaya başladı, fakat çaresizlik içinde kollarının sımsıkı kavrandığını, bacaklarının yakalanıp çekildiğini hissetti. Taş zemine sırtüstü çakılan Halli ileri doğru sürüklendiğini fark etti. Karanlık şekiller kayarak üzerinden geçiyordu. Buz gibi bir elin boğazına yapıştığını duyumsadı; boğulurcasına sesler çıkararak nefes almaya çalıştı; fakat içine çektiği hava sadece çürümüşlük kokuyor gibiydi.

Boğazını tutan el birden geri çekildi, şekiller bir anda yok oldular. Halli kendini gökyüzündeki yıldızlara bakarken buldu.

Dehşet içinde yüzüstü dönerek toparlandı ve ayağa kalktı. Göğsü hızla inip kalkmakta olan Aud, hemen yanı başında duruyordu. Üstündekiler paramparça olmuştu; kılıcı hâlâ sıkıca kavramakta olan eli kan içindeydi. Halli'nin ataları büyük bir telaşla, eklemlerinden yükselen takırtılar arasında geri çekiliyorlardı. Kayanın kenarına varanlar tuhaf bir biçimde ileri geri sallanarak kendilerini boşluğa bırakıyorlardı. Ay ışığında parıldayan kafataslarıyla dişler gecenin karanlığında birer birer gözden kayboldu.

Geride sadece Brodir kalmıştı. Kayanın diğer tarafında çömelmiş bekliyor, sinirli sinirli bir sağa bir sola kayıyordu.

Halli'yle Aud birbirlerine biraz daha yaklaştılar. Kayanın yüzeyi ay ışığında pırıl pırıldı.

Kayanın etrafından yükselen sesler kesildi; ortalık bir anda sessizliğe gömüldü.

Birden sis denizinin içinden taşların yuvarlanıp birbirine çarpmasını anımsatan büyük bir gürültü yükseldi. Ardından gece bir kez daha sessizliğe teslim oldu. Aynı anda bir bulutun arkasına gizlenen ayın ışığı da titreşerek söndü.

"İşte şimdi yapacağını yaptın," dedi Brodir.

Halli ve Aud uzun bir süre boyunca tek kelime bile etmediler ya da edemediler. Çünkü karanlığın içinde yankılanan ayak seslerine kulak kabartmışlardı. Bozkır boyunca yaklaşan ve başlangıçta oldukça zor duyulan ayak sesleri gittikçe güçleniyordu. Ses yavaş yavaş yükseliyor, metalden örülme bir zırhın ritmik şıkırtısına karışıyordu. Kuvvetli adımlarla metal zırhın şıkırtısı kısa zamanda öylesine yükseldi ki ses kaya yüzeyinde, sisin içinde ve vadiyi çevreleyen dağlarda yankılanmaya başladı. Giderek yaklaşan adımlar sonunda kayanın dibine vararak durdu.

Sessizlik.

Karanlıkta Brodir'in sinirli kıpırdanışını duyabiliyorlardı.

Güm! Kayaya şiddetli bir darbe indi. Güm! Bir darbe daha. Güm! Bir şey kayanın yan duvarı boyunca tırmanmaya başladı. Elleri ve ayaklarıyla kayaya öylesine büyük bir kuvvetle tutunuyordu ki kaya her hareketinde titriyordu. Halli'yle Aud birbirlerine biraz daha sokuldular; her ikisi de kolunu diğerinin omzuna koydu. Ay hâlâ bulutların arkasındaydı.

"Oh," diye fısıldadı Brodir. "İşte şimdi olan oldu."

Güm! Bu darbe zirvenin hemen aşağısından gelmişti. Ardından zincir zırh yeniden şıkırdadı; deriden yapılma bir şeyin gıcırtısı yükseldi. Halli'yle Aud bir şeyin büyük bir hızla hareket ettiğini ve devasa cüssesiyle kayanın zirvesine ayak bastığını duydular.

Olan biteni mutlak bir sessizlik izledi. Bu sırada gökyüzündeki bulutlar dağıldı ve ayın parlak ışığı yeniden göründü. Zayıf ışık kayanın zirvesini aydınlatıyordu.

Aydınlanan kaya yüzeyinde bir adamın silüeti belirdi.

Cüssesi ancak bir deve ait olabilirdi; boyu Hord'la Arnkel'den ya da diğer evlerin liderlerinden çok daha uzundu; göğüs ve kol genişliği demirci Grim'inkinden bile fazlaydı. Kafası büyük bir miğferin içine gizlenmişti. Işık göğsüyle gövdesinin yan tarafını aydınlatıyordu; fakat gölgede kalan yüzünü görmek mümkün değildi. Vücudunun çeşitli yerlerinde oynaşan ay ışığı tüm bedenini kaplayan zırhı, metal kollukları ve dizin hemen altına kadar yükselen baldır zırhlarını ele veriyordu. Bacakları ata biniyormuşçasına açıktı; kolları hareketsizce iki yanında sarkıyordu. Ellerinden biri kalçasına yaslanmış, diğeri ise simsiyah ve ince uzun bir kılıcın kabzasını kavramıştı.

Karanlık silüetten çevresine, dizginlenemeyecek kadar büyük bir güç duygusu yayılıyordu. Kayaları topraktan koparıp atacak, ağaçları kökünden sökecek, nehrin akıntılarına karşı durabilecek, düşmanlarını inlemeler içinde karanlığa yollayacak türden bir güçtü bu. Halli'yle Aud donakalmış gibiydiler; kollarıyla bacaklarındaki tüm enerji yok olup gitmişti sanki. Karşılarındaki gölgenin varlığından yayılan etki onları güçlü bir dalga gibi yerle bir etmişti.

Durum Brodir Amca'yı da etkilemişe benziyordu. Korku içinde bir köşeye sinmişti. Çekip gitmeye can atıyor; fakat bunun mümkün olmadığını biliyor gibi bir havası vardı. Sonra birden ileri doğru atıldı.

"Söylediklerini duymuyor musun?" dedi hırlamaya benzeyen bir sesle. "Seninle konuşuyor."

Halli başını iki yana sallayarak fısıltıyı andıran bir sesle, "Hiçbir şey duymuyorum," diye cevap verdi.

"Önünde eğilmeni emrediyor..."

Halli yeniden başını salladı; fakat ne söyleyeceğini bilmez haldeydi. Dizleri titriyordu; tüm vücudunu saran titremeleri engellemenin bir yolunu bulup eğilmek, diz çökmek için karşı koyulmaz bir arzu duyuyordu içinde...

"Diyor ki..."

Aud oldukça alçak fakat düzgün bir ses tonuyla konuşmaya başladı, "Şunu bilin ki Svein ve Arne Evleri'nden geliyoruz ve soylu kahramanların kanındanız. Mezarından çıkıp gelen adını bile bilmediğimiz bir yaratığın önünde eğilip diz çökecek değiliz." Konuşurken Halli'nin elini sıkıca tuttu. Enerjisinin ve cesaretinin bir kısmı Halli'ye geçmiş gibiydi. Halli olduğu yerde doğrularak sırtını dikleştirdi.

Devasa şekil hareket etmeksizin dikilmeyi sürdürüyordu. Zayıf ay ışığı miğferinde oynaşıyordu. Brodir, "Halli Sveinsson, konuştuğu kişi sensin, yanındaki kız değil!" dedi. "Neden hâlâ diz çökmüyorsun? Onun kim olduğunu, adının ne olduğunu gayet iyi biliyorsun."

Halli başını yeniden sallamaya çalıştı; fakat buna bile gücü kalmamıştı.

Ayın zayıf ışığı gitgide azaldı, ortalık zırhtan yansıyan ufak pırıltılar dışında zifiri karanlıktı artık. Brodir ağır bir tempoyla konuşmaya başladı, "Onun adının ne olduğunu gayet iyi biliyorsun, Halli Sveinsson. Kim olduğunu biliyorsun. Kayalardan ağaçlara, tarlalardan nehirlere her şey onun bir parçası. Evinin taşlarında da içinde uyuduğun yatağın tahtasında da o var. O senin kemiklerin, senin kanın. O evinin kurucusu, senin ve ailendeki herkesin babası. En çok nefret ettiği şey de itaatsizlik."

O ana kadar Halli dehşetin pençesinde kısılıp kalmış gibiydi. Fakat birden içinde bir öfke kıvılcımı parladı. "Peki tüm bunları neden kendisi söylemiyor?" diye sordu yumuşak bir sesle. "Bıraksın da yüzünü göreyim."

Brodir'in inlemesi çaresizlik yüklüydü. "Onu sorgulamaya nasıl cüret edersin? Ne kadar korkunç olduğunu bilmiyor musun?"

"Haklı olabilirsin," dedi Halli. "Fakat bir konuda kesinlikle yanılıyorsun. Benim babamın adı Arnkel. Orada, aşağıda, yatağında yatıyor. Buradaki şeyinse benimle en ufak bir ilgisi bile yok."

Zırhın zincirlerinden yükselen metalik bir ses duyuldu; sessizliğini koruyan şekil karanlıkta birkaç adım ilerledi.

"Arnkel mi?" diye bağırdı Brodir. "Kadın eliyle yönetilen zayıf Arnkel mi? Bir tek adamı bile yere sermeden ölecek olan Arnkel mi? Ölünce tepeye getirilecek belki, ama aramızda onun gibi birine yer yok."

Halli öfkeyle konuştu. "Bu konuşan benim amcam olamaz. O

kardeşini severdi." Bakışlarını karanlığa doğru çevirdi. "Ne biçim bir yaratıksın sen? Konuşmak için ölü birinin diline muhtaçsın. Bir kez daha söylüyorum; bırak da yüzünü göreyim!"

Daha konuşmasını bitirmeden ay bulutların arkasından çıkarak sessizce bekleyen şekli aydınlattı. Halli'yle Aud keskin bir çığlık atarak geri çekildiler.

Karşılarındaki şekil gümüş rengi ay ışığıyla boyanmıştı. Üzerindekiler aman tanımaz bir kibirle parlıyordu – yaprak biçiminde kabartmalarla, halkalarla ve diğer motiflerle süslenmiş tepeli miğferi, incecik zincirden balıksırtı örülmüş gözalıcı yekpare zırhı... Görüntü muhteşemdi; insanın içini acıtacak kadar, bakanı neredeyse kör edecek kadar muhteşem...

Fakat tüm bu şatafatın altında kokuşmuşluk ve çürümeden başka bir şey yoktu. Miğferin içinde sarkık çenesi ve kırılmış dişleriyle çürümeye yüz tutmuş bir kafatası duruyordu. Parlak zırhın altındakiyse sadece büyük ve akıl almaz bir boşluktu. Zırhtaki deliklerden kaburga kemikleri fırlamıştı; zırhın bitimindeki parçalanmış kumaşın altındaysa kıkırdakları ve kemikleri düğüm düğüm olmuş iki adet dizle sarıya çalan bacak kemikleri görünüyordu... Baldır zırhları iskeletin çevresinde gevşekçe sallanıyordu; çürümekte olan botların içindeki ayaklarsa ufacık kemiklerden oluşmuş küçük birer yığındı sanki.

Brodir tiz bir sesle haykırdı, "Yüce Svein evimizin kurucusudur! Hepimiz onun çocuklarıyız ve öldükten sonra onun izinden gitmek zorundayız!"

Halli başını olumsuz anlamda iki yana salladı. Artık korkusu iyice geçmiş, yerini sessiz ve buz gibi bir öfkeye bırakmıştı. Aud'la birlikte az sonra karşılaşacakları ölüme; mezarından iradesi dışında çıkarılan amcası Brodir'in acınası haline; ama en çok da çocukluğu boyunca kurduğu kahramanlık hayallerinin parçalanarak yok oluşuna yönelikti öfkesi. Kızgınlığı yüreğindeki kederle kırgınlıktan besleniyordu. Çocukluk hayallerinin, karşısında duran ışıltılı zırh gibi yanıltıcı ve kof olduğunu anlamıştı. Hayallerin kaynağı neydi? Peki ya hedefi? Her iki sorunun yanıtı da aynıydı. Hayallerin kaynağı ve sonunda varacağı yer kayanın tepesinde dikilen, çevresine zalim bir gurur ve kibirle bakan, sessiz ve kokuşmuş şeydi.

"Eskiden senin yanında savaşan bir kahraman olduğumu hayal ederdim," dedi Halli boğuk bir sesle. "Fakat ne yazık ki gerçekliğin beni hayal kırıklığına uğrattı."

Brodir'in başı, birinin konuşmasını dinliyormuşçasına ağır ağır sallandı. "Sus!" diye bağırdı ardından. "Sana susmanı emrediyor. Onun değer verdiği nitelikleri aşağılayan, kadınların etkisinde kalıp uysal ve ağırbaşlı birine dönüşen, dövüşmekten kaçan zayıf birinin onun karşısında konuşmaya hakkı yok! Sen Svein'in soyundan değilsin."

"Öyle mi?" dedi Halli. "Her zaman evin şerefini koruduğum halde mi? Amcamın intikamını almaya çalıştığım halde mi? Hakonssonlar geldiğinde evi savunduğum halde mi? Onu kızdıracak ne yaptım?"

Dev tsilüet biraz daha yaklaştı, kemikten parmaklar kılıcın kabzasında takırdadı. "Daha fazla konuşma!" diye bağırdı Brodir. "Onu kızdıracak ne mi yaptın? Hangi birini duymak istiyorsun? Birini öldürme şansını yakaladığın her an geri çekildin. Kendi meselelerin söz konusu olduğu halde bu kızın senin adına savaşmasına izin verdin. Başka bir evden olduğunu bile bile onunla arkadaşlık etmeye devam ettin. Daha da kötüsü, sınırın ötesine geçtin. Peki, en kötüsü neydi, biliyor musun? Onun kemerini takmaya cüret ettin!"

Brodir'in son sözleri heyecanlı bir çığlığa dönüşmüştü. Karanlıkta çekilen kılıcın çıkardığı metalik bir çınlama duyuldu; kabzayı saran kemikten el parlak ve kırılgandı. Bıçağın yüzeyinde kıvrılarak uzanan bir yılan figürü vardı. Kılıç, Aud'un elindeki uyduruk nesnenin iki katı kadar uzundu.

Aud, "Halli, benimkini al," diye fısıldayarak kılıcını Halli'ye uzattı.

Aud'un sözlerini duymazdan gelen Halli, sessizliğini koruyan şekle dönerek, "Sen mezarında yatan bir ölüden başka bir şey değilsin," dedi. "Şu büyük kabahatim konusuna gelince; artık kemere falan ihtiyacının olmayacağı çok açık. Topraklarından çıkıp gitmeye kalkıştıysam ne olmuş peki? Senin yaşadığın zaman geçmişte kaldı. Kurucusu olduğun evde herkes istediği kişiyle arkadaşlık edebilir. Örneğin benim annem Erlend Evi'nden; artık soylar birbirine karıştı. Arne Evi'nden Aud, az önce senin evini Hakonssonlara karşı korumamıza yardımcı oldu."

"Çocuklarının hiçbiri ona layık değil!" diye inledi Brodir. "Eski kanunlardan bağımsız bir yaşam sürüyorlar."

"Eski kanunlara uygun yaşamış birini tanıyorum," dedi Halli amansızca. "Hord Hakonsson. Brodir'in katili. Evini ateşe veren adam."

Brodir sızlanarak başını iki elinin arasına aldı. "Hord Hakonsson şerefli bir adamdı," diye fısıldadı. "Senin peşine takılıp sınırı geçecek kadar aptal olmasaydı sonsuza kadar Hakon'un adamlarıyla birlikte olmaya hak kazanacaktı."

Bu sözlerin Brodir'e zorla söyletiliyor olması Halli'nin öfkesini körükledi. "Kahraman Svein ne zamandan beri Hakon'un soyundan gelenleri umursuyor ki? Hakon'dan ve onun soyundan olan herkesten nefret eden sen değil miydin?"

Brodir bir kez daha durup dinledi; bir kez daha duyduklarını Halli'ye aktardı. "Kahramanlar yaşadıkları sürece birbirlerinden kopuklardı," dedi. "Fakat Kaya Savaşı'nda birlikte ant içerek omuz omuza can verdiler ve böylece sonsuza kadar birleştiler. Vadi onların bu fedakârlığı sayesinde kurtuldu. Trollere karşı birlik oldular. Tek bir gecede o yaratıkların yüz tanesini kılıçtan geçirmeyi başardılar. Ölü Trol bedenlerinin yaydığı koku tüm Eirik topraklarına yayıldı. Kahramanlar geri kalan Trolleri bozkırlara kadar sürdüler. Bir daha geri dönmeyi başaramayan Trollerse sonunda vahşi doğada can verdi. Kahramanlar vadiyi düşmandan temizleyerek bu toprakların gerçek sahibi olmaya hak kazandılar. Ve bu hakka sonsuza kadar sahip olacaklar." Bu sözlerin ardından zırhlara bürünmüş şekil biraz daha yaklaştı. Miğferin gölgesinde kalan kemikler ışıldıyordu; açıktaki dişler kötü niyetli bir sırıtışa dönüşmüş gibiydi. "Kemeri çıkar" diye altını çizerek konuştu Brodir. "Ve boynunu öne doğru uzat."

"Troller vahşi doğada can verdi..." dedi Halli.

"O halde o mağarada gördüklerimiz insan kemikleri değildi," dedi Aud.

Halli'nin sesi alçak ve kuşku doluydu. "Trol kemikleriydi..."

"Kemeri çıkar!" dedi Brodir. "Efendin emrediyor."

Halli birden başını kaldırarak ileriye doğru baktı. "Ölülerin ne istediğine kafa yorduğum günler çok geride kaldı," dedi. "Şimdi defol buradan, Svein. Kemer bende kalıyor."

Kayanın tepesi kısa bir an için sessizliğe gömüldü.

Ardından Brodir'in bedeni şiddetli bir biçimde sarsılmaya başladı. Öfke dolu bir kükreyiş kulaklarını sağır etmişçesine elleriyle başını tutuyordu. İşte tam bu sırada zırhlı şekil öne doğru atıldı. İskelet bacaklar hızla ilerliyordu. Üzerinden sarkan paçavralar çürümekte olan iplere tutunmuş havada savruluyordu. Zincirden örülmüş zırh kıvrılıp büküldü ve korkunç kılıç havaya kalktı.

"Lütfen şu kılıcı al, Halli," diyerek kılıcı Halli'ye uzattı Aud.

Işıltılar saçan parlak şekil tepesinde bitiverdiğinde Halli'nin kılıcı kavrayacak zamanı neredeyse kalmamıştı. Ay ışığı metale yontulmuş yılan figürüne vururken kılıç aşağı doğru inmeye başladı. Halli çaresizlik içinde kendi kılıcını havaya kaldırdı.

Uzun kılıç Halli'nin elindekini temiz bir kesikle ortadan ikiye böldü, sadece hafifçe yön değiştirdi ve ayaklarının hemen yanındaki kaya yüzeyine derin bir çentik attı. Halli darbenin gücüyle dizlerinin üzerine çöktü; yeniden ayağa kalkmaya çalıştı; fakat kahramanın kılıcı şeytani bir hızla bir kez daha havaya kalkmış, geriye doğru çekilmiş ve sivri ucu ileride olacak şekilde Halli'nin göğsüne doğru hareketlenmişti bile.

Halli'nin ağzı çığlık atarcasına açıldı, ama boğazından en ufak bir ses bile yükselmedi. Hissettiği acının içinde yok olup gitmekteydi sanki. Parmaklarını göğsüne bastırarak yüzüstü yere kapaklandı.

Aud tiz bir çığlık atarak devasa cüssenin üzerine atıldı ve kılıcı tutan kolu yakalamaya çalıştı. Fakat kahramanın silüeti zırhlı kolunu hızla yana doğru savurarak, kızı kayanın diğer ucuna fırlattı. Aud kayanın kenarına sert bir iniş yaptı; başı boşluğa doğru uzanmıştı ve havada dalgalanan saçları ince bir şelaleyi andırıyordu.

Başını sertçe kaldırıp doğrulmaya çalışan Aud iki büklüm ilerleyen karanlık bir şeklin hızla kendisine yaklaşmakta olduğunu fark etti.

Brodir. Elinde Halli'nin az önce kaybettiği bıçağı tutan Brodir.

Kayanın diğer ucunda Kahraman Svein'in kalıntıları Halli'nin gevşemiş bedeninin tepesinde dikilmişti. Kafatası aşağı doğru bakıyor, bacağını geriye doğru çekerek kasten ve Halli'yi aşağılarcasına sert tekmeler savuruyordu. Aynı şeyi birkaç kez tekrarladı.

Birden Halli boğuk bir inlemeyle yana doğru yuvarlandı. Kahraman Svein şaşkınlık içinde geri çekildi.

Halli acıya rağmen hızla ayağa kalktı ve kahramanla yüzleşmek üzere döndü. Yeleğinin ortası yırtılmıştı. Fakat yırtığın altından görünen kan ya da yara değil, neşeyle parıldayan ve kılıcın şiddetli darbesine rağmen kırılmamış olan gümüş kemerdi.

"Kemer hâlâ oldukça uğurlu, görüyor musun?" diye güçlükle soluyarak konuştu Halli. "Bir tane de sende olsun isterdin, öyle değil mi?" Hâlâ soluk soluğaydı ve kesik kesik nefes alıyordu. Yeleğini yoklayarak silah olarak kullanabileceği bir şeyler aradı.

Ne kılıcı vardı, ne de bıçağı. Sadece...

Kemerine sokup, sonradan tümüyle unuttuğu tüccar Bjorn'un Trol pençesi.

Parmaklarıyla beceriksizce kavrayarak pençeyi, orak biçimindeki küçük karaltıyı kemerinden çıkardı.

Ardından karşısındaki şeye, "Gel bakalım," diye seslendi.

Siyah göz çukurları aydınlık miğferin altından büyük bir dikkatle Halli'ye bakıyordu. Kılıç havadaydı; Svein son darbeyi indirmek üzere öne doğru atıldı.

Fakat birden Svein'in arkasında ince ve parlak bir cisim belirdi ve miğferin hemen aşağısındaki boyun omurlarını birbirinden ayırdı. Omurga çatırdarken kemik parçaları dört bir yana uçuştu. Kafatası miğferin içinde yan dönerek tuhaf bir açıyla durdu; ay ışığı göz çukurlarını ve ağız boşluğunu aydınlatıyordu. Kafatasındaki bu karanlık deliklerin içi örümcek ağlarıyla kaplıydı.

Aud kasap bıçağını geri çekerek yeniden sapladı. Fakat bıçak bu kez enseyi örten zırha isabet etti ve etkisiz kaldı.

Artık Halli de harekete geçmişti. Dengesini kaybedip sendeleyen, serbest eliyle kafatasını eski konumuna getirmeye çalışan şekle doğru yaklaştı; ölümcül kılıç darbesinden eğilerek kurtuldu ve Trol pençesini kılıç tutan kola sapladı.

Pençe kemiği tereyağından kıl çeker gibi kesti ve bileği parçaladı. El içindeki kılıçla birlikte yere yuvarlandı.

Kemikler anında tuzla buz oldu; kılıçsa kayaya çarpıp hareketsiz kaldı.

Sakat kalan kol öfkeyle havayı delerek Halli'nin başının üzerinden geçti. Kahraman sendeleyerek çevresine tekmeler yağdırıyor, tek elini pençe gibi kullanarak düşmanlarına saldırmaya çalışıyordu. Hâlâ miğferin içinde eğik duran kafatasıysa görmez gözlerle ve çaresiz bir ifadeyle aya doğru bakıyordu.

Halli'yle Aud dans edercesine ileri geri sekerek devasa cüsseli düşmanın etrafında dönüyor, bir çalım atıp bir saldırarak havayı döven ölümcül kol ve bacak darbelerinden uzak kalmaya çalışıyorlardı.

"Halli, boynu!" diye bağırdı Aud aniden.

Halli bir an için bir ses duyduğunu sandı. Çok uzaklardan geliyormuşçasına silik ve zayıf olan bu ses kafasının içinde yankılanıyordu sanki.

"Dur! Ben senin babanım, evinin kurucusu..."

Halli eğilerek düşmanın arkasına geçti ve yeniden doğruldu. "Bu konuyu daha önce halletmiştik. Sen kemikle havadan başka bir şey değilsin."

Elinden geldiğince yükseğe sıçradı ve omzunun acıyacağını bile bile pençeyi mümkün olduğunca büyük bir güçle savurdu. Pençe önceki darbe yüzünden zayıf düşmüş omurgayı kupkuru bir çatırtıyla ikiye ayırarak diğer taraftan dışarı çıktı. Ay ışığı pençenin kıvrımlarını aydınlatıyordu.

Halli pençeyi geri çekerek boyun bölgesine bir darbe daha indirdi ve kafatasını boyundan ayırdı.

Hâlâ miğferin içinde duran kafatası yere düşünce hızla yuvarlandı. Kaya yüzeyindeki bir çıkıntıya çarpınca çene kemiği koptu. Fakat kafatası küçük bir sıçrayışın ardından yuvarlanmayı sürdürdü. Kaya yüzeyinin ortalarına gelinceye kadar da durmadı. Sonunda hareketsiz kaldığında, dişleri koca bir sırıtışla aya gülümsüyormuşçasına yukarı bakıyordu.

Ardından miğferin içindeki tüm kemikler tuzla buz oldu.

Boş miğfer beşik gibi ileri geri sallanıyordu.

Svein'in vücudunun geri kalanı iki adım geriledi; geride kalan tek eli anlamsız bir şekilde havayı dövüyordu. Üçüncü adım dev cüsseyi kayanın yüzeyinden ayırıp gecenin karanlık boşluğuna taşıdı. Svein kayanın kenarından aşağı yuvarlanmıştı. Sis kahramanın bedenini sımsıkı sardı.

Kayanın tepesi sessizdi. Sis bulutu sessizdi. Vadiyle yamaçlar sessizdi.

Halli dönüp arkasına baktığında, Aud'un elinde bıçakla kayanın zirvesinde dikilmekte olduğunu gördü. Yalnızdılar. Çıplak kaya yüzeyiyle çevrelerini saran karanlık dışında yapayalnızdılar.

Halli yerde duran paslı kılıçla, miğfere ikinci bir bakış atmadan Aud'a doğru yürüdü.

Konuşmadan birbirlerine baktılar.

"Ne aile ama!" dedi Aud sonunda.

"Bir de bana sor."

Güneşin doğmasına az kalmıştı. Bitkin ve yaralı bir halde soğuktan tir tir titreyerek kayanın ortasında birbirlerine iyice sokulup beklediler.

"Düşünüyorum da..." dedi Halli yerde duran Trol pençesini işaret ederek. "Belki de bu pençe bir zamanlar sandığım kadar sahte değildir, ne dersin?"

Bakışlarını kıza çevirdi. Aud'un omuzları çökmüş, bacakları gevşekçe öne doğru uzanmıştı. Halli kızın elma ağacından düştüğü günkü halini anımsadı. O gün de yüzünde aynı şaşkın ifade vardı. Aud omuz silkerek gülümsedi, fakat bir şey demedi.

"Merak ettiğim bir şey daha var," dedi Halli. "Bıçağımı nereden buldun? Kaybettiğimi sanıyordum. Bıçağı benden almışlardı."

"İşte bu ilginç bir nokta," dedi Aud. "Bıçağı bana amcan Brodir verdi. En azından elinde bıçakla yanımda durduğunu gördüm, fakat bir an sonra geri çekildi; bıçaksa kayanın üzerinde duruyordu."

Halli inanmaz gözlerle Aud'a baktı. "Sence... ?"

"Evet."

Halli bir süre kızın söylediklerini düşündükten sonra, "İyi," dedi. "Buna sevindim."

Kayanın dibindeki sis giderek dağılıyordu. Sonunda ıssız ve çorak bozkırlar göründü. Dağlara uzanan arazide otlarla çalılardan başka hiçbir şey yoktu. Ay ışığı da gitgide zayıfladı; aniden hastalanmış gibi yavaşça geri çekildi. Doğudan altın rengi soluk bir ışık yükseliyordu. İlk olarak uzaklardaki deniz aydınlandı. Ardından güneydeki dağların karla kaplı tepeleri.

Vadi hâlâ karanlıktı. Aud'la Halli ışığın daha önce hiç görmedikleri, hiç gitmedikleri uzak yerlere dokunuşunu izlediler.

Kısa bir süre sonra, mezarların arasında bir kuş şarkı söylemeye başladı.

DİNLE KIZIM, BÜYÜKANNENİN zamanında Svein Evi Savaşı'nı kazanarak bizleri vadinin en zengin insanları yapan kişiyle, yani malikane kundakçısı, Trol eğiticisi Yüce Kısa Bacak Halli'yle ilgili bir şeyler daha anlatayım sana.

Hikaye şöyle sona eriyor:

Savaşın en şiddetli kısmında, Halli'yle Aud (Arne Evi'nin dişi kurdu) sis perdesinin de yardımıyla düşmanı kandırarak mezarlığın ötesine götürdüler. Daha sonra olanları görüp de hayatta kalan tek bir kişi bile olmadı. Fakat tepelerden yükselen korkunç çığlıkları herkes duydu. Bazıları Halli'nin, Hakonssonları öldürmeleri için Trolleri çağırdığını söylüyor; diğerleri ise yüce Svein'in bizzat gelip Halli'ye bu zor gününde yardım ettiğine inanıyor. Kesin olan bir tek şey var; o da Hakonssonlardan hiçbirinin o tepeden aşağı inmediği.

Ne Halli, ne de Aud o gece hakkında tek kelime etmediler. Tabii eve döndüklerinde odasında ziyaret ettikleri Arnkel Sveinsson'a bir şey söylediler mi, bilmem. Arnkel ertesi gün öldü. Halli de babasının tepedeki bir mezara gömülmesine yardımcı oldu. Ardından evin yeni hakimi Leif'le yasa yapıcısı Astrid, Orm Evi'nde düzenlenen büyük toplantıya katılmak üzere aşağı vadiye gittiler. O toplantıda Konsey, Svein Evi'ne bugün bu kadar güçlü olmamızı sağlayan toprakları verdi. Fakat Halli'yle Aud evde kalarak sessizliklerini korudular. Fazla kimseyle konuşmuyorlardı.

İşte bu olaydan kısa bir süre sonra, ağaçlar yeşillenmeye ve günler hafifçe ısınmaya başladığında Halli'yle Aud ortadan kayboldular. Giderken Svein'in gümüş kemerini ve bugün hâlâ diğer hazinelerle birlikte duvarda asılı olan eski bir miğferle paslı bir kılıcı kanun koltuğuna bıraktıkları söylenir. Gidişlerini sadece Halli'nin ihtiyar bakıcısı gördü. Yaşlı kadın aksayarak peşlerinden koştu ve duvarın dışında, bugün Halli Kapısı'nın olduğu yerde birbirlerine sarıldılar. Ardından ihtiyar kadın iki gencin Uzun Çayır boyunca yürüyüşünü, doğrudan yamaca tırmanışını, Svein'in mezarını geride bırakışını ve tepenin diğer tarafına geçerek gözden kayboluşunu izledi. Halli Sveinsson'u son gören o oldu.

Bazıları, Halli'yle Aud'un dağları geçtiklerini ve başka bir vadiye yerleştiklerini, hatta hâlâ orada yaşadıklarını söylüyor. Ama bana sorarsan Trollerin elinden kurtulmuş olmaları imkansız. Trollere yem oldukları düşüncesi akla daha yatkın.

Hayır, elbette kimse peşlerinden gidip tepeyi geçmeye çalışmadı. İşlenecek onca tarla, sağılacak onca inek, beslenecek onca ağız varken buradan ayrılmayı kim ister ki? Zaten yeterince meşgulüz.

Hadi bakalım. Yüzündeki şu hülyalı ifadeyi sil de uyumaya bak. Bu aptal hikayelere gereğinden fazla anlam yüklüyorsun. Lazımlığı yatağın altına koyuyorum. Eğer çişin gelirse işini çabucak halledip doğruca yatağa dönmeye bak. Yoksa Trolün teki gelip kapıverir seni. Yarın görüşürüz tatlım, Svein seni korusun!"

İyi uykular!

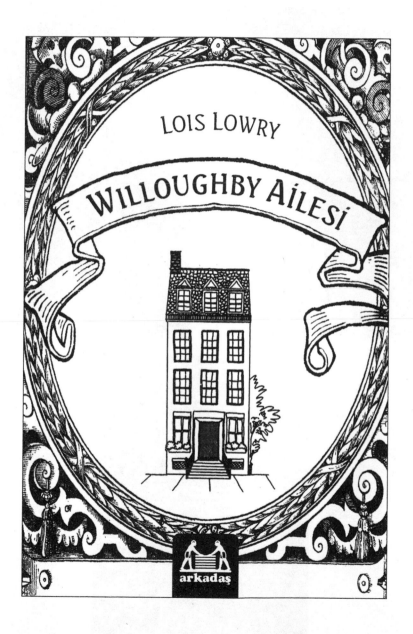

BARTIMAEUS ÜÇLEMESİ

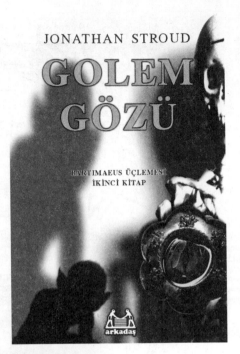

MÜREKKEP DÜNYA DİZİSİ

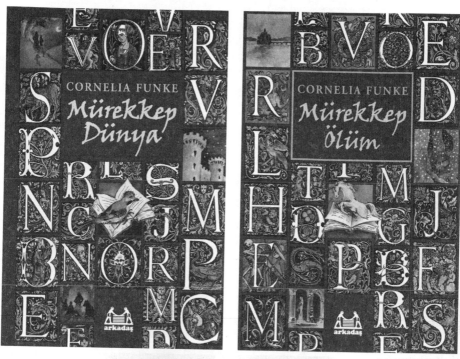

LOIS LOWRY DİZİSİ

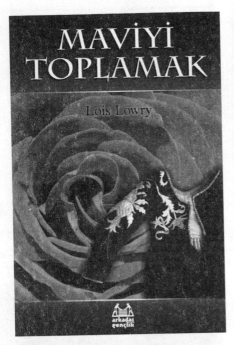